SO-BZZ-521

PADERBORNER THEOLOGISCHE STUDIEN

Herausgegeben von
Remigius Bäumer, Josef Ernst, Heribert Mühlen

Band 19

1991

Ferdinand Schöningh

Paderborn · München · Wien · Zürich

KNUT BACKHAUS

Die „Jüngerkreise" des Täufers Johannes

Eine Studie zu den religionsgeschichtlichen
Ursprüngen des Christentums

1991

Ferdinand Schöningh

Paderborn · München · Wien · Zürich

BS
2456
.B23
1991

CIP-Titelaufnahme der Deutschen Bibliothek

Backhaus, Knut:
Die „Jüngerkreise" des Täufers Johannes: eine Studie zu den
religionsgeschichtlichen Ursprüngen des Christentums /
Knut Backhaus. – Paderborn; München; Wien; Zürich:
Schöningh, 1991
  (Paderborner theologische Studien; Bd. 19)
  ISBN 3-506-76269-9
NE: GT

© 1991 Ferdinand Schöningh, Paderborn.
(Verlag Ferdinand Schöningh GmbH., Jühenplatz 1, D 4790 Paderborn)

Alle Rechte vorbehalten. Dieses Werk sowie einzelne Teile desselben sind urheberrechtlich
geschützt. Jede Verwertung in anderen als den gesetzlich zugelassenen Fällen ist ohne vorherige
schriftliche Zustimmung des Verlages nicht zulässig.

Printed in Germany. Herstellung: Ferdinand Schöningh, Paderborn.

ISBN 3-506-76269-9

Meinen Eltern

Vorwort

Die vorliegende Studie wurde 1989 von der Theologischen Fakultät Paderborn als Inauguraldissertation angenommen. Sie trug den Titel „ΑΛΛΟΙ ΚΕΚΟΠΙΑΚΑΣΙΝ. Die ‚Jüngerkreise‘ des Täufers Johannes unter besonderer Berücksichtigung ihres religionsgeschichtlichen Verhältnisses zu Jesus von Nazaret und dem frühesten Christentum"; für den Druck wurde sie geringfügig bearbeitet.

Manchem Wegbegleiter ist zu danken. Herr Prof. Dr. J. Ernst, Paderborn, hat die Untersuchung angeregt und mit seinem fachlichen Rat gefördert; er hat das Hauptgutachten erstellt. Als sein Assistent durfte ich an seinen Forschungen zum Täufer-Problem teilnehmen, er gewährte mir aber auch stets den für die eigene Arbeit notwendigen Freiraum. Zur methodologischen Klärung haben die Gespräche mit Herrn Prof. Dr. W. Wolbert, jetzt Salzburg, oft beigetragen; ihm danke ich auch für die Übernahme des Korreferats. Frau E. Niedieker hat mit bewährter Umsicht das Typoskript angefertigt. Bei der Korrektur halfen die Herren Dipl. Theol. Georg Korting, cand. theol. Markus Ratajski und Dipl. Theol. Udo Zelinka. Das Erzbischöfliche Generalvikariat Paderborn hat sich großzügig an den Kosten der Drucklegung beteiligt.

Schließlich danke ich der St. Bonifatius-Pfarrei in Bielefeld für die Geduld, mit der sie ein halbes Jahr auf „ihren" Vikar gewartet hat, vor allem aber für das Miteinander des Gemeindelebens, das ja letztlich nichts anderes ist als eine „Schriftauslegung" mit Hand und Fuß.

Bielefeld, den 26. Januar 1990   Knut Backhaus

Inhaltsverzeichnis

Teil I:
VORAUSSETZUNGEN

Teil II:
JESUS UND DER TÄUFERKREIS

Teil III:
DER TÄUFERKREIS IN DER NEUTESTAMENTLICHEN, NEBENNEUTESTAMENTLICHEN UND FRÜHNACH-NEUTESTAMENTLICHEN LITERATUR

Teil IV:
DIE RAHMENBEDINGUNGEN DES TÄUFERKREISES

Teil V:
DER TÄUFERKREIS IM GESAMTGEFÜGE DER NEUTESTAMENTLICHEN LITERATUR

Teil VI:
FORSCHUNGSERTRAG   367

Übersicht zur Disposition der Untersuchung

XVIII

TEIL I
Voraussetzungen

1. Forschungsstand und Problemhorizont

Das synoptische[1] und frühnachneutestamentliche[2] Theologumenon von dem Täufer Johannes als der ἀρχὴ τοῦ εὐαγγελίου (vgl. z. B. Mk 1, 1[3]) ist in der neueren Forschung in mehrfacher Hinsicht zu einem historischen und religionsgeschichtlichen Postulat geworden. Dabei repräsentiert die Gestalt des Johannes freilich die soziologischen Phänomene der Täuferbewegung im allgemeinen und des Kreises der Johannesjünger im besonderen. Zunächst ist die Hypothese einer Zugehörigkeit Jesu von Nazaret zu dieser engeren Jüngergruppe um den Jordanpropheten zu einer sententia fere communis der Exegese herangereift.[4] Überhaupt werden die Ursprünge der Gemeinschaft Jesu und des frühesten Christentums weithin in dem Kreis der Johannesjünger und der von dem Täufer ausgelösten palästinischen Umkehr- und Taufbewegung gesehen[5], so daß die pointiert formulierte Thesis P. D. van ROYENS prima facie nicht unberechtigt erscheint: „het Christendom heeft zich een groter deel van de erfernis van Johannes den Doper toegeëigend, dan van de geestelijke nalatenschap van Jezus".[6] Als eigentlicher Begründer des Christentums gilt hier Johannes, dessen Anhängerschaft den Mutterboden der Kirche darstellt.[7] Sodann bedienen sich die Synoptiker- und Acta-Forschung zunehmend der Täuferkreis-Hypothese[8]: auf allen diachronen Ebenen – vom mündlichen Vor-Q-Stadium[9] bis zur Schlußredaktion der Großevangelien[10] – wird zur Erklärung von Überlieferungen und Texten auf ein täuferkreispolemisches, -apologetisches oder -missionarisches Darstellungsinteresse rekurriert. Andererseits werden einzelne Passus oder Traditionen quellen- oder traditionskritisch auf die Tradentengruppe des

---

[1] Vgl. ERNST, Täufer, passim.
[2] Vgl. BACKHAUS, Apokryphen, 50f.
[3] Vgl. dazu BACKHAUS, sehen, 288.
[4] Die nähere Beschreibung des Status quaestionis und eine repräsentative Zusammenstellung der einschlägigen Literatur findet sich unter II:1.
[5] Paradigmatisch sei hier auf die sehr unterschiedlichen Studien von MICHAELIS, Täufer, v. a. 9–53 (1928) und HEEKERENS, Zeichen-Quelle, 96–106 (1984) verwiesen.
[6] Jezus, 10; vgl. LOHMEYER, Urchristentum, 5.
[7] Vgl. dazu ERNST, Täufer, 166–168.
[8] Dieser vorläufig verwendete Arbeitsbegriff vereint allerdings sehr verschiedene Ansätze, die unter III. differenzierter dargestellt werden.
[9] Vgl. etwa die Dissertation SCHÖNLES, Johannes, v. a. 57–95 (1982).
[10] Als ein – beliebig herausgegriffenes – Beispiel ist JONES, references (1959) anzuführen.

Täuferkreises zurückgeführt.[11] Schließlich kommt der Täuferkreis-Hypothese vor allem bei der Erschließung des Hintergrunds des johanneischen Kreises und der Intentionen des vierten Evangelisten eine zentrale heuristische Funktion zu.[12]

In der Erforschung des vierten Evangeliums liegen auch die exegesegeschichtlichen Ursprünge der Hypothese. Bereits H. GROTIUS (1679) führte als causa praecipua scribendi die Verteidigung gegen Irrlehrer an, unter die er gerade solche zählte, „qui Iohannem omisso Iesu sectabantur deque ejus nomine dici se volebant".[13] G. Chr. STORR (1786)[14], J. D. MICHAELIS ([4]1788)[15] und J. L. HUG (1808)[16] bauten diese Auffassung unsystematisch aus; H. EWALD (1861)[17], A. BISPING ([2]1869)[18], C. WEIZSÄCKER (1886)[19] und H. HOLTZMANN (1897)[20] eigneten sie sich zumindest im Ansatz an, und J. B. LIGHTFOOT (1879) förderte sie energisch.[21] Mit Entschiedenheit ausgeführt und systematisch expliziert hat sie freilich erst W. BALDENSPERGER (1898).[22] Im Ausgang von einer Detailanalyse des Joh-Prologs deutete er die Täuferkreis-Polemik und -Apologetik nachgerade als Passepartout für das Gesamtevangelium, so daß der ganze Eingang des Werkes, also „die Zeugnisse des Täufers über seine Person und sein Taufen, über die Person Jesu und dessen Taufe, der Anschluss der Johannisjünger an Jesus, sein Kanawunder, die Tempelreinigung, die Unterredung mit Nikodemus, das gleichzeitige Taufen des Johannes und Jesu, der Streit über die Reinigung und das weitere Zeugniss des Täufers, eine ununterbrochene Kette

---

[11] So vor allem Mk 6, 17–29; Lk 1*; Joh 1, 1–18.

[12] Aus der kommentierenden Literatur vgl. etwa BAUER, C: Joh, v. a. 16–18; BECKER, C: Joh I, 44, 47, 82–84, 91–96, 100, 114–116, 153–155, 340 (forciert); BROWN, C: John I, v. a. LXVII–LXX; BULTMANN, C: Joh, 4f, 29, 121f, 125, 300 u. ö.; MORRIS, C: John, 37 u. ö.; SCHNACKENBURG, C: Joh I, 111f, 148–150, 226–229, 249f, 276f, 304, 448–453; II, 394f; SCHULZ, C: Joh, 39, 65 (zurückhaltend); STRATHMANN, C: Joh, 12f, 34, 49f, 79f. Sehr reserviert bleibt durchweg BARRETT, C: John, 139, 171, 172f, 219, 265; gänzlich ablehnend SANDERS/MASTIN, C: John, 74f. Aus der Literatur zum johanneischen Kreis vgl. z. B. BROWN, Gemeinde, 57f; CULLMANN, Kreis, 35f, 64f, 70; SMITH, Christianity, 74–79; WENGST, Gemeinde, 90–92.

[13] C: Annotationes, 479; vgl. ebd. 473.

[14] Ueber den Zweck der evangelischen Geschichte und der Briefe Johannis, Tübingen 1786, 3ff (Hinweis bei BALDENSPERGER, Prolog, 154 A. 2); vgl. G. Chr. STORR, Lehrbuch der christlichen Dogmatik. Ins Deutsche übersetzt, mit Erläuterungen aus andern, vornehmlich des Verfassers eigenen, Schriften und mit Zusätzen aus der theologischen Litteratur seit dem Jahr 1793 versehen von C. Chr. FLATT, Stuttgart 1803, 183f.

[15] Vgl. Einleitung in die göttlichen Schriften des Neuen Bundes II, Göttingen [4]1788, 1140.

[16] Vgl. Einleitung in die Schriften des Neuen Testaments II, Stuttgart [3]1826, 190f.

[17] Vgl. Die johanneischen Schriften I, Göttingen 1861, 13.

[18] Vgl. Erklärung des Evangeliums nach Johannes, Münster [2]1869, 15f.

[19] Vgl. Zeitalter, 529f.

[20] Vgl. Lehrbuch der Neutestamentlichen Theologie II. Hg. von A. JÜLICHER u. W. BAUER, Tübingen [2]1911, 408f.

[21] Vgl. C: Colossians; Philemon, 402–407.

[22] Wilhelm (Guillaume) BALDENSPERGER (1856–1936) lehrte seit 1892 in Gießen und wurde 1919 Ordinarius für neutestamentliche Exegese an der französischen Universität von Straßburg. Als Schüler H. J. HOLTZMANNS war er Vertreter der liberalen protestantischen Forschung (vgl. F. W. BAUTZ, Biographisch-bibliographisches Kirchenlexikon, Hamm o. J., Sp. 352).

von Argumenten gegen die Täuferschule bilden"[23], mit der sich auch die „übrige, noch bedeutende Stoffmasse des 4. Evangeliums" auseinandersetzt.[24] Der Gießener Exeget suchte den religionsgeschichtlichen Hintergrund dieser Kontroverse, in der er auch andere johanneische Schriften engagiert sah[25], insbesondere durch Hinweise auf Apg 18, 24–28; 19, 1–7 und die pseudoklementinische Literatur abzusichern.[26] Er rekonstruierte ihn folgendermaßen: nach einer anfänglichen Phase, in der die beiden „messianisch interessirten Gruppen"[27] der „älteren Johannesjünger" und der „ersten Jesusjünger" in gemeinsamer Opposition zum nomistischen Judentum freundschaftlichen Verkehr pflegten[28], kühlte sich das Verhältnis nach Jesu Tod deutlich ab. Während sich die Jesus-Gemeinde allmählich zum Christentum entwickelte, wandte sich die Johannes-Gemeinde wieder der Synagoge zu.[29] Von den Spannungen zeugt das „Manifest"[30] des vierten Evangelisten. Die beiden Gruppierungen rangen um die Ärgernisse des schmählichen Kreuzestodes und der niederen Herkunft des christlichen Messias. Ferner blieb den rigoros asketisch lebenden Täuferjüngern das Mysterium der Inkarnation ebenso fremd wie Jesu Umgang mit den Sündern. Ihre Ideale verkörperten sich in der Taufe des Johannes, und je mehr sie sich historisch von ihm entfernten, desto hoheitlicher wurden die ihm zugeschriebenen Attribute. So ging es in der Kontroverse schließlich um die Frage nach der entscheidenden Heilsgestalt: Jesus oder Johannes? Zugunsten des Täufers konnten seine Verehrer vor allem darauf verweisen, daß Jesus der Nachgeborene sei, daß Jesu Auftreten mit der Predigt des Johannes seinen Anfang genommen hatte und die Christen selbst eine hohe Wertschätzung des „Vorläufers" pflegten (vgl. Lk 1). Nur aus den kontroverstheologisch-praktischen Notwendigkeiten seiner Entstehung heraus findet man also den rechten Zugang zur Christologie des vierten Evangeliums.[31]

BALDENSPERGERS Studie traf nicht nur auf Zustimmung[32], sondern auch auf dezidierte Ablehnung als „une exégèse toujours subtile, parfois cabalistique"[33], gar als „exegetical gymnastics".[34] Gleichwohl bestand die weitere Entwicklung der Täuferkreis-Theorie im deutsch-, englisch- und französischsprachigen

---

[23] Prolog, 91.

[24] Ebd.; vgl. ebd., 58–92.

[25] Vgl. ebd., 144–152.

[26] Vgl. ebd., 93–99, 138f.

[27] Ebd., 103.

[28] Vgl. ebd., 100–105.

[29] Vgl. ebd., 105–112.

[30] Ebd., 109.

[31] Vgl. ebd., 112–143.

[32] Vorwiegend positiv aber der Literaturbericht A. MEYERS, Die Behandlung der johanneischen Frage im letzten Jahrzehnt III, in: ThR 2 (1899) 333–345, hier: 338–340.

[33] So die Rezension P. T. CALMES', in: RB 8 (1899) 151–155, hier: 155.

[34] So die Rezension L. B. CRANES, in: The Presbyterian and Reformed Review 11 (1900) 522–527, hier: 526. Weithin ablehnend auch die Besprechungen H. HOLTZMANNS, in: ThLZ 24 (1899) Sp. 202–205 (B. macht den Nebenzweck zum Hauptzweck); R. RHEES', in: AJT 3 (1899)

Raum im wesentlichen aus Modifikationen und Amplifikationen des BALDENS-PERGERSCHEN Ansatzes. Bereits 1912 dehnte C. R. BOWEN die Erklärungsfigur der Täuferkreis-Polemik und -Apologetik auf die Deutung wichtiger Herrenlogien, der Synoptiker und der Apg, des Flavius Josephus und der außerkanonischen Literatur des Frühchristentums aus und suchte – weit über den Protagonisten hinausgehend – Täuferkreis-Quellen und -Traditionen nachzuweisen.[35] 1959 postulierte J. L. JONES näherhin für das erste Evangelium „a concern for the Baptist movement at least as great as that shown by Luke and the author of the Fourth Gospel"[36], und neuerdings hat A. RADAELLI (1982) in Lk ein „vangelo composto per la conversione dei battisti" gesehen.[37] Vor allem hat jüngst H. LICHTENBERGER (1987) diesen extensiven Ansatz für OrSib 4; Josephus, die synoptischen Evangelien, Apg und Joh noch einmal bekräftigt und entfaltet.[38]

Die „exegetische Routine" ist freilich eher durch die Evangelienkommentierung beeinflußt worden, und hier ist BALDENSPERGER insbesondere über W. BAUERS[39] und R. BULTMANNS[40] Joh-Kommentare zur Wirkung gelangt. Die folgende Untersuchung wird en détail zeigen, bis zu welchem Ausmaß das forschungsgeschichtliche Herkommen des Postulats einer Täuferkreis-Polemik oder -Apologetik und der Rekurs auf Täuferkreis-Quellen und -Traditionen das „alltägliche Geschäft" der synoptischen und johanneischen Forschung zur Zeit bestimmen.

Dient so die genannte Theorie bevorzugt zur Lösung einzelner Deutungsprobleme, so wird sie als ganze doch relativ selten selbst problematisiert. Allerdings legen J. BLINZLER (1962)[41] und A. HAJDUK (1981)[42] Überblicke über das einschlägige Textmaterial vor, und R. SCHNACKENBURG (1958) unterzieht das Gesamtproblem einer eingehenden Untersuchung.[43] Vor allem widmen sich die klassischen Täufermonographien – nicht selten tatsächlich paradigmatisch und protagonistisch „Vorläufer" der weiteren exegetischen Forschung – dem Täuferkreis in der Regel in einem gesonderten Kapitel. So schneidet bereits in seiner Lizentiatsarbeit A. SCHLATTER (1880) das Problem in einem eigenen Abschnitt

---

368–371. BALDENSPERGER selbst ordnet sein Werk Prolog, 153–171 in den forschungsgeschichtlichen Zusammenhang seiner Zeit ein.

[35] Vgl. John, passim.

[36] References, 299; vgl. BAMMEL, Baptist, 104 A. 5.

[37] Vangelo, 368; vgl. ebd., 368–373, v. a. 369: „E allora che altro sarebbe la sua composizione se non lo sforzo di un neofita per riportare a Cristo gli antichi compagni di viaggio? La grande simpatia e la sincera ammirazione con cui sin da prima della nascita Lc ha seguito Gv., il fervore con cui riporta le lodi di Gesù, il favore con cui descrive il discepolato delle folle popolari, cala di conseguenza su tutto il movimento battista".

[38] Vgl. Täufergemeinden, passim.

[39] Vgl. C: Joh, v. a. 16–18.

[40] Vgl. C: Joh, 4f, 29, 121f, 125, 300 u. ö..

[41] Johannesjünger.

[42] Učeníci.

[43] Evangelium; vgl. auch AGOURIDES, θεολογία.

5

an[44]; die vorkritische, aber in der Materialfülle wertvolle Studie „Johannes der Täufer nach der Heiligen Schrift und der Tradition" (1908) von T. INNITZER behandelt das Thema eingehend.[45] Die die Formgeschichte ein Jahrzehnt vor ihrer theoretischen Begründung vorwegnehmende, ausgesprochen luzide Analyse M. DIBELIUS' „Die urchristliche Überlieferung von Johannes dem Täufer" (1911)[46], die wichtigen Gesamtdarstellungen D. BUZYS „Saint Jean-Baptiste. Études historiques et critiques" (1922)[47], M. GOGUELS „Au seuil de l'Évangile. Jean-Baptiste" (1928)[48], E. LOHMEYERS „Das Urchristentum I. Johannes der Täufer" (1932)[49], C. H. KRAELINGS „John the Baptist" (1951)[50] und C. H. H. SCOBIES „John the Baptist" (1964)[51], der Versuch R. SCHÜTZENS „Johannes der Täufer" (1967)[52] und die frühe redaktionsgeschichtliche Analyse W. WINKS „John the Baptist" (1968)[53] gehen ebenfalls in Einzelkapiteln auf den Täuferkreis ein.[54] Auch einige Geschichten der Entstehung des Christentums[55] und die zentralen Untersuchungen zum spätantiken Täufertum behandeln in der Regel die „Johannesjünger" in Einzelkapiteln[56]; an erster Stelle ist hier das Standardwerk J. THOMAS' „Le mouvement baptiste en Palestine et Syrie (150 av. J.-C. – 300 ap. J.-C.)" (1935) anzuführen, dessen einschlägiger Abschnitt nachgerade als Kompendium und Summe der Täuferkreis-Forschung bezeichnet werden kann. THOMAS beschäftigt sich extensiv mit den Entstehungsbedingungen sowie den direkten und indirekten Textbelegen und bietet so die insgesamt dichteste Gesamtdarstellung des Problems.[57] Im wesentlichen spiegelt seine Studie auch die – bei allen, zum Teil erheblichen Differenzen in der Begründung und der Einzelbeschreibung – einheitliche Tendenz der Täuferkreis-Theorie wider, wie sie sich in ausgeprägter Form gerade auch bei GOGUEL, KRAELING und SCOBIE zeigt: nach einer Phase freundschaftlicher Beziehungen zwischen

---

[44] Johannes, 154–156.

[45] Johannes, 384–392. Hingegen lehnt POTTGIESSER, Johannes, 129–134 (1911) die Existenz einer selbständigen Partei der Johannesjünger kategorisch ab.

[46] Überlieferung, 87–98; in den übrigen Kapiteln ist vom Täuferkreis oft die Rede, vgl. v. a. 113–123.

[47] Jean-Baptiste, 359–376.

[48] Seuil, 99–135, 235–274.

[49] Urchristentum, 114–119.

[50] John, 158–187.

[51] John, 131–141, 187–202.

[52] Johannes, 129–133.

[53] John, 82–87, 98–105.

[54] Die Täufermonographie von J. ERNST (1989) widmet dem Täuferkreis ebenfalls ein ausführliches Kapitel, in dem eine kritische Summe der bisherigen einschlägigen Forschung geboten wird (347–384). In der Bonner Dissertation „Das Gericht und das Erbarmen Gottes" von S. von DOBBELER (1988) untersucht der zweite Teil die Rezeption der Täuferbotschaft bei den Täuferjüngern (151–236).

[55] So DAHL, Volk, 138–140; KRAFT, Entstehung, 37–43; MEYER, Ursprung I, 82–94; STAUFFER, Jerusalem, 88–102; vgl. auch BECKER, Johannes, 63–65.

[56] So BRANDT, Baptismen, 73f, 81f; HÖLSCHER, Urgemeinde, 11–26; RUDOLPH, Mandäer I, 66–80; DERS., Baptisten, 10–12; SINT, Eschatologie, 102–135.

[57] Mouvement, 61–139.

den Jüngerkreisen des Täufers und Jesu, in der die Täuferjünger wichtigen Einfluß auf die Genese des Christentums nehmen, kommt es zu wachsender Entfremdung und schließlich zu einem akuten Konkurrenzverhältnis, von der die neutestamentliche und frühchristliche Täuferkreis-Polemik, -Apologetik und -Mission zeugt, deren Postulat mittlerweile zum Standard der Exegese gehört.

Unter den monographischen Täuferkreis-Darstellungen sind zwei Hochschulschriften gesondert zu nennen. Das aus einer an der Universität Genf vorgelegten Studie hervorgegangene Werk P. GUÉNINS „Y a-t-il eu conflit entre Jean-Baptiste et Jésus? Étude méthodologico-exégétique et historico-critique sur l'attitude que prit l'église primitive à l'égard de Jean-Baptiste (et du Baptisme) et des conséquences qui en résultèrent pour la formation des Évangiles synoptiques et la rédaction des Actes des Apôtres" (1933) untersucht die Verwandtschaft und die Spannungen zwischen Täuferkreis einerseits und Jesus und Christentum andererseits am Beispiel von Apg 18, 24–28; 19, 1–7[58], Lk 1[59] und der synoptischen Täuferpassus[60] und würdigt die „préface Baptiste à l'évangile du Messie"[61], das weniger im historischen Auftreten des Jordanpropheten liegt als in der Begegnung seiner Jünger mit der Bewegung Jesu.[62] 1969 legte J.H. HUGHES seine von C.K. BARRETT betreute Master Thesis an der Universität Durham vor, die bislang noch nicht veröffentlicht worden ist.[63] Sie trägt den Titel: „Disciples of John the Baptist. An examination of the evidence for their existence, and an estimate of their significance for the study of the Fourth Gospel." HUGHES räumt die Defizienz der außerneutestamentlichen Belege für die Johannite sect zwar ein, zieht aber aus den „extreme views about John ... circulating long after his death" und aus den Belegen des Neuen Testaments den Schluß, „that John created at least the nucleus of a Johannite sect, that he saw himself as the precursor of Yahweh and failed to appreciate the significance of Jesus, and that after his death some of his followers held for a time the belief that he had been the eschatological Prophet or Messiah".[64] Der Großteil dieser Bewegung löst sich aber wohl im ersten Jahrhundert in das Christentum auf. Das vierte Evangelium spiegelt jedoch keineswegs die Auseinandersetzung mit den Johannesjüngern wider, sondern vielmehr die Kontroverse zwischen johanneischem Kreis und Judentum: „It seems that the Jewish

---

[58] Conflit, 13–74.
[59] Ebd., 75–95.
[60] Ebd., 96–128.
[61] Ebd., 129–185.
[62] Vgl. z.B. ebd., 186–189.
[63] Der Verfasser dankt dem Librarian der University Library of Durham für die freundliche Unterstützung bei der Beschaffung einer Photokopie und eines Abstract der Dissertation.
[64] Disciples, abstract, i.

opposition to the Church attempted to make its own malicious use of the traditions of this early period of Johannite history".[65]

Die Skepsis gegenüber der Anwendung der gängigen Täuferkreis-Theorie auf das vierte Evangelium ist lediglich die Vorstufe zu einer prinzipiellen Infragestellung des gesamten Hypothesensystems, wie sie seit dessen Aufkommen von einer Minderheit der Ausleger immer wieder geäußert worden ist. Reserviert zeigten sich bereits 1885 P. SCHANZ[66], 1900 P. WERNLE[67], 1910 W. BRANDT[68] und 1911 F. OVERBECK[69]. In der jüngeren Forschungsgeschichte blieb etwa W. WINK gegenüber der Behauptung eines aktuellen Interesses der synoptischen Schriften am Täuferkreis äußerst zurückhaltend[70], und K. RUDOLPH hat neuerdings seine früher im Anschluß an J. THOMAS vorgelegte Rekonstruktion der Geschichte des Täuferkreises behutsam revidiert.[71] E. HAENCHEN hat in den späteren Schichten seines posthum erschienenen Joh-Kommentars in deutlicher Absetzung von BULTMANN den Einfluß und sogar die Existenz des Täuferkreises im ganzen negiert[72], obschon er in der wohl frühen Entstehungsphase seines Werks noch vorsichtig eine Täuferkreis-Polemik erwogen hatte.[73]

Systematisch hat schon D. BUZY die Theorie in Zweifel gezogen. Nach kritischer Sichtung des Textmaterials kam er zu dem Schluß, „qu'il n'a jamais existé de secte joannique"[74]; indes bezog er diese Negation nur auf eine „secte joannique organisée et se perpétuant"[75], die „disciples attardés" sah er – wie die übrige Täuferkreis-Theorie – im Konflikt mit dem Christentum.[76] Prinzipieller setzte die Kritik an, die J. L. TEICHER 1953 mit seinem – in der Forschung kaum beachteten – Aufsatz „Has a Johannine sect ever existed?" vorbrachte. In

---

[65] Ebd., ii. HUGHES behandelt S. 4–44 „The New Testament evidence for the existence of a Johannite sect", 45–63 (vgl. 172–185) „The non-biblical evidence for the survival of a Johannite sect", 64–87 „John's message and mission", 88–109 „John the Baptist and Jesus", 110–156 „The Fourth Gospel and the supporters of John". Ein Vorgänger HUGHES' ist in dieser Hinsicht WREDE, Charakter, 60–68.

[66] Vgl. Commentar über das Evangelium des heiligen Johannes, Tübingen 1885, 33, 38, 80, 82, 185, 188.

[67] Vgl. Altchristliche Apologetik im Neuen Testament. Ein Beitrag zur Evangelienfrage, in: ZNW 1 (1900) 42–65, hier: 53f.

[68] Baptismen, 81f.

[69] Das Johannesevangelium. Studien zur Kritik seiner Erforschung. Aus dem Nachlaß hg. von C. A. BERNOULLI, Tübingen 1911, 428f. Vgl. auch POTTGIESSER, Johannes, 129–134 (1911) aus apologetisch-vorkritischer Perspektive.

[70] Vgl. John, passim.

[71] Vgl. Baptisten, 11f mit Mandäer I, 66–80.

[72] Vgl. C: Joh, 37–39, 132–136 (vgl. auch 160–164).

[73] Vgl. ebd., 185, 230; dazu die Mitteilung des Herausgebers 230 A. 1! Bemerkenswert ist auch die Zurückhaltung von S. SCHULZ in seinem Joh-Kommentar gegenüber DERS., Komposition, v. a. 167–170. Völlig ablehnend wenden sich SANDERS / MASTIN, C: John, 74f gegen die Täuferkreis-Theorie.

[74] Jean-Baptiste, 375f.

[75] Ebd., 376 (ohne Hervorhebung).

[76] Ebd., 376.

Auseinandersetzung vornehmlich mit J. THOMAS stellte er die Täufersekte als eine weder an Apg noch an anderen Texten belegbare, diffuse Arbeitshypothese dar, die, methodologisch unsicher, der Forschung mehr Probleme aufgab als abnahm.[77] Im Ausgang von J. THOMAS und C. H. KRAELING stellte wenig später J. A. T. ROBINSON (1957/58)[78] auch nur „a shred of reliable historical evidence ... for the mere existence of disciples of John after his death" in Abrede.[79] Nach einer knappen Musterung des Forschungsstandes zog er die Schlußfolgerung: „Frequently the existence of this rival sect is simply deduced, by circular argument, from the supposed signs of polemic within the Gospels themselves",und formulierte das Desiderat: „The whole question of the existence of this Baptist sect deserves a thorough re-examination, since it is regularly taken for granted and a great deal of what passes for New Testament criticism is built upon it".[80]

Eine solche re-examination setzt sich die vorliegende Studie zur Aufgabe. Zwar herrscht über den Täuferkreis und seine Bedeutung für die religiöse Genese Jesu, seiner Bewegung und des Christentums im allgemeinen und die neutestamentliche Literatur im besonderen weithin Einigkeit, aber die Begründung dieser Einschätzung liegt allzu oft im fraglos angeeigneten forschungsgeschichtlichen Herkommen. Wo die Frage nach den äußeren Textbelegen gestellt wird, ist die Situation der Auslegung entweder hoffnungslos verwirrt – so ausgerechnet bei den loci classici der Täuferkreis-Theorie Apg 18, 24–28; 19, 1–7 (s. u. III:7.1.2; 8.1.1) – oder zumindest äußerst unsicher. Ebenso fällt es zwar gewiß nicht schwer, für einzelne synoptische oder johanneische Texte das darstellungsleitende Anliegen einer Täuferkreis-Polemik, -Apologetik oder -Mission zu postulieren, aber es ermangelt weitgehend einer plausiblen Begründung solcher Postulate gegenüber anderen, möglicherweise triftigeren Erklärungen sowie jedweden Versuchs, sie, sofern möglich, in eine systematische und historische Gesamtschau des Phänomens Täuferkreis einzuordnen, die den Anforderungen historischer Absicherung, überlieferungsgeschichtlicher, quellen- und traditionskritischer Ortung und redaktionsgeschichtlicher Erschließung genügt. Die oben genannten Gesamtdarstellungen – die Arbeit HUGHES' nicht ausgeschlossen – verzichten weithin auf die Detailanalyse, während die Einzelexegese die Einordnung ihrer Thesen in einen größeren Zusammenhang vernachlässigt. Die zum – teilweise verwandten – Problem der Erforschung des vierten Evangeliums geäußerte Klage J. A. T. ROBINSONS gilt so a fortiori für die Täuferkreis-Forschung. Bei der Durchsicht der einschlägigen Sekundärliteratur mag man sich des Eindrucks nicht erwehren, „that everything has been said about it that conceivably could be said or that it really does not matter what one

---

[77] Vgl. sect, passim.
[78] Elijah, 278f; zur Sichtung des Belegmaterials vgl. ebd., 279 A. 2.
[79] Ebd., 278.
[80] Ebd., 279 A. 2.

says, for one is just as likely to be right as anyone else".[81] So bedarf es einer methodologisch reflektierten, historisch möglichst abgesicherten und quellen- und traditionskritisch sowie überlieferungs- und redaktionsgeschichtlich umfassenden Relektüre der einschlägigen Texte.

---

[81] The relation of the Prologue to the Gospel of St John, in: NTS 9 (1962/63) 120–129, hier: 120.

2. Methodendiskussion

2.1 Methodenkritik

2.1.1 Zur historischen Rekonstruktion des Täuferkreises

Bereits die erste Sichtung des Forschungsstandes hat gezeigt, daß von einem extremen Pan-Johanneismus LICHTENBERGERSCHER Prägung bis hin zu der schlichten Leugnung der Existenz einer Johannes-Sekte überhaupt sehr unterschiedliche Variationen einer Rekonstruktion des Täuferkreises möglich sind. Im Umgang mit dem Einzeltext nähert sich die Täuferkreis-Theorie mitunter purer Beliebigkeit. So kann ein und derselbe Text von diesem Ausleger als Quelle des Täuferkreises, von jenem als Polemik gegen eben diesen Täuferkreis, von einem dritten gar als beides zugleich erklärt werden.[82] Der Rekurs auf den Täuferkreis ist nicht selten ein Gemeinplatz, der das Verständnis des konkreten Einzelpassus eher blockiert als ermöglicht. Gewiß vermag das allzu einfache Argument nicht zu überzeugen, nach dem einander widersprechende Hypothesen sich gegenseitig aufheben, aber wenn die Lösungsvorschläge äußerst zahlreich sind und extrem divergieren, ist die Frage erlaubt, ob das Problem richtig gestellt und die Methode richtig gewählt ist. Will die vorliegende Untersuchung nicht lediglich den vielen Hypothesen einen weiteren, letztlich ebenso beliebigen Vorschlag hinzufügen, wird sie nur die via tutissima wählen können, im induktiven Ansatz die Detailanalyse nicht umgehen dürfen und den jeweils erreichten Wahrscheinlichkeitsgrad realistisch einschätzen müssen.

Dabei läßt sich der Zugang zum Phänomen Täuferkreis, grob skizziert, auf vierfache Weise ebnen. Der methodologisch an sich angebrachteste Weg führt über die Untersuchung direkter Quellen und Traditionen des Täuferkreises. Tatsächlich greift die Forschung auf solche häufiger zurück.[83] Das Problem liegt

---

[82] Vgl. nur etwa die diversen Aussagen zu Joh 1,1–18. Unter Berufung auf BALDENSPERGER, der jede Zeile des Prologs von einem antitäuferischen Anliegen her deutet, gelangt BULTMANN, C: Joh, 4f zu dem Resultat, der Prolog sei ursprünglich ein Hymnus des Täuferkreises auf seinen Meister gewesen! Mt 11,2–6 / Lk 7,18–23 wird sowohl als scharfe Polemik gegen den Täuferkreis als auch als Tradition ehemaliger Angehöriger eben dieses Kreises interpretiert (s. u. III:2.5).

[83] Ausführlich soll dies am Beispiel von Mk 6,17–29 dargetan werden (s. u. III:4.2).

hier jedoch darin, daß es in der Regel völlig strittig ist, ob es sich dabei überhaupt um Dokumente oder Artikulationen dieser Formation handelt. Die „expliziten Täuferzeugnisse" sind pseudonym (s. u. III:5), die postulierten zumindest zweifelhaft. Eine ebenfalls angemessene Methode hebt bei der Auswertung der Nachrichten *über* den Täuferkreis an. Sie dürfen allerdings nicht – verbreiteter Gepflogenheit entsprechend – einfachhin summiert werden: die Johannesjünger haben gebetet, gefastet und ihren Meister als Christus verehrt.[84] Die notwendige historische, überlieferungs- und redaktionsgeschichtliche Differenzierung muß hier erheblich weiter gehen. Indirekt führt der Zugang über die Täuferkreis-Polemik, -Apologetik oder -Mission. Diese in der Forschung bevorzugte Methode ist freilich keineswegs mit der Leichtigkeit zu handhaben, die seit BALDENSPERGER üblich geworden ist. Ein weiterer, ebenfalls indirekter Weg, den vor allem J. H. HUGHES beschritten hat[85], besteht darin, daß aus den historisch vorgegebenen Prämissen – bei HUGHES primär: Wirken und Botschaft des Täufers, zu ergänzen wäre seine Wirkungsgeschichte – auf die Entwicklung seines Jüngerkreises geschlossen wird.

Die folgende Untersuchung bedient sich jeder dieser vier Methoden, jedoch unter Berücksichtigung der hier nur thetisch zu skizzierenden, im Verlauf der Analyse dann in der konkreten Auseinandersetzung zu präzisierenden methodologischen Axiome.

1. Eine auch nur annähernd umfassende Rekonstruktion der Geschichte und Theologie des Täuferkreises ist aufgrund des defizienten Quellenbefunds nicht möglich. Vor allem verbietet es sich, die überkommenen Mitteilungen zu dem stringenten Gesamtbild eines geschlossenen Täuferkreises zu verbinden.

Der Versuch, die historisch-geistesgeschichtliche Entwicklung des Täuferkreises nachzuzeichnen, ist vergleichbar dem Unterfangen, mit Hilfe von etwa zwanzig Fragmenten eine Geschichte der Frühkirche zu entwerfen. Der einheitliche Täuferkreis ist eine systematische Prämisse der Forschung, nicht deren Resultat. Die Stringenz eines vermeintlichen Gesamtbilds wird mit Isolierung der Einzelaussagen von ihrem unmittelbaren Kontext und dem redaktionellen Konzept des jeweiligen Evangelisten erkauft; der voreilige religionsgeschichtliche Brückenschlag verhindert die sachgerechte Erschließung des Einzeltextes und scheidet von vornherein Spannungen und Brüche in der Entwicklung ebenso aus wie die Möglichkeit, daß sich statt einer geschlossenen Formation mehrere, ganz verschiedene Strömungen gebildet haben.

So umfaßt das BULTMANNSCHE Bild vom Täuferkreis Jesu Anfänge in der Jüngergemeinschaft des Jordanpropheten und seine Distanzierung von diesem, die Konzepte der synoptischen und johanneischen Literatur, die mandäischen

---

[84] Vgl. z. B. die Darstellung bei KRAFT, Entstehung, 37–43.
[85] Vgl. v. a. Disciples, 64–87; dazu auch DERS., John, passim.

Zeugnisse und die hochmittelalterlichen Ketzerakten; dieses Konglomerat aus einem Zeitraum von weit mehr als einem Jahrtausend wird unter dem Begriff „Täufersekte" subsumiert.[86] Die so erzielte scheinbare Klarheit des dargestellten Phänomens verdankt sich lediglich dem Verzicht auf jede detaillierte Untersuchung!

2. Das Schema „Außen- und Binnenraum" der christlichen Gemeinde ist vereinfacht und hinsichtlich der Beziehungen zwischen den Bewegungen des Täufers und Jesu mit ihren fluktuierenden Übergängen schlechterdings falsch.

Daher ist stets zu fragen, ob sich hypothetisch auf den Täuferkreis bezogene Aussagen nicht durch innerchristliche Diskussionen oder durch Entwicklungen in der christlichen Gemeinde erklären lassen, zumal das Christentum – auf welche Weise auch immer – eine „täuferische Vergangenheit" hat.[87] Auf der anderen Seite ist zu beachten, daß derartige Aussagen sich möglicherweise als christliche Reaktion auf Geltungsansprüche der jüdischen Umwelt verstehen lassen: die Kontroverse um den Täufer Johannes ist auch im Rahmen der „alltäglichen" jüdisch-christlichen Konflikte vorstellbar.[88] Jedenfalls ist der Täuferkreis kein deutlich profiliertes Tertium „zwischen" Judentum und Christentum.

3. Die sozial- und religionsgeschichtliche Einordnung des Täuferkreises geht der Einzelanalyse nicht voraus, sondern ist unter Umständen deren Resultat.

Die Forschung tendiert unreflektiert dahin, den Täuferkreis als „johanneische" Parallele zur frühen Kirche zu deuten, ihr Werden und ihr Wesen als bloßes Komplement zum Christentum zu verstehen. Aber eine derartige parallele Entwicklung ist religionssoziologisch denkbar unwahrscheinlich (s. u. V:5.3.1). Ferner suggeriert eine prägnante Begrifflichkeit der Täuferkreis-Forschung ein tatsächlich gar nicht vorhandenes Wissen. So ist der in der Regel apriorisch gebrauchte Terminus „Täufersekte" allererst als richtig zu erweisen, denn es steht keineswegs von vornherein fest, daß es sich bei dem Phänomen Täuferkreis tatsächlich im soziologisch konzisen Sinn um eine Sekte handelt. Die Möglichkeiten sind erheblich differenzierter: christliche Traditionsgruppen – christliche Parteiungen mit eigener Lehrautorität (Johannes) – jüdische Gruppierungen in enger Beziehung zur jungen Kirche – konkurrierende jüdische Formationen.[89]

---

[86] Vgl. v. a. C: Joh, 4f.
[87] Vgl. dazu BERGER, Gegner, 382. Auf diesen methodologisch sehr luziden, freilich primär am Corpus Paulinum orientierten Aufsatz ist im folgenden häufiger zu verweisen.
[88] Dies hat zunächst WREDE, Charakter, 60–68 gezeigt; vgl. neuerdings HUGHES, Disciples, 110–156.
[89] Vgl. BERGER, Gegner, 382.

4. Die tendenziöse Darstellung des Täuferkreises in der neutestamentlich-frühchristlichen Literatur ist stets in Rechnung zu stellen.

5. Bei der Rekonstruktion haben gesicherte Resultate den Vorrang vor weniger wahrscheinlichen Ergebnissen; hypothetische Annahmen müssen ihre Geltung im Vergleich mit nachgewiesenen Aussagen belegen.

Dieses an sich evidente Postulat ist angesichts der Forschungspraxis in Erinnerung zu rufen. Als klassisches Beispiel für seine Mißachtung ist der Umstand anzuführen, daß die Hypothese über die Beziehungen zwischen den Bewegungen Jesu und des Täufers wesentlich auf textkritischen Konjekturen zu Joh 3, 25 aufgebaut wird (s. u. III:10.3.4).

6. Wert und Unwert jeder Täuferkreis-Hypothese entscheiden sich an ihrem heuristischen Wert für die weitere Texterschließung.

Vor allem J. L. TEICHER illustriert, daß die Täuferkreis-Hypothesen mitunter die Valenz von ad hoc subsidiary hypotheses haben, die selbst keinen Text erklären, sondern nur zur Stützung anderer Hypothesen dienen, die wiederum zumindest unsicher sind.[90]

2.1.2 Zur Eruierung integrierter Täuferkreis-Quellen und -Traditionen

1. Die neutestamentliche Präsentation und Redaktion von Texten oder Überlieferungen des Täuferkreises ist a priori nicht erwartbar, zumal wenn man im Täuferkreis eine antagonistische Sekte sieht. Daher ist in jedem Einzelfall der exakte Nachweis einer solchen Integration zu führen.

Die kirchliche Redaktion „häretischer" Stücke wird immer wieder behauptet, aber niemals bewiesen.[91] Der Nachweis müßte textimmanent die täuferische Herkunft einer Quelle oder Tradition erhellen, denn die Bearbeitung durch den Redaktor läßt in der Regel keinen Rückschluß auf den Ursprung des Bearbeiteten zu.[92] Der Annahme einer genuin christlichen oder unter Umständen einer gemeinjüdischen Herkunft kommt in jedem Fall der Vorrang vor dem Postulat einer Schöpfung des nur diffus faßbaren Täuferkreises zu. Nur wo der Bezug zu christlichen oder gemeinjüdischen Tradentengruppen in keiner Weise herzustellen ist, kann bei entsprechenden Indizien im Text als ultima ratio die Herkunft aus dem Täuferkreis erwogen werden.

---

[90] Vgl. sect, 142–151.
[91] Vgl. BERGER, Gegner, 375.
[92] Dies gilt gegen BULTMANN, C: Joh, 4f, 29 insbesondere für die Beanspruchung von Joh 1, 6–8 als Stütze der Urprolog-Hypothese!

2. Wo die Einarbeitung täuferischer Vorlagen in neutestamentliche Kontexte behauptet wird, sind die postulierten Texte quellenkritisch nachzuweisen und die Motive wie der Modus der Einarbeitung redaktionsgeschichtlich plausibel zu machen.

3. Wo eine Täuferkreis-Quelle oder -Tradition behauptet wird, sind die Zeugnisse auch *als* Täuferkreis-Zeugnisse zu analysieren und nach Möglichkeit miteinander zu vergleichen, unter Umständen in einen Zusammenhang zu bringen. Ihr religionsgeschichtlicher Hintergrund muß erhellt werden können.

2.1.3 Zur Eruierung täuferkreispolemischer, -apologetischer und -missionarischer Texte

1. Von einer einheitlichen Front der Antagonisten ist nicht a priori auszugehen.

Ebenso wie etwa bei der Erforschung des Corpus Paulinum die Befürworter einer antipaulinischen Einheitsfront die Beweislast zu tragen haben[93], ist auch der Nachweis einer einheitlichen täuferischen Gegnerschaft allererst zu erbringen. Ein solcher Nachweis ist bisher nicht gelungen; vielmehr ist man gemeinhin deduktiv von der systematisierenden Prämisse eines geschlossenen Täuferkreises ausgegangen (s. o. I:2.1.1). Unter Vernachlässigung der jeweils darstellungsleitenden redaktionellen Intentionen und des unmittelbaren Kontextes einer Aussage wird diese mit Hilfe der besagten Prämisse erklärt, welche wiederum durch eben diese Aussage begründet wird.

2. Einem Text ist erst dann ein täuferkreispolemisches, -apologetisches oder -missionarisches Darstellungsinteresse zuzusprechen, wenn er nicht ökonomischer erklärt werden kann.

Erst wenn ein Text nur als Reaktion auf eine komplementäre Aussage verstehbar ist, kann versucht werden, eine solche zu erschließen. Prinzipiell kann freilich jede Aussage und Nicht-Aussage der neutestamentlichen Literatur als antitäuferisch behauptet werden. Die folgende Untersuchung wird hierfür zahlreiche Beispiele anführen. Indes ist eine Gegnerfront stets eine *Zusatzhypothese*, die nur dann sachgerecht eingesetzt werden kann, wenn jede sparsamere Texterklärung ausgeschlossen ist. So ist etwa der Dialog Mt 3,14f als „christological safeguard"[94] in sich verständlich und bedarf keineswegs der zusätzlichen Behauptung einer Apologetik gegen Täufergruppen (s. u. V:3.2).

---

[93] BERGER, Gegner, 383: „Die Annahme einer einzigen einheitlichen Front nicht nur für eine, sondern möglichst für alle neutestamentlichen Schriften beruht regelmäßig auf einer stark systematisierenden religionsgeschichtlichen Vorentscheidung. Daher sind positive Einzelnachweise zu fordern".

[94] Vgl. dazu WINK, John, 103f.

3. Die Entschlüsselung täuferkreispolemischer, -apologetischer und -missionarischer Aussagen darf diese nicht isoliert betrachten, sondern muß deren unmittelbaren wie mittelbaren Kontext einbeziehen; die erschlossene Komplementäraussage muß religionsgeschichtlich „möglich" sein.[95]

Eine direkte Auseinandersetzung mit den Angehörigen des Täuferkreises ist an keiner Stelle der neutestamentlichen oder frühnachneutestamentlichen Literatur erkennbar: die Antagonisten bzw. Adressaten werden weder offen zitiert noch konkret benannt noch explizite bekämpft. Die Ermittlung täuferkreispolemischer, -apologetischer oder -missionarischer Passus arbeitet daher meist mit der Entschlüsselung verdeckter Zitierung der Gegner bzw. Adressaten oder gewisser Anspielungen auf sie oder der Übernahme und Neuverwendung ihrer Argumentation. Dieses Verfahren ist methodologisch unsicher[96] und muß abgesichert werden durch

a) die Erschließung des unmittelbaren Kontextes (Legen die textualen Bezüge ein polemisches, apologetisches oder missionarisches Darstellungsinteresse nahe?),

b) die Würdigung des Makrokontextes (Läßt das redaktionelle Konzept der jeweiligen Schrift – nicht: aller neutestamentlichen Schriften überhaupt – auf eine Stellungnahme gegen oder eine Werbung von Gruppierungen mit der jeweils postulierten Argumentation – nicht: auf den Täuferkreis überhaupt – schließen?),

c) die Orientierung am geschichtlich-religionsgeschichtlichen Hintergrund (Ist die postulierte gegnerische Front oder angesprochene Formation gesichertem geschichtlich-religionsgeschichtlichen Wissen einzuordnen?).

4. Der Schluß von einer polemischen oder apologetischen neutestamentlichen Aussage auf eine komplementäre antagonistische Aussage hat nicht beim Wortlaut, sondern beim Skopus der neutestamentlichen Aussage anzusetzen.

Der Rückschluß von einer polemisch-apologetischen Reaktion auf die „nicht erhaltene Hälfte der Kommunikation"[97] ist stets ambivalent. Wenn beispielsweise von Johannes dem Täufer gesagt wird, er sei nicht das Licht gewesen (Joh 1, 8), so ist daraus keineswegs zu folgern, ein Täuferkreis habe Johannes unter dem Hoheitstitel „Licht" verehrt.[98] Der Exeget hat also nicht nur verklausulierte Anspielungen quasi-allegorisch in das antagonistische System zu übersetzen.[99] Im Ausgang von der Pointe der neutestamentlichen Aussage kann er höchstens

---

[95] Die Möglichkeit orientiert sich allerdings nicht am Vorverständnis des Auslegers, sondern am Rahmen des religionsgeschichtlich aufweisbaren Gesamtgefüges.

[96] Vgl. BERGER, Gegner, 373–375.

[97] Ebd., 377.

[98] Gegen BULTMANN, C: Joh, 29 und zahlreiche andere.

[99] Vgl. BERGER, Gegner, 380.

nach dem von dem Polemiker bzw. Apologeten und seinem Gegner geteilten Verstehenshorizont fragen (s. u. V:5.3.2). Auf diese Weise verringert sich freilich die Wahrscheinlichkeit, ein gegnerisches *System* rekonstruieren zu können.

5. Bei der Rekonstruktion antagonistischer Aussagen ist im einzelnen zu beachten:

a) Antithetische Aussagen können, müssen aber nicht gegen eine gegnerische Position gerichtet sein. Daher sind Zusatzbedingungen zu fordern (Mikro- und Makrokontext, religionsgeschichtliche Plausibilität usf.).

b) Negative Aussagen können aufgrund ihrer konstitutiven Polyvalenz nicht via negationis einfachhin umgekehrt und als positive Aussagen der Gegner verstanden werden. Daher sind in verstärktem Maße Zusatzbedingungen zu fordern: die starke Betonung oder Wiederholung einer Negation, unter Umständen in je verschiedenem Kontext, oder negative Varianten zu *einem* gegnerischen Theologumenon.[100]

c) Affirmative Aussagen als Gegenstück zu antagonistischen Positionen zu betrachten ist im allgemeinen illegitim. „Alles, was behauptet wird, soll von den Gegnern bestritten worden sein. Dieses abenteuerliche Schlußverfahren ist weit verbreitet; die Schwierigkeiten sind jedoch bereits rein logischer Art: Zu einem Einzelbegriff gibt es in der Regel mehrere mögliche Oppositionen".[101]

d) Die Übernahme und Neuverwendung einer gegnerischen Argumentation ist nur dann anzunehmen, wenn eine solche Argumentation auch außerhalb des zu erschließenden Textes nachgewiesen werden kann. Denn eine solche Annahme wäre sonst unkontrollierbar von den religionsgeschichtlichen Vorentscheidungen des jeweiligen Auslegers abhängig.[102]

e) Fehlende Aussagen lassen in der Regel nicht auf polemische oder apologetische Intentionen oder auf den Inhalt möglicher Gegenaussagen schließen. Die Behauptung „polemischen Verschweigens" ist eo ipso unbelegbar.

2.1.4 Zur Terminologie der Täuferkreis-Forschung

Die Erforschung des Täuferkreises leidet gerade auch unter terminologischen Unklarheiten oder Vorbelastungen. In der Regel[103] wird weder geschichtlich noch religionssoziologisch differenziert, und es ist von den Johannesjüngern,

---

[100] WINK, John, 102: „It is methodologically illegitimate ... to reconstruct the views of John's disciples by reversing every denial and restriction placed on John in the Fourth Gospel, as Bultmann and Bauer have done".

[101] BERGER, Gegner, 376.

[102] Vgl. ebd., 374.

[103] Auszunehmen sind hier vor allem BUZY, Jean-Baptiste, 360, 362 u. ö. und KRAELING, John, 162f.

der Täuferschule, der Täuferbewegung, der Johannes-Sekte, gar dem Johannes-Orden[104] mixte die Rede, ohne daß deutlich würde, welches Stadium der Entwicklung und welcher Grad der sozialen Organisation genau gemeint ist. Am Beispiel E. KÄSEMANNS soll gezeigt werden, wie sprachliche Unklarheit zu einer krassen sachlichen Fehleinschätzung verleiten kann (s. u. III:7.1.3). Auch zwischen einer Täuferkreis-Polemik, -Apologetik und -Mission wird im allgemeinen weder sprachlich noch sachlich unterschieden, obschon eine solche Unterscheidung für die Bestimmung des jeweils darstellungsleitenden Anliegens und somit für die Beschreibung des Verhältnisses zwischen Christentum und Täuferkreis von größtem Gewicht ist. S. SABUGAL bietet gar die contradictio in adiecto „polémica misionaria".[105]

Die vorliegende Untersuchung benutzt den Terminus „*Täuferkreis*" als Variable für das Gesamtphänomen angefangen bei den frühesten Jüngern des Jordanpropheten bis hin zu den späteren, mit dem Christentum konkurrierenden Gruppierungen. Stets muß dabei bedacht werden, daß dieser Terminus lediglich ein – vermutlich kontrafaktischer (s. o. I:2.1.1) – Arbeitsbegriff ist, der freilich den Vorteil bietet, nicht das vorwegzunehmen, was allererst zu beweisen ist. Um nicht derartigen Präsumtionen zum Opfer zu fallen, werden die Begriffe „Täuferschule" und „Johannes-Sekte" ganz vermieden, weil jener das System des rabbinischen Lehrhauses suggeriert[106] und dieser auf eine religiöse Gemeinschaftsbildung mit hoher Binnenkohärenz und starker Außenisolation, mit Minoritätenstatus und exklusivem Erwählungsbewußtsein schließen läßt.[107] Von *Johannes- oder Täuferjüngern* ist die Rede, wenn der engere Kreis der Jünger um den historischen Täufer bezeichnet werden soll, „un petit groupe de disciples qui s'attachaient à la personne du Précurseur, réglant leur conduite sur ses enseignements et son genre de vie".[108] C. H. KRAELING unterscheidet sachgerecht diesen „narrower circle" der Jünger von dem „wider circle" des galiläischen Täuferanhangs[109], der im folgenden als *Täuferbewegung* bezeichnet werden soll. Präzisierungen dieses Sprachgebrauchs sind erst im Gang der Untersuchung statthaft.[110]

Als *polemisch* werden Texte verstanden, die antagonistische Geltungsansprüche streitbar bekämpfen; Textadressaten sind dann primär die Kontrahenten. Dagegen gelten als *apologetisch* solche Texte, die in Ansehung antagonistischer Geltungsansprüche das eigene Bekenntnissystem rechtfertigen; Textadressaten

---

[104] Vgl. MEYER, Ursprung I, 90.
[105] Embajada, 55 u. ö..
[106] Vgl. dazu BORNKAMM, Jesus, 128; HENGEL, Nachfolge, 40.
[107] Vgl. dazu BECKER, C: Joh I, 47; K. RUDOLPH, Wesen und Struktur der Sekte. Bemerkungen zum Stand der Diskussion in Religionswissenschaft und -soziologie, in: Kairos 21 (1979) 241–254.
[108] BUZY, Jean-Baptiste, 362.
[109] Vgl. John, 162f.
[110] In der Auseinandersetzung mit der Literatur ist eine Angleichung an die vorgegebene Terminologie mitunter unvermeidlich.

sind primär die Angehörigen jener religiösen Formation, der der Verfasser des Textes selbst angehört. Als *missionarisch* ist schließlich die Textfunktion solcher Texte zu bestimmen, die bei einer gewissen Nähe von Verfasser und Adressaten diese für das eigene Bekenntnissystem zu gewinnen suchen.

2.2 Überlegungen zur Anlage der Untersuchung

Unter Rückgriff auf die oben skizzierte Methodik ist sachgerecht in vier Schritten vorzugehen:

1. Um die Beziehungen zwischen dem Täuferkreis und der Gemeinschaft Jesu bzw. der frühen Kirche ab origine in der Entwicklung rekonstruieren zu können, bedarf es zunächst der Untersuchung des Verhältnisses Jesu zum Täuferkreis und, darin eingeschlossen, zum Täufer selbst. Diese Untersuchung ist zugleich Bedingung der Möglichkeit der Erschließung der mit dem Komplex Täuferkreis unmittelbar verbundenen weiteren neutestamentlichen Täuferinterpretation (s. näher u. II:3.2).
2. Im Ausgang von den so gewonnenen Resultaten sind dann alle Passus, die sich nach hinreichender Forschungsmeinung in irgendeiner Weise auf den Täuferkreis beziehen, im Detail zu untersuchen. Hier muß der Schwerpunkt der vorliegenden Studie liegen. Um keine Systematik zu präjudizieren, empfiehlt sich dabei ein rein chronologisches Vorgehen.
3. Knapp sind auch die historischen Voraussetzungen des Jüngerkreises beim Täufer und seine wirkungsgeschichtlichen Konsequenzen im frühesten Christentum zu mustern.
4. Schließlich können nach der Erschließung aller einschlägigen Passus und Entwicklungsbedingungen die nur mittelbar zu erfassenden redaktionellen Konzepte geprüft werden. Dabei sind die bis dahin erzielten Resultate untersuchungsleitend.

TEIL II

Jesus und der Täuferkreis

1. Der Status quaestionis

Das Verhältnis Jesu von Nazaret zum Jüngerkreis des Täufers Johannes gehört zu den gängigen, wenn auch meist nur beiläufig behandelten Themen der neueren Jesus-Forschung. Dabei wird heute weithin die These vertreten, Jesus habe diesem Jüngerkreis angehört, sich aber später von ihm gelöst, um mit einer eigenständigen Predigt aufzutreten.[1] In der nicht-katholischen Exegese ist die Jüngerschaft Jesu bei Johannes nahezu zur opinio communis geworden[2] und hat den Raum der 'haute vulgarisation längst erreicht.[3] Auch in der katholischen Auslegung findet die genannte Theorie zunehmend Vertreter[4], obschon man sich hier im allgemeinen reservierter verhält[5], wofür nicht zuletzt dogmatisch-

[1] Zur Definition des Jüngerbegriffs s. o. I:2.1.4.

[2] Folgende Übersicht ist nicht vollständig, wohl aber repräsentativ: BAMMEL, Baptist, 112; BECKER, Johannes, v. a. 12–15; BÖCHER, Überlieferung, 48; DERS., Art. Johannes, 177ff; BULTMANN, Jesus, 25f; DERS., C: Joh I, 76 A. 4; BURCHARD, Jesus, 19; CULLMANN, significance, 24; DERS., Christologie, 31; DERS., Kreis, 64, 93; FARMER, Art. John, 959; von GALL, Βασιλεία, 432; GOGUEL, seuil, 235–274; DERS., Jésus, 208–215; HÖLSCHER, Urgemeinde, 18; HOLLENBACH, conversion, passim; KRAFT, Entstehung, 83; LINDESKOG, Johannes, 55; LINNEMANN, Jesus, passim; LOHMEYER, Urchristentum, 3 u. ö.; MACGREGOR, problems, 361; MEYER, Prophet, 39, 114f; MORRIS, C: John, 237, 239; MÜLLER, Vision, 427, 434; OTTO, Reich, 47; RAU, Markusevangelium 2083 A. 145; ROBINSON, Elijah, 272; van ROYEN, Jezus, 11; RUDOLPH, Baptisten 11, 19; SANDERS, Jesus, 91; SCHMITT, milieu, 391; SCHNEIDER, Christentum, 440; SHAE, question, 18; SCOBIE, John, 161, 204; STAUFFER, Theologie, 9f; DERS., Gestalt, 56–58; H. THYEN, Art. „Ἰωάννης, in: EWNT II (1981), Sp. 517–524, hier: 520f; VIELHAUER, Art. Johannes, 807. Anders BARTSCH, Jesus, 118; BORNKAMM, Jesus, 45; ENSLIN, John 1f u. ö.; T. HOLTZ, Jesus aus Nazaret. Was wissen wir von ihm?, Zürich 1981, 55–57; MEYER, Ursprung I, 83f; II, 425; SCHÜTZ, Johannes, 100–102; SCHWEITZER, Geschichte, 403; bemerkenswert ist die Zurückhaltung der klassischen Täufermonographien von DIBELIUS (vgl. Überlieferung, 65f); KRAELING (vgl. John, 162f); MICHAELIS (vgl. Täufer, 52); WINK (vgl. John, 94).

[3] S. BEN-CHORIN, Bruder Jesus. Der Nazarener in jüdischer Sicht, München ³1970, 49; J. CARMICHAEL, Leben und Tod des Jesus von Nazareth, München ³1966 (Üb. Engl.), 181–185; M. CRAVERI, Das Leben des Jesus von Nazareth, Stuttgart 1970 (Üb. Ital.), 83f; M. MACHOVEČ, Jesus für Atheisten, Stuttgart ³1973 (Üb. Tschech.), 85–88; J. STEINMANN, La vie de Jésus, Paris 1959, 31.

[4] So PESCH, Initiation, 93; DERS., C: Mk I, 85, 334; SCHLOSSER, Règne I, 166; vorsichtig auch MERKLEIN, Gottesherrschaft, 142; DERS., Botschaft, 27; RADAELLI, Vangelo, 365.

[5] Vgl. SCHNACKENBURG, C: Joh I, 449; SCHNIDER, Prophet, 51f; SCHÜRMANN, Reich, 33; SINT, Eschatologie, 107; THOMAS, mouvement, 94 A. 2. Die Frage halten offen ERNST, Täufer, 167f; LOHFINK, Ursprung, 37 A. 19; MERKLEIN, Umkehrpredigt, 38; SCHILLEBEECKX, Jesus, 121.

christologische Bedenken gegen die – von der modernistischen Exegese mit Nachdruck verfochtene[6] – Hypothese verantwortlich sein dürften.[7]

Deshalb ist zu betonen, daß die Annahme einer Herkunft Jesu aus dem Täuferkreis und, damit verbunden, einer geistig-theologischen Reifung Jesu weder dem bibeltheologischen noch dem dogmatischen Befund widerspricht, sondern lediglich eine „soziologische Konsequenz" aus dem „ὁμοούσιος ἡμῖν" des Chalcedonense (DS 301) zieht. K. RAHNER hat aus der Sicht des Dogmatikers ausdrücklich die Vereinbarkeit einer geschichtlich greifbaren und auch für seine Sendung bedeutsamen religiösen Genese Jesu mit einer „orthodoxen Christologie" aufgezeigt.[8]

Was sich freilich als theologisch möglich darstellt, muß seine historische Wirklichkeit allererst erweisen; können derartige Lernprozesse Jesu im Jüngerkreis Johannes' des Täufers tatsächlich belegt werden, so ist es wiederum Aufgabe der systematischen Christologie, sie theologisch zu würdigen.[9]

---

[6] LOISY, naissance, 85; DERS., origines, 137, 309; vgl. RENAN, Jésus, 54–56.

[7] Es ist in forschungsgeschichtlicher Hinsicht beachtlich, daß O. KUSS in seiner Autobiographie bemerkt, in den Anfängen seiner Paderborner Zeit (1948–1960) habe ihn die Täuferfrage intensiv beschäftigt; dabei berührt er insbesondere das Problem des Verhältnisses zwischen dem Lehrer Johannes und seinem Schüler Jesus: „Jesus von Nazareth ist an Johannes dem Täufer gewachsen und geworden wie Platon an Sokrates" (Dankbarer Abschied, München 1982 [= tuduv-Studien: Reihe Religionswissenschaften 2], 78). Solchen und ähnlichen Zusammenhängen nachzugehen aber sei damals „im Einflußbereich der römisch-katholischen Kirche" wegen des Zwangs zu „rechtgläubigem" Historisieren nicht möglich gewesen (ebd., 76–79). Tatsächlich nähert sich KUSS 1951 dem Gedanken einer Jüngerschaft Jesu bei Johannes, der allerdings nur aus den „Voraussetzungen liberaler Kritik" verständlich sei (Tauflehre, 118 A. 93).

[8] Geleitwort, in: FENEBERG / FENEBERG, Leben, 9–14, hier: 12–14; vgl. auch bereits H. RIEDLINGER, Geschichtlichkeit und Vollendung des Wissens Christi, Freiburg i. Br. 1966 (= QD 32) mit kritischer Durchsicht der Theologiegeschichte; unter exegetischer Rücksicht A. VÖGTLE, Exegetische Erwägungen über das Wissen und Selbstbewußtsein Jesu, in: J. B. METZ u. a. (Hg.), Gott in Welt I. FS K. RAHNER, Freiburg i. Br. 1964, 608–667. Auch mit den neuerdings von der Internationalen Theologenkommission vorgelegten vier Propositionen zum Selbst- und Sendungsbewußtsein Jesu (IKZ 16 [1987] 38–49) läßt sich die Annahme einer Jüngerschaft Jesu vereinbaren, wenn das hier mehr statisch gefaßte Bild als terminus ad quem gesehen wird, zu dem die geistige Dynamik Jesu führt: „Heute versucht die Theologie, mit geschärftem Blick für die Perspektivität des bibl. Zeugnisses, die irdische Wissensvollkommenheit Jesu (nach Jo) nicht einfach als ständiges Anwesen göttlichen Wissens, sondern eher als Lichtungsgeschehen zu denken, das die Gottunmittelbarkeit des Menschen Jesu in Geschichtlichkeit (nach den Synopt.) ereignen läßt" (H. RIEDLINGER, Art. „Wissen und Bewußtsein Christi", in: LThK² 10 [1965], Sp. 1193f, hier: 1194). So gesehen besteht zu der jüngst von HOLLENBACH, conversion, 202f vorgetragenen Klage über die „limitations that ... theological commitments impose on ... historical work" (203) kein Anlaß; nicht theologische Linientreue, wohl aber historische Präzision ist vom Historiker zu verlangen, und eben am Mangel dieser letzteren scheitert der Versuch HOLLENBACHS, Jesu conversion aus dem Täuferkreis plausibel zu machen (s. u. II:2.1.4).

[9] Zur theologischen Relevanz des geschichtlichen Jesus vgl. nur R. SCHNACKENBURG, Der geschichtliche Jesus in seiner ständigen Bedeutung für Theologie und Kirche, in: K. KERTELGE (Hg.), Rückfrage nach Jesus. Zur Methodik und Bedeutung der Frage nach dem historischen Jesus, Freiburg i. Br. 1974 (= QD 63), 194–220.

Solche Belege werden aber seltener vorgelegt, als es die weite Verbreitung der Hypothese erwarten läßt. Häufig wird die Theorie je nach der theologischen Grundposition des einzelnen Auslegers entweder vorausgesetzt oder abgelehnt[10]; hingegen fehlen monographische Untersuchungen über das Thema in der aktuellen Forschung fast völlig, sieht man von den Versuchen E. LINNEMANNS (1973) und P. HOLLENBACHS (1982) ab, die aber über das bereits 1928 von M. GOGUEL gelegte Fundament nicht wesentlich hinausgehen (s. u. II:2.1).[11] Eine eingehende Erforschung des Problems ist also geboten.[12] Sie wird sich allerdings nicht allein auf den schmalen Stamm expliziter Aussagen der neutestamentlichen Literatur stützen, sondern hat ein möglichst breites Bezugsfeld zu berücksichtigen, in dem neben den relevanten Einzeltexten vor allem die Evidenz des religionsgeschichtlichen Profils Jesu im Vergleich mit dem des Täufers Bedeutung hat.[13] Nur so kann die mit dem Problem der religionssoziologischen Herkunft Jesu verbundene Frage seiner „geistigen Heimat" und der Ableitbarkeit seiner Botschaft sachgerecht untersucht werden.

---

[10] Nur zwei Beispiele solcher Unbefangenheit seien genannt: BULTMANN, C: Joh, 76 A. 4: „Die in ihrer Geschichtlichkeit nicht zu bestreitende Tatsache, daß sich Jesus von Johannes hat taufen lassen, beweist [sic!], daß Jesus eine Zeit lang zu den Täuferjüngern gehört hat" – aus terminologischer Unklarheit wird hier ein „Beweis" (s. o. I:2.1.4); CHEYNE, Art. John, 2500f stellt sich die Frage: „May we believe that Jesus of Nazareth was numbered among the disciples of Johanan?" und antwortet: „That Jesus, however, whose views of truth were so much deeper than Johanan's, gained any fresh insight into the will of God from his 'forerunner', is altogether incredible" – hier verdrängt unkontrolliertes Vorverständnis die historische Prüfung.

[11] Zu nennen ist noch das Kapitel „Lehrer und Schüler" bei BECKER, Johannes, 12–15.

[12] ERNST, Täufer, 167f zeigt einige offene Aspekte der Frage auf.

[13] Aus untersuchungstechnischen Gründen sind im vorliegenden Teil allerdings alle sich direkt auf den Täuferkreis beziehenden Texte (Mt 11, 2–6 / Lk 7, 18–23; Mk 2, 18–22 / Mt 9, 14–17 / Lk 5, 33–39; Mk 6, 29 / Mt 14, 12; Lk 11, 1; Joh 1, 35–51; 3, 22–4, 3) ausgeklammert (s. dazu III:2; 3; 4; 6; 9; 10).

2. Die äußeren Belege einer Gliedschaft Jesu im Täuferkreis

2.1 Konflikttheorien

2.1.1 Der Duktus der Konflikttheorien

Die Theorie von einer Jüngerschaft Jesu bei Johannes dem Täufer verbindet sich in der Regel mit der von einem Konflikt zwischen Jünger und Meister. Aus einem gewissen, jeweils unterschiedlich bestimmten Anlaß sei es zu einem Bruch Jesu mit dem Täufer gekommen, so daß er sich von Johannes getrennt und, nunmehr selbst von einem Jüngerkreis umgeben, seine eigene Botschaft verkündigt habe. Obwohl diese Hypothese von zahlreichen Auslegern vertreten wird[14], findet sie sich doch nur selten systematisch expliziert. Bereits 1933 widmete P. Guénin seine Genfer Hochschulschrift der Frage „Y a-t-il eu conflit entre Jean-Baptiste et Jésus?"; zwar weist er darin die Berührungen zwischen Jesus und dem Täuferkreis auf, jede persönliche Verbindung Jesu zu Johannes, die Taufe einbezogen, schließt er indes aus.[15] So bleiben die Versuche M. Goguels (1928/1950), E. Linnemanns (1973) und P. Hollenbachs (1982) zu überprüfen; ferner sind einige Ansätze zu untersuchen, die Jesu Trennung vom Täuferkreis mit einer speziellen Berufungs- oder Anfangsvision verbinden.

2.1.2 M. Goguel (1928/1950)

2.1.2.1 Darstellung

M. Goguel[16] hat seine klassische Theorie in der Täufermonographie von 1928 ausgefaltet und im „Leben Jesu" 1950 aus der Gegenperspektive beleuchtet. Er faßt sie folgendermaßen zusammen:

---

[14] Vgl. etwa Guy, prophecy, 46–48; Leroy, Jesus, 63–69; Macgregor, problems, 360–362; Merklein, Botschaft, 33; Müller, Vision, 427; Otto, Reich, 47; Robinson, Elijah, 273f; Schneider, Christentum, 440; Stauffer, Gestalt 59; Wilcox, Jesus, 175. An eine friedliche Lösung denkt Scobie, John, 155f.

[15] Vgl. conflit, passim; ähnlich neuerdings Enslin, John, passim.

[16] Der französische Exeget (1880–1955) lehrte seit 1906 Neues Testament an der protestantischen Theologischen Fakultät zu Paris und war seit 1927 zugleich in der Nachfolge A. Loisys

„Jésus prêche et baptise à côté de Jean. Une dispute s'élève au sujet de la purification. D'un côté, il y a les disciples de Jean et peut-être directement ou indirectement Jean lui-même, de l'autre côté, Jésus est certainement mêlé à la controverse puisque la conséquence en est qu'il s'éloigne. Son départ ne peut être compris que comme une rupture. Jésus s'éloigne de Jean-Baptiste parce qu'il ne partage plus ses vues sur le baptême. Ce fait montre que l'activité de Jésus dans la même région que Jean-Baptiste avait le caractère d'une association, d'une véritable collaboration. Quand Jésus prêchait et baptisait en Pérée, c'était en qualité de disciple de Jean-Baptiste qu'il le faisait. Quand il se sépare de Jean-Baptiste, il ne va pas poursuivre son œuvre ailleurs, il va commencer une œuvre nouvelle qui, extérieurement, est caractérisée par ceci que désormais il ne baptisera plus".[17]

Diese Theorie begründet GOGUEL mit einer Variation der Nazoräer-Hypothese[18] und mit dem Hinweis auf die Taufe Jesu und seine spätere ausdrückliche Gutheißung des Täuferwirkens[19], auf die von Mk 1, 14 / Mt 4, 12 vorausgesetzte Zwischenzeit[20], auf den anachronistisch das εὐαγγέλιον herausstellenden Versuch von Mk 1, 15, das Novum Jesu zu profilieren (vgl. Lk 4, 16–30), und vor allem auf die historisch zuverlässigen Traditionen, die das vierte Evangelium unter Rückgriff auf Quellen präsentiere (Joh 1, 28. 35–51; 3, 22–4, 3).[21] Demgegenüber ist die synoptische Darstellung tendenzverdächtig, obschon der hier nicht fehlende Buß- und Gerichtsgedanke bei Jesus als Reminiszenz seiner täuferischen Periode begreifbar scheint und auch die radikalen Züge in der Botschaft Jesu als konsequente Fortschreibung der Predigt des Täufers plausibel gemacht werden können. Die Verwechselbarkeit beider Propheten spiegelt sich auch in der Einschätzung Jesu als Ioannes redivivus wider (Mk 6, 14–16 parr).[22]

Dennoch setzt Jesus nicht einfachhin das Wirken des Johannes fort, sondern trennt sich von ihm. Den Anlaß dazu gibt der hinter Joh 3, 22–30 stehende *Taufstreit,* wie auch der Umstand bezeugt, daß Jesus die Taufpraxis einstellt. Tiefere Ursache ist das divergierende *Bußverständnis:* kann sich der Sünder für Johannes durch Buße und Taufe retten, so optiert Jesus für die souveräne Gnade

---

Lehrstuhlinhaber für Exegese an der Pariser École pratique des ʿHautes Études (KÜMMEL, Testament, 581).

[17] Seuil, 250f.

[18] Ebd., 236–239: zwar wird Jesus nach seinem Heimatort Nazarénien genannt, doch wird der Terminus „Nazaréen" möglicherweise sekundär eingeführt, um die Christen als „renégats de la communauté baptiste" zu kennzeichnen. Zur Nazoräer-Hypothese s. u. II:2.2.1.

[19] Ebd., 240: Jesus zustimmende Worte „révèlent chez Jésus une préoccupation visible de définir sa position par rapport à Jean, de caractériser sa mission en la différenciant de la sienne"; vgl. auch ebd., 271f.

[20] Ebd., 242: „Il se pourrait que, d'après la tradition qu'il suit ici, si Jésus quittait le Jourdain au moment où Jean était emprisonné, c'était parce que Jean n'étant plus là, il n'avait plus rien à y faire".

[21] Ebd., 78–95, 245–250; zu Joh 3, 22–4, 3: „Il faut en conclure que, dans la source, c'était principalement à Jean que se rapportait le récit. Il est donc probable, qu'il provenait du groupe baptiste" (ebd., 91).

[22] Vgl. ebd., 251–257.

Gottes, unter die auch der Büßer gestellt bleibt. Buße ist für Jesus kein Mittel, das Gericht aus eigener Kraft abzuwenden. Dem liegt eine Kluft im *Gottes- und Menschenbild* beider Propheten zugrunde. Für Johannes ist die Gerechtigkeit die entscheidende Eigenschaft Gottes. Das Novum Jesu liegt in seiner Vorstellung eines absolut transzendenten, heiligen und allmächtigen Gottes, der den Willen des Menschen im tiefsten bindet; gerade so bleibt der zur Vollkommenheit bestimmte Mensch vor Gott stets schuldig, dessen liebende Gnade ihn aber als Sünder rettet. In diesem unterschiedlichen Ansatz liegt die Wurzel des unterschiedlichen *Auftretens* Johannes' und Jesu. Der Täufer lebt asketisch in der Einöde, und der Bußwillige selbst muß die Initiative ergreifen, wenn er ihn aufsuchen will. Jesus dagegen verzichtet auf jede asketische Praxis und tritt als Freund der Sünder auf; gerade den Verlorenen geht er nach. Der subjektive Grund der Trennung ist schließlich in dem von den genannten Momenten nicht abzuhebenden *Selbstverständnis* Jesu zu sehen. Als „instrument par excellence de Dieu pour la réalisation de son Royaume"[23] prägt Jesus ein latentes messianisches Sendungsbewußtsein.[24]

In der folgenden Zeit erkennt Jesus das Wirken des Täufers nachdrücklich an (Mt 21,31b.32/Lk 7,29f; Mt 11,9–11/Lk 7,26–28), wenn er ihn auch der überwundenen Ära der Propheten und des Gesetzes zurechnet (Mt 11,12f/Lk 16,16), ein Urteil, in dem sich noch einmal der vollzogene Bruch niederschlägt. Nichtsdestoweniger ist der Täufer für Jesus Vorläufer der messianischen Zeit. Auf der anderen Seite verharrt Johannes, dessen Jüngergruppe im Kontrast zu Jesus bleibt, vermutlich auf seinem Standpunkt: „il n'a plus vu en Jésus qu'un disciple infidèle, et, disons le mot, un renégat".[25]

2.1.2.2 Kritik

1. Methodologisch ist zu beanstanden, daß die Argumentation GOGUELs der Literar- und Quellenkritik, verbunden mit einer Tendenz zum allzu eiligen Historisieren, einen ungebührlichen Vorrang vor der redaktionsgeschichtlichen Analyse einräumt. Sieht man von dem nicht zu haltenden Quellenpostulat für die einschlägigen Texte des vierten Evangeliums ab (s. u. III:9.1; 10.1), so sind Passus wie Mk 1,14/Mt 4,12 oder Mk 1,15 nur kompositionsbzw. redaktionskritisch zu klären.[26] Anfechtbar ist auch, daß GOGUEL seine historische Rekonstruktion wesentlich auf einer textkritischen Konjektur zu Joh 3,25 aufbaut, die der Prüfung nicht standhält (s. u. III:10.3.4).
2. Prinzipiell ist gegenüber der Konflikttheorie auf die von der klassischen Formgeschichte herausgestellte Schwierigkeit zu verweisen, aus chronologi-

---

[23] Ebd., 270.
[24] Vgl. ebd., 257–271.
[25] Ebd., 274; vgl. ebd., 271–274; zum Ganzen vgl. GOGUEL, Jésus, 208–215.
[26] Für Mk 1,14f vgl. etwa PESCH, C: Mk I, 100–107; für Mt 4,12 GNILKA, C: Mt I, 94f.

schen oder topographischen Angaben und „biographischen" Splittern eine Genese der Vita Jesu abzulesen.

3. Wenn die gängigen Konflikttheorien bei der Beschreibung des Konflikts und seiner Ursachen differieren[27], so ist dies als Indiz für das Fehlen einer soliden Textbasis zu werten.[28] Eine solche Textbasis ist aber um so eher erwartbar, als die Verfechter eines Bruchs diesen als die zentrale Wende in der geistigen Entwicklung Jesu sehen. Wenn statt dessen nur spärliche Traditionsrudimente aufgewiesen werden können, so kann dieses Schweigen zwar mit dem *pudendum* einer Täuferjüngerschaft Jesu erklärt werden, doch erweist sich dieses Argument bei näherem Hinsehen als brüchig (s. u. II:2.2.7).

4. Es erscheint als widersprüchlich, wenn GOGUEL einerseits die „hommage de Jésus à Jean-Baptiste" als Beleg früherer Jüngerschaft wertet, andererseits jedoch eine strikte „rupture" postuliert. Unverständlich bleibt bei dieser Voraussetzung auch die „bruchlose" und unverzügliche Aufnahme des täuferischen Ritus durch die Jünger Jesu nach dem Tod ihres Herrn (s. u. IV:3.2.2) und die Fluktuation zwischen Jesus- und Täuferbewegung (s. u. IV:3.1).

5. Das Schema, in dem GOGUEL die einzelnen Momente der Kontroverse sieht, ist im Licht der neueren Täuferforschung als allzu vereinfachend zu bezeichnen. So wird Johannes erst bei einer Würdigung seiner radikalen Theozentrik, die jeden Ansatz menschlicher „Bußleistung" und Werkfrömmigkeit ausschließt, richtig verstanden.[29]

6. Demgegenüber ist in Fortführung der bereits von C. H. KRAELING (1951) an GOGUEL geübten Kritik[30] aufzuzeigen, daß bei einem Vergleich des religiösen Profils der beiden Propheten für die Dynamik Jüngerschaft – Kontroverse kein Raum bleibt. Denn – bei aller Anerkennung der allgemeinen religionsgeschichtlichen Dependenz – der βασιλεία-Gedanke Jesu tritt nicht nur divergierend neben den Gerichtsgedanken des Täufers, sondern steht diesem eigenständig gegenüber. Jesus entwickelt nicht den Ansatz des Täufers konsequent weiter; zwar teilt er mit diesem wichtige Prämissen seiner

---

[27] LINNEMANN denkt eher an einen Konflikt um die Buße der notorischen Sünder, HOLLENBACH primär an die Heilungserfahrungen Jesu. Damit soll jedoch nicht das allzu billige Argument Verwendung finden, nach dem entgegengesetzte Hypothesen einander aufheben.

[28] Die Einzelanalyse der von GOGUEL als entscheidend beurteilten johanneischen Perikopen von der Jüngerberufung und dem „Taufstreit" erweist, daß hier keine Basis für die These einer Jüngerschaft Jesu beim Täufer vorliegt (s. u. III:9; 10). Selbst wenn man Joh 3, 22–4, 3 als historisch glaubwürdig anerkennt, kann man so doch nicht mehr als ein Verhältnis zwischen zwei unabhängigen, in räumlicher Distanz wirkenden und konkurrierenden Täufern, nicht aber eine Jüngerbeziehung belegen. Wenn der Bericht dennoch als deus-ex-machina der Konflikttheorie dienen soll, bedarf es weiterer Hilfsannahmen (s. u. II:2.1.3.2; 2.2.5).

[29] Diesen Ansatz hat v. a. BECKER, Johannes, 16–40 herausgearbeitet (vgl. aber die einschränkenden Bemerkungen unter II:3.2); etwa 40: „Wie die Zukunft als Gericht allein von Gott kommt, so ist auch die Taufe keine Möglichkeit des Menschen, sondern Gottes Gabe allein".

[30] John, 147–157.

Botschaft, aber seine ureigene Konzeption ist in ihren Wurzeln nicht auf die des Täufers rückführbar (s. u. II:3.5).

2.1.3 E. LINNEMANN (1973)

2.1.3.1 Darstellung

E. LINNEMANN will sich nicht damit begnügen, „Jesus von der Folie des Täufers abzuheben und Unterschiede festzustellen"[31], sondern sucht zu ermitteln, wie es zu diesen Differenzen gekommen ist. Als Ausgangspunkt dient ihr der Passus Joh 3,22–4,3, in dem sie zwei Stränge historisch glaubwürdiger Traditionen freilegt: Joh 3,23.25.26*.27 und Joh 3,22; 4,1–3.[32] Jesus ist demnach ein Jünger des Täufers, der dessen Kreis jedoch in einer Krise der Bewegung verläßt. Ausschlaggebend dafür ist, daß Johannes, bedrückt über den einseitigen Erfolg seiner Predigt beim am-haarez (Mt 21,31f/Lk 7,29f) und im Konflikt mit dem Pharisäertum (Mt 3,9/Lk 3,8b), den notorischen Sündern eine verschärfte Umkehr- und Bußpraxis auferlegt (Mt 3,7f/Lk 3,7f); Jesus hingegen akzeptiert das Sündenbekenntnis und die Taufe als vollgültige Umkehr.[33] So spaltet sich die Täuferbewegung, und Jesus als der weniger rigide Prediger erfreut sich eines größeren Zulaufs als sein ehemaliger Lehrer. Angesichts der Wertschätzung, die Jesus dem Täufer entgegenbringt, ist es glaubhaft, daß er seine Taufpraxis aufgibt, um Johannes nicht vor seinen pharisäischen Gegnern bloßzustellen.[34]

In der durch die Predigt des Täufers initiierten Bußbewegung des am-haarez sieht Jesus das Jona-Zeichen (Mt 12,39/Lk 11,29) und somit den Auftakt der einbrechenden Gottesherrschaft.[35] So war in summa

„die Verbindung Jesu mit dem Täufer enger, als zumeist vermutet wird. Er ließ sich nicht nur von ihm taufen, sondern er gehörte auch zu seinem Jüngerkreis. Am stärksten ist er aber mit dem Täufer durch das verbunden, was ihn am schärfsten von jenem scheidet. Nämlich durch die gegensätzliche Entscheidung in der Herausforderung durch eine geschichtliche Situation, die Jesus gemeinsam mit dem Täufer und dessen übrigen Jüngern zu bestehen hatte. Der Täufer entschied sich so, daß er in das Althergebrachte zurückwich. Jesus aber nahm die Herausforderung der Stunde an und wagte etwas Neues und Unerhörtes".[36]

---

[31] Jesus, 220.
[32] Vgl. ebd., 220–224.
[33] Ähnlich bereits LOHMEYER, Urchristentum, 53 und jetzt SANDERS, Jesus, v. a. 206, 227; WOLF, Gericht, 48; nach LEROY, Jesus, 63–69 hat sich Jesus von der Täuferbewegung abgesetzt und in Richtung auf einen hillelitisch geprägten Pharisäismus bewegt.
[34] Vgl. Jesus, 224–231.
[35] Vgl. ebd., 231–235.
[36] Ebd., 235f.

2.1.3.2 Kritik

Die Hypothese LINNEMANNS geht nicht entscheidend über die GOGUELS hinaus, auch wenn die Verfasserin Joh 3, 22–4, 3 für einen „bislang für den Problemkreis Jesus und der Täufer zu wenig herangezogenen ... Text"[37] hält. So können die gegen GOGUEL vorgebrachten Einwände mutatis mutandis auch gegen die hier beschriebene Theorie geltend gemacht werden (s. o. II:2.1.2.2).

1. Allerdings sucht LINNEMANN die überlieferungsgeschichtliche Basis der These auszubauen bzw. allererst zu schaffen, indem sie für Joh 3, 22–4, 3 einen doppelten Strang voneinander unabhängiger Traditionen postuliert. Demgegenüber erweist die Einzelanalyse, daß bereits die Scheidung von Tradition und Redaktion in der Perikope schwierig ist (s. u. III:10.1). Der „Traditionsstrang" Joh 3, 22; 4, 1–3 ist jedenfalls mit seiner chronologisierenden Tendenz und seinen pauschalen Reisenotizen, seiner sprachlichen Gestalt, kompositionellen Funktion und darstellungsleitenden Intention ganz redaktionell geprägt (s. u. III:10.3.1; 10.3.8), und der Rest gibt zumindest sachlich in keiner Weise her, was LINNEMANN in ihn hineinliest (s. u. III:10.3). Damit steht die Verfasserin auf keinem anderen Fundament als vor ihr GOGUEL.

2. Allzu optimistisch ist LINNEMANN in bezug auf die Rekonstruktion der Täuferbotschaft (s. u. II:3.2). Auf keinen Fall lassen sich die einzelnen Fragmente in eine kontinuierliche Geschichtslinie einordnen; problematisch ist vor allem die Chronologisierung von Mt 21, 31b. 32a.b / Lk 7, 29f – Mt 3, 9 / Lk 3, 8b – Mt 3, 7f / Lk 3, 7. 8a.

3. Nach Mk 6, 14–16 parr; Josephus, Ant., 18, 116–119 ist kaum daran zu zweifeln, daß sich der Täufer bis zu seinem Lebensende eines regen Echos bei seinen Zeitgenossen und damit auch beim am-haarez erfreute. Der Konflikt mit dem Pharisäertum ist reines Konstrukt.

4. Ferner mangelt der Theorie LINNEMANNS die innere Stringenz: daß Jesus sich wegen einer prinzipiellen Kontroverse vom Täufer lossagt, dann aber, um diesen gegenüber den Pharisäern nicht „bloßzustellen"[38], den Rückzug antritt, wirkt schon an sich eher unwahrscheinlich, wird aber vollends unglaubhaft, wenn man mit LINNEMANN[39] voraussetzt, daß es in Jesu Kontroverse mit dem Täufer gerade um das Prinzip der Endgültigkeit der Taufe geht.

5. Schließlich verfehlt auch LINNEMANN die sachgerechte Erfassung der Diastase zwischen Johannes und Jesus. Vor allem läßt sich ein Zurückweichen des Täufers in das Althergebrachte[40], näherhin sein Rekurs auf die herkömm-

---

[37] Jesus, 220; lediglich ebd., 226 A. 21 weist LINNEMANN global auf GOGUEL hin.
[38] Ebd., 227.
[39] Vgl. ebd., 230.
[40] Vgl. ebd., 236.

liche jüdische Bußform[41] nirgends auch nur ansatzweise belegen; die konsequent theozentrische Ausrichtung des Täufers ist ein durchgehender Zug der neutestamentlichen Überlieferung (s. u. IV:1.2). Andererseits kann Jesus die Gerichtsbotschaft nicht einfachhin abgesprochen werden.[42] Schließlich sind beide Propheten gerade dadurch verbunden, daß sie im gleichen Milieu wirken und sich mit ihrer Predigt an den gleichen Adressatenkreis wenden; dafür bilden gerade Mt 21,31f/Lk 7,29f ein triftiges Argument (s. u. II:3.3.3).

2.1.4 P. HOLLENBACH (1982)

2.1.4.1 Darstellung

P. HOLLENBACH unterscheidet im Auftreten Jesu vier Phasen: I. „Jesus the Penitent" (vgl. Mk 1,9): Jesus unterzieht sich als Büßer der Taufe des Johannes, um Nachlaß der Sünden zu erlangen, die in seinem Fall wohl näherhin das soziale Unrecht umschließen, das er als Zimmermann den Angehörigen der schwächeren Gesellschaftsklassen zugefügt hat.[43] II. „Jesus the Disciple of John": Nach seiner Taufe wirkt Jesus als Jünger des Täufers, wird dessen Vorzugsschüler und schließlich selbständiger täuferischer Prediger.[44] III. „Jesus the Baptizer" (vgl. Joh 3,22–26; 4,1–3): Die historisch zuverlässige Mitteilung des vierten Evangeliums und Jesu späteres Bemühen, sein Verhältnis zu Johannes zu klären, lassen auf eine täuferische Periode in der Vita Jesu schließen, in der er gemeinsam mit dem Täufer, wenn auch räumlich von ihm getrennt, die Botschaft des Johannes verkündigt.[45] IV. „Jesus the Healer": Dann aber kommt es zum Bruch, zur „conversion" Jesu. Die Zeugnisse lassen erkennen, daß Jesus nach einer gewissen Zeit nicht mehr tauft, daß er die asketische Praxis des Täufers durchbricht (Mt 11,18f par; Mk 2,18–20 parr) und auf rituelles Gebet verzichtet (Lk 11,1). Die Ursache für diese Trennung liegt in Jesu Erfahrung seiner exorzistischen und heilenden Kräfte, die ihm als Zeichen des anbrechenden Gottesreichs erscheinen (Mk 2,19a parr; Lk 11,20). So bricht für Jesus eine neue Zeit an (Mk 2,21f parr), in der er seine täuferische Vergangenheit überwindet (Mt 11,2–11 par), ein Kontrast, den das Volk durchaus empfindet (Mt 11,18f par). Ein deutliches Beispiel für die Wende Jesu ist das Vater-Unser als das neue Gebet (Lk 11,2–4) einer neuen Botschaft (Mk 1,14f par).[46]

---

[41] Vgl. ebd., 230.
[42] So aber ebd., 234.
[43] Conversion, 198–203.
[44] Ebd., 203f.
[45] Ebd., 204–207.
[46] Ebd., 207–217.

2.1.4.2 Kritik

HOLLENBACHS methodologisch reflexionslose, indes mit starkem Selbstbewußtsein und nicht ohne aufklärerisches Pathos vorgetragene Theorie[47] bleibt sachlich unbefriedigend. Der Verfasser verweist andere Ansätze in das Reich theologischer Vorbelastung und kehrt die eigene historische Voraussetzungslosigkeit hervor. Angesichts des Umstands, daß er lediglich die längst vor ihm von Theologen wie GOGUEL und LINNEMANN vorgetragenen Thesen reproduziert – freilich ohne sich deren disziplinierter exegetischer Argumentation zu befleißigen – wirkt die Betonung des „strictly historical character" des „newer scholarship"[48] eher befremdend. Bei näherem Hinsehen erweist sich die Voraussetzungslosigkeit des Historikers denn auch als bescheidene Unkenntnis der seit Jahrzehnten geführten Diskussion, die wohl nicht zuletzt auf die – für die anstehende Frage besonders unverständliche – Beschränkung auf wenige einschlägige Beiträge englischer Sprache zurückzuführen ist.[49]

Insofern HOLLENBACHS Versuch – von einigen wesentlich den Forschungen N. PERRINS zu verdankenden Präzisierungen zur vierten Phase abgesehen – den oben gewürdigten Positionen nichts hinzufügt, erübrigt sich eine ausführliche Auseinandersetzung mit ihm. Jedoch sei auf das unbekümmerte Historisieren des Forschers hingewiesen.[50] Seine Methode erschöpft sich weithin darin, einzelne ohne befriedigende Begründung als „authentisch" vorausgesetzte Logien und Szenen in ein deduktiv erstelltes Gesamtbild einzuordnen.

2.1.5 Theorien einer Anfangsvision

2.1.5.1 Darstellung

Die Trennung Jesu vom Täufer wird schließlich des öfteren mit einer Anfangs- oder Berufungsvision in Verbindung gebracht, die als Initialzündung Jesus

---

[47] Vgl. ebd., 196f, 201–203.

[48] Ebd., 197.

[49] Vgl. die Bibliographie ebd., 217–219. Ebd., 209 A. 32 erweckt HOLLENBACH den Eindruck, daß er die protagonistische Theorie GOGUELS nur vom Hörensagen kennt.

[50] Dies gilt im besonderen für seine „Rekonstruktion" der Sünden, für die Jesus in der Taufe Nachlaß suchte (ebd., 199f). Gewiß mögen die herkömmlichen Erklärungen für den Taufempfang Jesu (Solidarisierung mit den Sündern, Ratifizierung des Täuferwirkens, Heiligung des Jordanwassers, Vorspiel der christlichen Taufe, „erste prophetische Tat Jesu" [so SCHILLE-BEECKX, Jesus, 121–124]) nicht zu befriedigen, aber die Konstruktion HOLLENBACHS, ergänzt noch durch eine Betrachtung der Frage, ob Jesus das soziale Unrecht an den schwächeren Klassen selbständig oder zünftig organisiert begangen habe (ebd., 200 A. 9), hätte wohl selbst in der Blütezeit der Leben-Jesu-Forschung als skurril gegolten. Wenn schon eine Erklärung für die Taufe Jesu zu suchen ist, so ist in historischer Perspektive doch nur die annehmbar, daß Jesus sich eben der johanneischen Umkehrbewegung anschließen wollte und sich, soweit dies für die Johannestaufe vorausgesetzt werden darf, auch einer individuellen Buße unterzog. Irgendwelche Rückschlüsse auf die „Sünden Jesu" verbieten sich bereits in dieser vortheologischen Sicht. Das Problem des Zusammenhangs von Taufempfang und Sündenbewußtsein Jesu beschäftigt im übrigen bereits D. F. STRAUSS (Leben I, 369–374).

zu seinem eigenen Weg habe finden lassen. So sieht J. JEREMIAS (1979) im Erleben Jesu bei der Taufe durch Johannes jenes Ereignis, das „eine Kluft zwischen beiden Männern aufgerissen hat".[51] Auch Mk 11, 27–33 parr zeige, wie Jesus seine Vollmacht aus dem Erlebnis des Geistempfangs bei der Taufe abgeleitet habe.[52] Möglicherweise beziehe sich auch das Logion von der Übermittlung der Offenbarung durch den Vater (Mt 11, 27 / Lk 10, 22) auf das Taufgeschehen.[53] In ähnlicher Weise erwägt U. WILCKENS (1965), ob hinter der Taufvision das Berufungserlebnis Jesu stehe, das für ihn allerdings erst die christliche Überlieferung sekundär im Empfang der Taufe durch Johannes lokalisiert hat.[54]

Bereits 1953 hat P. D. van ROYEN in seiner Leidener Dissertation Jesu Distanzierung vom Täufer mit der Schau des Satanssturzes in Verbindung gebracht.[55] Diesen Gedanken hat in Anlehnung an die Täuferforschung J. BEKKERS[56] U. MÜLLER (1977) systematisch ausgefaltet: die Vision vom Satanssturz (Lk 10, 18) sei das Ereignis, das die Ablösung des Schülers vom Lehrer provoziert habe.[57]

2.1.5.2 Kritik

Obschon die Hypothese von einer Anfangsvision einen an sich naheliegenden Gedanken verfolgt, muß sie sich doch konkret am Text bewahrheiten. Hier erweisen sich zunächst die Versuche JEREMIAS' und WILCKENS' als kaum überzeugend. Zwar wird immer wieder über ein Tauferlebnis Jesu spekuliert[58], doch erklärt sich die Dramaturgie der Taufperikope nicht aus dem subjektiven Erleben Jesu, sondern aus den theologischen Darstellungsinteressen der vormarkinischen Tradenten und synoptischen Redaktoren: „it is an initial revelation to the reader – not to Jesus or to John and the crowds that have come to his baptism – that Jesus is the Son of God".[59] Damit ist eine psychologisierende Auswertung der Taufperikope ausgeschlossen: „We are not given the slightest hint of how the mind of Jesus worked, and there is no flicker of a suggestion of an inward development".[60] Demgegenüber kann man sich keineswegs auf Mk 11, 27–33 parr berufen, da es im Logion Mk 11, 30 nicht um eine persönliche

---

[51] Theologie, 62.
[52] Vgl. ebd., 61f.
[53] Vgl. ebd., 63–67.
[54] Das Offenbarungsverständnis in der Geschichte des Urchristentums, in: W. PANNENBERG (Hg.), Offenbarung als Geschichte, Göttingen ³1965 (= KuD. B 1), 42–90, hier: 52–54.
[55] Vgl. Jezus, v. a. 65–67.
[56] Johannes.
[57] Vgl. Vision, v. a. 427.
[58] So etwa bei BACON, relation, 71; CULLMANN, Christologie, 65; GOPPELT, Theologie I, 93; SCHÜRMANN, C: Lk I, 196; sehr vorsichtig auch MARSHALL, C: Luke, 151.
[59] BEARE, C: Matthew, 99; vgl. dazu auch die ausführliche Untersuchung VÖGTLES, Taufperikope, 116–125.
[60] BEARE, C: Matthew, 100.

Reminiszenz Jesu geht, sondern um die Funktion des Instituts der Johannes-taufe angesichts der anbrechenden Gottesherrschaft (s. u. II:3.3.5).

MÜLLER gelingt es, die Bedeutung der Vision vom Satanssturz für das Sendungsbewußtsein Jesu – genauer: für seine βασιλεία-Predigt – herauszuar-beiten, doch ist nicht einzusehen, warum die Vision mit der Trennung vom Täuferkreis verbunden wird. Vor allem vermißt man eine Möglichkeitsbedin-gung dieser Vision in der täuferischen Jüngerzeit Jesu; in der überkommenen Botschaft des Johannes gibt es für sie jedenfalls keinen Anhalt.[61] So fehlt jeder Nexus zwischen der Vision und der Täuferjüngerschaft Jesu. So steht der Ansatz Jesu einmal mehr unvermittelt neben dem des Täufers, und um so zweifelhafter scheint es, daß das Vorstellungsmodell Jüngerschaft – Trennung das Verhältnis zwischen Johannes und Jesus überhaupt adäquat erfassen kann.

2.1.6 Resümee

Die Prüfung der Konflikttheorie führt zu dem Resultat, daß keine ihrer Varianten zu überzeugen vermag. Vor allem krankt diese Theorie daran, daß ihr eine solide Textbasis fehlt und daß sie dem postulierten Konflikt im Leben Jesu und der frühesten Geschichte der Jesus-Gemeinde keinen Platz zuweisen kann, daß sich die verschiedenen Überlieferungsfragmente nicht in eine konsistente Chronologie der Beziehungen zwischen dem Täufer und Jesus einordnen lassen und daß die Hypothese eines Bruchs zwischen beiden Propheten das tatsächlich auszumachende religionsgeschichtliche Verhältnis eher verdunkelt als erklärt. Gegen einen rüden Konflikt sprechen Jesu positive Beurteilung des Johannes und seiner Taufe (s. u. II:3.3), das kontinuierliche Wirken beider im gleichen sozialen und religiösen Milieu und die unverzügliche Wiederaufnahme der Taufpraxis durch die früheste nachösterliche Gemeinde, schließlich die Fluk-tuation zwischen der Johannes- und der Jesus-Bewegung. So erscheint das Postulat eines Konflikts als eine Hypothese, die keinen problematischen Text erklärt, sondern eine andere Hypothese, die von der Jüngerschaft Jesu beim Täufer, stützt. In der Tat läßt sich der Hiat zwischen einer solchen vermuteten Jüngerschaft und dem sicher belegten, aber ganz anders gearteten Wirken und Predigen Jesu kaum durch die Gefangennahme des Johannes und dem dadurch für Jesus entstehenden Zwang zu eigenständigem Auftreten erklären. Doch so erweist sich die Konflikttheorie als Hilfsannahme zur Stützung einer weiteren Hilfsannahme, und es ist zu prüfen, ob nicht die Streichung beider Hypothesen einem textgerechten Verstehen des Verhältnisses zwischen dem Täufer und Jesus dient.

---

[61] Hier scheint sich vielmehr die Anlehnung MÜLLERS an BECKER, Johannes bemerkbar zu machen.

2.2 Direkte Belege einer Gliedschaft Jesu im Täuferkreis

2.2.1 Die Nazoräer-Hypothese

Als Argument für die Zugehörigkeit Jesu zum Jüngerkreis des Täufers Johannes dient nicht selten seine Kennzeichnung als Ναζωραῖος (Mt 2, 23; 26, 71; Lk 18, 37; Joh 18, 5. 7; 19, 19; Apg 2, 22; 3, 6; 4, 10; 6, 14; 22, 8; 26, 9). Bleibt das Cognomen zunächst Jesus reserviert, so wird es Apg 24, 5 auf die Jerusalemer Urgemeinde ausgedehnt (ἡ τῶν Ναζωραίων αἵρεσις) und klingt hier pejorativ (vgl. noch Tertullian, Adv. Marc., 4, 8, 1; Eusebius Caes., Onomastikon, 284f; Evagrius, Altercatio, 1, 1). Der Name wird zur geläufigen Bezeichnung der syrischen Christen (nāṣrājā), die von anderen Nationalkirchen übernommen wird. In der talmudischen Literatur findet sich die hebraisierte Form הנצרים/הנצרי für Jesus und seine Jünger (b Ber 17b; b Taan 27b; b Sot 47a; b San 103a; b AZ 17a u. ö.).[62] Die Mandäer bezeichnen sich selbst als נאצוראייא. Die Häresiologen kennen eine vorchristliche jüdische Sekte der Νασαραῖοι (Epiphanius, Pan. haer., 19, 5, 1. 4; 29, 6, 1; Filastrius, Divers. heres. lib., 8: Nazorei), Epiphanius aber auch eine judenchristliche Sekte der Ναζωραῖοι, obgleich er betont, daß einst alle Christen so genannt wurden (vgl. Pan. haer., 19, 5, 4; 29, 1, 1–3; 29, 5, 4. 6; 29, 6, 2f. 5. 7; 29, 7, 1. 7f; 30, 1, 3; 30, 2, 8; 53, 1, 3). Beide Sekten werden zwar nicht direkt als Täufersekten beschrieben, aber im transjordanischen Täufermilieu angesiedelt.[63]

Der sprachliche und sachliche Ursprung des Terminus ist heftig umstritten.[64] Häufig rekurriert man auf hebr. נצר; נָצְרִי kann als Nisbe-Form von נֹצֵר im Sinne von „Observant" aufgefaßt werden und läßt sich auf eine Sektenzugehörigkeit des so Bezeichneten beziehen; die Observanz wird meist näherhin als Beobachtung von Taufpraktiken bestimmt (vgl. ActPaulThecl 6: „μακάριοι οἱ

---

[62] Vgl. STRACK/BILLERBECK I, 92–96.

[63] Vgl. im einzelnen HÖLSCHER, Urgemeinde, 12–14; SCHAEDER, Art. Ναζαρηνός, 880–884; SCHOEPS, Theologie, 9f; zur Νασαραῖοι-Sekte v. a. HILGENFELD, Judentum, 57f, 74–78; THOMAS, mouvement, 37–40; zu den Ναζωραῖοι HILGENFELD, Judentum, 83–88; THOMAS, mouvement, 157–162. Die Evidenz der Sekten in der frühchristlichen häresiologischen Literatur ist übersichtlich dargeboten bei KLIJN/REININK, evidence, s. vocibus, v. a. 44–52, Belege: 155–197.

[64] Die Diskussion kreist primär um Mt 2, 23. Eine Ableitung von נֵ צֶ ר (vgl. Gen 49, 26; Dtn 33, 16; Klgl 4, 7) erwägt H. SMITH, Ναζωραῖος κληθήσεται, in: JThS 28 (1927) 60; A. MÉDEBIELLE, Quoniam Nazaraeus vocabitur (Mt. II, 23), in: Miscellanea Biblica et Orientalia. FS A. MILLER, Rom 1951 (= StAns 27/28), 301–326 denkt an נ צֶ ר, also צֶמח; für eine Herleitung aus נ צ ו ר (vgl. Jes 42, 6; 49, 6) plädiert B. GÄRTNER, Die rätselhaften Termini Nazoräer und Iskariot, Uppsala 1957 (= Horae Soederblomianae 4), 13–18; E. ZOLLI, Nazarenus Vocabitur, in: ZNW 49 (1958) 135f schlägt נ צ ר י ם (vgl. Jer 31, 6) vor; neben einer Rückführung auf das Nasiräatsinstitut (vgl. ZUCKSCHWERDT, Nazōraîos, passim) erwägt SCHWEIZER, Nazoräer, 93 die Derivation von der Heimatstadt Jesu. Einen Überblick über die uferlose Literatur zum Thema gibt ZUCKSCHWERDT, Nazōraîos, 69 A. 19.

τὸ βάπτισμα τηρήσαντες").[65] Entsprechend dieser Konzeption wird Jesus als Mitglied oder Renegat der Johannes-Sekte Nazoräer genannt.[66]

Bei einer kritischen Würdigung der verschiedenen Lösungsversuche erweist sich jedoch nicht die dargestellte These, sondern die folgende Theorie als dem philologischen, historischen und exegetischen Befund am ehesten angemessen: Auszugehen ist von Nazaret, das als Heimatort Jesu nicht mehr bestritten werden sollte.[67] Der Ansatz beim Nasiräatsinstitut findet in der Vita Jesu keine Verankerung (vgl. Mt 11, 16–19/Lk 7, 31–35), der bei den konfusen Νασα-ραῖοι-Notizen des Epiphanius bietet eine explicatio obscuri per obscurius.[68] Daß der Eigenname Jesu hingegen während seiner öffentlichen Wirksamkeit mit einer Herkunftsbezeichnung verbunden wurde, ist von vornherein sehr wahr-scheinlich.[69] Ferner ist auch anzunehmen, daß Jesu Anhänger von Außenstehen-den im Hinblick auf den wenig eindrucksvollen Heimatort ihres Herrn bald pejorativ Nazarener genannt wurden.[70] Die wachsende Jesus-Verehrung ließ den Sinn der Herkunftsangabe in den Hintergrund treten, zumal der Träger des Namens im innerchristlichen Raum unverwechselbar geworden war. Bei der Suche nach einer Tiefenschärfe des gewohnten Cognomen bot sich der ναζι-ραῖος-Begriff der Septuaginta an (Ri 13, 5. 7; 16, 17 LXX; hebr. נזיר; aram.

---

[65] Weitere Verweise bei LOHMEYER, Urchristentum, 115f A. 2. Protagonist der beschriebenen Theorie ist LIDZBARSKI in seinen Einleitungen zu den mandäischen Quellenausgaben (vgl. v. a. Einleitung zum Ginzā, IXf). In verschiedenen Variationen wird sie von zahlreichen Forschern vertreten, etwa BRAUN, Radikalismus II, 121; von GALL, Βασιλεία, 411f, 431; HÖLSCHER, Urgemeinde, 17–20; KRAFT, Entstehung, 77–84; LOHMEYER, C: Mt, 32f; LOISY, origines, 36; RUDOLPH, Mandäer I, 114–116; SCHOEPS, Theologie, 9f; H. THYEN, Art. „Nazaräer", in: RGG³ IV (1960), Sp. 1385; mit unerschöpflicher Phantasie schließlich von EISLER, ᾽Ιησοῦς II, 20–22. Zur Deutungsgeschichte vgl. auch G. F. MOORE, in: JACKSON/LAKE, beginnings I, 430f.

[66] So BULTMANN, Bedeutung, 143f; DERS., Jesus, 25; EISLER, ᾽Ιησοῦς II, 151; von GALL, Βασιλεία, 432f; HÖLSCHER, Urgemeinde, 18, 20; KENNARD, Nazorean, 81; KRAFT, Entstehung, 83; LOH-MEYER, C: Mt, 33 (vgl. DERS., Urchristentum, 115f); LOISY, origines, 36, 308f; van ROYEN, Jezus, 47f, 103; RUDOLPH, Mandäer I, 116 (vorsichtig); SCHMITHALS, C: Mk I, 83; VIELHAUER, Art. Johannes, 807 (als Erwägung); vgl. auch GOGUEL, seuil, 239. BÖCHER, Überlieferung, 66 A. 96 bringt den Begriff mit dem Nasiräatsinstitut in Verbindung und dieses sowohl mit dem Täufer als Lehrer Jesu als auch mit der Mandäerreligion.

[67] Gegen KRAFT, Entstehung, 77–84; D. B. TAYLOR, Jesus – of Nazareth?, in: ET 92 (1980/81) 336f. Zwar ist der Ort außerneutestamentlich relativ spät belegt, frühestens 135 n. Chr. (vgl. J. W. CHARLEY, Art. „Nazareth", in: NBDict² [1982], 819; D. C. PELLETT, Art. „Nazareth", in: IDB 3 [1962], 524–526, hier: 524f); doch zeigt gerade Mt 2, 23, wie die christliche Überlieferung die ihr peinliche Ortsangabe theologisch zu vertiefen sucht, statt umgekehrt ein Theologumenon durch Hinweis auf einen belanglosen galiläischen Flecken zu banalisieren; vgl. näher schon GOGUEL, seuil, 236–239.

[68] Bereits die Nazoräer verunsichern Epiphanius (vgl. Pan. haer., 29, 1, 1); die Nasaräer stellt er gar neben die „jüdischen Sekten" der Sadduzäer, Schriftgelehrten oder Herodianer und nennt in der gleichen Reihe die Hemerobaptisten und Ossäer (vgl. Pan. haer., 19, 5, 1); dazu auch HÖLSCHER, Urgemeinde, 12f.

[69] Vgl. SCHWEIZER, Nazoräer, 93.

[70] Tatsächlich findet sich der Terminus meist im Munde Außenstehender, deutlich etwa Tertullian, Adv. Marc., 4, 8, 1; Evagrius, Altercatio, 1, 1: (Simon Iudaeus:) „Quod si tu me hodie viceris, facito Christianum; aut ego cum te superavero, faciam Nazaraeum Iudaeum"; vgl. auch LOH-MEYER, C: Mt, 32.

נ צ ר י), auf den sich Mt 2, 23 und hintergründig bereits Mk 1, 24 beziehen.[71] So wurde er sekundär zu einem hoheitschristologisch-titularischen Terminus.[72]

Diese Erklärung setzt freilich die Möglichkeit der sprachlichen Metamorphose voraus. Von vornherein ist dabei in Rechnung zu stellen, daß man nicht von einer einheitlichen Schreibung oder Aussprache des unbekannten Dorfs ausgehen kann. Das aramäische Epitheton konnte mit ναζαρηνός ebenso wie mit ναζωραῖος wiedergegeben werden: 1) Die Transformation der Endung bietet keine Schwierigkeit, sie ist auch sonst anzutreffen (z. B. Ἐσσηνοί – Ἐσσαῖοι).[73] 2) Das -α- wie das -ω- können ein Schwa simplex des aramäischen Cognomen wiedergeben.[74] 3) Daß aus dem Sibilanten -צ- -ζ- wird, ist zwar ungewöhnlich, keineswegs aber ausgeschlossen[75]; außerdem ist es denkbar, daß die Ortsbezeichnung bei ihrer Übertragung ins Griechische bereits im ναζι-ραῖος-Kontext verstanden und dementsprechend transkribiert wurde.[76] „Brutaler Gewalt" bedarf die hier vorgeschlagene Lösung also nicht.[77]

Mit dieser Erklärung ist jeder Bezug der Bezeichnung Jesu als Ναζωραῖος auf eine täuferische Formation im allgemeinen und die „Johannes-Sekte" im besonderen prinzipiell abgewiesen. Zudem wäre bei einem derartigen Bezug unverständlich, warum gerade Jesus zum Ναζωραῖος schlechthin stilisiert worden ist.[78] Wenn die lukanische Kindheitsgeschichte Johannes als Nasiräer vorstellt (vgl. Lk 1, 15)[79], so belegt dies lediglich die Wertschätzung dieses Prädikats in der jüdisch-frühchristlichen Frömmigkeit[80]; auch der Täufer wird sekundär mit

[71] So überzeugend SCHWEIZER, Nazoräer, passim; vgl. ZUCKSCHWERDT, Nazōraîos, passim.
[72] SCHWEIZER, Nazoräer, 93 (vgl. ZUCKSCHWERDT, Nazōraîos, 65) bevorzugt die umgekehrte Dynamik, aber der Ansatz im historischen Umfeld Jesu läßt eher an die lokale Herkunftsbezeichnung denken, während die *Entstehung* eines Hoheitstitels „Nazoräer" doch wohl nur vor dem Hintergrund der Reinterpretation einer schon gebräuchlichen Nomenklatur verständlich wird.
[73] RÜGER, NAZAPEΘ, 260; SCHAEDER, Art. Ναζαρηνός, 880.
[74] Belege bei SCHAEDER, Art. Ναζαρηνός, 882, z. B. Gen 10, 30: ספרה – Σωφήρα. Hiergegen WIDENGREN, Einleitung, 8f, doch ebenso C. COLPE, Rez. B. GÄRTNER, Die rätselhaften Termini Nazoräer und Iskariot, in: ThLZ 86 (1961) Sp. 31–34, hier: 32; G. F. MOORE, in: JACKSON/LAKE, beginnings I, 428f; in philologischer Hinsicht pflichtet auch SCHWEIZER, Nazoräer, 92 bei, doch liegt in der hier vorgeschlagenen Mutation die eigentliche Crux; neuerdings hat RÜGER, NAZA-PEΘ, 261f eine Nebenform *נצור vorgeschlagen.
[75] Belege bei BLASS/DEBRUNNER, §39 A. 8; SCHAEDER, Art. Ναζαρηνός, 884; ähnlich G. F. MOORE, in: JACKSON/LAKE, beginnings I, 427; RÜGER, NAZAPEΘ, 257.
[76] Vgl. SCHAEDER, Art. Ναζαρηνός, 883f.
[77] Gegen KRAFT, Entstehung, 80. Die Rückführung des Nazoräer-Begriffs auf den Herkunftsort Jesu vertreten auch ALBRIGHT, names, passim; G. ALLAN, He shall be called – a Nazirite?, in: ET 95 (1983/84) 81f, hier: 81; GRESSMANN, Problem, 166; M. HENGEL u. H. MERKEL, Die Magier aus dem Osten und die Flucht nach Ägypten (Mt 2) im Rahmen der antiken Religionsgeschichte und der Theologie des Matthäus, in: P. HOFFMANN (Hg.), Orientierung an Jesus. Zur Theologie der Synoptiker. FS J. SCHMID, Freiburg i. Br. 1973, 139–169, hier: 162f; G. F. MOORE, in: JACKSON/LAKE, beginnings I, 426–429; SCHAEDER, Art. Ναζαρηνός, 880–884; vgl. v. a. die eingehende Analyse RÜGERS, NAZAPEΘ, passim. SCHWEIZER, Nazoräer, 93 hält diese Lösung immerhin für möglich.
[78] Vgl. LOHMEYER, C: Mt, 32.
[79] Anders SCHÜRMANN, C: Lk I, 33f.
[80] Davon zeugt noch Epiphanius, Pan. haer., 29, 5, 7. Derartige Theologumena lassen aber keine

dem Nasiräertum in Verbindung gebracht. Wenn freilich J. S. KENNARD meint, Mk polemisiere mit der topographischen Fiktion „Nazaret" gegen den Täuferkreis, um zu beweisen, daß Jesus, nicht Johannes, der ersehnte   sei, und die anderen Evangelisten sympathisierten mit dieser Lösung[81], so variiert er damit nur einen methodisch verfehlten Ansatz (s. o. I:2.1.3). Mit dem Täuferkreis ist die Ναζωραῖος-Terminologie mithin in keinen Zusammenhang zu bringen.

2.2.2 Die Deutung der Wendung „ὁ ὀπίσω μου ἐρχόμενος" auf eine Jüngerschaft Jesu

Häufig wird die These von einer Jüngerschaft Jesu bei Johannes dem Täufer damit begründet, daß sich Johannes auf Jesus als den „ὀπίσω μου ἐρχόμενος" beziehe.[82] Hinter dieser Sprachfigur stehe ursprünglich die im Judentum als terminus technicus für das Meister-Jünger-Verhältnis geläufige Kombination hebr. פ׳ אחרי הלך/ aram. פ׳ בתר אזל (z. B. 1 Kön 19, 20f; b Ket 66b; b AZ 43a).[83] Der neutestamentliche Sprachgebrauch kennt dafür den Pleonasmus ἀκολουθεῖν ὀπίσω τινός sowie ἔρχεσθαι ὀπίσω τινός oder ἀκολουθεῖν (vgl. z. B. auch Josephus, Ant., 8, 354) und wendet den Begriff auf die Jesus-Nachfolge an.[84] Als Täuferwort begegnet die Wendung in bezug auf die von Johannes angekündigte eschatologische Gestalt, in interpretatione Christiana also in bezug auf Jesus. Die Formulierung variiert:

- ὀπίσω μου + Part. Praes. ἔρχεσθαι: Mt 3, 11; Joh 1, 15. 27
- ὀπίσω μου + finites Verbum im Praes. ἔρχεσθαι: Mk 1, 7; Joh 1, 30
- μετ' αὐτόν + Part. Praes. ἔρχεσθαι: Apg 19, 4
- μετ' ἐμέ + finites Verbum im Praes. ἔρχεσθαι: Apg 13, 25.

Lk 3, 16 diff Mk 1, 7 / Mt 3, 11; Justin, Dial., 49, 3; 88, 7 verzichten auf eine präpositionale Ergänzung des Verbs. Die partizipiale und finite Form von ἔρχεσθαι sind, wie Joh 1, 30 explizite besagt, austauschbar.

Die Argumente für die Deutung der Wendung auf eine Jüngerschaft Jesu beim Täufer lauten:

---

historischen Rückschlüsse auf Jesu und des Täufers Selbstdeutung zu: gegen BÖCHER, Überlieferung, 66 A. 96. Der historische Täufer trägt keinerlei Nasiräer-Züge (vgl. SCOBIE, John, 136f).

[81] Nazorean, 80f.

[82] So BARRETT, C: John, 168 (vorsichtig); DODD, tradition, 273–275, 292; GNILKA, C: Mt I, 71, 73 (vorsichtig); GROBEL, he, passim; HOFFMANN, Studien, 25 (für Lk); LOHMEYER, Überlieferung, 311–316; DERS., Urchristentum, 83; MORRIS, C: John, 108 A. 100 (vorsichtig); PESCH, C: Mk I, 83, 84 A. 40 (für Q); SCHÜRMANN, C: Lk I, 173 A. 77 (für Lk); WINK, John, 38 (für Mt), 88 (für Joh), vgl. ebd., 55.

[83] Vgl. STRACK/BILLERBECK I, 187f; SCHULZ, Nachfolgen, 17–21.

[84] Vgl. GROBEL, he, 397; KITTEL, Art. ἀκολουθέω, 211, 213–215; H. SEESEMANN, Art., „ὀπίσω, ὄπισθεν", in: ThWNT V (1954), 289–292, hier: 290f; ausführlich SCHULZ, Nachfolgen, 17–133, v. a. 63–67; dazu aber auch die modifizierenden Bemerkungen HENGELS, Nachfolge, 57f A. 54.

1. Die uneigentliche Präposition ὀπίσω hat im Sprachgebrauch der Septuaginta und des Neuen Testaments fast durchweg lokalen Charakter[85]: „it is a fact not to be taken lightly that of 35 occurences of ὀπίσω in the New Testament there is not one … in which it has a temporal sense".[86]

2. Im temporalen Sinne ließe ἔρχεσθαι eher ein Futurum erwarten: „ἔρχεται is conceived to be a present denoting habitual, or at least unterminated action".[87]

3. Wenn das Diktum vom Nachkommenden statt als blasser Anhang zur kraftvollen Gerichtspredigt des Täufers als Hinweis auf den Täuferjünger Jesus verstanden wird, fügt es sich besser in den Rahmen der Botschaft des Johannes: „He was merely acknowledging his pupil's potentially greater capacity".[88] Von daher wird auch die Überlieferung von der Anfrage des Täufers aus dem Gefängnis (Mt 11, 2–6 par) plausibler: it „takes on verisimilitude, because it then no longer implies a retrogression in John's opinion of Jesus, but a long leap forward"[89]; die Gemeinde wahrt hier noch die Differenz zwischen dem absolut verwendeten Hoheitstitel „ὁ ἐρχόμενος" und der Verhältnisbestimmung „ὁ ὀπίσω μου ἐρχόμενος".[90]

4. So wird auch verständlich, warum Lk die Wendung meidet (Lk 3, 16 diff Mk 1, 7; vgl. Apg 13, 25; 19, 4): er ist bestrebt, den Gedanken der Täuferjüngerschaft gar nicht erst aufkommen zu lassen.[91]

Daher hat C. H. Dodd für Joh 1, 15.30 die Übertragung vorgeschlagen: „There is a man in my following who has taken precedence of me, because he is and always has been essentially my superior".[92]

Zu 1 u. 2): Mag auch die diachrone Übersicht ein lokales Verständnis der Präposition empfehlen, so legt doch die Kontextanalyse eine temporale Deutung nahe. Eine solche ist möglich und üblich (1 Kön 1, 6.24; Koh 10, 14 LXX)[93]; auch אחרי dient eindeutig als temporale Präposition.[94] Mit der Präsens-Form von ἔρχεσθαι ist nicht zu argumentieren, denn Mt 3, 11; Joh 1, 15. 27; Apg 19, 4 verwenden ohnehin das Partizip[95], und die finiten präsentisch formulierten Verben der übrigen Belegstellen können – zumal bei Verben des Gehens –

---

[85] Vgl. Blass/Debrunner, § 215; die Profangräzität kennt ὀπίσω nur als lokales oder temporales Adverb.

[86] Dodd, tradition, 273; ähnlich Grobel, he, 398f; Lohmeyer, Überlieferung, 313.

[87] Grobel, he, 399.

[88] Ebd..

[89] Ebd..

[90] Vgl. ebd., 399f.

[91] So Dömer, Heil, 34; Grobel, he, 400; Hoffmann, Studien, 25; Schürmann, C: Lk I, 173 A. 77.

[92] Tradition, 274.

[93] So auch Bultmann, C: Joh, 50 A. 6.

[94] Gesenius, 26.

[95] Ein futurisches Partizip ist in der neutestamentlichen Koine nicht zu erwarten, vgl. Blass/Debrunner, § 351.

ohne weiteres futurischen Sinn tragen (vgl. Mt 17, 11: „Ἠλίας ... ἔρχεται καὶ ἀποκαταστήσει [!] πάντα"); dies belegt auch Apg 13, 25, wo die Präposition μετά eindeutig einen futurischen Sinn determiniert.[96] Daher muß jeweils der unmittelbare Kontext entscheiden, und dieser läßt entweder auf ein temporales Verständnis schließen (Mk 1, 7 / Mt 3, 11; Joh 1, 15. 30) oder jedenfalls einen lokalen Sinn als unmöglich erscheinen (Joh 1, 27 [vgl. Joh 1, 26. 33]).[97] Für den weiteren, sachlichen Zusammenhang hat O. CULLMANN (1948) ausführlich dargelegt, daß die Wendung „ὁ ὀπίσω μου ἐρχόμενος" in einem Argumentationsstrang der frühchristlichen Täuferinterpretation steht, dem es um die chronologisch-heilsgeschichtliche Deutung des Verhältnisses zwischen Jesus und Johannes geht.[98] Nicht daß Jesus Jünger des Johannes ist, sondern daß er jünger als Johannes ist, ist das Problem. So ist die Wendung am ehesten als das christologische Komplement zum täufertheologischen Vorläufermotiv zu verstehen (vgl. Apg 13, 24f).[99]

Zu 3 u. 4): Es ist kaum in den Rahmen der überkommenen Täuferbotschaft einzuordnen, daß sich Johannes anerkennend über „seinen Jünger" geäußert haben sollte (s. u. II:3.2); die christliche Überlieferung hätte wohl auch kaum versäumt, eine solche Anerkennung deutlich herauszustellen.[100] Der Hinweis auf die „retrogression in John's opinion of Jesus" übersieht, daß es in Mk 1, 7 / Mt 3, 11 / Lk 3, 16 um die Ankündigung der Richtergestalt, in der Anfrage aus dem Gefängnis aber um deren Identifizierung mit dem Herrn der christlichen Gemeinde geht (s. u. III:2.5.5). Wenn Lk 3, 16 die Präpositionalwendung tilgt, so mag er die unelegante Formulierung Mk 1, 7 glätten oder das Attribut der Stärke hervorheben wollen; in Apg 13, 25; 19, 4 kommt auch die sprachliche oder heilsgeschichtliche Verdeutlichung als Motiv für die Verwendung von μετά in Betracht. Aber selbst wenn Lk die Wendung auf eine Jüngerschaft Jesu bezieht, mag er einem Mißverständnis unterliegen oder eher ein solches vermeiden wollen.

Spricht also alles für ein temporales Verständnis der Präposition im überlieferten Kontext, so kann dieses Verständnis als sekundär erklärt und eine primäre lokale Bedeutung postuliert werden.[101] Jedoch muß dann erklärt werden, wie so verschiedene Traditionsstränge teilweise unabhängig voneinander eine ihnen überkommene Nachricht chronologisch verfärbt haben können, obschon gerade diese Färbung für sie ein heikles Problem darstellt.[102] Viel eher läßt sich vermuten, daß die ursprüngliche Überlieferung nur von dem ἐρχόμενος wußte

---

[96] Auch nach GROBEL, he, 400.
[97] Vgl. auch MEIER, John, 390 A. 23, der bei prinzipieller Zustimmung zur Interpretation der Formel zugunsten einer Jüngerschaft Jesu sie für den Kontext Mt 3, 11 doch ablehnt.
[98] Vgl. ἐρχόμενος, passim.
[99] Vgl. auch KRAELING, John, 55.
[100] Vgl. SCOBIE, John, 63f.
[101] So DODD, tradition, 272f.
[102] Vgl. etwa CULLMANN, ἐρχόμενος, passim.

und erst Q dessen Ankündigung durch die Präpositionalwendung auf den Menschensohn Jesus bezog.[103] Jedenfalls weist alles auf ein geschichtliches Nacheinander der beiden Propheten, und es ist sachgerechter, die Notizen in den bekannten Geschichtsverlauf einzuordnen, als einen unbekannten zu postulieren.

2.2.3 Die Deutung der Wendung „λῦσαι τὸν ἱμάντα τῶν ὑποδημάτων αὐτοῦ" auf eine Jüngerschaft Jesu

In Verbindung mit der Jüngerschaft Jesu wird auch auf das Motiv „λῦσαι τὸν ἱμάντα τῶν ὑποδημάτων αὐτοῦ" (Mk 1,7/Lk 3,16 diff Mt 3,11: τὰ ὑποδήματα βαστάσαι) verwiesen (vgl. b Ket 96a): „Johannes als der ‚Lehrer' Jesu ist seinem ‚Schüler' Jesus dennoch untergeordnet; er ist nicht einmal wert, ihm jenen niedrigsten Dienst zu leisten, den kein Schüler seinem Lehrer zu leisten braucht".[104] Doch ist diese rabbinische Auffassung mit b Ket 96a denkbar schwach belegt, zumal diese Vorschrift eher einer Verwechslung von Schüler und Sklave vorzubeugen scheint. Es empfiehlt sich, das Bildwort allgemein auf Sklavendienst zu beziehen[105] und die „Demutsbeteuerung" des Johannes in die auch sonst zu beobachtende Tendenz zur Inferiorisierung des Täufers einzuordnen.[106]

2.2.4 Die Deutung des Terminus ὁ μικρότερος auf eine Jüngerschaft Jesu

In Mt 11,11/Lk 7,28 ist im Täuferlob Jesu auch von dem μικρότερος die Rede, der in der Gottesherrschaft den Täufer, den Größten unter den Weibgeborenen, an Größe übertreffe. Dieser Komparativ ist seit den frühen Kirchenschriftstellern immer wieder christologisch gedeutet worden (z.B. Tertullian, Adv. Marc., 4,18,8; vgl. Hieronymus, Comm. in Math., 2, ad 11,11: „Multi de Saluatore hoc intellegi uolunt quod qui minor est tempore maior sit dignitate").[107] Zu Beginn dieses Jahrhunderts hat F. DIBELIUS (1910) diese Interpretation wieder

---

[103] So auch HOFFMANN, Studien, 25. Wir vermuten, daß sich die Ankündigung des Johannes auf den kommenden Richtergott bezog (s.u. IV:1.2).

[104] HOFFMANN, Studien, 32f; vgl. LOHMEYER, Überlieferung, 317.

[105] Belege bei STRACK/BILLERBECK I, 121.

[106] So auch GNILKA, C: Mk I, 47; SCHULZ, Q, 377 A. 355.

[107] Weitere Belege bei MICHEL, Art. μικρός, 656 A. 27. Bereits Hieronymus lehnt die von ihm referierte christologische Deutung ab und stellt „omnis sanctus qui iam cum Deo est" als maior demjenigen gegenüber, der noch „in proelio" steht.

in Erinnerung gerufen.[108] Während der Komparativ hier aber auf ein „Kleiner-sein" Jesu an Alter oder Ansehen bezogen wurde, sieht O. CULLMANN mit der Übersetzung „Der, welcher kleiner ist (sc. Jesus, nämlich als Schüler), ist größer als er (sc. Johannes) im Himmelreich" den Status Jesu als Täuferschüler ange-sprochen.[109] Diese Deutung findet sich auch bei anderen Auslegern.[110]

In der Tat werden die Jünger mitunter als μικροί bezeichnet (z. B. Mk 9, 42 / Mt 18, 6)[111], aber diese Verwendung beschränkt sich auf den Positiv und ist als terminus technicus nicht geläufig.[112] Eine synchrone Analyse von Mt 11, 11 / Lk 7, 28 ergibt, daß μικρότερος im Syntagma des Logions, zumal in komplementärer Stellung zu μείζων, sich zwar am ehesten komparativisch verstehen läßt[113], in jedem Fall aber generisch zu deuten ist; ein individueller oder gar christologischer Bezug ist auszuschließen (s. u. II:3.3.1.3.2).[114]

2.2.5 Der Rekurs auf Joh 1, 35–51; 3, 22–4,3

„Appoggiati sui testi del IV vangelo si potrebbe anche parlare di un 'discepo-lato' di Gesù sotto G. B. (cfr. 1, 35–51; 3, 22–24; 4, 1–2)"[115]; in der Tat dienen diese Passus als einziger zusammenhängender Beleg für Jesu Gliedschaft im Jüngerkreis des Täufers.[116] Die Prüfung der genannten Texte (s. u. III:9; 10) ergibt aber, daß sie, auch wenn ihnen ein historischer Kern nicht abgespro-chen wird, gerade das Gegenteil einer Jüngerschaft Jesu bei Johannes belegen: die Konkurrenz zweier, in räumlicher Distanz wirkender Täufer mit je eige-nem Jüngeranhang, die zwar im gleichen religiösen Milieu tätig, aber vonein-

---

[108] Worte, 190–192; ähnlich jetzt wieder SCHLOSSER, Règne I, 164–166; vgl. dazu FITZMYER, C: Luke I, 675; PLUMMER, C: Luke, 205.

[109] Christologie, 31 (Zusätze von CULLMANN); ebenso DERS., significance, 24, doch anders DERS., ἐρχόμενος, 173, wo wieder auf ein μικρότερος κατὰ τὴν ἡλικίαν (aram. זעיר) abgehoben wird.

[110] So GRUNDMANN, C: Lk, 166; HOFFMANN, Studien, 220–224, v. a. 223; LOISY, origines, 137; MICHEL, Jüngerbezeichnung, 414; SCHLOSSER, Règne I, 166; SUGGS, wisdom, 47. Auch diese These kolportiert J. CARMICHAEL, Leben und Tod des Jesus von Nazareth, München ³1966 (Üb. Engl.), 188.

[111] Weitere Belege bei MICHEL, Art. μικρός, 653–655; hier ist „Jünger" allerdings im weiteren Sinne zu verstehen; vgl. allgemein auch DERS., Jüngerbezeichnung, passim.

[112] Vgl. auch STRACK / BILLERBECK I, 591f.

[113] Meist wird es superlativisch verstanden, so etwa bei GNILKA, C: Mt I, 415; SCHÜRMANN, C: Lk I, 418 A. 80; das ist möglich (BLASS / DEBRUNNER, § 60), aber weder zwingend noch naheliegend (s. u. II:3.3.1.3).

[114] Vgl. v. a. MERKLEIN, Gottesherrschaft, 86f, ferner SCHNACKENBURG, Herrschaft, 91; SCHÖNLE, Johannes, 28, 166 A. 23f; SCHULZ, Q, 234.

[115] RADAELLI, Vangelo, 365.

[116] So bei BECKER, Johannes, 13f; GOGUEL, seuil, v. a. 78–95, 246–251; DERS., Jésus, 210–212; HOLLENBACH, conversion, 203–207; LINNEMANN, Jesus, 222–231; RUDOLPH, Baptisten, 11, 19; SCOBIE, John, 153–156; STAUFFER, Theologie, 9f; DERS., Gestalt, 57; vgl. auch MERKLEIN, Gottesherrschaft, 142 A. 394; MORRIS, C: John, 237, 239, 252 A. 6.

ander unabhängig sind. Damit bezeugen diese Texte höchstens eine täuferische Frühperiode Jesu, nicht aber seine Gliedschaft im Jüngerkreis des Johannes (s. u. III:10.4).[117]

Von daher ist es ein Fehlschluß, wenn J. BECKER aus der Beobachtung, daß „Jesus mit einigen Jüngern neben und / oder in Konkurrenz zum Täufer ebenfalls taufte"[118], ohne weiteres schließt, „daß Jesus in einer Frühperiode in Analogie und *Abhängigkeit* vom Täufer ... taufte"[119], und diesen Gedanken mit Jesu Zugehörigkeit zum Jüngerkreis des Johannes in Verbindung bringt.[120] Die hier klaffende logische Lücke überbrückt P. HOLLENBACH mit einer Thesis eigener Art: „That Jesus became a devoted and distinctive disciple is especially indicated by the fact that Jesus eventually became John's co-worker, who first probably helped John on his preaching forays but who eventually became a baptizing evangelist [?] in his own right".[121] Da von der Prämisse ausgegangen werden muß, Jesus sei Täuferjünger gewesen, wird das im vierten Evangelium geschilderte autonome Auftreten Jesu eben damit erklärt, daß er ein Vorzugsjünger mit dem Recht eines eigenständigeren Wirkens oder ein „Sendbote" des Täufers[122] gewesen sei. Derartige Mutmaßungen gehören zu den in der Täuferkreis-Forschung zahlreich anzutreffenden „ad hoc subsidiary hypotheses", die lediglich die sonst nicht zu haltende „main hypothesis" der Täuferjüngerschaft Jesu stützen sollen, ohne selbst in einem Text verankert zu sein oder einen solchen zu erklären (s. o. I:2.1.1). Dieser Eindruck wird durch die Beobachtung bestätigt, daß der Gedanke einer Zugehörigkeit Jesu zum Täuferkreis in der Einzelkommentierung zu den genannten Passus des vierten Evangeliums nahezu überhaupt nicht behandelt wird[123], er schwebt gewissermaßen ohne die Basis eines Textbelegs im Raum.

---

[117] Vgl. die besonnene Analyse bei SCHNACKENBURG, C: Joh I, 449f und die Zurückhaltung VIELHAUERS, Art. Johannes, 807; WINKS, John, 94.

[118] Johannes, 13.

[119] Ebd., 14 (Hervorhebung von K. B.).

[120] Vgl. ebd., 12–15.

[121] Conversion, 204.

[122] Vgl. STAUFFER, Gestalt, 57.

[123] Dies gilt auch für J. BECKERS eigenen Johannes-Kommentar, vgl. z. B. C: Joh I, 98–105, 152–155; ferner BARRETT, C: John I, 179–187, 219–230; BAUER, C: Joh, 39–43, 62–66; BROWN, C: John I, 73–92, 150–165; BULTMANN, C: Joh, 68–76, 121–129, v. a. 76; MORRIS, C: John, 154–173, 235–253, hier allerdings 237, 239, 252 A. 6; SCHNACKENBURG, C: Joh I, 306–321, 448–455, 457f; SCHNEIDER, C: Joh, 72–79, 102–109; SCHULZ, C: Joh, 40–44, 64–73; TENNEY, C: John, 39–41, 51–54; auch HAHN, Jüngerberufung, passim; TROCMÉ, Jean-Baptiste, 136, 140–143; WINK, John, 89–92, 93–95, v. a. 94 kommen bei ihrer Texterschließung ohne die These aus.

2.2.6 Der Rekurs auf JB 30 und auf ein Agraphon verschollener Tole-dot-Tradition (vgl. Agobardus Lugdunensis, De Iudaic. superst. et error., 10)

Auf die tatsächlichen, expliziten Belege für eine Jüngerschaft Jesu im Täufer-kreis gehen die Verfechter der einschlägigen Theorien überhaupt nicht ein. Sie finden sich in der mandäischen und jüdischen Polemik gegen das Christentum.

Dabei gehört JB 30 (103. 107f) mit seiner phantastischen Jesus-Malerei in das Gebiet christlicher Wirkungs- und nicht Ursprungsgeschichte[124]: „So taufe mich denn, du Jahjā, mit deiner Taufe und den Namen, den du auszusprechen pflegst, sprich über mich aus. Wenn ich mich als deinen Schüler zeige, will ich in meiner Schrift deiner gedenken, bewähre ich mich nicht als dein Schüler, so wische weg meinen Namen aus deinem Blatte" (JB 30 [107f]).[125] Daß hier keine alte Tradition vorliegt, wird schon aus der arabischen Namensform ersicht-lich.[126] Bestenfalls liegen der Erzählung ältere jüdische oder syrisch-christliche Legenden zugrunde[127]; doch bleibt dies völlig im Dunklen.[128] Rückschlüsse auf historische Sachverhalte verbieten sich.[129]

Etwas ergiebiger ist ein Hinweis in der um 826/27 verfaßten Schrift „De Iudaicis superstitionibus et erroribus" des Erzbischofs Agobard von Lyon (ca. 769–840).[130] In seinem polemischen Traktat wendet sich Agobard gegen die „mendatia" „in doctrinis maiorum suorum [scil. Iudaicorum]": „Iesum iuue-nem quendam fuisse apud eos honorabilem et magisterio baptiste Iohannis eruditum" (De Iudaic. superst. et error., 10). Die Judaistik stuft diese Mitteilung als eine im Grundzug zuverlässige Wiedergabe einer Toledot-Überlieferung ein.[131] Diese Tradition ist sonst nicht belegt. Die Toledot nennen als Lehrer Jesu im allgemeinen Elchanan, die talmudische Überlieferung Josua b. Perachja (vgl. z. B. b Sanh 107b).[132] Nun ist der Geschichtswert der Toledot im ganzen kaum gering genug zu veranschlagen; historische Relevanz wird man der Tradition daher nicht beimessen, zumal sie den Täufer Johannes als einen honorigen jüdischen Magister zu verstehen scheint. Immerhin hat es eine von Agobard auf die maiores zurückgeführte und deshalb zu seiner Zeit bereits alte Überlieferung

---

[124] Zur allgemeinen Einschätzung der mandäischen Johannes-Traditionen vgl. LIETZMANN, Beitrag, 94–99; LOISY, Mandéisme, 27–46; RUDOLPH, Mandäer I, 66–73; THOMAS, mouvement, 257–263; ferner ebd., 264–267; SCHOU-PEDERSEN, Überlieferungen, passim.

[125] Vgl. die Kommentierung LIDZBARSKIS in der Textausgabe, 103f A. 3; vgl. LIETZMANN, Beitrag, 98f; LOISY, Mandéisme, 35f und selbst SCHOU-PEDERSEN, Überlieferungen, 216f.

[126] Vgl. dazu LIETZMANN, Beitrag, 99; RUDOLPH, Mandäer I, 70.

[127] Vgl. ebd., 71 (Lit.!).

[128] Vgl. THOMAS, mouvement, 263.

[129] Vgl. allgemein noch RUDOLPH, Mandäer I, 16, 45–58.

[130] Zur Gestalt und zum Wirken Agobards vgl. E. BOSHOF, Art. „Agobard von Lyon", in: TRE II (1978), 101–103; zur Datierung der Schrift vgl. die Einleitung L. van ACKERS, Textausgabe, XLI.

[131] Vgl. KRAUSS, Leben, 5–7.

[132] Vgl. ebd., 8; MAIER, Jesus, 117–126.

gegeben, nach der Jesus als junger Mann unter dem magisterium des Johannes ausgebildet worden ist. So beweist die Auskunft des Erzbischofs zumindest, daß die vorsichtige Abgrenzung Jesu vom Täufer in der neutestamentlich-frühnachneutestamentlichen Christologie durchaus berechtigt war und Außenstehende im nachhinein die engen Beziehungen zwischen beiden Gottesmännern als Jüngerschaft deuten konnten.

2.2.7 Resümee

Die kritische Durchsicht der Begründung der Theorie von der Gliedschaft Jesu im Jüngerkreis des Johannes ist auf keinen stichhaltigen Beleg gestoßen. Der zu prüfenden These fehlt es also gänzlich an äußerer Evidenz. Jedoch wird darauf verwiesen, es sei a priori erklärbar, daß die neutestamentliche Überlieferung von dem Faktum der Jüngerschaft Jesu beim Täufer nichts mitteilt, denn ein derartiges pudendum hätte sie nur unterdrücken können.[133] So unanfechtbar ein solches argumentum e silentio zunächst scheint, so wenig trägt es zur Lösung der anstehenden Frage bei, denn eine fehlende Tradition vermag kein historisches Faktum zu belegen. Vor allem aber ist im Gegenzug zu klären, ob das Schweigen der Überlieferung tatsächlich einfachhin plausibel ist.

Zuerst mutet es willkürlich an, davon auszugehen, daß die hinter den Synoptikern stehenden Gemeinden und ihre Schriftsteller mit den überkommenen historischen Fakten nach Belieben hätten umgehen können.[134] Wenn Jesus Johannesjünger war, hätte dies vielmehr wahrscheinlich in irgendeiner Weise, vielleicht via contradictionis, seinen Niederschlag in der Tradition gefunden. Denn als pudendum wurde auch die Taufe Jesu empfunden, aber eben dieses Faktum wurde zwar zunehmend an der theologischen Peripherie angesiedelt und christologisch gedeutet, aber niemals völlig getilgt.[135] In der Tat war das Verschweigen eines ungünstigen Tatbestandes eine ungeschickte apologetische Taktik, da sie gegnerische Anwürfe nachgerade herausfordern mußte.

Von solchen Anwürfen fehlt allerdings mit Ausnahme des untersuchten späten Belegs (s. o. II:2.2.6) jede Spur. Die neutestamentliche Überlieferung im allgemeinen und die Täuferpassus im besonderen sparen nicht mit christologischen Absicherungen gegen mögliche Einwände oder tatsächliche gegnerische Angriffe, aber nirgendwo findet sich eine Auseinandersetzung mit dem Vorwurf einer Jüngerschaft Jesu beim Täufer. Vergleicht man den literarischen

---

[133] DODD, tradition, 275; GOGUEL, seuil, 240f.

[134] Zur Relevanz des irdischen Jesus in der vormarkinischen Gemeinde vgl. etwa LUZ, Jesusbild, 372. Dabei geht es der christlichen Überlieferung allerdings nicht um eine Erinnerung qua Erinnerung, sondern um die „memory-impression".

[135] Nach VÖGTLE, Taufperikope, 131–137 ist der pudendum-Charakter der Taufe Jesu allererst der Anlaß zur Entstehung des Taufberichts.

Aufwand, mit dem der Umstand der Taufe Jesu oder der zeitlichen Priorität des Johannes im Neuen Testament gegen Anwürfe abgesichert wird, und beachtet man das starke Interesse, das die Synoptiker und das vierte Evangelium an dem Verhältnis zwischen Jesus und Johannes hegen, so muß man aus ihrem Schweigen darauf schließen, daß das Thema einer Johannesjüngerschaft Jesu zu ihrer Zeit nicht zur Debatte gestanden hat. Gerade in der Kontroverse mit dem Täuferkreis hätte ein derartig heikles Problem unbedingt zur Sprache kommen müssen, wenn eine Erinnerung an eine solche Herkunft Jesu bestand. Schließlich verbindet auch Josephus die beiden Propheten nicht miteinander[136], und die frühnachneutestamentliche Literatur orthodoxer oder heterodoxer Prägung erwähnt eine Jüngerschaft Jesu weder positive noch negative, obwohl auch hier das Faktum der Taufe Jesu immer wieder zum Gegenstand der Reflexion oder apologetischen Absicherung wird (vgl. z. B. EvNaz sec. Hieronymum, Adv. Pelag., 3, 2; IgnEph 18, 2; Tertullian, De bapt., 10, 1–7).[137]

Damit bleibt die Hypothese des „Ἰησοῦς μαθητής" ohne äußeren Beleg und wird in Ansehung der aufgezeigten Überlieferungstendenzen sehr unwahrscheinlich. Dieses Zwischenergebnis ist an der inneren Evidenz der Beurteilung des Täufers durch Jesus und des theologischen Profils der Botschaft Jesu vor dem Hintergrund der Täuferbewegung zu überprüfen. Zugleich können so die bisherigen negativen Resultate durch eine konstruktive Analyse des Verhältnisses Jesu zum Täuferkreis ergänzt werden.

---

[136] Vgl. etwa NODET, Jésus, passim; zur Authentizität des Testimonium Flavianum vgl. jetzt G. VERMES, The Jesus notice of Josephus re-examined, in: JJS 38 (1987) 1–10; ferner HILL, Jesus, passim.

[137] Vgl. dazu im einzelnen BACKHAUS, Apokryphen, passim, v. a. 4f, 48–51; eine Übersicht bietet BAUER, Leben, 110–141.

3. Das religionsgeschichtliche Verhältnis Jesu zum Täuferkreis

3.1 Exkurs: Die Beziehungen Jesu zur Täuferbewegung als Ansatz der Jesus-Forschung

Zu den sichersten Ergebnissen der Jesus-Forschung gehört die Erkenntnis, daß das historisch belegbare Wissen über den Gegenstand ihres Forschens äußerst gering ist. Um so höher sind die unbezweifelbaren Eckdaten der „Biographie" Jesu einzuschätzen. Freilich beschränken sich diese auf drei Ereignisse: Geburt, Taufe[138] und Kreuzestod Jesu. Diese wiederum erlauben Schlußfolgerungen auf Grundzüge der Vita Jesu: seine historische Existenz, seine religiös-theologische Herkunft, sein prophetisches Schicksal.[139]

Bleibt das erstgenannte Eckdatum für eine Erschließung von Leben und Lehre Jesu unergiebig, so zieht die Forschung im allgemeinen das letztere als „Schlüssel" zur Rekonstruktion heran. Aus dieser Perspektive stößt sie dann auf

---

[138] Die Historizität der Taufe Jesu wird mitunter bezweifelt, so von ENSLIN, John, v. a. 9–14; GUÉNIN, conflit, 144–148; HAENCHEN, C: Weg, 60–63; MEYER, Ursprung I, 82–84. Tatsächlich macht es sich der Hinweis auf den pudendum-Charakter einer Taufe Jesu zu leicht, denn bei Mk als der ältesten Traditionsschicht ist davon unmittelbar noch nichts zu erkennen (vgl. Mk 1, 9–11). Doch hat VÖGTLE, Taufperikope, 131–139 tendenziell darin recht, daß bereits den Motiven des Offenbarungsgeschehens im markinischen Taufbericht die Intention christologischer Absicherung zugrunde liegt. Ferner greift das Kriterium der vielfachen Bezeugung (vgl. nur Joh 1, 29–34) und das der literarischen (vgl. Mk 11, 27–33 parr) wie sachlichen (s. u. II:3.3; 3.5) Kohärenz. Im ganzen ist das Verhältnis Jesu zu Johannes dem Täufer der neutestamentlich-frühnachneutestamentlichen Literatur ein Problem und nicht die Lösung eines solchen! So ist kein Grund ersichtlich, warum die Taufe Jesu hätte fingiert werden sollen. Als aitiologische Kultlegende scheidet der Taufbericht gegen GUÉNIN, conflit, 146f (vgl. auch BULTMANN, Geschichte, 263–270) deshalb aus, weil sich die frühe Kirche zur Begründung ihrer Taufpraxis gar nicht auf diesen Bericht, sondern auf einen Taufbefehl des Auferstandenen berufen hat (vgl. Mt 28, 19; ferner Mk 16, 15f v. l.); außerdem ist es ja gar nicht Jesus, der die Taufe spendet und damit stiftet, er empfängt sie lediglich (vgl. aber Joh 3, 22). Eine christliche Adoption Johannes' des Täufers wird man mit ENSLIN, John, 10f, 13f u. ö. erst annehmen können, wenn dieser als Bedingung der Möglichkeit eine tatsächliche Anfangserfahrung Jesu und des frühesten Christentums beim Täufer zugrunde liegt. So wird man in summa die Taufe Jesu in der Tat als eines der am sichersten Grundfakten der Vita Jesu ansehen (vgl. etwa auch BULTMANN, Geschichte, 263; GOGUEL, seuil, 139–141).

[139] Vgl. jetzt auch SANDERS, Jesus, 91.

die Originalität, das prophetisch Provozierende und die radikale Andersartigkeit Jesu. Dieser *Ansatz* wird verstärkt einerseits durch den weiteren *Weg*, den die Forschung sich mit Hilfe des criterion of dissimilarity zur Gestalt Jesu bahnt[140], und andererseits durch das – oft unausgesprochene – *Ziel*, das Spezifikum Jesu und die „Neuheitserfahrung" des Christentums transparent zu machen.[141] Die moderne Jesus-Forschung ist von diesem „originellen Jesus" beherrscht worden, und es mochte scheinen, als sei hier erstmals ein Jesus-Bild auf einem historisch abgesicherten Urfaktum aufgebaut worden. Jesus war – nach dem immer wieder zitierten Diktum – „der Mann, der alle Schemen sprengte".

Paradigmatisch sei hier nur auf die methodologischen Ausführungen F. Hahns verwiesen, die auf einen Vortrag während der Wiener Neutestamentler-Tagung von 1973 zurückgehen.[142] Bei seiner Zusammenstellung von „Anhaltspunkten für ein Gesamtbild der vorösterlichen Geschichte Jesu"[143] geht Hahn von zwei grundlegenden Sachverhalten aus, denen er entscheidende Bedeutung für die Rekonstruktion der Geschichte Jesu beimißt[144]: die von Jesus auszutragenden Konflikte[145] und das Phänomen des Neuen im Auftreten Jesu[146], wobei jeweils die „unmittelbare Wirkung auf die Zeitgenossen eine besondere heuristische Funktion hat"[147], sei sie – wie im ersten Fall – negativ oder – wie im zweiten Fall – positiv.[148] Beiden Grunddaten weist er ausdrücklich eine „Schlüsselposition" zu[149]; in diesem Zusammenhang betont er das richtungweisende Faktum der Hinrichtung Jesu.[150]

Nun ist die Richtigkeit und Wichtigkeit des von Hahn Aufgewiesenen in keiner Weise zu bestreiten. Problematisch wird es indes, wenn der Exeget „anhand solcher grundlegenden Sachverhalte immerhin schon zu einem relativ

---

[140] Entgegen anderslautenden Anschuldigungen (vgl. v. a. Gnilka, C: Mt I, 230) ist dieses Kriterium von Anfang an methodisch völlig korrekt zur Sicherung eines Minimalbestands „authentischer" Jesus-Worte und damit einer Ausgangsbasis für die weitere Rekonstruktion entwickelt worden. Doch läßt sich nicht übersehen, daß das Jesus-Bild so vom „sicheren Minumum" her, also einseitig durch die „Auffälligkeiten" Jesu geprägt worden ist; hier liegt das granum salis der Argumentation Gnilkas, C: Mt I, 230.

[141] Es ist durchaus verständlich, daß ein dogmatisch-christologisches oder spirituelles Interesse ein solches Ziel verfolgt, doch ist zu fragen, ob dieses apriorische Interesse das Jesus-Bild oder nicht vielmehr umgekehrt das historische Jesus-Bild dieses Interesse determinieren sollte.

[142] Die Tagung stand unter dem Thema „Die Frage nach dem historischen Jesus und die Jesusüberlieferung der Evangelien" (vgl. K. Kertelge, Einführung, in: Ders. [Hg.], Rückfrage nach Jesus. Zur Methodik und Bedeutung der Frage nach dem historischen Jesus, Freiburg i. Br. 1974 [= QD 64], 7–10, hier: 8f).

[143] Überlegungen, 40–51.

[144] Vgl. ebd., 41, 51.

[145] Vgl. ebd., 41–44.

[146] Vgl. ebd., 44–47.

[147] Ebd., 51.

[148] Vgl. ebd., 41.

[149] Vgl. ebd., 40f.

[150] Vgl. ebd., 41f, 50f.

brauchbaren *Gesamt*bild der Geschichte Jesu"[151] kommen will. Jesus wird dann nur von seiner Auffälligkeit und Andersartigkeit gegenüber seiner Umwelt her beurteilt; er ist der Mann, der „alle traditionellen Schemata des religiösen Denkens im Judentum" zerbricht.[152] Der Tribut an das dissimilarity-Prinzip[153] ist die Preisgabe des „Iesus similis" und damit tatsächlich des *Gesamt*bildes.[154] Die jüdische und judaistische Jesus-Forschung hat hiergegen mit Recht protestiert.[155]

Ihre Kritik am gängigen Jesus-Bild der christlichen Exegese traf wohl den Kern. Forschungsgeschichtlich erwägenswert ist durchaus, ob die moderne Auslegung bei allem kritischen Impetus, mit dem sie sich unter Berufung auf A. Schweitzer von der klassischen Leben-Jesu-Forschung des 19. Jahrhunderts distanzierte, nicht doch genau dem Grundfehler unterlag, den der Straßburger Theologe dieser vorgeworfen hatte: daß sie unter Leugnung des „historischen Grabens", der die Jetztzeit von Jesus trennt, ihre eigenen Anschauungen und Erkenntnisse als solche Jesu ausgab[156], nur daß der „neue" Jesus nicht mehr ein Heros der Sittlichkeit, ein tiefsinnig-idealer Menschenfreund oder vergeistigter Messias war, sondern „kritisch", „provozierend", „offen", „innovativ", „radikal anders", eben „alle Schemen sprengend", mit anderen Worten: ein Prototyp der „modernen Tugenden". Forschungssoziologisch ist mitunter ähnliches zu konstatieren: jede areligiöse oder religiöse Denkgemeinde beruft sich mit wissenschaftlichem Ernst auf „ihren" Jesus. „Jesus, in den Kirchen domestiziert, erschien oft geradezu als der alles rechtfertigende Repräsentant des religiös-politischen Systems, seines Dogmas, Kultes, Kirchenrechtes", klagt H. Küng (1974) in einem der meistgelesenen Jesus-Werke[157], um alsbald einen gegen das Establishment und den Status quo engagierten „Anführer einer

---

[151] Ebd., 51 (Hervorhebung von K. B.). Die anderen Sachverhalte sind das Phänomen der Nachfolge und das Sendungsbewußtsein Jesu (vgl. ebd., 47–51).

[152] Ebd., 45.

[153] Dieser Terminus ist hier in weiterem Sinne gemeint; bei seiner methodologischen Reflexion des Einzelkriteriums der Unähnlichkeit konstatiert Hahn dessen Gefahren sehr wohl (vgl. ebd., 33f, 37f), ohne sie allerdings auf die Ausgangsposition seines Gesamtentwurfs zu übertragen.

[154] Unter unterschiedlichen Voraussetzungen und mit unterschiedlichen Begründungen, aber ähnlich nuanciert wählen zahlreiche Forscher das Kreuzereignis oder Jesu „Andersartigkeit" im allgemeinen zum Ausgangspunkt der historischen Erschließung Jesu. Beispielhaft seien genannt N. A. Dahl, Der gekreuzigte Messias, in: H. Ristow u. K. Matthiae (Hg.), Der historische Jesus und der kerygmatische Christus. Beiträge zum Christusverständnis in Forschung und Verkündigung, Berlin ³1964, 149–169, hier: 152, 157; Niederwimmer, Jesus, 26, 31; zum „Exekutionskriterium" vgl. auch Schillebeeckx, Jesus, 84. Eine bibliographische Übersicht zur Problematik bietet Kümmel, Jesusforschung, 375–419, v. a. 408–412, ferner 528–533.

[155] Vgl. etwa Finkel, Pharisees, 129–134; Winter, trial, 158–189; dazu noch Sanders, Jesus, 320: „It is, rather, a fault of New Testament scholarship that so many do not see that the use of such words as 'unique' and 'unprecedented' shows that they have shifted their perspective from that of critical history and exegesis to that of faith"!

[156] Vgl. Geschichte, 620f u. ö..

[157] Christ, 207.

Laienbewegung"[158], „laienhaft, volkstümlich, direkt: wenn notwendig scharf argumentierend, oft bewußt grotesk und ironisch, immer aber prägnant, konkret und plastisch"[159], zu malen, der sich als „provokatorisch nach allen Seiten" erweist[160], zugleich aber – merkwürdig genug – fast durchweg auf die Situation der nachkonziliaren katholischen Kirche transparent wirkt, und zwar stets im Sinne KÜNGS. Auch hier liegt eine „Domestizierung" im Stil der Leben-Jesu-Forschung vor, freilich dargeboten mit historisch-kritischem Impetus.[161] Der „Jude Jesus" kommt dabei – trotz programmatischer Beteuerungen[162] – gar nicht in das Blickfeld.

Fest steht, daß das als Schlüsselereignis ausgewertete brutum factum der Kreuzigung Jesu das von ihm Geforderte schlechterdings nicht zu leisten vermag. Es ist theoretisch bekannt, wird aber in praxi nicht immer berücksichtigt, daß Prozeß, Anklage und Todesweise Jesu keineswegs so singulär sind, daß sie allein zur Rekonstruktion von Jesu Originalität oder gar einem bestimmten Sendungsbewußtsein ausreichten.[163] Theoretisch bekannt ist ferner, daß die dissimilarity als Minimal- und Eingangskriterium dienen muß, aber faktisch dominiert das mit Hilfe dieses sichersten und „handhabbarsten" Kriteriums Eruierte das gesamte Jesus-Bild. Der dadurch entstehende circulus vitiosus wird meist übersehen: man definiert all das als „authentisches" Jesus-Gut, was die Schemata des Jüdischen und Frühchristlichen sprengt, und gelangt so zu dem Bild von „dem Mann, der alle Schemen sprengt", ein Bild, das sich eher der Kriteriologie als dem historisch faßbaren Gesamtbefund verdankt. Denn wie der Ansatz beim Kreuz nur punktuell greift, so filtert das kritische Aussonderungsprinzip nur die „Kontraste" in der Verkündigung Jesu heraus.[164]

Von daher war es vom Grundgedanken her plausibel, wenn die jüdische und judaistische Jesus-Forschung im Gegenzug auf dem „Iesus similis", in concreto also auf dem Juden Jesus insistierte, seine Eingebundenheit in die zeitgenössische Umwelt aufwies und sich so eher auf einen Jesus konzentrierte, der sich in die Schemata des Judentums einfügte. So erschien Jesus als vom hillelitischen Pharisäismus geprägter jüdischer Lehrer, der vor allem die sadduzäische Tempelaristokratie gegen sich aufgebracht hat, wurde mitunter zum „jüdischsten der

---

[158] Ebd., 208.
[159] Ebd., 209.
[160] Ebd., 249; vgl. ebd., 207–251.
[161] Vgl. ebd., 179–192.
[162] Vgl. ebd., 194f.
[163] Vgl. etwa die aufschlußreiche Studie M. HENGELS, Mors turpissima crucis. Die Kreuzigung in der antiken Welt und die „Torheit" des „Wortes vom Kreuz", in: J. FRIEDRICH, W. PÖHLMANN u. P. STUHLMACHER (Hg.), Rechtfertigung. FS E. KÄSEMANN, Tübingen/Göttingen 1976, 125–184 (183f: Lit.!); ferner WINTER, trial, v. a. 90–96.
[164] Vgl. auch MUSSNER, Methodologie, 132. Zur Kritik von einem anderen Ansatz her vgl. L. SCHOTTROFF u. W. STEGEMANN, Jesus von Nazareth – Hoffnung der Armen, Stuttgart 1978, 10.

Juden".[165] Vor allem W. FENEBERG (1980)[166] und E. P. SANDERS (1985)[167] haben diesen Ansatz aufgegriffen und ausgebaut.

Im Resultat ist das Gesamtbild der Botschaft und des Wirkens Jesu so auf breiterer Basis fundiert, aber unter Preisgabe methodischer Stringenz und inhaltlicher Prägnanz: weder sind die Einzelaussagen präzise abgesichert noch wird das in der Tat zu konstatierende Faktum einer „Auffälligkeit" Jesu im Judentum hinreichend bestimmt und erklärt. Es ist daher wohl nicht nur eine dialektische Verlegenheitslösung, wenn man Jesus als „fromm und liberal zugleich" beschreibt[168], doch ist der Zusammenhang zwischen diesen beiden Polen genauer zu erfassen.

Die Würdigung Jesu als „frommer Jude" unterschätzt die durch das zweite Grundfaktum des historisch Wißbaren angezeigte Linie: Jesu Anfang, gewissermaßen seine religionsgeschichtliche Heimat, liegt im heterodoxen[169] Judentum, näherhin bei der durch den Täufer Johannes ausgelösten Umkehrbewegung. Wird Jesus also unter dem Aspekt seiner jüdischen Herkunft betrachtet, so darf die Betrachtung sich nicht nur ganz allgemein auf das „Jüdische" an Jesus richten, sondern muß insbesondere das täuferische Judentum im Sinne des Jordanpropheten in Betracht ziehen.

Es sprechen triftige Gründe dafür, die Deutung Jesu komplementär aus dieser Perspektive anheben zu lassen und so eine breitere Basis für die historisch-religionsgeschichtliche Rekonstruktion zu schaffen. Die Historizität der Taufe Jesu darf als ebenso gesichert gelten wie das Faktum seiner Kreuzigung, und seine – zu präzisierende – Zugehörigkeit zur Täuferbewegung läßt sich ähnlich klar erfassen wie sein prophetisch-provozierendes Wirken, obwohl so ganz andere, das Bild ergänzende Züge der Gestalt Jesu freigelegt werden. Unter methodologischer Rücksicht gewinnt Jesu Herkunft aus der Täuferbewegung eine besondere Bedeutung dadurch, daß hier das criterion of dissimilarity einmal gegen die frühchristliche Überlieferung abgrenzt, der dieser Sachverhalt freilich zum pudendum werden mußte. Manches wird daher „wider Willen" mitgeteilt und auch nicht so kerygmatisch überformt wie etwa der Verkündi-

---

[165] BAUMBACH, Fragen, 626. Einen Überblick über die jüdische Jesus-Forschung geben für die ältere Literatur LINDESKOG, Jesusfrage, 92–113 mit einem Nachtrag (1973) ebd., 370–373; für die neuere Literatur BAUMBACH, Fragen, passim; E. GRÄSSER, Motive und Methoden der neueren Jesus-Literatur. An Beispielen dargestellt, in: VF 18 (1973) H. 2, 3–45, hier: 30–34. Als Beispiele seien angeführt: FINKEL, Pharisees, 129–134; WINTER, trial, 158–189.

[166] In: FENEBERG/FENEBERG, Leben, v. a. 203–285.

[167] Jesus, 320 u. v. ö.; vgl. auch LEROY, Jesus, 68 u. ö.; daß Jesus sich von der Täuferbewegung in Richtung auf einen Pharisäismus hillelitischer Prägung „absetzte" (vgl. ebd., 68), ist angesichts der oben II:2.1 und unten II:3.5 vorgelegten Resultate nicht anzunehmen.

[168] So E. KÄSEMANN, Der Ruf der Freiheit, Tübingen ⁵1972, 22–26; vgl. auch RATZINGER, Prinzipienlehre, 101.

[169] Das Adjektiv ist hier lediglich Arbeitsbegriff. Die Qualifizierung „heterodox" ist für das Judentum zur Zeit Jesu eher Richtungsangabe.

gungsgegenstand „Passion und Kreuzestod".[170] Allerdings gilt es, diese Herkunft Jesu aus der Täuferbewegung umfassender zu beschreiben.

3.2 Methodologische Vorüberlegungen

Wurde oben aufgezeigt, daß der direkte Nachweis einer Jüngerschaft Jesu im Täuferkreis nicht zu führen ist, so bleibt zu fragen, ob er aufgrund seiner inneren Verwandtschaft mit Johannes als dessen Schüler im allgemeineren Sinne zu verstehen ist.[171] Kann eine solche konkrete Abhängigkeit Jesu vom Täufer nachgewiesen werden, so belegt dies zwar noch nicht zwingend die Hypothese einer Gliedschaft Jesu im Täuferkreis als deren Möglichkeitsbedingung[172], kann aber angesichts der räumlichen, zeitlichen und geistigen Nähe der beiden Propheten immerhin als triftiges Argument geltend gemacht werden. Die religionsgeschichtliche Beziehung Jesu zum Täuferkreis ist in jedem Fall bedeutsam, weil Jesu „ureigene Botschaft" nur von dem Hintergrund seiner Herkunft aus der Täuferbewegung verständlich wird (s. o. II:3.1) und weil umgekehrt der Täuferkreis nur unter Berücksichtigung seines Verhältnisses zur Jesus-Bewegung als seinem „nächsten Nachbarn"[173] erschlossen werden kann. Vor allem ist die spätere Johannes-Apologetik, die sich nach zahlreichen Hypothesen der gegenwärtigen Forschung mit der Polemik gegen den Täuferkreis deckt, erst dann sachgerecht zu erfassen, wenn ihr Hauptgegenstand, Jesu Verhältnis zu Johannes, historisch rekonstruiert und auf seinen literarischen Niederschlag hin überprüft worden ist.

Das Urteil der christlichen Gemeinde über Jesu Verhältnis zum Täufer Johannes ist von Anfang an christologisch geprägt und scheidet für die Rekonstruktion aus. So bleiben drei Zugänge, wenn man die Aussagen Jesu im direkten Zusammenhang mit dem Jüngerkreis der späteren Untersuchung (s. u. III:2; 3; 6) vorbehalten will:

---

[170] Daraus folgt auch, daß die Tauftraditionen geringer vereinheitlicht sind als die Passionsüberlieferung. Jesu Taufe ist kein Artikel des Symbolums, und wo sie in kerygmatischem Kontext erwähnt wird, gibt sie höchstens eine Zeitmarkierung an.

[171] Vgl. etwa MICHAELIS, Täufer, 9: „Die Predigt Jesu setzt voraus die Predigt Johannes des Täufers. Das Sendungsbewußtsein Jesu setzt voraus das Sendungsbewußtsein des Täufers".

[172] Vgl. Dio Chrysostomus, Oratio 55, 5: „ταὐτὸ δὲ τοῦτο καὶ ὁ μαθητὴς ποιεῖν ἔοικε· μιμούμενος τὸν διδάσκαλον καὶ προσέχων ἀναλαμβάνει οὐδέν ἐστι τὴν τέχνην. τὸ δὲ ὁρᾶν καὶ ξυνεῖναι οὐδέν ἐστι πρὸς τὸ μανθάνειν· πολλοὶ γὰρ καὶ ὁρῶσι τοὺς αὐλητὰς καὶ ξύνεισι καὶ ἀκούουσιν ὁσημέραι, καὶ οὐδ' ἂν ἐμφυσῆσαι τοῖς αὐλοῖς δύναιντο, οἳ ἂν μὴ ἐπὶ τέχνῃ μηδὲ προσέχοντες ξυνῶσιν".

[173] Vgl. etwa HENGEL, Nachfolge, 40.

1. Insbesondere sind jene Herrenlogien zu untersuchen, die wahrscheinlich historisch auf Jesus zurückgehen.[174] Bezeichnenderweise ist eine relativ große Anzahl solcher Logien tradiert; der Umstand, daß die urchristliche Literatur diese aufbewahrt oder geschaffen hat, legt nahe, daß die Gemeinde Jesu Verhältnis zu Johannes als akutes Problem empfand, das ihr Selbstverständnis berührte, so daß sie sich ihrer Herkunft „protologisch" zu vergewissern suchte. Einerseits hat die Jesus-Forschung in letzter Zeit die Prinzipien und Kriterien zur Eruierung „authentischer" Herrenworte erheblich verfeinert[175], so daß eine begründete Aussicht besteht, an der Wurzel der freilich von der Gemeinde stark verfärbten Logien eine auf Jesus zurückgehende Schicht zu ermitteln. Andererseits stimmt die methodologische Reflexion aber auch skeptisch gegen eine allzu zuversichtliche Rekonstruktion; erwartbar ist nicht der Wortlaut dessen, was Jesus über den Täufer geäußert hat, noch weniger ein Gesamtbild der Beurteilung des Johannes durch Jesus, sondern lediglich ein Ausschnitt, der von den urchristlichen Tradenten für überlieferungswürdig gehalten wurde und dessen Richtungssinn die ipsissima intentio approximativ erheben läßt.[176] Der Untersuchung bieten sich aus Q die Logien Mt 11, 7–19; 21, 31f / Lk 7, 24–35; 16, 16 und aus der traditio triplex Mk 11, 27–33 / Mt 21, 23–27 / Lk 20, 1–8 an.[177] Außer Joh 5, 33–36 ist auch das synoptische Elija-Wort Jesu (Mk 9, 11–13[178] / Mt 17, 10–13 diff Lk) für die historische Rückfrage nicht heranzuziehen; die Abschnitte, „deren Gehalt Theologie und deren Ursprung Reflexion ist"[179], spiegeln deutlich die christologische bzw. leidensmessianologische Deutung der markini-

---

[174] Es ist BECKER, Johannes, 16 beizupflichten, daß Jesu Urteil kein objektives Täuferbild wiedergeben dürfte, aber zum *Vergleich* des Johannes mit Jesus und zur Rekonstruktion ihrer *Beziehungen* ist es doch unentbehrlich und hätte auch von BECKER umfassender berücksichtigt werden müssen; vgl. dazu auch GARDNER, appraisal, 9f.

[175] ERNST, Anfänge, 81–124; HAHN, Überlegungen, 32–52; LEHMANN, Quellenanalyse, 117–205; LENTZEN-DEIS, Kriterien, passim; MUSSNER, Methodologie, passim; PERRIN, teaching, 15–49; SCHÜRMANN, Anfänge, passim; gewisse Indizien bieten auch die von JEREMIAS selbst allerdings stark überschätzten sprachlichen Kriterien, vgl. JEREMIAS, Theologie, 13–46. Neben Einzelbeobachtungen (z. B. Lokalkolorit, Detailfreudigkeit) werden diskutiert Formalkriterien (aramäische Sprachstrukturen, Rhythmus, Parallelismus membrorum, spezifische Redeweise Jesu, „existentiale Dialektik"), quellen-, form- und traditionskritische Kriterien, vergleichende Kriterien (dissimilarity, coherence, multiple attestation), inhaltliche Kriterien (Eigenart Jesu und Unerfindlichkeit des synoptischen Jesus-Bilds, Vollmachtsanspruch, Eigenart der jesuanischen Gleichnisse) sowie der „Zirkel des Gesamtrahmens"; den drei letzten Gruppen ist das entscheidende Gewicht beizumessen, wobei auch hier die einzelnen Argumente unterschiedliche Wertigkeit besitzen und sich in methodischer Interdependenz am Einzeltext verifizieren lassen müssen.

[176] Zu Selektion, Prägung und Reinterpretation und den daraus zu ziehenden methodologischen Konsequenzen vgl. HAHN, Überlegungen, 13–31.

[177] Die direkt den Täuferkreis betreffenden Logia werden hier aus untersuchungstechnischen Gründen ausgeklammert, s. u. III:2; 3.

[178] Der Bezug der Andeutung auf den nicht genannten Täufer Johannes leidet keinen Zweifel, vgl. FAIERSTEIN, scribes, 75; GOGUEL, seuil, 58f; PESCH, C: Mk II, 79f.

[179] DIBELIUS, Formgeschichte, 228.

schen bzw. matthäischen Gemeinde wider.[180] Aber auch wenn man einräumt, Jesus habe in Johannes tatsächlich den Elias redivivus gesehen[181], so ist doch noch in keiner Weise gesagt, wie er dieses Motiv verstanden haben kann[182], zumal es zur Zeit als offene Frage gelten muß, ob das Elias-praecursor-Motiv nicht erst christlichen Ursprungs ist.[183]

2. Die so gewonnene Perspektive ist, da Jesu Beurteilung nur *eine* Seite des Verhältnisses zwischen beiden Propheten beleuchtet und ein einschlägiges Urteil des Johannes nicht überkommen ist, durch die Analyse der Äußerungen Dritter zu überprüfen.[184] Einschlägig sind hier die traditiones triplices Mk 6, 14–16 / Mt 14, 1f / Lk 9, 7–9 und Mk 8, 27f / Mt 16, 13f / Lk 9, 18f.

3. Schließlich sind die geistigen Profile beider Propheten sachlich zu vergleichen und auf Interdependenz zu überprüfen. Dabei stellt sich als Hauptschwierigkeit das Problem der Rekonstruktion der Täuferbotschaft. Der durch J. BECKER (1972) erzielte weitreichende Forschungskonsens ist jetzt durch C. R. KAZMIERSKI (1987) entschieden in Frage gestellt worden.[185] Doch läßt sich

---

[180] Vgl. dazu GARDNER, appraisal, 33–50; GNILKA, C: Mk II, 41f; PESCH, C: Mk II, 78–81; SAND, C: Mt, 357f. Bereits DIBELIUS, Überlieferung, 30–32 und im Anschluß an ihn GOGUEL, seuil, 56–60 neigen dazu, den Dialog Jesus abzusprechen, ebenso etwa BULTMANN, Geschichte, 131f; HAHN, Hoheitstitel, 375; LOHMEYER, C: Mk, 183f. Für die Authentizität sprechen sich ohne nähere Begründung aus BÖCHER, Überlieferung, 47f; KRAFT, Entstehung, 15f; LANG, Erwägungen, 465, 472f; LEIVESTAD, Jesus, 239; van ROYEN, Jezus, 103 u. ö.; SINT, Eschatologie, 158 A. 248; WERNER, Persönlichkeit, 621. Nach BÖCHER, Überlieferung, 48; KRAFT, Entstehung, 16f; MICHAELIS, Täufer, 46 A. 2 hätte sich Johannes sogar selbst als Elija begriffen; hiergegen BECKER, Johannes, 26; HAHN, Hoheitstitel, 371; LEIVESTAD, Jesus, 239. Nach GNILKA, Tauchbäder, 199 A. 83; HENGEL, Nachfolge, 39f A. 71; PESCH, C: Mk I, 81 ahmt der Täufer das Vorbild des Tischbiters nach; hiergegen VIELHAUER, Tracht, 48–53. Auf der anderen Seite ist es als Übertreibung zu werten, wenn ENSLIN, John, 11–14 das Elija-Motiv als Grundlage der urchristlichen Fiktion der Beziehungen zwischen Jesus und Johannes erklärt.

[181] Es ist u. E. KRAELING, John, 141–144 der Nachweis gelungen, daß dies nicht ganz auszuschließen ist; vgl. auch DIBELIUS, Überlieferung, 31; GOGUEL, seuil, 59f. Zumindest mag das Motiv bereits unter den Zeitgenossen des Täufers aufgekommen sein, vgl. PESCH, C: Mk I, 332.

[182] Vgl. auch SCHWEIZER, C: Mk, 99f.

[183] Nachdem J. A. T. ROBINSON schon 1957/58 das „dogma, that Elijah was understood, and must have been understood... as the forerunner of the Messiah", in Frage gestellt hat (Elijah, 264–269, Zitat: 269), führt M. M. FAIERSTEIN, scribes (1981) den Nachweis, daß die praecursor-Vorstellung sich lediglich auf einen festen Beleg in b Er 43a.b stützen kann, der sich aber, entstanden am Anfang des dritten Jahrhunderts, durchaus dem christlichen Elija-Theologumenon verdanken mag, so daß das Motiv des Elias-praecursor Christi möglicherweise ein Novum christlicher Theologie darstellt. Auf die Gegenvorstellungen D. C. ALLISONS, Elijah (1984), hat J. A. FITZMYER, Elijah (1985) geantwortet; FAIERSTEIN haben sich auch KAZMIERSKI, stones, 39 A. 60 und LINDESKOG, Johannes, 71, 81f A. 42 angeschlossen. Ist auch die Frage noch nicht entschieden, ob der Vorläufer-Gedanke ein christliches Novum war, so steht doch fest, daß er kein verbreiteter oder fester Bestandteil der jüdischen Eschatologie gewesen ist, so auch ALLISON, Elijah, 256.

[184] Dabei gelten mutatis mutandis die gleichen Prinzipien und Kriterien zur Ermittlung der „Authentizität" wie bei den Herrenlogien.

[185] BECKER, Johannes. KAZMIERSKI, stones, v. a. 22–29 verneint die Möglichkeit, die Rekonstruktion auf Mt 3, 7–10 / Lk 3, 7–9 zu stützen, da diese Verse vielleicht erst sekundär mit der Täufertradition verknüpft worden seien; so bereits BULTMANN, Geschichte, 123, 263; LÜHRMANN, Redaktion, 31 A. 2; vgl. FIEDLER, Jesus, 261, 263.

einerseits eine deutliche Eigengestalt des einschlägigen Spruchguts nicht übersehen[186], andererseits ist ein soziologisch kontinuierlicher Trägerkreis der Täufertradition wahrscheinlich zu machen[187] und ein Interesse an der Vermengung von beliebigem Spruchgut mit der Johannes-Überlieferung nicht zu erkennen.[188] Jedoch wird man die für die Herrenlogien zu konstatierende Selektion und möglicherweise eine Um- und Neuprägung wegen der kerygmatischen Brisanz a fortiori für das Spruchgut des Täufers in Rechnung stellen müssen. Dabei bedarf es einer behutsameren Auswertung der überkommenen Traditionssplitter, als sie bei und im Gefolge von BECKER festzustellen ist[189]: bekannt ist „only an echo ... of his whisper".[190] Nicht daß er den falschen Text zur Rekonstruktion wählt, ist BECKER vorzuwerfen, sondern daß er das fragmentarisch Überlieferte mit dem Ganzen verwechselt und aus der Knappheit des Tradierten ein theologisches Spezifikum des Täufers macht. Daß aber BECKER den Richtungssinn der Täuferbotschaft sachgerecht erfaßt, ist nicht zu bezweifeln.[191] Wenn der Kern des Wirkens und der Predigt Jesu demgegenüber in dem Evangelium von der βασιλεία gesehen wird, bedarf dies beim gegenwärtigen Forschungsstand keiner Begründung.[192]

---

[186] Vgl. etwa BECKER, Johannes, 16–62; ferner MERKLEIN, Gottesherrschaft, 142–146; DERS., Umkehrpredigt, 33–38.

[187] Vgl. etwa SCHÜRMANN, C: Lk I, 183.

[188] Die Meinung BULTMANNS, Geschichte, 123, Mt 3, 7–10 / Lk 3, 7–9 sei dem Täufer von christlicher Seite zugeschrieben worden, „weil man ein Stück seiner Bußpredigt berichten wollte", ist angesichts der bis auf Josephus überkommenen Johannestradition (s. u. III:11) haltlos; vgl. auch LINNEMANN, Jesus, 219 A. 1.

[189] Zur Selektion, Prägung und Reinterpretation in der Jesus-Überlieferung vgl. HAHN, Überlegungen, 13–31; speziell zu diesen Prozessen in der Johannes-Überlieferung PAYOT, Jean-Baptiste, passim. BECKER neigt v. a. dazu, den Umstand, daß keine Täuferlogien über die jüdische Geschichte und die Heilsinstitutionen des Judentums überkommen sind, als Hinweis auf den radikalen Bruch des Täufers mit seiner religiösen Umwelt zu werten (vgl. etwa Johannes, 16–26, 36f); das Fehlen von Logien zur Situation des Menschen läßt ihn auf die konsequente Theozentrik des Johannes schließen (vgl. etwa ebd., 27–40); wenn also beispielsweise der synoptische Täufer das Zorngericht nicht begründet, ist daraus für BECKER zu folgern, daß sich der historische Johannes souverän über jede Begründung seiner Gerichtsbotschaft hinweggesetzt hat (vgl. ebd., 33). Hier wird der fragmentarische Charakter der Überlieferung mit historischem Sachverhalt verwechselt! Auf ähnlichen Präsumtionen beruht die Feststellung MERKLEINS, Umkehrpredigt, 34: „Johannes hält es für müßig, über die Sündhaftigkeit Israels zu debattieren oder gar die Schuld bei Einzelnen oder bei bestimmten Gruppen zu suchen"; woher weiß der Verfasser das? Während aber BECKER und MERKLEIN im ganzen zu einem historisch verantwortbaren Gesamtbild kommen, zeigt auf der anderen Seite das Beispiel STAUFFERS, Geschichte, 31f, zu welchen haltlosen Phantasiegemälden das Axiom „In dubio pro tradito" (ebd., 20f) gerade bei der Täufertradition führen muß; auch die optimistischen Versuche KRAFTS, Entstehung, 16–27 machen über weite Strecken den Eindruck spekulativer Konstruktion.

[190] REUMANN, quest, 187.

[191] Vgl. auch FIEDLER, Jesus, 261–269; MERKLEIN, Umkehrpredigt, passim; WOLF, Gericht, passim.

[192] Vgl. nur MERKLEIN, Botschaft, passim.

3.3 Jesu Beurteilung des Täufers

3.3.1 Mt 11, 7–11 / Lk 7, 24–28

3.3.1.1 Überlieferungsgeschichtliche Analyse

Der rekonstruierte Text der Q-Vorlage lautet:

„τί ἐξήλθατε εἰς τὴν ἔρημον θεάσασθαι; θεάσασθαι κάλαμον ὑπὸ ἀνέμου σαλευόμενον; ἀλλὰ τί ἐξήλθατε; ἰδεῖν ἄνθρωπον ἐν μαλακοῖς ἠμφιεσμένον; ἰδοὺ οἱ τὰ μαλακὰ φοροῦντες (ἐν τοῖς οἴκοις τῶν βασιλέων / ἐν τοῖς βασιλείοις?). ἀλλὰ τί ἐξήλθατε; προφήτην ἰδεῖν; ναὶ λέγω ὑμῖν, καὶ περισσότερον προφήτου. οὗτός ἐστιν περὶ οὗ γέγραπται· ἰδοὺ ἀποστέλλω τὸν ἄγγελόν μου πρὸ προσώπου σου, ὃς κατασκευάσει τὴν ὁδόν σου ἔμπροσθέν σου· λέγω ὑμῖν, οὐκ ἐγήγερται ἐν γεννητοῖς γυναικῶν μείζων Ἰωάννου· ὁ δὲ μικρότερος ἐν τῇ βασιλείᾳ τοῦ θεοῦ μείζων αὐτοῦ ἐστιν."[193]

Die überlieferungsgeschichtliche Untersuchung legt einen Traditionsprozeß frei, in dem das ältere, im jetzigen Kontext rahmende Bezugswort Mt 11, 7b–9 / Lk 7, 24b–26, sekundär verknüpft mit dem Reflexionszitat Mt 11, 10 / Lk 7, 27, durch das ursprünglich eigenständige Kommentarwort Mt 11, 11 / Lk 7, 28 gedeutet wird.[194]

Obschon Mt 11, 11b / Lk 7, 28b weithin als sekundäre christliche Ergänzung zu einem authentischen Logion Mt 11, 11a / Lk 7, 28a erklärt wird[195], empfiehlt es sich, beide Vershälften als ursprüngliche Einheit zu betrachten: 1) Dies legt die konsequente parallele Struktur des antithetischen Zweizeilers nahe.[196] 2) Mt

---

[193] Zur Begründung vgl. SCHÖNLE, Johannes, 41–43; ferner GARDNER, appraisal, 111–114; HOFFMANN, Studien, 193f; SCHULZ, Q, 229f.

[194] Vgl. näher GARDNER, appraisal, 115–118; SCHLOSSER, Règne I, 155f; SCHULZ, Q, 230; WANKE, Bezugsworte, 32f. Anders etwa SCHÖNLE, Johannes, 64–66: Mt 11, 11 / Lk 7, 28 ist das Kommentarwort der Gemeinde zu Mt 11, 7b–10 / Lk 7, 24b–27 (Mt 11, 10 / Lk 7, 27 ursprünglich im Wortlaut von Mal 3, 1 statt von Ex 23, 20); einzuräumen ist in der Tat, daß Mt 11, 7b–9 / Lk 7, 24b–26 möglicherweise nach einer Erläuterung verlangt (so auch SCHÜRMANN, C: Lk I, 417; vgl. aber HOFFMANN, Studien, 217), das logisch reflektierende Schriftzitat scheint jedoch der einfachen Beschreibung zunächst inkongruent zu sein (vgl. etwa SCHULZ, Q, 232), so daß hier eher ein ursprünglicheres Äquivalent zu vermuten wäre. Wie dem auch sei, bietet Mt 11, 11 / Lk 7, 28 jedenfalls mit dem formalen Neuansatz und dem selbständigen, gegenüber Mt 11, 7b–10 / Lk 7, 24b–27 in seiner Aussagespitze divergierenden Kommentarwort eine ursprünglich isolierte Einheit (vgl. noch EvThom 46. 78).

[195] BOUSSET, Kyrios, 45; BULTMANN, Geschichte, 177f; DIBELIUS, Überlieferung, 13f; GAECHTER, C: Mt, 364f; von GALL, Βασιλεία, 432; GNILKA, C: Mt I, 419; HAHN, Hoheitstitel, 375; HOFFMANN, Studien, 218; KRAELING, John, 138; LOHMEYER, Urchristentum, 19 A. 1; WINK, John, 24f; WOLF, Gericht, 45. KRAFT, Entstehung, 32 hält beide Logien für authentisch, siedelt sie aber in verschiedenen Situationen des Auftretens Jesu an. Unentschieden bleibt KLOSTERMANN, C: Mt, 96f.

[196] Vgl. SCHLOSSER, Règne I, 160; SCHNACKENBURG, Herrschaft 91; SCHULZ, Q, 233; WANKE, Bezugsworte, 32f. Der antithetische und paradoxale Duktus des Logions (vgl. MERKLEIN,

11, 11a/Lk 7, 28a ist isoliert kaum überlieferungsfähig, denn ohne den Nachsatz liegt ein allzu triviales Kompliment ohne kerygmatische Prägnanz vor.[197] 3) Die überlieferungsgeschichtliche Teilung beruht auf einer unzutreffenden Prämisse, nämlich daß hier ein authentisches Herrenlogion täuferpolemisch hätte ergänzt werden müssen[198] (s. u. II:3.3.1.3.2). 4) Schließlich kann auch nicht darauf verwiesen werden, Mt 11, 11a/Lk 7, 28a könne als authentisches Jesuswort gelten, keineswegs aber Mt 11, 11b/Lk 7, 28b, da diese Vershälfte eine ekklesiologische Pointe aufweise[199]; vielmehr erschließt sich der Analyse ein eschatologisches βασιλεία-Verständnis, das ohne weiteres zum historischen Jesus paßt (s. u. II:3.3.1.3.1).[200]

3.3.1.2   Mt 11, 7b–9 / Lk 7, 24b–26

3.3.1.2.1 Historische Würdigung

Der Kern der Überlieferung von Mt 11, 7b–9/Lk 7, 24b–26 kann als historisches Wort Jesu gelten. Allerdings kann dafür nicht, wie es weithin geschieht, einfachhin das kritische Aussonderungsprinzip geltend gemacht werden, denn eine positive Beurteilung des Täufers ist sowohl in der frühchristlichen Gemeinde als auch in deren jüdischer Umwelt vorstellbar.[201] Wer allerdings einmal mehr den steten Abwehrkampf gegen die Geltungsansprüche der Johannesjünger im Hintergrund wähnt, wird ein positives Urteil über Johannes nicht der Gemeinde, sondern nur Jesus zuschreiben können, aber diese Voraussetzung ist unhaltbar (s. u. II:3.3.1.2.2). Dennoch sprechen folgende Überlegungen für die Authentizität des Logions oder zumindest dafür, daß es einen ursprungsgerechten Reflex der ipsissima intentio Jesu darstellt:

Gottesherrschaft, 86f) weckt gerade keinen Zweifel an der Ursprünglichkeit der zweiten Vershälfte: gegen DIBELIUS, Überlieferung, 13.

[197] Vgl. die erklärende Wiedergabe bei GNILKA, C: Mt I, 415: „Der Täufer ist der Größte". Vgl. hierzu auch MÜLLER, Vision, 432f; SCHNACKENBURG, Herrschaft, 91. Hingegen vermag DIBELIUS, Überlieferung, 14 nicht zu überzeugen, wenn er den Vorwurf Rec I, 60, 1 als Beleg für eine isolierte Tradition der ersten Vershälfte auszuwerten sucht: nichts spricht gegen ein isoliertes Zitieren (vgl. EvThom 46).

[198] So etwa DIBELIUS, Überlieferung, 13f; HOFFMANN, Studien, 218 (vorsichtig); KRAELING, John, 138.

[199] So BOUSSET, Kyrios, 45; DIBELIUS, Überlieferung, 13.

[200] Vgl. HOFFMANN, Studien, 221f; MÜLLER, Vision, 433f; SCHLOSSER, Règne I, 162–164; SCHÖNLE, Johannes, 68; SCHULZ, Q, 234f. Für die überlieferungsgeschichtliche Einheit von Mt 11, 11/Lk 7, 28 plädieren auch FARMER, Art. John, 957; GARDNER, appraisal, 123f; JÜNGEL, Paulus, 174–176 A. 5 (176); MARSHALL, C: Luke, 293; MÜLLER, Vision, 432f; PERCY, Botschaft, 201f; van ROYEN, Jezus, 29; SANDERS, Jesus, 92f; SCHLOSSER, Règne I, 159f; SCHNACKENBURG, Herrschaft, 91; SCHÖNLE, Johannes, 65f; SCHÜRMANN, C: Lk I, 419; SCHULZ, Q, 233; SINT, Eschatologie, 117f; WANKE, Bezugsworte, 32f.

[201] Es ist ein methodologischer Kardinalfehler, dies zu übersehen; ihm unterliegt v. a. GOGUEL, seuil, 65, 240; ebenso FARMER, Art. John, 957; SINT, Eschatologie, 156 A. 226.

1. Wenn auch das criterion of dissimilarity keine unmittelbare Geltung beanspruchen kann, so entspricht doch die Qualifizierung des Täufers als „περισσότερον προφήτου" nicht dem naheliegenden christlichen Urteil; hier wäre ein direkterer christologischer Bezug erwartbar, wie ihn dann Mt 11, 10 / Lk 7, 27 mit dem Vorläufer-Modell herzustellen sucht. Andererseits ist auch kein Grund ersichtlich, weshalb sich die christliche Täuferdeutung ein jüdisches Urteil angeeignet haben sollte, wenn die Notwendigkeit eines spezifisch christlichen Täuferbildes spätestens auf der Ebene der Q-Gemeinde empfunden wurde.

2. Ferner greift das criterion of coherence; das hier zu prüfende Logion konvergiert mit dem mittels des Unähnlichkeitskriteriums zu sichernden Kern von Mk 11, 27–33 parr (s. u. II:3.3.5.2). Da das Faktum der Taufe Jesu ebenso feststeht wie dessen Kontakte zur Täuferbewegung, seine religionsgeschichtlichen Beziehungen zu Johannes und das Anknüpfen der frühesten christlichen Gemeinde an den johanneischen Taufritus sowie ihre Würdigung des Täuferwirkens als ἀρχή fügt sich das Logion in den taxativ zu erstellenden Gesamtentwurf des historischen Auftretens Jesu.[202]

3. Als Indizien für die Authentizität wird man die kontrastreiche (Mt 11, 7b.8 / Lk 7, 24b.25) und hyperbolische (Mt 11, 9 / Lk 7, 26) Redeweise und den antithetischen Parallelismus Mt 11, 7b.8:9 / Lk 7, 24b.25:26 werten können.[203]

4. Ein gewisses geschichtliches Kolorit verraten die Hinweise auf die prophetische Dignität des Johannes, seine rigide Lebensweise, seinen Gegensatz zum höfischen Leben und den Zustrom des Volkes (vgl. Josephus, Ant., 18, 116–119)[204]; hier scheint eher historisches Detail durch als christliches Interesse.[205]

---

[202] Vgl. dazu methodologisch LENTZEN-DEIS, Kriterien, 100–102.

[203] Vgl. JEREMIAS, Theologie, 24–30, 38; jedoch auch die einschränkenden Bemerkungen bei HAHN, Überlegungen, 35f; GRUNDMANN, C: Lk, 165 nimmt in der drängenden Fragereihe sogar „etwas vom palästinischen Erdgeruch der Redeweise Jesu" wahr.

[204] Vgl. GARDNER, appraisal, 118; SCHWEIZER, C: Mt, 169: „So kann ... nur gesprochen werden, solang diese Strömung [scil. die Wallfahrten zum Täufer] für fast alle Hörer typisch bleibt, also zur Zeit Jesu in Palästina". Jedoch verbietet sich jede Spekulation über ein vermeintliches Leben des Täufers am herodianischen Hof, wie es N. KRIEGER, Ein Mensch in weichen Kleidern, in: NT 1 (1956) 228–230 phantasievoll gezeichnet hat.

[205] Das Logion Mt 11, 7b–9 / Lk 7, 24b–26 wird auch von BULTMANN, Geschichte, 178 („vielleicht"); GARDNER, appraisal, 118; GNILKA, C: Mt I, 419; LÜHRMANN, Redaktion, 27 (als Möglichkeit); MARSHALL, C: Luke, 293; SCHÖNLE, Johannes, 64–66; SCHÜRMANN, C: Lk I, 418 Jesus zugeschrieben. Hingegen übertreibt KRAFT, Entstehung, 29f, wenn er Mt 11, 7–10 / Lk 7, 24–27 chronologisierend als das „älteste Herrenwort überhaupt" deklariert; denn nichts spricht dafür, daß ein positives Urteil Jesu über Johannes vor der öffentlichen Wirksamkeit Jesu angesiedelt werden muß, der Wortlaut des Logions spricht mit den Aoristen vielmehr dagegen; daß Jesus hier in der Jordanau die Menge anstelle des nach Samarien geflohenen Täufers anspricht (vgl. ebd., 30), ist eine Konstruktion.

3.3.1.2.2 Auswertung

So wird man in bezug auf das historische Verhältnis zwischen Jesus und dem Täufer folgende Schlußfolgerungen ziehen können:

1. Jesus spricht in der Retrospektive, also in zeitlichem Abstand, über Johannes.[206] Dabei wendet er sich an einen Hörerkreis, der sich – in welcher Weise auch immer – an der Täuferbewegung beteiligt (Mt 11, 7 / Lk 7, 24; Mt 11, 8 / Lk 7, 25; Mt 11, 9 / Lk 7, 26: „ἐξήλθατε").[207] Somit kann für die beiden Propheten der gleiche Adressatenkreis vorausgesetzt werden, sie wirkten im gleichen religiösen Milieu.

2. Jesus erkennt die Charakterfestigkeit des Täufers, seine intransigente Kompromißlosigkeit (Mt 11, 7b / Lk 7, 24b) und seine rigide Lebensweise (Mt 11, 8 / Lk 7, 25) ausdrücklich an[208] und betont die Übereinstimmung mit seinen Zuhörern, wenn er den Täufer als „einen Propheten von echter Prophetenart"[209] charakterisiert (Mt 11, 9 / Lk 7, 26; NB: „ναί"). Obschon der krasse Gegensatz zum Auftreten des Johannes zwischenzeilig hervortritt (vgl. auch Mt 11, 16–19 / Lk 7, 31–35; Mk 2, 18f parr), solidarisiert er sich ohne Einschränkung mit dem Jordanpropheten. In der Zustimmung zur prophetischen Dignität des Täufers liegt das verbindende Dritte zwischen Jesus und seinen Hörern. Sowohl Redner als auch Adressaten stehen im Einflußbereich täuferischer Inspiration.

3. Jedoch überbietet Jesus dieses gemeinsame Urteil, indem er der so konstatierten Dignität ein maius hinzufügt. Dieses maius kann nur darin liegen, daß der Täufer für Jesus der entscheidende Endzeitbote, sein Bußruf die allein notwendige Botschaft ist[210]; dafür spricht auch der Rekurs auf die Wüste als Stätte der endzeitlichen Offenbarung.[211] Der Täufer sprengt die Schemata der alttestamentlichen Prophetentradition[212]; und wenn gerade Jesus hier das Urteil des Volkes weiterführt, so wird man das maius nur im Licht der βασιλεία-Botschaft deuten können.

4. Für das zu untersuchende Logion ist kein anderer „Sitz im Leben Jesu" anzunehmen als die Legitimierung seines eigenen Wirkens, näherhin eben der Predigt von der Gottesherrschaft, durch Rekurs auf das von seinen Zuhörern anerkannte Wirken des Täufers (vgl. Mk 11, 27–33 parr).[213] Insofern expliziert das christologisch pointierte Vorläufer-Modell in Mt 11, 10 /

---

[206] Vgl. GARDNER, appraisal, 122; HOFFMANN, Studien, 216.

[207] Vgl. GARDNER, appraisal, 122.

[208] Unsinnig wäre die Meinung, die beiden ersten, rhetorischen Fragen sollten falsche Erwartungen im Volke korrigieren; dazu mit Recht SCHÜRMANN, C: Lk I, 416 A. 55.

[209] Ebd., 416.

[210] Vgl. ebd., 418.

[211] Vgl. dazu näher GARDNER, appraisal, 119f.

[212] Vgl. HAHN, Hoheitstitel, 375.

[213] Vgl. GARDNER, appraisal, 122.

Lk 7, 27 tendenziell das ursprünglich Gemeinte. Jesus sieht den Täufer in der Tat als seinen Wegbereiter.[214] Es bleibt aber offen, worin diese Wegbereitung in der Perspektive Jesu konkret besteht. So gibt der Passus als entscheidendes Problem die Frage nach der Kontinuität in dem so diskontinuierlichen Wirken Jesu und des Täufers auf.

3.3.1.3 Mt 11, 11 / Lk 7, 28

3.3.1.3.1 Historische Würdigung

Auch das Kommentarwort kann mit relativ hoher Wahrscheinlichkeit als historisches Wort Jesu gelten, und zwar, da eine ursprünglich isolierte Überlieferung der beiden Vershälften auszuschließen ist (s. o. II:3.3.1.1), in seiner Ganzheit.

1. Während der erste Teil des Logions mit der christologischen Konzentration der frühen Gemeinde kaum zu harmonisieren ist[215], ist der zweite nicht dem Judentum zuzuschreiben, hingegen fügt er sich sowohl dem jesuanischen als auch dem frühchristlichen βασιλεία-Konzept ein[216] und paßt gerade mit seinem unbefangenen Absehen von jeder heilsgeschichtlichen Reflexion über die Stellung des Täufers[217] eher zu Jesus als zur Gemeinde, der ja gerade die heilsökonomische Position des Johannes wichtig wird. Es ist auch kaum ein Interesse der Gemeinde an einem derartig ambivalenten, rätselhaften Herrenwort vorstellbar.[218]

2. Ferner genügt auch dieses Logion dem Kohärenzkriterium (vgl. Mt 11, 16–19 / Lk 7, 31–35; Mk 2, 18f parr; 11, 28–30 parr), indem es die prinzipielle Anerkennung des Täufers mit einer faktischen Distanzierung, begründet durch den Anspruch der Gottesherrschaft, verbindet. Insofern fügt sich auch dieses Logion in den Gesamtrahmen des Wirkens Jesu ein (s. u. II:3.5).

---

[214] Wenig überzeugend ist die These, das Logion suche einem Nachlassen der Begeisterung für den Täufer entgegenzuarbeiten; sie wird vertreten von DIBELIUS, Überlieferung, 10; SCHÖNLE, Johannes, 66; vgl. dazu GARDNER, appraisal, 266 A. 57; GNILKA, C: Mt I, 414.

[215] Darauf wird immer wieder hingewiesen; vgl. etwa GARDNER, appraisal, 123; GNILKA, C: Mt I, 419; HOFFMANN, Studien, 218. Dabei ist allerdings SCHÖNLE, Johannes, 66 insofern beizupflichten, als auch die christliche Gemeinde ihrer Wertschätzung des Täufers Ausdruck verliehen haben mag, doch ist ein exklusiv-superlativischer Ausdruck eher unwahrscheinlich, bei der Voraussetzung einer Täuferpolemik (vgl. SCHÖNLE, Johannes, 66) sogar unmöglich.

[216] SCHÜRMANN, Reich, 88–91 legt zuviel in die zweite Vershälfte: ein so dichtes Verständnis paßt in der Tat nicht zur Verkündigung Jesu, doch ist es kaum das ursprüngliche. Auch SCHULZ, Q, 234f und WANKE, Bezugsworte, 34f sehen ein Gemeindeanliegen im Hintergrund des Logions, letzterer schließt aber nicht aus, daß es sich um eine „vormalige Aussage Jesu" handelt (ebd., 35).

[217] Daß der Gedanke der Gottesherrschaft hier „noch ganz im Sinne der Verkündigung Jesu" begriffen werden kann, sieht auch SCHÖNLE, Johannes, 68. Für HOFFMANN, Studien, 221f widerspricht die generische Interpretation von ὁ μικρότερος (s. o. II:2.2.4) der heilsgeschichtlichen Bewertung des Täufers in Q, doch besteht kein Grund, sich deshalb für die christologische Interpretation zu entscheiden! SCHLOSSER, Règne I, 164 resümiert: „La conscience eschatologique inhérente au logion cadre tout à fait avec ce que nous savons du Jésus de l'histoire".

[218] Der frühen Gemeinde geht es eher um die Erhellung dunkler Herrenworte als um ihre Vermehrung, vgl. JEREMIAS, Theologie, 40.

3. Indikatorischen Charakter haben wiederum die paradoxe und, wenn ὁ μικρότερος superlativisch zu verstehen ist (s. o. II:2.2.4), hyperbolische Redeweise und der antithetische Parallelismus Mt 11, 11a:b / Lk 7, 28a:b.[219]

3.3.1.3.2 Auswertung

So ergibt sich:

1. Das Logion bestätigt die hohe Wertschätzung, die Jesus dem Täufer entgegengebracht hat.[220] Er erkennt ihm im ordo vetus den höchsten überhaupt möglichen Rang zu. Allerdings bezieht er sich nach Ausweis des biblizistischen „ἐγήγερται" nicht auf die Person des Johannes, der er etwa ein Kompliment machen wollte, sondern auf seine Funktion, in concreto auf die Vorbereitung des Neuen.[221] Die Ordnung des Johannes wird mit der Wendung „ἐν γεννητοῖς γυναικῶν" (vgl. z. B. Ijob 14, 1f; IV Esr 4, 6; 7, 46; Gal 4, 4; 1 QH 13, 14; 18, 12f) als irdisch-menschlich qualifiziert (vgl. Joh 3, 31)[222]; der Formel entspricht hebr. אשׁה ילוד י, sie hat wohl keinen abwertenden Klang.[223]

2. Dem ordo vetus des Johannes steht der der Gottesherrschaft gegenüber.[224] Jesus unterscheidet hier – wie auch sonst[225] – zwei Offenbarungsepochen; die Zäsur liegt zeitlich hinter dem Wirken des Johannes, in Jesu eigenem Auftreten; die Verkündigung der βασιλεία scheidet Jesu Wirken von dem des Täufers.[226] Zu der neuen Ära der Gottesherrschaft gehört Johannes im

---

[219] Die Authentizität von Mt 11, 11a/Lk 7, 28a findet breite Zustimmung, z. B. bei BULTMANN, Geschichte, 178 („vielleicht"); DIBELIUS, Überlieferung, 14; GRUNDMANN, C: Mt, 306; HOFFMANN, Studien, 218 und zahlreichen anderen. Die Anerkennung der zweiten Vershälfte ist seltener, immerhin bei BECKER, Johannes, 12, 76; GARDNER, appraisal, 122–124; JÜNGEL, Paulus, 174–176 A. 5 (176); KRAFT, Entstehung, 32; MARSHALL, C: Luke, 293; MÜLLER, Vision, 433f; PERCY, Botschaft, 201f; SANDERS, Jesus, 92f; SCHLOSSER, Règne I, 160f; SINT, Eschatologie, 117f. Die Einheit Mt 11, 11/Lk 7, 28 in ihrer Ganzheit halten LÜHRMANN, Redaktion, 27; SCHÖNLE, Johannes, 66; SCHULZ, Q, 233 A. 376 und vorsichtig SCHÜRMANN, C: Lk I, 419; DERS., Reich, 88–91 für Gemeindebildung.

[220] Die Deutung HIRSCHS, Studien, 259, nach der sich Mt 11, 11 ursprünglich auf Herodes bezieht, ist absurd; überhaupt weckt die Lektüre des gesamten Aufsatzes Zweifel am exegetischen Ernst der Verfasserin.

[221] Vgl. KRAELING, John, 139f; SCHÜRMANN, C: Lk I, 418f. Daß der Täufer aufgrund „seiner unübertrefflichen sittlichen Strenge" gerühmt wird (so SCHNACKENBURG, Herrschaft, 91), leuchtet nicht ein; zur ethischen Interpretation vgl. SCHLATTER, Johannes, 85.

[222] Vgl. GARDNER, appraisal, 126; KLOSTERMANN, C: Mt, 97; PLUMMER, C: Luke, 205; SCHNACKENBURG, Herrschaft, 91; SCHWEIZER, C: Mt, 169.

[223] Vgl. SCHLOSSER, Règne I, 161; Belege zur Wendung bei STRACK / BILLERBECK I, 597f.

[224] Mit Recht stellt SCHWEIZER, C: Mt, 169f fest: „Nicht Jesus wird ... gegenüber dem Täufer abgehoben, sondern das Reich selbst".

[225] Vgl. MÜLLER, Vision, 434.

[226] HUGHES, John, 209: „although John was 'the culmination of the prophetic line, a notable representative of the varied channels of divine relevation', he was nevertheless overshadowed by those who had already tasted 'the powers of the age to come'" (unter Zitierung von E. W. PARSONS und B. W. BACON).

Verständnis Jesu also nicht.[227] Als „Sitz im Leben Jesu" ist die βασιλεία-
Predigt anzunehmen (vgl. Mt 13, 16 f / Lk 10, 23 f[228]); eine hagiographisch-
erbauliche Reflexion über das Geschick des Täufers oder ein polemischer
Seitenhieb gegen ihn[229] liegen nicht in der Aussagerichtung, so daß sich jede
Spekulation verbietet, ob Jesus dem Täufer den Eingang in die Gottesherr-
schaft versage.[230]

3. Wenn man davon ausgeht, daß sich der Täufer in breiten Schichten des
   Volkes einer großen Verehrung erfreute (s. u. II:3.4.2; III:11.4; 12.4 u. ö.),
   wird die Ambivalenz des Urteils Jesu verständlicher: die Wertschätzung des
   Menschen Johannes ist völlig berechtigt, vor dem Hintergrund der Gottesherrschaft aber wird sie relativ.

4. Weniger um die Darstellung seines Verhältnisses zum Täufer also geht es
   Jesus als um den Aufweis des absolut Neuen seiner βασιλεία-Botschaft[231]:
   „Affirmant que le Règne est une grandeur déjà présente et impliquant la
   conscience qu'a Jésus d'être le messager et, par certain côté, le réalisateur du
   Règne, le dit de Lc 7, 28 par. pourrait bien être une expression de la nouveauté
   perçue par Jésus et avoir sa source dans cette nouveauté même".[232]

5. Wiederum läßt sich vermuten, daß Jesus vor Hörern spricht, die seine
   Zustimmung zu Johannes teilen, also vor Anhängern der Täuferbewegung,
   denen die Anerkennung des Täufers als der größten irdischen Gestalt nicht
   fremd ist. Dann läßt aber der zweite Teil des Logions darauf schließen, daß
   Jesus diese Menschen für seine eigene Botschaft von der Gottesherrschaft zu
   gewinnen sucht, also „missionarisch" im Täufermilieu tätig ist.[233]

---

[227] Vgl. MERKLEIN, Gottesherrschaft, 87; zur generischen und möglicherweise superlativischen
Bedeutung von ὁ μικρότερος s. u. II:2.2.4 und vgl. SCHLOSSER, Règne I, 164–166.

[228] „Der Makarismus zeigt, wie schon mehrfach auch sonst für die Jesusüberlieferung erkannt, den
Bruch zwischen der durch Jesus qualifizierten Gegenwart und allem zeitlich Davorliegenden.
Propheten und Könige als die herausragenden Altvordern der Geschichte Israels standen
sämtlich nur im Warteraum der Zukunft. Ihre Geschichte steht unter dem von ihnen nicht
überwindbaren Noch-nicht" (BECKER, Johannes, 82).

[229] Auf redaktioneller Ebene würde sich diese Polemik dann gegen den Täuferkreis richten. Eine
polemische Spitze behaupten BULTMANN, Geschichte, 177f; LÜHRMANN, Redaktion, 27; RICH-
TER, Elias, 21, 26; STEINHAUSER, Doppelbildworte, 171f; WINDISCH, Sprüche, 168; vgl. dagegen
SCHÜRMANN, C: Lk I, 419.

[230] Vgl. auch GRUNDMANN, C: Mt, 307; SCHULZ, Q, 235 A. 393; anders BOUSSET, Kyrios, 45;
MANSON, sayings, 70; SCHLATTER, Johannes, 83; SCHÜRMANN, C: Lk I, 419.

[231] Vgl. KLOSTERMANN, C: Mt, 96; zum hier vorausgesetzten Verständnis der βασιλεία SCHLOSSER,
Règne I, 162–164.

[232] Ebd., 167.

[233] Vgl. GARDNER, appraisal, 137; SCHLOSSER, Règne I, 167; ebenso heben SCHÜRMANN, C: Lk
I, 419; WANKE, Bezugsworte, 34f die – bei ihnen allerdings nachösterlich angesetzte – Missions-
funktion des Logions hervor.

3.3.2 Mt 11, 12f / Lk 16, 16

Die Rekonstruktion des Q-Textes nach Wortlaut und Akolouthie wird kontrovers diskutiert. Vermutlich lautet die Vorlage: „ὁ νόμος καὶ οἱ προφῆται ἕως Ἰωάννου· ἀπὸ τότε ἡ βασιλεία τοῦ θεοῦ βιάζεται καὶ βιασταὶ ἁρπάζουσιν αὐτήν.“[234] Dabei wird die lukanische Sequenz Lk 16, 16. 17. 18 die Q-Fassung am ehesten wiedergeben; die Gruppe ist sub voce legis zusammengestellt.[235]

Das Doppellogion, das immer wieder als Schlüsselwort zur Jesusdeutung[236] oder Synoptikerinterpretation[237] herangezogen wird, gehört zu den am heftigsten umstrittenen Passus der Evangelienforschung überhaupt[238] und stellt sich zumal in überlieferungsgeschichtlicher Hinsicht derart dunkel dar, daß es methodisch unangemessen wäre, ihm eine allzu weite Bedeutung für die historische Rekonstruktion des Verhältnisses zwischen Jesus und Johannes beizumessen. So ist keineswegs sicher, daß beide Logien (Mt 11, 13 / Lk 16, 16a; Mt 11, 12 / Lk 16, 16b) eine ursprüngliche Einheit bilden.[239] Deshalb ist auch ein primärer Bezug von Mt 11, 12 / Lk 16, 16b auf den Täufer, den Täuferkreis oder die Täuferbewegung ungewiß.[240]

---

[234] Die Rekonstruktion folgt der behutsamen Analyse MERKLEINS, Gottesherrschaft, 80–87; da beim „Stürmerspruch" der Wert formal-literarischer Kriterien zur Rekonstruktion des Wortlauts begrenzt ist, bedient sich MERKLEIN zu Recht des Sachkriteriums einer exklusiven Beurteilung der heilsgeschichtlichen Bedeutung des Johannes (vgl. ebd., 85–87) und konvergiert dabei mit dem oben (s. o. II:3.3.1.3.2) Konstatierten. Mit ihm stimmen etwa GNILKA, C: Mt I, 412f; JÜNGEL, Paulus, 190f; SCHLOSSER, Règne II, 510–515; SCHULZ, Q, 261f und - mit Ausnahme der Bevorzugung von μέχρι vor ἕως (vgl. dazu SCHULZ, Q, 261 A. 590) - DÖMER, Heil, 38–40; SCHÖNLE, Johannes, 43f überein. Für die Ursprünglichkeit des Wortlauts von Lk 16, 16a plädiert eine Majorität der Exegeten, so etwa GOGUEL, seuil, 66f; SCHNACKENBURG, Herrschaft, 89 (weitere Vertreter bei MERKLEIN, Gottesherrschaft, 83 A. 316); meistens wird dann auch die lukanische Akolouthie angenommen (offen hält diese Frage KÜMMEL, Verheißung, 115). Für die Ursprünglichkeit des Wortlauts von Mt 11, 13 etwa HARNACK, Worte, 844; HOFFMANN, Studien, 57–60 (weitere Vertreter bei MERKLEIN, Gottesherrschaft, 84 A. 317). Das lukanische ἀπὸ τότε verwerfen HOFFMANN, Studien, 52; KÜMMEL, Verheißung, 115; vgl. aber TRILLING, Täufertradition, 278. Der Schluß wird fast allgemein nach der matthäischen Fassung rekonstruiert.

[235] Zur Begründung vgl. MERKLEIN, Gottesherrschaft, 87f; ferner DÖMER, Heil, 38; GARDNER, appraisal, 81–88; SCHÜRMANN, Reich, 125f; TRILLING, Täufertradition, 276–279.

[236] Vgl. z. B. HARNACK, Worte, 844; KÄSEMANN, Problem, 210f.

[237] Vgl. z. B. CONZELMANN, Mitte, 17f u. ö. (dazu kritisch DÖMER, Heil, 37f).

[238] Eine eingehende Darstellung der Theologie- und Forschungsgeschichte von Mt 11, 12 in der Antike, im Mittelalter und in der Neuzeit bietet jetzt die Cambridge University Thesis CAMERON, violence.

[239] Vgl. BARTH, Gesetzesverständnis, 58f; HOFFMANN, Studien, 50f; LÜHRMANN, Redaktion, 28; SCHLOSSER, Règne II, 516f; SCHÖNLE, Johannes, 69, 72; SCHÜRMANN, Reich, 127–129. Anders PERCY, Botschaft, 194; SCHULZ, Q, 263; SINT, Eschatologie, 119f. Gegen eine ursprüngliche Einheit spricht bereits die Diastase zwischen der objektiven Feststellung Lk 16, 16a und dem leidenschaftlichen Diktum Lk 16, 16b (vgl. MERKLEIN, Gottesherrschaft, 89).

[240] Die Auffassung SCHÖNLES, Johannes, 72, ursprünglich habe es „ἀπὸ Ἰωάννου" geheißen, ist lediglich ein Postulat im Dienste der von SCHÖNLE behaupteten Täuferpolemik; möglicherweise ist die Zeitbestimmung nur durch das heilsgeschichtliche Interesse von Q in den Text gelangt und entbehrte die ursprüngliche Aussage überhaupt einer solchen chronologischen Angabe.

Beide Logien mögen historisch auf Jesus zurückgehen.[241] In Mt 11, 13/Lk 16, 16a ist die spezifische Relativierung des Gesetzes durch das Handlungsprinzip der βασιλεία, so in jüdischem Raum nicht vorstellbar, zu erkennen[242]; in der Formulierung von Mt 11, 12/Lk 16, 16b wird man die provozierend-paradoxale Diktion Jesu konstatieren.[243] Statt von einer heilsgeschichtlichen Reflexion ist wohl auf der primären Traditionsebene von der Betonung des Novum der Gottesherrschaft zu sprechen, die sich auch sonst in der wahrscheinlich authentischen Jesus-Überlieferung (vgl. etwa Mt 11, 11/Lk 7, 28; Mk 2, 18f parr) findet. Schließlich gilt, daß die Tradition „n'aurait pas créé une déclaration dont elle n'aurait pas saisi le sens".[244] Aber insgesamt läßt sich für die historische Aussageabsicht hinsichtlich des Täuferproblems nur sagen, daß der Täufer zwar als „Meilenstein" von Jesus besonders genannt, aber nach dem bereits konstatierten Epochenschema einmal mehr der alten Ordnung, die nun in der Gottesherrschaft aufgehoben wird (s. o. II:3.3.1.3.2), zugewiesen wird: „Jésus conçoit qu'il y a un abîme entre Jean-Baptiste et lui. Jean marque la fin d'une économie, celle de la Loi et des prophètes. Lui inaugure une économie nouvelle, le Royaume de Dieu".[245] Dies schließt nicht aus, daß der Täufer als Grenzscheide auch schon das Neue vorbereitet, aber es handelt sich dann eben um eine Vorbereitung.[246] Auch hier verschafft sich also der Hiat, den Jesus zwischen dem Täufer und sich selber sah, Ausdruck: nicht das Gesetz und die Propheten und

---

[241] So mit unterschiedlichen Begründungen und in unterschiedlichen Fassungen BECKER, Johannes, 14; DIBELIUS, Überlieferung, 29; GNILKA, C: Mt I, 419f; GOGUEL, seuil, 68; HARNACK, Worte, 844; HUGHES, Disciples, 99f; JÜNGEL, Paulus, 191; KÄSEMANN, Problem, 210f; KRAFT, Entstehung, 33; KÜMMEL, Verheißung, 114f; PERCY, Botschaft, 202; PERRIN, teaching, 75f; WINK, John, 21f; zu Lk 16, 16b vorsichtig auch SCHÜRMANN, Reich, 128 (zurückhaltend gegen Lk 16, 16a). Gegen die Authentie argumentiert etwa SCHULZ, Q, 263.

[242] Vgl. MERKLEIN, Gottesherrschaft, 90, 95, der auch auf die Kohärenz zu Mt 8, 21f/Lk 9, 59f hinweist (vgl. ebd., 56–64).

[243] Vgl. ebd., 90; PERCY, Botschaft, 196f.

[244] GOGUEL, seuil, 68; vgl. ebd., 68f; PERRIN, teaching, 75.

[245] GOGUEL, seuil, 69; vgl. ebd., 66–69; vgl. auch HUGHES, Disciples, 102. Wenn KRAELING, 157 „Jesus' preoccupation with the fate of John" in das Doppellogion hineinliest, so überanstrengt er den Wortlaut.

[246] Das Spezifikum der Grenze liegt nun freilich gerade darin, daß sie weder dem einen noch dem anderen der von ihr begrenzten Teile eindeutig zuzuordnen ist; von daher wird man der vermittelnden Formulierung MEYERS, aims, 127 zustimmen: „'the days of John' (Matth. 11. 12) epitomized the inauguration of eschatological fulfilment. But 'the days of John' were no more than an inauguration. The *consummation* would transform the world". GARDNER, appraisal, 166 hält den Stürmerspruch an sich für offen: „the Stürmerspruch speaks of John as one who stands at the great divide in history, with the era of the law and the prophets falling on one side of the divide, and the era of the Kingdom on the other", entscheidet sich aber wegen der Konvergenz zu Mt 11, 9 zu der Thesis: „John, no less than Jesus himself, stands on *this* side of the great divide" (ebd., 167); die Behauptung einer solchen Konvergenz ist aber nicht sachgerecht (s. o. II:3.3.1.3.2). Zur Diskussion der Frage nach der lukanischen Perspektive vgl. die Auseinandersetzung WINKS, John, 51–57 mit dem CONZELMANNSCHEN Epochenschema.

auch nicht der Täufer Johannes, sondern allein die Gottesherrschaft ist nunmehr entscheidendes Handlungsprinzip (Mt 11, 13 / Lk 16, 16a).[247]

Für das ursprüngliche Logion Lk 16, 16b ist ein intransitiv-medialer Sinn von „βιάζεται" und ein in bonam partem gedeutetes Verständnis von „βιασταί" anzunehmen[248]: die Gottesherrschaft bricht sich mit Gewalt Bahn, und zu allem entschlossene Menschen reißen sie an sich.

Die hier vorgeschlagene Interpretation der primären Traditionsebene des Doppellogions schließt die von E. BAMMEL vertretene Hypothese einer täuferischen Herkunft von Lk 16, 16–18[249] ebenso aus wie die von W. F. ALBRIGHT und C. S. MANN, nach der Mt 11, 12f aus dem durch den Tod seines Meisters erschreckten Kreis der Täuferjünger stamme.[250] Erst recht führt kein Weg von den βιασταί zu den Johannesjüngern.[251] Der Übersetzungsvorschlag A. FRIDRICHSENS: „Der messianische Anspruch der Täufergemeinde steht im Widerspruch zum Gesetz und zu den Propheten, denn (γὰρ) diese weissagten alle mit Bezug auf Johannes (ἕως Ἰωάννου), nämlich, daß er der kommende Elias (nicht der Messias!) ist. Die Worte εἰ θέλετε δέξασθαι sollen zwischen zwei Kommata stehen und richten sich in Wirklichkeit an die Täufergemeinde"[252] mutet willkürlich an.[253] Für die methodologische Unsicherheit der Täuferkreis-Forschung

---

[247] Vgl. näher BECKER, Johannes, 75f; JÜNGEL, Paulus, 191f; MERKLEIN, Gottesherrschaft, 85–87, 95; MEYER, Ursprung I, 86; SCHLATTER, Johannes, 66–75; SCHLOSSER, Règne II, 526f; SCHÜRMANN, Reich, 38 A. 61; WINK, John, 21f, 112. Hingegen entnehmen GARDNER, appraisal, 166f; JEREMIAS, Theologie, 54; KÄSEMANN, Problem, 210; PERRIN, teaching, 76f; WINK, John, 21f, 112 dem authentischen Logion eine Würdigung des Johannes als Inaugurator des neuen Äons (vgl. bereits DIBELIUS, Überlieferung, 29), aber gerade die Parallelisierung ist typisch matthäisch (vgl. GRUNDMANN, C: Mt, 308; MEIER, John, 401f; MERKLEIN, Gottesherrschaft, 84f; TRILLING, Täufertradition, 282–286). CATCHPOLE, violence, 59–61 schließt Jesus und Johannes hier zu Unrecht unter dem βασιλεία-Gedanken zusammen (s. u. II:3.5.2); CAMERON, violence, 253 sieht die Frage der distinction gar nicht berührt.

[248] Zur eingehenden Diskussion vgl. MERKLEIN, Gottesherrschaft, 81–83; ähnlich GNILKA, C: Mt I, 420; SCHNACKENBURG, Herrschaft, 89f; SCHÜRMANN, Reich, 128f; „Gottes eschatologische Tat hat einen Sturm der nach dem Heil Hungernden und Dürstenden entfacht" (SCHNACKENBURG, Herrschaft, 90). Die Skepsis gegen die Deutung in bonam partem (vgl. etwa BRAUMANN, Himmelreich, 105; LINDESKOG, Johannes, 70) übersieht die paradoxale Sprechweise, die besonders PERCY, Botschaft, 196f aufgewiesen hat.

[249] Luke, passim, v. a. 105: „Originally the saying may have contained the message of the Baptist, i. e. his claim to offer something new with regard to the Law and the Prophets, in which the past was not suspended but radically preserved". Bereits die von HÖLSCHER, Urgemeinde, 18 A. 2 angeregte und von BAMMEL, Luke, passim ausgebaute Annahme von „baptistical substrata of early Christian literature" dient lediglich überflüssigen Komplizierungen; der Ausschluß einer frühchristlichen oder jesuanischen Herkunft (vgl. BAMMEL, Luke, 101f) beruht auf petitiones principii (Desinteresse des betreffenden Strangs der urchristlichen Überlieferung am Täufer, Desinteresse Jesu bzw. von Q am Gesetz).

[250] C: Matthew, 138f.

[251] So aber FRIDRICHSEN, Matth., 470f; LOHMEYER, Urchristentum, 113f; hiergegen PERCY, Botschaft, 195 A. 3; SCHULZ, Q, 266f.

[252] FRIDRICHSEN, Matth., 470.

[253] Er beruht ausschließlich auf selbstgesetzten Prämissen ohne Anhalt am Text: dieser läßt nichts von einer Anrede der Täufergemeinde, von deren messianischen oder elijanischen Glauben,

ist es recht bezeichnend, daß ein und derselbe Text von den einen Auslegern als täuferisch, von den anderen hingegen als antitäuferisch gedeutet wird. Der Wortlaut des Textes rechtfertigt weder die eine noch die andere Deutung.

3.3.3 Mt 21,31b.32/Lk 7,29f

Das Herrenwort[254] dient wahrscheinlich bereits in Q als kompositioneller Vorbau zu Mt 11,16–19/Lk 7,31–35[255], Mt hat das Gleichnis von den ungleichen Söhnen (Mt 21,28–32) als kommentierenden Einschub in die markinische Akolouthie eingefügt. Zwar ist die Parallele zwischen Mt 21,31b.32 und Lk 7,29f so deutlich, daß die Herkunft aus Q sehr wahrscheinlich ist[256], doch haben beide Seitenreferenten das Logion derart eigenständig umgeprägt, daß es aussichtslos erscheint, die Rekonstruktion des Q-Wortlauts zu versuchen.[257]

Immerhin ist ein sachlicher Gehalt aufzuweisen, den beide Evangelien zugleich bieten; so hat J. SCHLOSSER einige „éléments essentiels, encore discernables" herausgestellt:

„– la mention de Jean-Baptiste,
– la présence de deux groupes de personnages,
– leur attitude opposée à l'égard de Jean,
– la constitution plus précise de l'un des groupes: les publicains et les prostituées[258],
– enfin l'idée que les pécheurs seuls ont reconnu le propos salvifique de Dieu".[259]

---

nichts auch von polemischer Abgrenzung erkennen. So exemplifiziert FRIDRICHSEN die methodologischen Überlegungen zum Primat des konkreten Einzeltexts vor der generell erklärenden Hypothese (s. o. I:2.1.1).

[254] Auch Lk reiht das Logion in die Täuferrede Jesu ein und versteht es nicht als redaktionelle Kommentierung; anders GRUNDMANN, C: Lk, 166; KILGALLEN, John, 677.

[255] Vgl. SCHÜRMANN, C: Lk I, 421f; anders GARDNER, appraisal, 88–93; HOFFMANN, Studien, 194; Immerhin sind die Querbezüge zwischen Mt 21,31b.32/Lk 7,29f und Mt 11,16–19/Lk 7,31–35 nicht zu übersehen: formaliter „ἦλθεν γάρ" (Mt 21,32; vgl. Mt 11,18f/Lk 7,33f); materialiter die Themen der δικαιοσύνη bzw. βουλὴ τοῦ θεοῦ (Mt 11,32/Lk 7,30; vgl. Mt 11,19/Lk 7,35), des Sünderverkehrs Jesu (Mt 11,31b.32/Lk 7,29f; vgl. Mt 11,19/Lk 7,34) und der bereits mit dem Täufer anhebenden Heilsentscheidung.

[256] Anders DÖMER, Heil, 17 A. 10; GARDNER, appraisal, 92f; SCHLATTER, Johannes, 78f A. 1. Jedoch vermag der Hinweis auf die je verschiedene literarische Funktion und die jeweilige redaktionelle Färbung die Vermutung einer gemeinsamen überlieferungsgeschichtlichen Grundlage nicht zu entkräften. Verwirrend ist vor allem, wenn DÖMER, Heil, 15–18 den farblosen, knappen und eher kompositionell als strikt sachlich fungierenden Doppelvers Lk 7,29f als „Zugang zum Verständnis des lukanischen Berichts über den Täufer Johannes" benutzt.

[257] Vgl. etwa DIBELIUS, Überlieferung, 20f; SCHLOSSER, Règne II, 454f; VÖLKEL, Freund, 4 A. 17.

[258] Allerdings nennt nur Mt die πόρναι, doch hat Lk das Wort wohl in seiner Vorlage gelesen; die Wendung „πᾶς ὁ λαός" ist lukanisch (vgl. SCHÜRMANN, C: Lk I, 423 A. 107).

[259] Règne II, 456.

In dieser gemeinsamen Tradition liegt auch der historische Kernbestand.[260] Das Logion ist allerdings nicht eindeutig als vox Iesu zu erweisen. Gegen die Authentie läßt sich zwar nicht geltend machen, daß das Wort aus der Retrospektive formuliert[261] und mit dem terminus technicus „τὸ βάπτισμα Ἰωάννου" (Lk 7, 29) durch kirchlichen Sprachgebrauch geprägt sei.[262] Aber das isolierte Logion ist so farblos, daß man es einem Sitz in der Verkündigung Jesu nicht zuordnen kann.[263] Doch die sub voce δικαιοσύνη bzw. βουλὴ τοῦ θεοῦ vorgenommene ethisierende Reinterpretation der eschatologischen Täuferbotschaft[264] gemahnt sehr an Mt 11, 19c/Lk 7, 35 und dürfte sich in dieser Form wohl erst Q verdanken.

Diese Überlegung schließt nicht aus, daß in den genannten Elementen ein wirkungsgeschichtlich adäquater Reflex des Täuferwirkens vorliegt, zumal sich das Wirken des Johannes im Milieu der religiös Deklassierten und der ansprechbaren Massen auch sonst ebenso belegen läßt (Mt 11, 7–9/Lk 7, 24–26; Mt 11, 16–19/Lk 7, 31–35; Mt 3, 5/Mk 1, 5; vgl. Lk 3, 21. 10–14; Josephus, Ant., 18, 116–119) wie seine Opposition zu den etablierten Schichten seiner jüdischen Umwelt (Mk 6, 14–29/Mt 14, 1–12; vgl. Lk 3, 19f; 9, 7–9; ferner Mt 3, 7; Josephus, Ant., 18, 116–119).[265] Da Jesus eben diesen Adressatenkreis anspricht und eben dieser Opponentengruppe gegenübersteht, ist ihm ein solcher Rückblick auf den Täufer, an dessen Bewegung sich seine eigene Predigt ja wendet (s. u. II:3.5), durchaus zuzutrauen.

„John's proclamation participates in the activity of God; from the perspective of Q, John is doing precisely what God desires, so much so that rejection of John's mission is tantamount to rejection of Jesus and the very purpose of God himself".[266] Insofern sich dieser für Q zu konstatierende Befund exakt mit dem für das authentische Logion Mt 11, 16–19b/Lk 7, 31–34 Festzustellenden deckt (s. u. II:3.3.4), ist schließlich auch diese Sicht einer Einheit des Wirkens Jesu mit

---

[260] GARDNER, appraisal, 93 betrachtet Lk 7, 29f pauschal in seiner Ganzheit als „literary fiction" und führt ebd., 185 Mt 21, 32 auf den ersten Evangelisten zurück.

[261] So aber BULTMANN, Geschichte, 178f; warum jedoch sollte Jesus nicht auf die Zeit des Täuferwirkens zurückblicken?

[262] So aber BULTMANN, Geschichte, 178; HOFFMANN, Studien, 195; SCHMIDT, Rahmen, 118; SCHÜRMANN, C: Lk I, 422f; anders überzeugend MARSHALL, C: Luke, 299. Bereits ein Blick auf Mk 11, 28–30 parr (s. u. 3.3.5) widerlegt die Beschränkung der Terminologie auf den kirchlichen Sprachgebrauch; außerdem ist es auch völlig plausibel, daß die originale Neuschöpfung des Täufers von Anfang an mit seinem Namen verbunden war.

[263] Vgl. auch SCHÜRMANN, C: Lk I, 423.

[264] Vgl. HOFFMANN, Studien, 195f; KLOSTERMANN, C: Mt, 171; LOHMEYER, C: Mt, 309; zur Ethisierung in Mt 21, 32 allerdings modifizierend NEPPER-CHRISTENSEN, Taufe, 200.

[265] Nicht alle angeführten Belege sind historisch glaubwürdig, doch läßt ein konvergierender wirkungsgeschichtlicher Befund Rückschlüsse auf den Ursprung zu.

[266] WINK, John, 19.

dem des Johannes eine korrekte Wiedergabe der Beurteilung des Täufers durch Jesus[267], wenn nicht der historische Ansatzpunkt des Q-Logions überhaupt.

In summa sichert die Analyse von Mt 21, 31b. 32 / Lk 7, 29 also die soziologische und religionsgeschichtliche Ortung der Täuferbewegung; sie ist von den religiös Deklassierten und den breiteren Massen geprägt und steht in Opposition zu der geistlichen Führungselite. Gesichert ist auch, daß Jesus im Täufermilieu wirkt und das früheste Christentum zu einem erheblichen Teil aus diesem Milieu stammt. Daraus lassen sich Schlußfolgerungen für die Bewertung der synoptischen Täufertraditionen und insbesondere der sogenannten Täuferdokumente gewinnen, denn wenn Jesus und die Urkirche aus der Umkehrbewegung des Täufers Johannes hervorgegangen sind, erscheinen diese in anderem Licht, so daß sie sich möglicherweise ohne den Rekurs auf einen soziologisch umgrenzten Jüngerkreis oder gar eine Johannes-Sekte erklären lassen.

3.3.4   Mt 11, 16–19 / Lk 7, 31–35

3.3.4.1   Überlieferungsgeschichtliche Analyse

3.3.4.1.1 Rekonstruktion des Wortlauts der Q-Vorlage

Der Text des Passus in Q wird keineswegs einheitlich bestimmt; da die Rekonstruktion zum Teil maßgebende Relevanz für die Interpretation der Perikope besitzt, bedarf sie näherer Begründung. Der Wortlaut ist nach der größten erreichbaren Wahrscheinlichkeit:

„τίνι ὁμοιώσω τὴν γενεὰν ταύτην καὶ τίνι ἐστὶν ὁμοία; ὁμοία ἐστὶν παιδίοις ἐν ἀγορᾷ καθημένοις καὶ προσφωνοῦσιν τοῖς ἑτέροις ἃ λέγει·
ηὐλήσαμεν ὑμῖν καὶ οὐκ ὠρχήσασθε, ἐθρηνήσαμεν καὶ οὐκ ἐκόψασθε.
ἦλθεν γὰρ Ἰωάννης μήτε ἐσθίων μήτε πίνων, καὶ λέγουσιν· δαιμόνιον ἔχει.
ἦλθεν ὁ υἱὸς τοῦ ἀνθρώπου ἐσθίων καὶ πίνων, καὶ λέγουσιν· ἰδοὺ ἄνθρωπος φάγος καὶ οἰνοπότης, τελωνῶν φίλος καὶ ἁμαρτωλῶν.
καὶ ἐδικαιώθη ἡ σοφία ἀπὸ τῶν τέκνων αὐτῆς.“[268]

Folgende Entscheidungen bedürfen näherer Rechtfertigung:

1. Die Frage, ob der matthäischen Lesart „τοῖς ἑτέροις“[269] oder dem lukanischen pronomen reciprocum „ἀλλήλοις“[270] der Vorzug zu geben ist, beein-

---

[267] Vgl. auch MUSSNER, Kairos, 610 A. 2.
[268] Zur Begründung im einzelnen vgl. GARDNER, appraisal, 129–135; HOFFMANN, Studien, 196–198; SCHÖNLE, Johannes, 44f; SCHULZ, Q, 379f; STEINHAUSER, Doppelbildworte, 158–164.
[269] So DIBELIUS, Überlieferung, 15f; SCHÜRMANN, C: Lk I, 424 A. 118; SCHULZ, Q, 379; STEINHAUSER, Doppelbildworte, 159f; WANKE, Bezugsworte, 35.
[270] So ARENS, sayings, 224f; GARDNER, appraisal, 132; HOFFMANN, Studien, 197, 226 A. 125. Unentschieden bleibt MUSSNER, Kairos, 600 A. 1.

flußt unmittelbar das Verständnis des Gleichnisses.[271] Die wortstatistischen Argumente zugunsten einer der Varianten heben sich gegenseitig auf (ἕτερος: Mt: 10/Mk: 1/Lk + Apg: 33 + 17; ἀλλήλων: 3/5/11 + 8)[272]; immerhin setzt Lk öfters das sprachlich korrektere Reflexivpronomen gegen seine markinische Vorlage (Lk 4,36 diff Mk 1,27; Lk 6,11 diff Mk 3,6/Mt 12,14; Lk 20,14 diff Mk 12,7/Mt 21,38), während Mt ἕτεροι nicht gegen markinisches ἀλλήλων setzt (vgl. Mk 4,41 parr; 8,16 par; 9,34 parr; 9,50 parr; 15,31 parr). Während sich für den Ersatz des Reflexivpronomens durch „τοῖς ἑτέροις" kein Motiv beibringen läßt, ist es umgekehrt denkbar, daß Lk durch „ἀλλήλοις" dem Gleichnis die pietätlose Spitze abbrechen will, denn hier werden implizite auch Jesus und Johannes den παιδία verglichen. Schließlich entspricht ἕτεροι eher der ursprünglichen Bildlogik[273]; vielleicht will Lk auch die launischen Zeitgenossen eher den Spielverderbern vergleichen als den Klagenden.[274] Wer dem vermittelnden, wenn auch allzu konjekturalen Vorschlag O. Lintons „ἄλλοις" folgt[275], stimmt der Sache nach mit der hier bevorzugten matthäischen Lesart überein.

2. Syntaktisch ist die lukanische lectio difficilior „καὶ προσφωνοῦσιν ... ἃ λέγει" zu bevorzugen, die freilich bereits die Textzeugen A, Θ, Ψ, 𝔐, vg, sy^h; D, L, f^13; ℵ^2, W, Ξ, pc; sy^s verunsichert; sie geht auf einen Semitismus zurück.[276]

Im allgemeinen hält sich also Mt enger an die Vorlage.[277]

3.3.4.1.2 Der Nexus von Mt 11,16f/Lk 7,31f mit Mt 11,18–19b/Lk 7,34f

Gegenwärtig gehört es nahezu zur sententia communis der Forschung, daß Gleichnis[278] und Deutung ursprünglich nicht aufeinander bezogen waren. Hält eine Gruppe der Exegeten das Gleichnis für den Urbestand und die Deutung für sekundären Zusatz[279], so eine andere die Deutung für den Kern und das

---

[271] Vgl. nur HOFFMANN, Studien, 197 mit der Deutung ebd., 225f.

[272] Aufgrund vokabelstatistischer Beobachtungen plädiert ARENS, sayings, 224f für die Lesart „ἀλλήλοις", SCHULZ, Q, 379 für „τοῖς ἑτέροις".

[273] Vgl. JEREMIAS, Gleichnisse, 161.

[274] So HIRSCH, Frühgeschichte II, 93; SCHÖNLE, Johannes, 44f.

[275] Parable, 162; im Anschluß daran auch SCHÖNLE, Johannes, 44f.

[276] Vgl. BLACK, approach, 304. Für die lukanische Lesart entscheiden sich auch ARENS, sayings, 225; GARDNER, appraisal, 132; HOFFMANN, Studien, 197; SCHÖNLE, Johannes, 44; anders DIBELIUS, Überlieferung, 15 A. 3; SCHULZ, Q, 379; STEINHAUSER, Doppelbildworte, 160f.

[277] Kaum zu entscheiden, aber sachlich unbedeutend ist die Frage, ob Q in Mt 11,18f/Lk 7,33f die II. oder III. pers. pl. bietet. Wenn Lk trotz Inkongruenz zu Lk 7,31 (οἱ ἄνθρωποι) die II. pers. liest, mag er sich an die Vorlage halten, Mt verallgemeinert dann wie in Mt 11,16; andererseits mag Lk auch der Anredesituation des Kontexts (vgl. Lk 7,24–26.28) Rechnung tragen, die nach der II. pers. verlangt.

[278] Formkritisch handelt es sich näherhin um ein Gleichnis im engeren Sinne, entwickelt aus einem Vergleich (vgl. BULTMANN, Geschichte, 186).

[279] So BULTMANN, Geschichte, 178, 186; DIBELIUS, Überlieferung, 16; HOFFMANN, Studien, 224f; KLOSTERMANN, C: Mt, 99; SCHULZ, Q, 380–382.

Gleichnis für späteren Eintrag[280]; dritte wiederum halten beide Teile für traditionsgeschichtlich eigenständig und nur ihre gegenseitige Zuordnung für späteren Eingriff.[281] So empfiehlt bereits der forschungsgeschichtliche Stand zu überprüfen, inwiefern die jeweiligen Argumente einander ergänzen und in der Tat beide Teile sowohl traditionsgeschichtlich selbständig als auch ursprünglich aufeinander bezogen sind, also eine primäre Einheit darstellen. Zuerst sind jedoch die für die Isolierung der beiden Teile beigebrachten Argumente kritisch zu sichten.

Die zugunsten einer Trennung geltend gemachten Argumente lassen sich in vier Punkten zusammenfassen:

1. Die Auslegung *allegorisiert* und kann daher nicht ursprünglich zum Gleichnis gehören.[282]
2. Gleichnis und Deutung sind *inkompatibel,* und zwar
   a) weil der jeweilige *Bezugspunkt* differiert: in der Kinderschar sind verschiedene Gruppen nicht zu unterscheiden[283],
   b) weil das je *erzählte Geschehen* differiert: während das Gleichnis von der allgemeinen Haltung dieses Geschlechts handelt, konzentriert sich die Deutung auf die Rezeption des Täufers bzw. Jesu.[284]
3. Die *Folge* Freude – Trauer des Gleichnisses wird in der Deutung umgekehrt.[285]
4. Gleichnis und Deutung repräsentieren verschiedene traditionsgeschichtliche Stadien, indem
   a) sich die Deutung als jünger und sekundär auf das Gleichnis bezogen erweist[286] oder
   b) sich das Gleichnis als jünger und sekundär auf die Deutung bezogen erweist.[287]

---

[280] ARENS, sayings, 223: „it is ... possible that it was the parable that was introduced here to serve as a backbone to the explanation for the rejection of JnB and of Jesus"; ebenso FIEDLER, Jesus, 138f.

[281] WANKE, Bezugsworte, 35–37.

[282] ARENS, sayings, 223, 238; DIBELIUS, Überlieferung, 18; GNILKA, C: Mt I, 423; HOFFMANN, Studien, 224f, 227; KLOSTERMANN, C: Mt, 99; SCHULZ, Q, 381; WANKE, Bezugsworte, 36. Darüber hinaus hält SCHULZ, Q, 381 (vgl. auch SCHWEIZER, C: Mt, 168) „überhaupt die Tatsache, daß an ein Gleichnis eine begründende Erklärung angehängt werden mußte" für ein Argument gegen die traditionsgeschichtlich ursprüngliche Einheit der Perikope – kaum mit Recht (s. u. II:3.3.4.3).

[283] ARENS, sayings, 223; DIBELIUS, Überlieferung, 16f; FIEDLER, Jesus, 136; HOFFMANN, Studien, 224; KLOSTERMANN, C: Mt, 99; SCHULZ, Q, 380f; WANKE, Bezugsworte, 36.

[284] ARENS, sayings, 223; LÜHRMANN, Redaktion, 29; STEINHAUSER, Doppelbildworte, 173f; ähnlich MUSSNER, Kairos, 600, der andererseits aber Bild- und Deutewort als „kausale Einheit" versteht (ebd., 605f). In die gleiche Richtung zielt das Argument, im Bildwort liege die Initiative bei „diesem Geschlecht", in der Deutung aber bei Johannes und Jesus.

[285] HOFFMANN, Studien, 225; SCHULZ, Q, 380f.

[286] BULTMANN, Geschichte, 178, 186; DIBELIUS, Überlieferung, 16; HOFFMANN, Studien, 224f; KLOSTERMANN, C: Mt, 99; SCHULZ, Q, 380–382.

[287] ARENS, sayings, 223; FIEDLER, Jesus, 138f.

Zu 1.: Wer nicht gewillt ist, sich an der „allgemeinen Verketzerung" der Allegorik im Gefolge JÜLICHERS zu beteiligen[288], wird ohne weiteres bereit sein, allegorische Elemente im Gleichnis anzuerkennen, die dann durch eine sachgerechte, eben nicht allegorisierende Deutung beleuchtet werden.[289]

Zu 2.: Ob Gleichnis und Deutung inkompatibel sind, hängt nicht zuletzt von der Frage der exegetischen Aufschlüsselung des Gleichnisses ab. Methodologisch unzulässig ist es jedenfalls, eine Gleichnisauslegung vorzuschlagen, die sich am Text des Gleichnisses nicht bewährt, wenn andererseits die in der Deutung angehängte Auslegung den Wortlaut deckt.[290]

Zu 3.: Der Hinweis auf die umgekehrte Reihenfolge Freude – Trauer erledigt sich bereits durch die Möglichkeit eines gezielt eingesetzten Chiasmus, die auf jeder Traditionsebene denkbar ist. Diese Annahme ist aber keineswegs notwendig, da eine Gleichnisinterpretation naheliegt, die einerseits dem Bildwort gerecht wird, andererseits aber nicht von einer Umkehrung der Folge Freude – Trauer ausgehen muß (s. u. II:3.3.4.3).

Zu 4.: Die exegetischen Beobachtungen, nach denen sich einerseits das Gleichnis sekundär auf die Deutung und andererseits die Deutung sekundär auf das Gleichnis bezieht, lassen bereits einen ursprünglichen Zusammenhang beider Teile vermuten. Tatsächlich weisen beide Passus gleichermaßen historisches Urgestein auf (s. u. II:3.3.4.2). Die Tatsache, daß sich in der Deutung auch Spuren sekundärer Bearbeitung nachweisen lassen (s. u. II:3.3.4.2), kann hingegen keineswegs für deren traditionsgeschichtliche Abkünftigkeit ins Feld geführt werden[291], da die Logienüberlieferung im Regelfall Mischbildungen birgt, denen gegenüber die Frage nach der Authentie nicht alternativ, sondern relational zu stellen ist.[292] Die Behauptung sekundärer Zuordnung läßt sich nur dann aufrechterhalten, wenn sich jede mögliche synchrone Erklärung der textualen Bezüge als dem Text nicht angemessen erweist.

Die Kritik der überlieferungsgeschichtlichen Isolierung ist durch den konstruktiven Aufweis ursprünglicher Einheit zu ergänzen. Das in sich offene Gleichnis bedarf zwingend einer Deutung[293] und dürfte ohne eine solche

---

[288] Vgl. dazu KLAUCK, Allegorie, 355.

[289] Dies hat JÜLICHER, Gleichnisreden II, 32 bereits selbst angedeutet; vgl. auch MUSSNER, Kairos, 600; SCHÜRMANN, C: Lk I, 425.

[290] Prinzipiell ist SCHÖNLE, Johannes, 77 gegen HOFFMANN, Studien, 225 und SCHULZ, Q, 381 zuzustimmen: „was sie an vermeintlichen Ungereimtheiten anführen, stellt nur die Unangemessenheit ihres Verständnisses der Gleichnisdeutung ins Licht". Zu den unter Punkt 2 angeführten Varianten vgl. die unten vorgeschlagene Texterschließung (s. u. II:3.3.4.3).

[291] Gegen ARENS, sayings, 222.

[292] Vgl. HAHN, Überlegungen, 29–31.

[293] Gegen SCHULZ, Q, 381. Die Prägnanz des Spruches bringt eine gewisse Dunkelheit mit sich, die die von SCHWEIZER, C: Mt, 168 mit Recht erwogene „formale Ausnahme" erklärt, daß Jesus dem kurzen Spruch eine Deutung beigesellt; dies wäre um so plausibler, wenn das Gleichniswort auf eine geläufige Redensart zurückginge.

niemals tradierfähig gewesen sein.[294] Es ist kaum vorstellbar, welche Funktion das Wort vom Kinderzank in der vorösterlichen Mission gehabt haben mag, die H. SCHÜRMANN als seinen Sitz im Leben postuliert.[295] Daß eine so banale Botschaft wie „Dieses Geschlecht ist launisch" jemals kerygmatischen Eigenwert besessen haben kann, erscheint als ausgeschlossen. P. HOFFMANN mißt den Kindersprüchen denn auch „in sich keine Bedeutung und keinen eigenen Bildwert" bei und konzentriert seine Auslegung folgerichtig auf den Skopus des „verpaßten Kairos".[296] Aber diese Interpretation findet unter Absehung von Mt 11, 18f/Lk 7, 33f doch wohl kaum eine Stütze im Text, der nicht mehr belegt als – trivial genug – die unlustige Laune der Kinder.[297] Daß die *jetzt vorliegende* Deutung relativ früh mit dem Gleichnis verbunden war, belegt die Tatsache, daß Q sie überhaupt in die Täuferperiode aufgenommen hat.[298] Wenn aber eine *frühe* Verbindung beider Teile anzunehmen ist, so müssen triftige Gründe für die Vermutung geltend gemacht werden, die *ursprüngliche* Deutung sei von der jetzt vorliegenden verschieden und das Deutewort in einem frühen traditionsgeschichtlichen Stadium „ausgewechselt" worden. Weder die Eigenart der überlieferten Gesamtperikope noch die Dynamik urchristlicher Transformationsprozesse machen eine solche „Auswechselung" wahrscheinlich. Den urgemeindlichen Tradenten bzw. Redaktoren wird ja nichts Geringeres zugetraut, als daß sie eine deutende Selbstaussage Jesu getilgt und durch eine andere Tradition ersetzt hätten, in der Jesus nicht nur mit dem Täufer Johannes „parallelisiert", sondern überdies rüde beschimpft wird (vgl. Mt 11, 19/Lk 7, 34). Da sich das Alter von Bild- und Deutewort je in gleicher Weise aufzeigen läßt, sollte eine solche Komposition nicht angenommen werden.

Ferner entspricht das „λέγουσιν" des Gleichnisses dem „ἃ λέγει" des Bildwortes, zumal es sich in beiden Fällen um Klagen handelt[299]: „There is also a real correspondence, because both utterances are in fact complaints, complaints about the other children in the parable and complaints about John and Jesus in the application".[300] Schließlich räumt selbst A. JÜLICHER ein, daß im Gleichnis die Wahl der Verben im Gedenken an „die Düsterkeit des Täufers und *sein* heiteres Wesen" erfolgt sein mag[301]; er bietet so einen weiteren Beleg für die ursprüngliche Zusammengehörigkeit beider Teile.[302]

---

[294] Vgl. SCHWEIZER, C: Mt, 168; anders SCHÜRMANN, C: Lk I, 425f; WANKE, Bezugsworte, 36.

[295] Vgl. C: Lk I, 425f.

[296] Vgl. Studien, 225–227; Zitat: ebd., 225.

[297] Gegen die Kritik HOFFMANNS, Studien, 226 A. 127 an MUSSNER.

[298] Vgl. WANKE, Bezugsworte, 37.

[299] Vgl. LINTON, parable, 173; ferner ZELLER, Bildlogik, 254.

[300] LINTON, parable, 173.

[301] Gleichnisreden II, 32.

[302] Gegen die traditionsgeschichtliche Einheitlichkeit von Bildwort und Deutung plädieren ARENS, sayings, 222f; BULTMANN, Geschichte, 166; DIBELIUS, Überlieferung, 16–19; GNILKA, C: Mt I, 423; HOFFMANN, Studien, 224f; KLOSTERMANN, C: Mt, 99; LÜHRMANN, Redaktion, 29; SAND, C: Mt, 243; SCHÜRMANN, C: Lk I, 425f; SCHULZ, Q, 380f; STEINHAUSER, Doppelbildworte,

3.3.4.1.3 Der Nexus von Mt 11, 16–19b / Lk 7, 31–34 mit Mt 11, 19c / Lk 7, 35

Die Schlußsentenz Mt 11, 19c / Lk 7, 35 steht nicht in ursprünglichem Zusammenhang zu der Einheit Mt 11, 16–19b / Lk 7, 31–34. Denn sie überschreitet sachlich den durch Gleichnis und Deutung gesteckten Rahmen, indem sie dem Mißerfolg der Propheten Johannes und Jesus die Rechtfertigung der Weisheit, den παιδία τῆς γενεᾶς ταύτης die τέκνα τῆς σοφίας kontrastiert und so der Erzählung eine Inclusio gibt, die mit dem Corpus der Perikope nicht kongruiert.[303] Das Logion fügt sich in eine Serie von Logien der spätantiken Weisheitstheologie ein (vgl. Mt 11, 25–27 / Lk 10, 21f; Mt 12, 42 / Lk 11, 31)[304], an der Q besonderes Interesse hegt.[305]

Wahrscheinlich hat die Q-Redaktion die Schlußsentenz in dem gleichen Kompositionsprozeß wie Lk 7, 29f (vgl. Mt 21, 31b. 32) angefügt; darauf lassen die Stichworte δικαιόω und ἡ βουλὴ τοῦ θεοῦ schließen.[306] Ihr Zweck ist es wohl, der Täuferkomposition einen befriedigenden Abschluß zu geben.[307] Dabei mag es sich um ein geläufiges Sprichwort mit gnomischem Aorist[308] oder um ein ad hoc gebildetes Logion[309] handeln; in jedem Fall ist P. HOFFMANN beizupflichten, daß die τέκνα die hinter Q stehenden νήπιοι repräsentieren (vgl. Mt 11, 25–27 / Lk 10, 21f), die sich zu den Gottesboten Johannes und Jesus bekennen und für dieses Bekenntnis Verfolgung leiden.[310]

173f; WANKE, Bezugsworte, 36; ZELLER, Bildlogik, 252. Dagegen optieren für die traditionsgeschichtliche Einheitlichkeit DODD, parables, 25; ERNST, C: Lk, 252; GARDNER, appraisal, 138–141; GRUNDMANN, C: Mt, 311; HARNACK, Sprüche, 151; JEREMIAS, Gleichnisse, 160–162; JÜLICHER, Gleichnisreden II, 35f; MARSHALL, C: Luke, 298; MUSSNER, Kairos, 605f; PERRIN, teaching, 85f; SCHÖNLE, Johannes, 75–78; SCHWEIZER, C: Mt, 168; TÖDT, Menschensohn, 109.

[303] Vgl. auch HOFFMANN, Studien, 228; SCHÜRMANN, C: Lk I, 428.

[304] Vgl. dazu LÜHRMANN, Redaktion, 29; SCHWEIZER, C: Mt, 168.

[305] Vgl. CHRIST, Sophia, 63–80; SCHWEIZER, C: Mt, 291f.

[306] Anders SCHÜRMANN, C: Lk I, 428.

[307] Vgl. auch DIBELIUS, Überlieferung, 20.

[308] So SUGGS, wisdom, 34.

[309] So SCHÖNLE, Johannes, 74f.

[310] Vgl. Studien, 228–230; vgl. auch CHRIST, Sophia, 79f; MARSHALL, C: Luke, 303f; SUGGS, wisdom, 33f. Hingegen deuten LEANEY, C: Luke, 145f und SCHULZ, Q, 386 die τέκνα σοφίας auf Johannes und den Menschensohn; vermittelnd LÜHRMANN, Redaktion, 31.

3.3.4.2 Historische Würdigung

Sowohl Gleichnis als auch Deutung enthalten historisch zuverlässiges Material.

1. Immer wieder wird bemerkt, daß die herbe Invektive gegen den Menschensohn kaum Gemeindebildung sein könne[311]; auch die Herabsetzung des Täufers ist sicher keine christliche Fiktion. Richtig ist ferner der Hinweis auf die Parallelisierung oder eher den Zusammenschluß Jesu mit dem Täufer; er konvergiert mit den auch sonst zu gewinnenden Erkenntnissen (s. o. II:3.3.3; s. u. II:3.3.5.3; 3.4.3); dagegen neigt die Gemeinde eher zur Subordination des Täufers.[312] Die Sündermähler, die die Invektive Jesu zum Vorwurf macht, gehören zu den ipsissima facta (vgl. Mk 2, 15 parr; Lk 15, 2; 19, 7 u. ö.).[313]

2. Wenn sich αὐλεῖν und ὀρχεῖσθαι auf den palästinischen Hochzeitsbrauch beziehen, so erinnert das an Jesu ureigene Beschreibung seines endzeitlichen Wirkens (vgl. Mk 2, 19 parr).[314] Trifft die hier vorgeschlagene Texterklärung zu (s. u. II:3.3.4.3), läßt sich auch ein plausibler „Sitz im Leben Jesu" nennen (s. u. II:3.3.4.4)[315], und zwar sowohl für die Deutung als auch für das Bildwort, insofern dieses den Verkündiger einbezieht und nicht nur banal die Stimmung der Zeitgenossen karikiert. Als unerfindlicher Zug ist zu werten, daß sich Jesus, wie das Bild impliziert, unter die παιδία rechnet.

3. Das Bildwort ist von „eschatologischer Kühnheit" geprägt und klingt nicht nach abgegriffener Schulweisheit; es gemahnt an Jesu polares Denken, das sich, wie auch die Deutung zeigt, immer wieder in paradoxaler Redeweise niederschlägt.

4. In beiden Teilen ist als eine der „von Jesus bevorzugten Redeweisen"[316] der antithetische Parallelismus zu konstatieren: Mt 11, 17a:b / Lk 7, 32b:c; Mt 11, 18:19a / Lk 7, 33:34.[317]

---

[311] Vgl. ARENS, sayings, 236; DIBELIUS, Überlieferung, 20; HARNACK, Sprüche, 151; HOFFMANN, Studien, 228; JEREMIAS, Gleichnisse, 160 A. 1; MERKLEIN, Gottesherrschaft, 198; RIESNER, Lehrer, 334; STAUFFER, Geschichte, 93; WINK, John, 22 A. 1. Dazu paßt auch die Verlegenheit der frühen Kirchenschriftsteller angesichts des Logions, vgl. ARENS, sayings, 235. Gegen SCHÖNLE, Johannes, 220 A. 53 ist doch mit PERCY, Botschaft, 253 anzunehmen, daß die Beschimpfungen in einer späteren Zeit nicht mehr aktuell waren, zumal die Erregung über die Sündermähler nur aus der zeitgenössischen Abwehr plausibel wird.

[312] Vgl. ARENS, sayings, 236; JEREMIAS, Gleichnisse, 160 A. 1; KRAFT, Entstehung, 33; PERRIN, teaching, 120; RIESNER, Lehrer, 334; SCHWEIZER, Menschensohn, 200. Anders mit wenig überzeugender Argumentation FIEDLER, Jesus, 138f, der Jesu Absetzung vom Täufer als „etwas seltsam" empfindet; HAHN, Hoheitstitel, 44; SCHÖNLE, Johannes, 79.

[313] Die Wertung der παιδία durch Jesus läßt sich weder zugunsten noch zuungunsten der Authentizität anführen, sondern führt nur zu krauser Spekulation: gegen LINTON, parable, 174; SCHÖNLE, Johannes, 78.

[314] Vgl. dazu KLAUCK, Allegorie, 165f.

[315] Gemeint ist freilich nicht ein zu konstatierender Einzelfall, sondern eine typische Situation. Einen „Sitz im Leben" sieht auch ARENS, sayings, 236f.

[316] JEREMIAS, Theologie, 19, 24 u. ö..

[317] Vgl. DERS., Gleichnisse, 160 A. 1.

5. Im Gleichnis ist das Lokalkolorit – die Hochzeit und Begräbnis spielenden Kinder auf den Plätzen (vgl. Spr 23, 20f LXX)[318] – als Indiz für historische Zuverlässigkeit zu werten.

6. Konvergierend tritt der Aufweis aramäischer Sprachelemente und -strukturen in beiden Teilen der Perikope hinzu:

a) Das Distichon des Bildworts steht möglicherweise in einem imitierten Qina-Rhythmus mit Paranomasie und Reim.[319] Die Syntax – grammatische Parataxe steht für logische Hypotaxe – ist semitisch.[320] Die Einleitung entspricht semitischer Formulierung, insbesondere der der rabbinischen Gleichnisrede.[321] Ein Aramaismus ist in „ἃ λέγει" bewahrt, das דאמר transponiert.[322] Vielleicht sind „ἐκόψασθε" (Mt 11, 17) und „ἐκλαύσατε" (Lk 7, 32) Übersetzungsvarianten von ארקדתון.[323]

b) Die syntaktische Zuordnung ist wieder semitisch.[324] Im Deutewort klingt „ἄνθρωπος" mit folgendem Substantiv, zumal bei vorangesetzter Demonstrativpartikel, semitisch (hebr. אישׁ; aram. בר נשא).[325]

Ist eine auf Jesus zurückgehende Grundschicht mit der historisch möglichen Wahrscheinlichkeit eruiert, so steht dem Aufweis von Spuren späterer Bearbeitung nichts entgegen. Die Mischbildung, nicht die reine Gemeindebildung oder das „echte" Herrenwort, entspricht der Regel.[326] Jedoch vermögen die Hinweise auf Züge sekundärer Prägung vor allem des Deuteworts nicht immer zu befriedigen.

1. So stellt sich zunächst die Frage, ob alle ἦλθεν–Sprüche a priori der Redaktion zugewiesen werden können.[327] Bei näherem Hinsehen zeigt es sich überdies, daß ἔρχεσθαι im vorliegenden Text zwar das prophetische Kommen Jesu *wie des Täufers* bezeichnet, aber weniger auf das heilsgeschichtliche Faktum des Auftretens als auf die *Weise* des Kommens abhebt. Die prädikati-

---

[318] Vgl. Arens, sayings, 230; Gardner, appraisal, 138; Jeremias, Gleichnisse, 161; Perrin, teaching, 120.

[319] Vgl. Geldenhuys, C: Luke, 231; Jeremias, Theologie, 35; Jülicher, Gleichnisreden II, 27; Riesner, Lehrer, 333f; vorsichtig auch Black, approach, 161; anders jedoch Schwarz, Jesus, 260–266.

[320] Vgl. Beyer, 278.

[321] Vgl. Allen, C: Matthew, 119; Arens, sayings, 224 A. 8; Jeremias, Gleichnisse, 99–101.

[322] Vgl. Black, approach, 304.

[323] So Jeremias, Gleichnisse, 160 A. 1; Riesner, Lehrer, 333; anders Schwarz, Jesus, 264, der mit אליתחן rekonstruiert.

[324] Vgl. Beyer, 278.

[325] Vgl. Black, approach, 106f. Zur aramäischen Rückübersetzung des Deuteworts vgl. auch Schwarz, Menschensohn, 215–221. Der Vorwurf gegen den Täufer, „though Greek in form, comes from Jewish soil"; für den Vorwurf gegen Jesus gilt: „even though the form of this saying is more Greek than Semitic, the possibility of a Semite writing in Greek lingers in the air" (Arens, sayings, 235).

[326] Vgl. Hahn, Überlegungen, 13–31, v. a. 29–31.

[327] Ähnlich Mussner, Kairos, 603; Schweizer, Menschensohn, 199; anders Hoffmann, Studien, 228; Schönle, Johannes, 80.

ven Partizipien „ἐσθίων" und „πίνων" qualifizieren das übergeordnete Verbum „ἔρχεσθαι", das so eher die Konnotationen von „daherkommen" als „aufstehen", „erstehen" o. ä. trägt[328]; es handelt sich also keineswegs um ein „epiphanisches Kommen".[329] „ἦλθεν" entspricht dem Semitismus והלך ויגא[330] „Thus, we may conclude that what the ἦλθεν-clauses portray is the particular manner in which John and Jesus, as envoys of God, approached those to whom they came".[331]

2. Das Deutewort impliziert im Wortlaut von Q – anders als in der lukanischen Formulierung[332] – keineswegs eine heilsgeschichtliche Rückschau auf das gesamte Wirken des Johannes und Jesu[333], sondern illustriert nur einen Aspekt ihres Wirkens. Hiergegen ist nicht auf die Retrospektive der Q-Gemeinde zu verweisen, da diese bei gleichbleibendem Wortlaut das ursprüngliche Verständnis variiert haben kann.[334]

3. Einzuräumen ist allerdings, daß dieses variierte Verständnis bei der Formulierung ὁ υἱὸς τοῦ ἀνθρώπου eingegriffen hat.[335] Zwar ist wiederholt darauf verwiesen worden, daß der Begriff „hier nicht apokalyptischer term. techn. ist, sondern den gleichen indefiniten Sinn hat wie das sofort folgende ἄνθρωπος"[336], aber die Parallelisierung zu „Ἰωάννης", die Inferiosierung des Täufers als wahrscheinliches Motiv einer Veränderung, der Kontext der Menschensohn-Christologie in Q[337] und eben auch der Terminus „ἄνθρωπος", der ja im unmittelbaren Kontext jene Bedeutung trägt, die für „υἱὸς τοῦ ἀνθρώπου" postuliert wird, lassen an eine Bildung der Gemeinde denken.[338] Diese interpretiert die einfache Nachricht vom Sünderverkehr Jesu soteriologisch als Heilshandeln des Menschensohns und verschiebt damit die Parallele zum Täufer.[339] Ursprünglich dürfte hier die I. pers. sing.

---

[328] Bemerkenswert ist die Differenz zu der wohl christlichen Interpolation in Test Ass 7, 3: „καὶ αὐτὸς ἐλθὼν ὡς ἄνθρωπος [!] ἐσθίων καὶ πίνων μετὰ τῶν ἀνθρώπων" (zit. nach ARENS, sayings, 235 A. 63).

[329] Gegen MUSSNER, Kairos, 603 A. 3; vgl. auch J. SCHNEIDER, Art. „ἔρχομαι κτλ", in: ThWNT II (1935), 662–682, hier: 664.

[330] Vgl. ARENS, sayings, 242.

[331] Ebd..

[332] Vgl. dazu ebd., 241; KLAUCK, Allegorie, 159.

[333] Mit ARENS, sayings, 240 gegen BULTMANN, Geschichte, 167; FIEDLER, Jesus, 138; GNILKA, C: Mt I, 423; HAHN, Hoheitstitel, 44; HOFFMANN, Studien, 149, 228; KLOSTERMANN, C: Mt, 99f; SCHÖNLE, Johannes, 79f; SCHULZ, Q, 382; WANKE, Bezugsworte, 39.

[334] Vgl. auch ARENS, sayings, 240–242.

[335] So auch DIBELIUS, Überlieferung, 18; HOFFMANN, Studien, 228; SCHÖNLE, Johannes, 80; SCHULZ, Q, 382; TÖDT, Menschensohn, 108; WINK, John, 22 A. 1.

[336] JEREMIAS, Gleichnisse, 160 A. 1; ähnlich BONNARD, C: Matthieu, 437; C. COLPE, Art. „ὁ υἱὸς τοῦ ἀνθρώπου", in: ThWNT VIII (1969), 403–481, hier: 434; GAECHTER, C: Mt, 370; GARDNER, appraisal, 141; MANSON, sayings, 70f; vgl. auch SCHWARZ, Menschensohn, 216–221, der בר אנש mit „ich" wiedergibt; vgl. dazu auch BLACK, approach, 328f.

[337] Vgl. dazu HOFFMANN, Studien, 90f, 148f.

[338] Vgl. auch ARENS, sayings, 233.

[339] Vgl. dazu auch MARSHALL, C: Luke, 302f; VÖLKEL, Freund, 4.

gestanden haben, vielleicht auch das unbestimmte, in den Gleichnissen geläufige „ἄνθρωπός τις/בר אנש בר".[340] Als ἔρχεσθαι epiphanisch verstanden und die Parallelisierung mit dem Täufer als problematisch empfunden wurde, dürfte der Terminus hoheitstitularisch umgeprägt worden sein, vermutlich als der Kontext eine Differenzierung zwischen den beiden Propheten verlangte, also wohl bei der Einführung des Gleichnisses in den Täuferkomplex von Q, deren Menschensohn-Christologie sich hier auch niederschlägt.[341]

3.3.4.3 Sinnerschließung des Gleichnisses

Die Interpretation des Gleichnisses ist umstritten, nicht zuletzt deshalb, weil die Berücksichtigung der in der Perikope beigegebenen Deutung methodisch a priori ausgeschlossen wird.[342] Konsequent negiert man daher in der Regel jedweden Bezug des Bildworts auf Johannes und Jesus und liest aus dem Gleichnis lediglich die Launenhaftigkeit „dieses Geschlechts" heraus, das streitbar-unlustig nicht zum Spiel kommt, mithin den Kairos verpaßt[343], oder bezieht jene Gruppe, die sich dem Spiel verweigert, auf „dieses Geschlecht", das sich in keiner Weise zum Mittun bewegen läßt[344]; mitunter werden auch die zum Spiel einladenden Kinder mit Johannes und Jesus identifiziert[345] oder hinter

---

[340] Zur Begründung vgl. ARENS, sayings, 233f. „An original ἦλθεν ἄνθρωπός τις ... would present Jesus as an envoy from God as much as John was" (ebd., 234).

[341] Vgl. ebd., 233f, 237–240; TÖDT, Menschensohn, 247–249. Für im Kern jesuanisch halten das Gleichnis GNILKA, C: Mt I, 425; LÜHRMANN, Redaktion, 29; RIESNER, Lehrer, 332–334; SCHÜRMANN, C: Lk I, 425f; STEINHAUSER, Doppelbildworte, 175; WANKE, Bezugsworte, 38, die Deutung HOFFMANN, Studien, 227f; SCHWEIZER, Menschensohn, 199f; VÖLKEL, Freund, 1, Bildwort und Deutung ARENS, sayings, 230, 235–237; GARDNER, appraisal, 135–141; GRUND-MANN, C: Mt, 311; KRAFT, Entstehung, 33; MARSHALL, C: Luke, 297f; MERKLEIN, Gottesherr-schaft, 198f (vorsichtig); MUSSNER, Kairos, 605f; PERCY, Botschaft, 251–253; PERRIN, teaching, 120f, unbestimmt bleiben DODD, parables, 29; SCHULZ, Q, 381f; SCHWEIZER, C: Mt, 171, während SCHÖNLE, Johannes, 78–80 sowohl das Gleichnis als auch dessen Deutung für Gemein-debildung hält.

[342] Vgl. etwa DIBELIUS, Überlieferung, 17; selbst MUSSNER, der für eine ursprüngliche „kausale Einheit" von Bild- und Deutewort plädiert (Kairos, 605f), meint bei seiner Erklärung des Bildworts vom Deutewort absehen zu müssen (vgl. ebd., 600f). Zu den verschiedenen Erklä-rungsmodellen vgl. JÜLICHER, Gleichnisreden II, 30f; PLUMMER, C: Luke, 207; ZELLER, Bildlogik, 253–255.

[343] Von nur einer Schar spielender Kinder gehen ARENS, sayings, 237f; DIBELIUS, Überlieferung, 17; GNILKA, C: Mt I, 422f; GRUNDMANN, C: Lk, 167; HOFFMANN, Studien, 226; JÜLICHER, Gleichnisreden II, 32; KLOSTERMANN, C: Mt, 99; MUSSNER, Kairos, v. a. 600; SAND, C: Mt, 242; SCHULZ, Q, 380f; SCHWEIZER, C: Mt, 171; STEINHAUSER, Doppelbildworte, 175 aus; zur Kritik vgl. ZELLER, Bildlogik, 254f.

[344] BONNARD, C: Matthieu, 164; FITZMYER, C: Luke I, 678f; GAECHTER, C: Mt, 370; GELDENHUYS, C: Luke, 228; KLOSTERMANN, C: Mt, 99; LEANEY, C: Luke, 145; SCHÜRMANN, C: Lk I, 423–425; WANKE, Bezugsworte, 38; ZELLER, Bildlogik, 255. Diese Interpretation hängt freilich davon ab, daß man den Text nicht wörtlich nimmt und jede konkrete Zuordnung vermeidet. Es bleibt ein farbloses Allerweltsdiktum, von der beigegebenen Deutung mißverstanden und allegorisiert.

[345] Diese Deutung ist schon in der Väterliteratur beliebt (vgl. JÜLICHER, Gleichnisreden, II, 30); vgl. dazu auch ERNST, C: Lk, 253; SCHÜRMANN, C: Lk I, 425 A. 126.

den Kindern sich bekämpfende Johannes- und Jesusfraktionen im Volk vermutet.[346]

Einleitung, Sequenz, Logik und Kolorit des Gleichnisses sowie die ursprünglich beigegebene Deutung legen eine andere Interpretation nahe. Der einfachste Weg zum Text besteht darin, ihn von Anfang an wörtlich zu nehmen; dies ist wegen der Inkonzinität von Einleitungsformeln bei Gleichnissen[347] zwar nicht notwendig, empfiehlt sich jedoch, zumal sich so die logische Folge der Deutung zwanglos auch für das Bildwort ergibt.[348] Dann lautet der Vergleich: „ἡ γενεὰ αὕτη ὁμοία ἐστὶν παιδίοις ἐν ἀγορᾷ καθημένοις"; „dieses Geschlecht" ähnelt Kindern, die verärgert auf dem Marktplatz sitzen und jene tadeln, die nicht „nach ihrer Pfeife tanzen wollen" (vgl. etwa Herodot, Hist., 1, 141). Damit korrespondieren die Subjekte des Vorwurfs im Bildwort den Subjekten der direkten Rede des Deuteworts.[349] Die derart der Verstocktheit Bezichtigten (vgl. Midr Klgl: 12. Prooem.)[350] werden als ἕτεροι bezeichnet, wobei in dem Pronomen auch die „andere" Qualität der Geschmähten mitschwingen dürfte (vgl. z. B. Mt 11, 3; Lk 23, 32; Apg 17, 7; Röm 7, 23; Plato, Symp., 186b). Der Vorschlag des Deuteworts, in diesen „anderen" den Täufer Johannes und Jesus zu sehen, erweist sich als textgerecht[351], mag er auch einem systematischen Verdikt der Forschung widersprechen[352]: während Johannes zu den Freudengesängen seiner Zeitgenossen nicht zu tanzen vermag, verweigert sich Jesus den Trauerzeremonien. Die täuferische Bußstrenge wie die eschatologischen Freudenmähler Jesu werden von „diesem Geschlecht" als unzeitgemäß empfunden, das non-konformistische Auftreten der beiden Propheten wird vom Zeitgeist abgelehnt. Doch gerade so verkennen die launischen Kinder die Zeichen der Zeit und übersehen, von ihrem Eigensinn verblendet, den Anbruch der Eschata, der sich im Auftreten des Täufers und Jesu konkretisiert.[353]

Die hier vorgeschlagene Interpretation wird auch dem Kolorit des Gleichnis-

---

[346] Vgl. hierzu die Kritik JÜLICHERS, Gleichnisreden II, 31 an H. J. HOLTZMANN.

[347] Vgl. SCHWEIZER, C: Mt, 171.

[348] Vgl. etwa LINTON, parable, 173.

[349] Dies übersieht der Einwand, die hier vorgeschlagene Interpretation verkenne, daß im Bildwort die Initiative bei den launischen Kindern, im Deutewort hingegen bei Johannes und Jesus liege (so JÜLICHER, Gleichnisreden II, 31; STEINHAUSER, Doppelbildworte, 175; ZELLER, Bildlogik, 254). Sitzen (καθίζειν) ist ebensowenig wie „nicht essen und trinken" als Initiative zu bezeichnen; vielmehr kommt es darauf an, daß die einen sich auf dem Parkett bewegen, während die anderen mäkelnd am Rand sitzen; vgl. auch SCHÖNLE, Johannes, 77.

[350] Vgl. dazu ZELLER, Bildlogik, 256 (dort zit.). Zu einem sprichwörtlichen Hintergrund im allgemeinen vgl. ebd., passim, jedoch auch die reservierte Haltung SCHÜRMANNS, C: Lk I, 425.

[351] Mit Recht fragt SCHÖNLE, Johannes, 77: „Aber dürfte es wirklich Zufall sein, daß die auf das Verhalten ,dieses Geschlechts' hinweisenden Vorwürfe mit den typischen Vorwürfen gegen Johannes bzw. Jesus im Einklang stehen?"; vgl. LINTON, parable, 173.

[352] Vgl. etwa HOFFMANN, Studien, 226. Anders ERNST, C: Lk, 253: „Die richtige Erklärung muß wohl von der angefügten Deutung her gesucht werden".

[353] Zu den Einzelheiten dieses Bezugs auf den „verpaßten Kairos" vgl. MUSSNER, Kairos, 599–606, dem hier mutatis mutandis zugestimmt werden kann. MUSSNER geht bei seiner Interpretation

ses gerecht.[354] Sie entspricht zudem der beigegebenen Deutung, in der ja wiederum der Bußgeist des Johannes und die Festfreude Jesu als unangemessen verurteilt werden. Q scheint die Identifizierung Jesu und Johannes' mit den ἕτερα παιδία noch im Bewußtsein zu haben, wenn sie die τέκνα (!) σοφίας gegen Anwürfe gerechtfertigt sein läßt.[355] Schließlich deckt sich die Chronologie des Bildworts nach der bevorzugten Interpretation mit der Sequenz der Deutung. Zugleich entspricht sie der Akolouthie des übergeordneten Zusammenhangs[356] und dem auch sonst über den Täufer und Jesus Mitgeteilten (vgl. Mk 2, 18–20/Mt 9, 14f/Lk 5, 33–35).[357]

3.3.4.4 Auswertung

Der Skopus der Perikope liegt weder in einem Vergleich zwischen Jesus und Johannes noch in einer heilsgeschichtlichen Reflexion über ihr Verhältnis, sondern in der Anklage „dieses Geschlechts" wegen seiner Verstocktheit gegenüber beiden Gottesboten.[358] Aber gerade diese tendenzlose Zuordnung der beiden Propheten gibt historisch wertvollen Aufschluß über ihre Beziehungen zueinander:

1. Johannes und Jesus stehen im Gleichnis als ἕτεροι ihren Zeitgenossen gegenüber; sie gelten in gleicher Weise als Außenseiter, obgleich das ihnen zur Last gelegte Verhalten sehr unterschiedlich ist. Auch das Deutewort setzt beide Propheten parallel: sie sind von Gott gesandt und werden ihrer Eigenart wegen von ihren Zeitgenossen befehdet. „The critical and unresponsive among their contemporaries cannot understand either John or Jesus: to them the one is a deluded fanatic, the other a self-indulgent teacher of doubtful orthodoxy. They cannot grasp the essential kinship of the two in their complete devotion to God the King; nor can they see the difference

---

vom Deutewort aus, HOFFMANN, Studien, 224–230 (vgl. v. a. ebd., 226 A. 127) mit gleichem Resultat vom Bildwort. Beiden Forschern ist beizupflichten; lediglich der Beschränkung ihrer Erschließungen auf nur einen Teil der Perikope ist zu widersprechen.

[354] Vgl. JEREMIAS, Gleichnisse, 161.

[355] Erst Lk mildert diese zwar indirekte, ihm aber doch vielleicht zu harsch anmutende Identifizierung durch Einfügung von „ἀλλήλοις".

[356] Vgl. dazu MUSSNER, Kairos, 606–612.

[357] Die hier vorgeschlagene Interpretation wird nur von einer Minderheit der Exegeten geteilt, so von GARDNER, appraisal, 141; GRUNDMANN, C: Mt, 311f (anders DERS., C: Lk, 167); JEREMIAS, Gleichnisse, 161f; LINTON, parable, 172–177; PLUMMER, C: Luke, 207 (Lit.!); RENGSTORF, C: Lk, 100f; SCHÖNLE, Johannes, 76–78; als Möglichkeit erwogen bei MARSHALL, C: Luke, 300f; MONTEFIORE, C: gospels II, 165; SCHWEIZER, C: Mt, 171. Allerdings neigen LINTON, parable, 174–177 und PLUMMER, C: Luke, 207 dazu, die Klage nur als gegen den Bruch von „traditional religious customs" (LINTON, parable, 177) gerichtet zu sehen. Jedoch steht die Frage des Fastens hier als pars pro toto für den Gesamtcharakter des Auftretens des Gerichtspropheten und des Predigers der Gottesherrschaft; um das Ganze der jeweiligen Botschaft geht es ja auch im eigentlichen Fastenstreit (Mk 2, 18–20 parr) (s. u. III:3.2; 3.4); vgl. auch SCHÖNLE, Johannes, 219 A. 30.

[358] Vgl. etwa VÖLKEL, Freund, 2.

between them, the difference between solemn warnings of the Kingdom approaching as judgement and the good news of the Kingdom arrived as mercy".[359] Es geht um die Entscheidung gegen Jesus *und* Johannes, und beide sind in ihrer Verbindung die einmalige Gelegenheit, an der sich die Stellung zur Gottesherrschaft entscheidet. In keiner Weise ist aber gesagt, daß der Täufer nur als „Vorläufer" in diese Einheit eingeht.[360] Die Reihenfolge ist rein chronologisch[361]; eine heilsgeschichtliche successio deutet sich nicht an, sieht man von dem sekundär eingeführten Menschensohn-Theologumenon ab.

2. Dem Täufer oder – wenn dies aus dem Plural des Bildworts herausgelesen werden darf und der Täufer im Deutewort als corporate personality verstanden werden kann – der Täuferbewegung wird im Bildwort vorgeworfen, dem αὐλεῖν der Spielgefährten das ὀρχεῖσθαι verweigert zu haben (vgl. Xenophon, Symp., 2, 8). Das Deutewort beschreibt diese Verschlossenheit als Verzicht des Täufers auf Speise und Trank und bezieht sich damit auf das auch sonst belegte Bußfasten des Johannes (vgl. Mk 2, 18–22 parr) (s. u. III:3.3), das ihm den Vorwurf der Besessenheit einbringt (vgl. Mk 3, 22 parr; Joh 7, 20; 8, 48f. 52; 10, 20f; Josephus, Bell., 2, 259). Der Täufer, der homo religiosus schlechthin, wird gerade unter religiösem Vorwand abgelehnt.[362] Indem Jesus sich das Urteil der Zeitgenossen – freilich in positiver Wertung – zu eigen macht, zeigt er, daß auch er in Johannes vornehmlich den Bußprediger, in sich selbst dann aber vor allem den Künder der frohen Botschaft von der Gottesherrschaft sieht.[363]

3. Bezeichnenderweise wird Jesus aus der Differenz zum Täufer verstanden: Johannes ist der Maßstab, an dem Jesus gemessen wird, indem das Deutewort das beim Täufer negierte Verhalten Jesus positiv zuschreibt. Das an sich völlig inhaltsleere Partizipienpaar „ἐσθίων καὶ πίνων" gewinnt nur vor dem Hintergrund des Täuferwirkens Profil.[364] Einerseits stigmatisiert Jesu Verhalten ihn zum Außenseiter der jüdischen Gesellschaft: dem ϑρηνεῖν der

---

[359] MANSON, John, 400f; freilich ist der Gedanke des Kingdom erst in Jesu Täuferinterpretation dem Johannes zuzusprechen (s. u. II:3.5.2).

[360] Von daher ist selbst für die späteren Redaktionsebenen die Vermutung gegenstandslos, das Deutewort diene dem Interesse solcher „christlichen Kreise und Gemeinden, die sich von den Täuferjüngern abgrenzen wollen" (WANKE, Bezugsworte, 40), denn eine solche Abgrenzung läßt sich durch einen derartig engen Zusammenschluß beider Eponymen nicht erreichen.

[361] Für ein gleichzeitiges Wirken Johannes' und Jesu läßt sich die Perikope nicht anführen, gegen DODD, tradition, 290f.

[362] Vgl. W. FOERSTER, Art. „δαίμων κτλ", in: ThWNT II (1935), 1–21, hier: 19f. Die Erklärung KRAELINGS, John, 11–13, nach der Johannes dem Gerücht zufolge über einen dienstbaren Dämon verfüge, der ihn in der Einöde mit Nahrung versorge, ist ebenso geistreich wie haltlos; nach SCOBIE, John, 47 zielt der Vorwurf möglicherweise auf die Wüste als „home of evil spirits", doch liegt die Annahme einer Bezichtigung wegen Besessenheit jedenfalls viel näher.

[363] Vgl. van ROYEN, Jezus, 62f.

[364] Daher trifft es bestenfalls die Ebene der lukanischen Redaktion, wenn SCHÜRMANN, C: Lk I, 427 feststellt, daß vom Täufer nur gesprochen wird, weil es um Jesus geht; auf der primären Traditionsebene ist das Gegenteil der Fall!

Zeitgenossen verweigert er das κόπτειν und wirkt so als „φάγος καὶ οἰνοπότης, τελωνῶν φίλος καὶ ἁμαρτωλῶν". Der stereotype Vorwurf (vgl. Dtn 21, 18–21; Spr 23, 20f) kehrt den Einwand gegen Johannes um: wurde dieser religiös disqualifiziert, so wird Jesus gerade wegen seines areligiösen Verhaltens, des Umgangs mit den religiös Verfemten, verurteilt. Das Bußfasten des Täufers in Ansehung des drohenden Zornesgerichts ebenso wie die eschatologische Hochzeitsfreude Jesu laufen ins Leere: die „Aversion des Menschenherzens gegenüber dem nahenden Gott – komme er so oder so – wird hier erschreckend entlarvt".[365]. Andererseits kennzeichnet der Vorwurf Jesus weniger als „Menschen in schlechter Gesellschaft" oder hillelitisch-pharisäisch geprägten Prediger[366], sondern als Propheten im Kontrast zum Täufer (vgl. Mk 2, 18–20 parr; Lk 11, 1), als heterodoxen Anhänger der Täuferbewegung. Denn gerade das, was man am Täufer nicht findet, beklagt man an Jesus, und was umgekehrt den Täufer kennzeichnet, wird bei Jesus vermißt, obschon beide Gottesboten in *eine* Front eingereiht werden. So ist der Verzicht auf das Bußfasten und in gewisser Weise wohl auch der Sünderverkehr Jesu ein diesen von der Täuferbewegung abhebendes Spezifikum. „Explicitly, Jesus speaks to us of a prophetic identity which John and he have in common; implicitly, however, Jesus ascribes to his own mission a redemptive possibility which was not yet present in the mission of John".[367] Johannes und Jesus sind zwei eigenständige Propheten, die in dem gleichen Milieu wirken, das heißt aber auch: Jesus ist ein Prophet sui generis; er wird vor dem Hintergrund der Täuferbewegung gesehen, jedoch eben nicht als deren Mitglied oder ehemaliger Angehöriger des Täuferkreises, sondern als autonomer Prophet *neben* Johannes; darauf verweist bereits die parallele Formulierung mit ἔρχεσθαι. Beide Gottesboten werden im Kontrast, nicht in Dependenz interpretiert. Sie wirken für die gleiche Sache und in gleicher Sendung, aber sind mit ihrer Botschaft und ihrem Auftreten ex origine völlig verschieden.

4. Allerdings wird man im Umgang Jesu mit den Sündern nicht die schlechthinnige Differenz zum Täufer sehen.[368] Sowohl Jesus als auch Johannes eröffnen ja im auffälligen Unterschied zum Elitedenken des Pharisäismus und der Exklusivität der essenischen Gemeinde gerade den religiös Deklassierten die Möglichkeit zum Heil.[369] Der sachgerechte Reflex des Täuferwirkens in Mt

---

[365] SCHÜRMANN, C: Lk I, 427. Sowohl Jesu als auch Johannes' Auftreten wird hier freilich typisierend geschildert: Johannes ist der Büßer, Jesus der Sünderfreund par excellence. So sehr diese Typen wirkungsgeschichtlich fruchtbar wurden, so wenig sind sie unter historischem Gesichtspunkt korrekt. Auch der Täufer hat sich der Sünder angenommen und ihnen Verschonung in Aussicht gestellt, und auch Jesus kannte die Gerichtspredigt (s. u. II:3.5.1; 3.5.2).

[366] In diese Richtung tendiert etwa LEROY, Jesus, 65–69.

[367] GARDNER, appraisal, 142.

[368] Gegen LEROY, Jesus, 63–69; LINNEMANN, Jesus, 227–236; SANDERS, Jesus, v. a. 206, 227.

[369] Vgl. SCHULZ, Q, 385, der es allerdings auch hier nicht versteht, exakte Exegese von eilfertiger

21, 31f/Lk 7, 29f; Mk 1, 5/Mt 3, 5 (vgl. Lk 3, 21); Josephus, Ant., 18, 116–119 zeigt, daß Johannes bei der Masse des Volkes und vornehmlich bei den Sündern Anklang findet. Der Adressatenkreis des Täufers rekrutiert sich aus den gleichen Schichten wie der Jesu (s. o. II:3.3.3). Wenn die Schelte gegen Jesus also den Sünderverkehr im Kontrast zum Verhalten des Täufers hervorhebt, so richtet dies sich weniger gegen den Verkehr an sich als vielmehr gegen die Qualität dieses Verkehrs, die im Anschluß an den φίλος-Begriff (Mt 11, 19/Lk 7, 34) als φιλία umschrieben werden kann. Auch Johannes predigt den Sündern; aber diese sind es, die die Initiative ergreifen müssen, und sie hören eine Botschaft vom Zorn Gottes. Wenn sich Jesus hingegen als φίλος dieser Kreise zeigt, so greift er nicht auf ein griffigeres pastorales Konzept zurück, sondern folgt einer prinzipiell anderen theologischen Orientierung als Johannes; sie führt in das Zentrum der Botschaft Jesu.[370] Ohne den φίλος-Begriff des Deuteworts zu pressen, wird man ihn auf die Tischgemeinschaft Jesu als seine bevorzugte prophetische Zeichenhandlung beziehen können; Freundschaft erweist sich nach antikem Verständnis gerade im gemeinsamen Mahl (vgl. Lk 14, 12; Herodot, Hist., 5, 24).[371] Freundschaft prätendiert ferner Reziprozität: nicht nur Jesus ist der Freund der Sünder, sondern diese sind auch ihm freundschaftlich verbunden.[372]

Man hat das an der historisch nicht völlig unfundierten Erzählung Lk 7, 36–50 demonstriert.[373] Neuerdings hat J. J. KILGALLEN (1985) diese Episode im Täufermilieu angesiedelt und als Skopus „the tragic irony that those who are sinners are accepting the plan of God, whereas the religious leaders, the 'men of this generation', are not" herausgestellt.[374] Während es äußerst fraglich bleibt, ob sich die Vergebungszusage (vgl. Lk 7, 48) konkret auf die Johannestaufe bezieht[375], läßt die Perikope doch in der Tat deutlich erkennen, daß Jesus sich dem gleichen Adressatenkreis wie Johannes zuwendet, ebenso wie er der pharisäischen Front gegenübersteht[376] und mit der Sündenvergebung – allerdings auf eine völlig neue Weise – jenes Anliegen aufnimmt, um das es bereits dem Täufer gegangen war.[377]

Fernab jeder oberflächlichen Askese-Diskussion geht es daher um die Nähe

---

Kontroverstheologie zu scheiden, wenn er den „Nazarener" den „klösterlich-zölibatär sich gebärdenden [?] Qumran-Essenern" kontrastiert.

[370] Vgl. WOLF, Gericht, 46.
[371] Vgl. STÄHLIN, Art. φιλέω, 157–159.
[372] Vgl. ebd., 158.
[373] Vgl. ebd..
[374] John, 679; vgl. ebd., 677–679.
[375] Zur Frage der „Vorgeschichte" von Lk 7, 36–50 vgl. die Skepsis MERKLEINS, Gottesherrschaft, 202 gegen JEREMIAS, Gleichnisse, 126, der an eine Predigt Jesu in der Synagoge denkt.
[376] Vgl. KILGALLEN, John, 678.
[377] Vgl. im einzelnen FIEDLER, Jesus, 112–116; MERKLEIN, Gottesherrschaft, 201–203; SCHÜRMANN, C: Lk I, 429–442.

des Heils gerade für die Sünder. Nach Jesu Meinung übersehen die Gegner in kindischer Blindheit, daß sich in den verschiedenartigen prophetischen Zeichen des Bußfastens und der aus der Heilszusage hervorgehenden Festmähler das eine Wesentliche, die Gottesherrschaft, niederschlägt, für die beide Gottesboten in gleicher Weise stehen. Beider Eigenart ist legitim, weil zur Zeit des Täufers das Fasten angebracht war, jetzt aber Grund zur Hochzeitsfreude besteht (vgl. Mk 2, 18–20 parr). Von daher wird es plausibel, daß sich die Haltung gegenüber der Gottesherrschaft nicht erst an Jesus, sondern bereits am Täufer entscheidet (vgl. Mt 21, 31 f / Lk 7, 29 f; Mk 2, 18–20 parr).[378] Sendung, Sache und Widersacher sind bei beiden Propheten gleich, doch ist das Wirken und die Botschaft im Vorfeld und im Einbruch der Gottesherrschaft notwendig völlig verschieden. Johannes und Jesus sind je in ihrem Kairos Gottesboten eigenen Profils.

3.3.5 Mk 11, 27–33 / Mt 21, 23–27 / Lk 20, 1–8

3.3.5.1 Überlieferungsgeschichtliche Analyse

Auszugehen ist vom markinischen Wortlaut, da die immerhin vier minor agreements in Mk 11, 29 / Mt 21, 24 / Lk 20, 3[379] durch eine unabhängige Redigierung des Mk-Textes durch die beiden synoptischen Großevangelien erklärt werden können.[380] Der traditionsgeschichtliche Prozeß, der zur vorliegenden Perikope geführt hat, ist im einzelnen kaum noch nachzuzeichnen, doch erscheint die folgende Rekonstruktion als die plausibelste: Um den Traditionskern in Mk 11, 28–30[381] wird zunächst im palästinischen Judentum[382] das topisch ausgestaltete Streitgespräch Mk 11, 27b. 31–33 gelegt, dem es um den Konflikt zwischen Kirche und Synagoge geht; die Vollmachtsfrage bezieht sich in diesem Kontext möglicherweise auf die Szene der Tempelreinigung (Mk 11, 15–19).[383]

---

378 Vgl. auch MEYER, aims, 124; MUSSNER, Kairos, 610 A. 2; WINK, John, 22f.
379 1) Mk: sine verbo vs. Mt / Lk: ἀποκριθείς; 2) Mk: ἐπερωτήσω vs. Mt / Lk: ἐρωτήσω; 3) Mk: ἀποκρίθητε vs. Mt: εἴπητε / Lk εἴπατε; 4) Mk: sine verbo vs. Mt / Lk: κἀγώ.
380 Vgl. dazu ausführlich GARDNER, appraisal, 58–60.
381 Möglicherweise ist innerhalb dieses Kerns noch zu differenzieren. SHAE, question, 11f eruiert Mk 11, 28b. 29a („ὁ δὲ Ἰησοῦς εἶπεν αὐτοῖς"). 30 (ohne „ἀποκρίθητέ μοι") als Grundstock der Tradition; ähnlich weist HOWARD, Ego, 115 Mk 11, 27 der sekundären Rahmenszenerie zu (vgl. noch HULTGREN, adversaries, 69f). Sieht man jedoch von dem Argument eines formgeschichtlichen Idealtypus (vgl. aber HOWARD, Ego, 111) ab, so spricht nichts gegen die Ursprünglichkeit der typisch hebräisch-aramäischen Doppelfrage in Mk 11, 28 (vgl. BLACK, approach, 159; TAYLOR, C: Mark, 470); eine Ausgliederung von Mk 11, 29 ist an sich möglich, aber unnötig und daher zu unterlassen. Zur formkritischen Würdigung von Mk 11, 28–30 vgl. GNILKA, C: Mk II, 136f.
382 Vgl. ebd., 137.
383 Anders GNILKA, ebd., 137 A. 4 unter Hinweis auf die strukturellen Spannungen zwischen den Szenen; jedoch erklären diese sich ohne weiteres durch die sekundäre Verknüpfung. Umgekehrt

Mk bindet das Traditionsstück mit Mk 11,27a in sein Evangelium ein und qualifiziert wahrscheinlich in Mk 11,32b Johannes als Propheten[384]; die Vollmachtsfrage betrifft für ihn die messianische Tätigkeit Jesu im weitesten Sinne.[385] Diese diachrone Rekonstruktion verdient den Vorzug vor der Behauptung einer wesentlichen Einheit von Mk 11,28–33.[386] Denn diese übersieht vor allem den logischen Bruch: Mk 11,31f verschiebt das Interesse von der Vollmacht Jesu auf die Wirkung des Johannes; hier wird nicht mehr ex concesso mit solchen diskutiert, die die Vollmacht des Täufers prinzipiell anerkennen, sondern vor dem Hintergrund einer christlich verstandenen πίστις.[387]

3.3.5.2 Historische Würdigung

Die historische Rückfrage muß bei dem Traditionskern Mk 11,28–30 ansetzen.[388] Tatsächlich läßt sich dieser mit einer denkbar hohen Wahrscheinlichkeit der ipsissima vox Jesu zuweisen:

1. Vor allem ist keine Situation in der nachösterlichen Gemeinde vorstellbar, in der diese die Vollmacht ihres Herrn mit dem Rekurs auf die Dignität der Taufe des Johannes erklären konnte.[389] Die hohe Christologie ebenso wie die sich ausformende Tauftheologie ließen eine derartige Begründung der ἐξουσία Jesu kaum zu; vielmehr sind gegenläufige Tendenzen zu beobachten: sowohl die Gestalt Jesu als auch der Taufritus werden aus der Beziehung zu dem Täufer Johannes gelöst. Da andererseits das Gespräch auch

---

vermutet etwa GARDNER, appraisal, 62–65 einen traditionsgeschichtlich überkommenen Nexus zwischen Tempelreinigung und Vollmachtsfrage.

[384] Diese Qualifizierung fügt sich harmonisch in das markinische Täuferbild, vgl. GNILKA, C: Mk II, 137f, 140f.

[385] Zur Scheidung von Tradition und Redaktion vgl. die ausführliche und weithin überzeugende Untersuchung SHAES, question, 4–10; zur Rekonstruktion des Traditionsprozesses innerhalb des vormarkinischen Stoffes vgl. HOWARD, Ego, 107–116; SHAE, question, 14–28. Mit der hier vorgelegten Rekonstruktion des Traditionsprozesses stimmen BULTMANN, Geschichte, 18f; GNILKA, C: Mk II, 137f überein, im wesentlichen auch GARDNER, appraisal, 66–68; HAHN, Hoheitstitel, 375 A. 7; HULTGREN, adversaries, 69f, die allerdings Mk 11,33 zum Kernbestand rechnen; jedoch gehört Mk 11,33 sachlich eher zu Mk 11,31f, für Mk 11,28–30 wäre dies jedenfalls eine völlig farblose Pointe.

[386] Diese wird aufgestellt von LOHMEYER, C: Mk, 243; PESCH, C: Mk II,209; ROLOFF, Kerygma, 93–95; SCHMITHALS, C: Mk II,505f.

[387] Vgl. dazu näher BULTMANN, Geschichte, 18f; SHAE, question, 12; zum markinischen Stil in Mk 11,27a vgl. GNILKA, Mk II,137 A. 8. Zu dem Problem einer übergeordneten Sammlung von Konflikterzählungen vgl. GARDNER, appraisal, 60–62 (Lit.!), der wohl zu Recht skeptisch bleibt.

[388] Je nach literarkritischer und überlieferungsgeschichtlicher Voraussetzung mag man Mk 11,28a.29 ausklammern oder Mk 11,33 hinzufügen; sachlich ändert sich dadurch kaum etwas, da es sich hier lediglich um Ausfaltungen des ohnehin Gesagten handelt.

[389] Vgl. GARDNER, appraisal, 70; GRUNDMANN, C: Mk, 316; HOWARD, Ego, 112; LOHMEYER, C: Mk, 243. Zur messianischen ἐξουσία wird die prophetische Vollmacht erst durch die kompositionelle Anbindung an die Tempelszene und das Winzergleichnis (Mk 12,1–12) sowie durch die redaktionelle Vorschaltung von Mk 11,27a.b (vgl. dazu HOWARD, Ego, 114).

nicht aus den Voraussetzungen des Judentums begreifbar wird, greift das Unähnlichkeitskriterium.[390]

2. Hinzu tritt das Kriterium der Kohärenz: die Herkunft Jesu aus der Täuferbewegung, die positive Beurteilung des Wirkens des Johannes durch Jesus und die Anknüpfung der Jesus-Gemeinde an den Ritus des Täufers leiden keinen Zweifel, und Mk 11, 28–30 fügt sich sachlich in den so vorgegebenen Rahmen. Die göttliche Stiftung der Taufe des Johannes fügt sich zu Jesu Bild vom größten, selbst den Propheten übergeordneten Menschen (s. o. II:3.3.1.3) und zu dem rekonstruierbaren prophetisch-charismatischen Vollmachtsanspruch des Johannes, wie er am deutlichsten in der Setzung des Taufritus zum Ausdruck kommt.[391]

3. Mit dem Beleg im Oxyrhynchos-Papyrus 840 mag zudem das criterion of multiple attestation greifen.[392]

4. Der Passus verzichtet ferner auf jede heilsgeschichtliche Reflexion über das Verhältnis Jesu zu Johannes oder zur Johannestaufe und parallelisiert unbekümmert[393]; Frage und Antwort lassen sich am ehesten aus einer Situation verstehen, in der die Vollmacht, auf der die Johannestaufe beruhte, unbestreitbare Voraussetzung einer Kontroverse sein konnte[394], die also möglichst nahe zum Auftreten des Täufers zu datieren sein wird.[395] Außerdem kehrt das Logion die sonst übliche Folge um: wird in der christlichen Täuferüberlieferung vom Christus-Glauben her auf Johannes zurückgefragt (vgl. z. B. Mk 9, 11–13 / Mt 17, 10–13; Justin, Dial., 49, 3–5), so fragt sich der vorliegende Passus im Ausgang von Johannes auf Jesus vor: „If (as your starting point) you understand the claim of John the Baptist to do what he did, you will then understand Jesus' claim as well".[396]

5. Wenn der Vollmachtsanspruch Jesu ein Maßstab für die Authentizität eines Logions ist[397], so ist gerade dem Vollmachtswort der Ursprung bei Jesus nicht zu bestreiten.

6. Formkritisch ist der Text als berichtende Erzählung mit dem topischen Gepräge eines Schulgesprächs zu betrachten; er ist mithin ursprünglich kein Konstrukt mit katechetisch-kerygmatischer Funktion.[398]

---

[390] Vgl. auch SHAE, question, 14f.

[391] Vgl. auch ebd., 15.

[392] Vgl. dazu HULTGREN, adversaries, 69; zur Charakterisierung des Fragments vgl. auch VIELHAUER, Geschichte, 639–641, der die historische Frage allerdings offenhält.

[393] Vgl. PESCH, C: Mk II, 212; ROLOFF, Kerygma, 95; WOLF, Gericht, 45.

[394] Vgl. BULTMANN, Geschichte, 19; HOWARD, Ego, 112f; MARUCCI, Christologie, 299; MONTEFIORE, C: gospels I, 271.

[395] Wenn Johannes auch nach seinem Tod populär blieb (s. u. II:3.4; III:11), so ist doch eine bleibende Popularität der Johannestaufe weder belegbar noch wahrscheinlich.

[396] GARDNER, appraisal, 70.

[397] Vgl. JEREMIAS, Stand, 23f; LEHMANN, Quellenanalyse, 200–202.

[398] Vgl. näher PESCH, C: Mk II, 209,212. HULTGREN, adversaries, 67f ordnet die Perikope den unitary conflict stories zu.

7. Auf das – freilich nur als Indiz zu wertende – semitische Sprachkolorit des Passus ist immer wieder aufmerksam gemacht worden[399]: ἐν c. dat. instr. (Mk 11, 28. 29); ἵνα consecutivum für aram. ⲧ (Mk 11, 28), parallelismus synonymus in der Doppelfrage (Mk 11, 28); εἰς statt unbestimmter Artikel (Mk 11, 29); Sequenz Imperativ + καί + Futurum.[400]

Mit der historischen Würdigung von Mk 11, 28–30 stellt sich die Frage nach der Ursprungssituation, da die Einbindung in den szenischen Rahmen und der Bezug zur Tempelreinigung erst sekundär erfolgten (s. o. II:3.3.5.1). Ausgehend von der Beobachtung, daß das Logion einer großen Wertschätzung des Täufers Ausdruck gibt, hat man es der Auseinandersetzung Jesu mit dem Jüngerkreis des Täufers oder dessen ehemaligem Anhang zugeordnet: „The question probably came from former disciples of John (among whom Jesus himself was one) who saw in Jesus' ministry a new movement emerging, one that is quite different from that of John".[401] Um diese Zuordnung bewerten zu können, bedarf es der Lösung des übergeordneten Problems, auf was sich das Demonstrativpronomen ταῦτα im ursprünglichen Kontext bezogen hat.[402] Über Mutmaßungen ist hier schwerlich hinauszukommen[403], doch liegt jedenfalls die von dem Kontrast ἐξ οὐρανοῦ – ἐξ ἀνθρώπων (vgl. Apg 5, 38 f) ausgehende Hypothese SHAES nahe: „the word ταῦτα of the authority question probably refers to the entire movement that Jesus had initiated with his calling people to join his movement and teaching about the Kingdom of God".[404] Dann

---

[399] So bei HULTGREN, adversaries, 69f; PESCH, C: Mk II, 212; SHAE, question, 6; BLACK, approach, 81, 159; MARUCCI, Christologie, 293f.

[400] Vgl. dazu BEYER, 252; MARUCCI, Christologie, 293. Für die Authentizität des Kernbestands plädieren unter unterschiedlichen literarkritisch-überlieferungsgeschichtlichen Voraussetzungen ALBERTZ, Streitgespräche, 29; HOWARD, Ego, 112f, 115; HULTGREN, adversaries, 72; LOHMEYER, C: Mk, 243; MARUCCI, Christologie, 298f; PESCH, C: Mk II, 212; ROLOFF, Kerygma, 94f; SHAE, question, 14f; indifferent bleibt BULTMANN, Geschichte, 19. Unbefriedigend ist die historische Skepsis GNILKAS, C: Mk II, 140, der sich auf die sich nach seiner Meinung in Mk 11, 28–30 widerspiegelnde Auseinandersetzung zwischen Jesus- und Täufergemeinde beruft (dazu s. u. II:3.3.5.3), und HAENCHENS, C: Weg, 394f, der seine geschichtlichen Prämissen – „Die Taufe des Johannes ruhte auf anderen Voraussetzungen als die Verkündigung Jesu" (394) – gegen den Textbefund ausspielt.

[401] SHAE, question, 18 (Tempusbruch dort); jedoch ebd., A. 2 relativierend: „The public who accept John's prophetic role could also be the questioners". In die Auseinandersetzung mit der Täufergemeinde ordnen das Logion auch GNILKA, C: Mk II, 140 und – als Überlegung – HOWARD, Ego, 113 A. 1 ein; STAUFFER, Geschichte, 34 A. 241 datiert die Debatte in eine täuferische Frühperiode Jesu (vgl. ebd., 33 A. 231), doch ist eher ein gewisser zeitlicher Abstand vom Täuferwirken anzunehmen.

[402] BULTMANN, Geschichte, 18 A. 2 bezieht „ταῦτα" auf die Tauftätigkeit Jesu bzw. seiner Gemeinde, so daß man von daher eine Kontroverse mit dem Täuferkreis über die Taufe in Betracht ziehen könnte (vgl. Joh 3, 22); diese These wird jedoch von BULTMANN selbst nicht vertreten (SHAE, question, 17 schreibt sie ihm zu Unrecht zu).

[403] Einen Überblick über die Lösungsversuche bietet MARUCCI, Christologie, 296. Meist denkt man an die Tempelreinigung, vgl. jedoch bereits die Unsicherheit bei SCHMIDT, Rahmen, 294.

[404] SHAE, question, 18; vgl. ebd., 17f. Zum umfassenden und grundsätzlichen Charakter des Demonstrativums vgl. HOWARD, Ego, 109 (Lit.!); ähnlich ERNST, C: Mk, 336; MONTEFIORE,

ist aber nicht einzusehen, warum die Täuferjünger bevorzugt als Fragesteller zu nennen sind.[405] Zwar mußten diese am Novum der Gottesherrschaft besonders interessiert sein, doch ist die Vollmachtsfrage ebenso für andere Hörergruppen Jesu vorstellbar, zumal die Anerkennung des Täufers und seiner Taufe bei weitesten Bevölkerungsteilen vorausgesetzt werden muß (s. o. II:3.3.3; 3.4; s. u. III:11).

3.3.5.3 Auswertung

Die eminent theologische Frage der Antagonisten zielt auf das Sendungsbewußtsein Jesu und damit auf seine göttliche Bevollmächtigung.[406] Auch auf der primären Traditionsebene beabsichtigen sie die Entlarvung Jesu als Pseudoprophet. Die Auslegung übersieht nicht selten den Umstand, daß die Gegenfrage weniger Jesus in Parallele oder Analogie zum Täufer setzt[407] oder sich um eine heilsgeschichtliche Würdigung der Gestalt des Johannes bemüht[408], als vielmehr auf den Ritus der Johannestaufe rekurriert, deren himmlischer, also göttlicher Ursprung vorausgesetzt wird.[409] Jesu Verweis auf diesen Ritus ist für die Bestimmung seines Verhältnisses zur Johannes-Bewegung von entscheidender Bedeutung.

1. Das Logion verrät allgemein Jesu Wertschätzung des Taufritus, den Jesus selbst – zumindest während des Hauptteils seiner öffentlichen Wirksamkeit – nicht praktiziert hat (s. u. III:10.4). Während der Dialog Jesu geistige Verwurzelung in der Täuferbewegung erneut bestätigt, bietet er keinen Anhaltspunkt für die Hypothese von einem Bruch zwischen Jesus und Johannes; vor allem schließt Jesu positiver Rekurs auf die Johannestaufe die Theorie von einem Taufstreit aus: „Jesus did not view John as a rival to be minimized or discredited but as one who had valid claim to divine legitimization in what he did"[410] (s. o. II:2.1).[411]

2. Erneut zeigt sich, daß Jesus sein eigenes Wirken, näherhin die Verkündigung der Gottesherrschaft, dadurch legitimiert, daß er sich auf das täuferische Wirken des Johannes beruft (vgl. bereits Mt 11, 7–9/Lk 7, 24–26) (s. o.

C: gospels I, 271. Hingegen ordnet HULTGREN, adversaries, 70–72 die Tempelreinigung als primären Bezugspunkt zu, vgl. DAUBE, Testament, 220f; DIBELIUS, Überlieferung, 21f; LANE, C: Mark, 413; PESCH, C: Mk II, 212.

[405] Anders SHAE, question, 18.

[406] Vgl. GNILKA, C: Mk II, 138f.

[407] Diese Nuance wird erst in Mk 11,32b redaktionell eingetragen; vgl. hiergegen etwa die Transposition BULTMANNS, Geschichte, 18: „Wie der Täufer seine ἐξουσία von Gott und nicht von Menschen hatte, so auch ich!"

[408] Vgl. etwa SHAE, question, 18 zu Mk 11,30: „Jesus understood John as having a decisive role in salvation history".

[409] Vgl. LOHMEYER, C: Mk, 242 A. 3.

[410] GARDNER, appraisal, 72.

[411] Vgl. auch ebd., 71f; KRAELING, John 149f.

II:3.3.1.2). Die Legitimierung zeigt aber nicht einfachhin eine geschichtliche Analogie zum eigenen Auftreten auf, sondern führt direkt an die theologische Wurzel des eigenen Vollmachtsanspruchs Jesu; zwischen dem Ritus des Johannes und der Botschaft Jesu besteht ein kausaler Nexus: weil die Johannestaufe von Gott stammt, deshalb kann auch Jesus die Vollmacht nicht abgestritten werden.[412] Dies ist allerdings nicht biographisch mißzuverstehen, als suche Jesus aus seiner persönlichen Taufe einen Vollmachtsanspruch abzuleiten[413] oder interpretiere sie als „important landmark in his awareness of his own ministry of the Kingdom".[414] Gemeint ist vielmehr das Phänomen des täuferischen Wirkens und seines Einflusses auf die Umkehrbewegung, die im Taufritus ihren dichtesten Niederschlag findet (vgl. Apg 1, 22; 10, 37), also kein individuelles Erleben, sondern eine sozial-religiöse Erfahrung (s. o. II:2.1.5)[415]: „Sachlich wird eine täuferische Frage gestellt"[416], und die Antwort bleibt in diesem sachlichen Rahmen. Die Umkehrbewegung des Täufers Johannes ist der „göttliche Anfang", auf den sich Jesus beruft. Gott selbst hat mit dem Wirken des Johannes die Initiative ergriffen und einen Prozeß in Gang gebracht, der mit dem Novum der Predigt Jesu von der Gottesherrschaft in sein Ziel kommt. Deshalb kann sich Jesus einerseits ohne Distanzierung auf den göttlich gestifteten Taufritus berufen, andererseits jedoch dessen Praxis einstellen. Zu Recht ist als Zentralproblem die Frage „waarom zette Jezus de doop van Johannes niet voort, terwijl hij toch trouw bleef aan zijn geloof in Johannes' doop als een goddelijke inzetting?"[417] gestellt worden. Die Lösung kann nur darin gesehen werden, daß Jesus sein eigenes Wirken – in welcher Weise, das bleibe vorerst dahingestellt – als Erfüllung dessen sieht, was die Johannestaufe intendierte. „Auch die Bewegung, die Jesus entfacht, ist eine Taufbewegung, genauer, sie setzt die Taufbewegung des Johannes fort, und es sind nicht zwei, sondern es ist eine und dieselbe Wirksamkeit und Bewegung, die sich auf das eschatolo-

---

[412] Vgl. LOHMEYER, C: Mk, 242 A. 3: Jesus fragt „nicht nach einer persönlich verliehenen Vollmacht des Täufers, sondern dem gottgegebenen Ursprung der Taufe. Zudem wäre die Antwort nur auf einen Analogieschluß gegründet und das Entscheidende verschwiegen, wodurch diese Analogie zu rechtfertigen sei. Also ist die Johannes-Taufe nicht ein analoges Beispiel, sondern der sachliche Grund der Vollmacht Jesu". Nicht einsichtig ist die Argumentation GNILKAS, C: Mk II, 139: „Es ist hier kein historisches Schülerverhältnis Jesu zu Johannes in Erinnerung gerufen, sondern die Übernahme der Taufe durch ihn. Man wird auch nicht sagen können, daß die Johannestaufe der sachliche Grund der Vollmacht Jesu sei": Was ist hier unter „Übernahme der Taufe" zu verstehen (Jesus als Täufer oder Täufling? christliche Adaption des täuferischen Ritus?), und in welcher Weise trägt sie zur Erklärung der ἐξουσία bei?

[413] So aber JEREMIAS, Theologie, 62.

[414] So SHAE, question, 18. Auch die Ansicht, im Vollmachtswort bezeichne Jesus die Johannestaufe als „Schlüssel zum Verständnis seiner selbst" (BRAUN, Jesus, 63), wird dem Textbefund nicht gerecht.

[415] Vgl. auch GARDNER, appraisal, 72; TAYLOR, C: Mark, 470.

[416] SCHILLE, Anfänge, 217.

[417] Van ROYEN, Jezus, 48.

gische Zeichen der Johannes-Taufe gründet."[418] Wie sich bereits an Johannes entscheidet, wie man zu Jesus steht (vgl. Mt 11, 16–19/Lk 7, 31–35; Mt 21, 31f/Lk 7, 29f), so zeigt die Stellung zu Jesus, wie man die Sendung des Täufers respektiert.[419]

3. Ein solches Verständnis des Täuferwirkens durch Jesus setzt zunächst voraus, daß Jesus für seine Botschaft von der Gottesherrschaft eine nicht minder hoheitliche Sendung in Anspruch nimmt als Johannes, der an die Stelle der Traditionen und Institutionen des Judentums sein ureigenes prophetisches Charisma gesetzt hat und sich dabei in der Tat auf keine andere Bevollmächtigung berufen konnte als die „von Gott" (s. u. IV:1.4). Jesus erkennt das radikale Novum der Johannestaufe bedingungslos an, beansprucht aber mit gleichem Recht, dieses in das noch radikalere Novum der βασιλεία zu überführen.[420] Damit versteht Jesus sich selbst nicht nur als Vollender des Täuferwirkens, sondern auch als dessen authentischer Ausleger. Indem er – gegen die Intention des Täufers selbst – dessen Wirken auf die Predigt vom einbrechenden Gottesreich bezieht, reinterpretiert er den Täufer: aus dem Vorläufer des göttlichen Zorngerichts wird der Inaugurator jener befreienden Gottesherrschaft, die mit Jesu Wirken anhebt. Die Johannestaufe wird zum Auftakt der von Jesus in Ansehung des kommenden Gottesreichs geforderten Umkehr.[421] So erhellt, warum sich Jesus selbst die Praxis der doch als „göttlich" anerkannten Johannestaufe nicht aneignet, das Urchristentum aber unmittelbar nach dem „Fortgang des Bräutigams" den johanneischen Taufritus aufnimmt (s. u. IV:3.2.2).

3.4 Das Verhältnis Jesu zum Täufer im Urteil der Zeitgenossen

3.4.1 Überlieferungsgeschichtliche Analyse: Mk 6, 14–16/Mt 14, 1f/Lk 9, 7–9; Mk 8, 28/Mt 16, 14/Lk 9, 19

Die Beurteilung Jesu durch die „öffentliche Meinung" spiegelt sich in der fama Iesu (Mk 6, 14–16/Mt 14, 1f/Lk 9, 7–9) und in der Antwort des Jüngerexamens

---

[418] LOHMEYER, C: Mk, 243; vgl. GARDNER, appraisal, 73; LINDESKOG, Johannes, 72f; SCHLATTER, Johannes, 75–78.

[419] Vgl. auch LANE, C: Mark, 413: „Jesus stakes his own authority entirely on that of the Baptist, and his declaration of solidarity with John is, in essence, a statement about the eschatological crisis which both knew to be at hand".

[420] Vgl. zu dem prophetischen Charisma und dem Innovationsprozeß bei Johannes und Jesus BLANK, Lernprozesse, 104–106.

[421] Vgl. auch ROLOFF, Kerygma, 95.

(Mk 8, 28 / Mt 16, 14 / Lk 9, 19) wider. Die überlieferungsgeschichtliche Streitfrage, ob Mk 6, 14–16 und Mk 8, 28 als literarisch unabhängige Paralleltraditio-
nen gelten müssen[422] oder in Abhängigkeit voneinander entstanden sind, so daß
entweder Mk 8, 28[423] oder Mk 6, 14–16[424] die Entstehung der Parallele inspiriert
hat, ist zugunsten der letztgenannten Möglichkeit zu entscheiden. Denn Mk
8, 28 wirkt wie ein freies, verkürzendes Referat aus Mk 6, 14–16[425], und die
Identifizierung von Jesus mit Johannes ist hier ohne die Voraussetzung von Mk
6, 14–16 kaum zu verstehen. Kompositionstechnisch ist Mk 8, 28 als retardie-
rendes Vorspiel zum Messiasbekenntnis des Petrus eingesetzt und dient in
diesem Zusammenhang der Redaktion als parallel-antithetisches Komplement
zum Irrtum des Herodes in Mk 6, 14–16.[426] Gegenüber Mk 6, 14–16 ist die
theologische Stilisierung bzw. christologische Konzentration nicht zu übersehen: referiert Mk 6, 14–16 Volksgerüchte (ἄλλοι ἔλεγον ... ἄλλοι ἔλεγον), so
geht es in Mk 8, 28 um die Anschauung der ἄνθρωποι (vgl. Mk 8, 27).[427] Der
Einwand der unterschiedlichen Wortwahl[428] erledigt sich bereits durch den
Hinweis auf das freie Referat; zudem ist der Redaktor nicht an Dubletten
interessiert; die Cognomina βαπτίζων (Mk 6, 14) und βαπτιστής (Mk 8, 28)
sind konvertibel (vgl. Mk 6, 24 f).[429] Wenn Mk 6, 14–16 konkretere Mitteilungen
bietet[430], so erklärt sich dies aus dem in Mk 8, 27–30 eindeutig dominierenden
christologischen Interesse; das Jüngerexamen fungiert als knappe Exposition
zur confessio Petri, während Mk 6, 14–16 die Perspektive gerade von der Szene
der Jüngeraussendung Jesu (Mk 6, 6–13) auf die passio Ioannis (Mk 6, 17–29)
verschieben soll. Das historische Interesse kann sich also auf den überlieferungsgeschichtlich primären Passus Mk 6, 14–16 beschränken.

Dieser Passus ist wahrscheinlich sekundär mit der Legende vom Tod des
Täufers verknüpft worden, da er mit seiner Brückenfunktion den Makrokontext
voraussetzt und Mk wohl die auf ihn überkommene Tradition Mk 6, 14b.15
nach hinten durch Mk 6, 14a seiner Schrift anpaßt und sie mit Mk 6, 16 auf die
Herodes-Anekdote bezieht. Tatsächlich erweist sich ἀκούω als redaktionelle

---

[422] So PESCH, C: Mk II, 31; SCHMIDT, Rahmen, 173f.

[423] So BULTMANN, Geschichte, 329; SCHÜRMANN, C: Lk I, 508.

[424] So ERNST, Petrusbekenntnis, 25f; DERS., C: Mk, 178f. Nach HAHN, Hoheitstitel, 222f A. 3
übernimmt Mk das Motiv der fama aus Mk 8, 27b–29, setzt umgekehrt aber in Mk 8, 28a die
Erläuterung zur Identifizierung Jesu mit Johannes voraus.

[425] Vgl. BERGER, Auferstehung, 18.

[426] Vgl. ERNST, Petrusbekenntnis, 25.

[427] Vgl. dazu LOHMEYER, C: Mk, 162: „Ἄνθρωποι aber bedeutet nicht einfach ‚Leute', sondern die
gegen Gott gerichteten, gottfernen ‚Menschen', die von himmlischen Dingen nichts wissen;
ihnen stehen darum die Jünger als die von ‚den Menschen' Geschiedenen und von Gott
Begnadeten gegenüber"; vgl. auch PESCH, C: Mk II, 31.

[428] Vgl. PESCH, C: Mk II, 31.

[429] Mit ERNST, Petrusbekenntnis, 25f gegen PESCH, C: Mk II, 31.

[430] Vgl. PESCH, C: Mk II, 31.

Vorzugsvokabel[431]; auch die antithetische Struktur von Mk 6, 16b („ἐγώ" vs. „οὗτος"; „ἀπεκεφάλισα" vs. „ἠγέρθη")[432] erklärt sich am ehesten als redaktionelle Gestaltung.[433]

3.4.2 Historische Würdigung: Mk 6, 14–16 / Mt 14, 1f / Lk 9, 7–9

Eine historische Rekonstruktion des isolierten Passus ist im einzelnen nicht mehr möglich. So muß völlig offenbleiben, ob der Landesfürst Herodes Antipas sich, wie es die redaktionelle Rahmung mitteilt, dem ersten Gerücht angeschlossen hat. Mk schaltet in Mk 6, 17–29 recht freizügig mit der Herodes-Tradition und ist in Mk 6, 14–16 an einer literarischen Überleitung interessiert. Andererseits prägt das Grundmotiv der Furcht des Verfolgers vor dem Verfolgten auch die unverdächtige Täufernotiz des Josephus (s. u. III:11.1.2). Keinen Zweifel leidet jedenfalls, daß die von Mk referierten Volksgerüchte tatsächlich kursierten:

1. Die Verwechselbarkeit beider Propheten, die „reinkarnatorische Entselbstung" Jesu[434], ist keine christliche Fiktion. Der Gemeinde ist im allgemeinen vielmehr von Anfang an an einer Klärung des Verhältnisses zwischen Jesus und Johannes gelegen. Bereits die verlegene Variation in Lk 9, 9 illustriert, daß die Späteren die unbefangene Gleichschaltung der beiden Propheten als Schwierigkeit empfinden.[435] Erst recht wird der Passus den frühen Kirchenschriftstellern zur crux interpretum (vgl. z. B. Origenes, Comm. in Matth., 10, 20 ad 14, 1f; Comm. in Ioann., 6, 30 ad 1, 26f[436]). Gegen diese dissimilarity ist nicht einzuwenden, das Theologumenon „Ioannes praecursor passionis Christi" oder die heilsgeschichtliche Parallelisierung könnten die Gemeinde zur Traditionsbildung angeregt haben, denn auch ein solches Darstellungsinteresse hätte eine Klärung des Verhältnisses zwischen Jesus und Johannes angezielt, nicht aber eine Vermengung beider Gestalten; außerdem findet sich die Tendenz zur Parallelisierung deutlich nur im ersten Evangelium.[437]

2. Das überlieferte Volksgerücht konvergiert insofern mit dem auch sonst Belegbaren, als Jesu Herkunft aus der Täuferbewegung und seine Wertschätzung des Täufers (s. o. II:3.3) ebenso zu der behaupteten Verwechslung paßt

---

[431] Vgl. GNILKA, C: Mk I, 244 A. 1.

[432] Vgl. BERGER, Auferstehung, 17.

[433] Zur überlieferungsgeschichtlichen Rekonstruktion vgl. v. a. GNILKA, C: Mk I, 244f.

[434] Vgl. SCHÜRMANN, C: Lk I, 507.

[435] Hingegen wird die matthäische Konzentration auf die Gleichstellung Jesu mit Johannes der Tendenz des Mt zur Parallelisierung der beiden Heilsgestalten Rechnung tragen.

[436] Curiositatis causa sei dazu die Überlegung EISLERS, Ἰησοῦς II, 152 angeführt, nach der zu folgern sei, Jesus sei in der Tracht des Täufers umhergegangen, „also in der bezeichnenden Kleidung der Naṣōräer oder Rekhabiten".

[437] Vgl. dazu etwa WINK, John, 33–41.

wie das Wirken beider Propheten im gleichen Milieu (s. o. II:3.3.3) und der täuferische Charakter des frühesten Christentums (s. u. IV:3.2.2).

3. Das mitgeteilte Gerücht, so kurios es wirkt, ist im herodianischen Galiläa-Peräa durchaus vorstellbar.[438] Der Einwand, ein derartiges Gerücht über die Auferstehung von Heilsgestalten sei nicht nachweisbar[439], ist sachlich unzutreffend (s. u. II:3.4.4) und wäre, selbst wenn er zuträfe, eher ein Argument zugunsten der Zuverlässigkeit der „abstrusen"[440] Überlieferung.

4. Sprachliche Indikatoren für eine aramäische Herkunft der Tradition sind der unpersönliche Plural in Mk 6, 14[441], der Ersatz des Indefinitpronomens durch „εἷς" in Mk 6, 15[442], der casus pendens in Mk 6, 16[443], wohl auch das passivum divinum in Mk 6, 14b (vgl. Mk 6, 16).[444]

3.4.3 Sinnerschließung der fama Ioannis redivivi

In Mk 6, 14f referiert der Evangelist Gerüchte aus dem Volk („ἔλεγον"[445]), nach denen Jesus für den auferstandenen Täufer, für Elija oder einen Propheten der alten Art gehalten wird. In Mk 6, 16 eignet sich der Tetrarch Herodes die erste der antiklimaktisch angeführten Volksmeinungen an: Jesus ist der Ioannes redivivus, und daher gilt ihm die Kampfansage des Vierfürsten (vgl. Lk 13, 31–33).[446]

Die Gerüchte über den wiedererstandenen Johannes sind vor dem Hintergrund apokalyptischer Tradition zu verstehen (vgl. z. B. 2 Makk 7, 9; Weish 11, 14; Mk 9, 11–13 / Mt 17, 10–13; Offb 11, 3–12; ApkEl 35, 7–18), nach der der getötete Prophet vor seinen Widersachern erweckt und so gerechtfertigt wird und das begonnene Werk vollenden kann; näherhin entspricht das Motiv der Tradition der „Erscheinung des Märtyrers vor seinem Mörder" (vgl. z. B. MartPauli 4–6).[447] Der Anlaß für die Fama liegt in der Wundertätigkeit Jesu, die

---

[438] Vgl. bereits DIBELIUS, Überlieferung, 85f.

[439] MARSHALL, C: Luke, 356; SCHÜRMANN, C: Lk I, 506f.

[440] SCHÜRMANN, C: Lk I, 507.

[441] Vgl. BLACK, approach, 126–128.

[442] Vgl. ebd., 104–106.

[443] Vgl. ebd., 51–55.

[444] Zur historischen Würdigung insgesamt vgl. auch GOGUEL, seuil, 47; zu optimistisch ist die historische Bewertung HOEHNERS, Herod, v. a. 189–197.

[445] Die Lesart „ἔλεγον" (Mk, 6, 14) nach B (D) W pc a b ff² vgᵐˢˢ saᵐˢ ist gegenüber der stark bezeugten Variante „ἔλεγεν" bei ℵ A C L Θ f¹·¹³ 𝔐 lat sy co zu bevorzugen: lectio difficilior mit Paralleleinfluß Mt für lectio varia.

[446] Vgl. PESCH, Mk I, 335.

[447] Umfangreiches Vergleichsmaterial bietet BERGER, Auferstehung, 593–596 A. 474–486. Vgl. zur Sache ebd., v. a. 17–22, 114–117; MEYER, Prophet, 39; PESCH, C: Mk I, 333f. Gegen PESCH besteht aber schon wegen Mk 6, 15; 8, 28 kein Grund, dieses Gerücht mit der Elija-Tradition zu verknüpfen: Jesus ist der Ioannes oder Elias redivivus, nicht der Ioannes als Elias redivivus (vgl. dazu ERNST, C: Mk, 180).

ihn wahrscheinlich vom Täufer unterscheidet (vgl. Joh 10, 41).[448] Sie will realistisch verstanden sein, meint also keineswegs, daß Jesus als Alter Ego[449] oder Nachfolger des Täufers[450] aufgetreten sei.

3.4.4 Auswertung: Mk 6, 14–16 / Mt 14, 1f / Lk 9, 7–9

Die kursierenden Gerüchte über Jesus geben eine von keinem Darstellungsinteresse geprägte und daher zuverlässige, deshalb freilich noch nicht „objektive" Bestimmung seines Verhältnisses zum Täufer Johannes.

1. Das „public eye" sieht Johannes und Jesus nicht als Antipoden, sondern als komplementäre Gestalten der Täuferbewegung. Dabei ist Jesus für das öffentliche Bewußtsein erst im Anschluß an den Täufer aufgetreten: „the people had a distinct impression of succession rather than of contemporaneity".[451] Möglicherweise ist in Rechnung zu stellen, daß hier der Anfang der Wirksamkeit Jesu zur Debatte steht: das Auftreten Jesu wird gerade erst publik, und der common rumour ist in seiner Einschätzung noch unsicher; doch das bleibt hypothetisch. Jedenfalls geht Jesus für die äußeren Beobachter in den Fußstapfen des Täufers.[452]
2. Als Differenz zwischen Jesus und Johannes wird empfunden, daß Jesu Wunder vollbringt, Johannes indes wohl keine vollbracht hat (vgl. Joh 10, 41).[453] Jedoch fallen der öffentlichen Meinung keine sachlichen Diskrepanzen zwischen den beiden Propheten auf: „The people therefore were more struck by the resemblances of the two than by their differences".[454] So sind Jesus und Johannes verwechselbar; das Volk verbindet mit Jesus die gleichen Vorstellungen wie mit dem Täufer, in dessen Milieu und mit dessen Sendungsbewußtsein er auftritt[455] und als dessen Erbe er sich zu verstehen scheint. Von erheblicher Relevanz ist es, daß Jesus nicht nur sich selbst am

---

[448] Allerdings ist der traditionsgeschichtliche Nexus von Auferstehung und Wundertätigkeit mit Ausnahme von Josephus, Bell. vers. slav., 2, 9, 3 m's (nach BERGER, Auferstehung, 255 A. 60) nur hier belegt, aber wegen des Rekurses auf die ἀκοή in sich plausibel. C. KRAELING, Was Jesus accused of necromancy?, in: JBL 59 (1940) 147–157; DERS., John, 160 übertreibt freilich die Bedeutung der knappen Textaussage erheblich, zur Kritik vgl. HOEHNER, Herod, 188 A. 4.

[449] So WELLHAUSEN, C: Lk, 46.

[450] SCHÜRMANN, C: Lk I, 508 will die ursprüngliche Aussage als „uneigentlich gemeint" verstehen, doch wird man dem common rumour eine derartige Abstrahierung ins „Uneigentliche" kaum zutrauen; vgl. BERGER, Auferstehung, 21f.

[451] LANE, C: Mark, 212; vgl. DIBELIUS, Überlieferung, 86; VIELHAUER, Art. Johannes, 807.

[452] Vgl. auch LOHMEYER, C: Mk, 116; MANSON, John, 398–400.

[453] Anders BALDENSPERGER, Prolog, 89f A. 5; BULTMANN, Geschichte, 22, 329 A. 3; HOEHNER, Herod, 188f; MEYER, Prophet, 40, 114f; aber die Wundertätigkeit wird durch „διὰ τοῦτο" direkt kausal mit der Auferweckung verknüpft. Zur historischen Würdigung vgl. BAMMEL, miracle, 183–188.

[454] CHEYNE, Art. John, 2503 A. 1.

[455] Vgl. auch MEYER, Prophet, 39f.

Täufer und seinem Wirken mißt (vgl. Mt 11, 7–9 par; Mt 11, 11 par; Mt 11, 16–19 par; Mk 11, 27–33 parr), sondern auch vom gesellschaftlichen Bewußtsein an diesem Vorbild gemessen wird. Jesus und Johannes stehen für die öffentliche Meinung in einem Kontinuum.[456]

3. Es ist nicht zu bestreiten, daß Mk und die Seitenreferenten die Anekdote primär um Jesu willen tradieren[457]: er gehört einer anderen Welt an.[458] Aber der zweite Evangelist greift dazu doch auf Volksgerüchte zurück, die Rückschlüsse auf die Verehrung des Täufers in einer breiten Bevölkerungsschicht Palästinas zulassen, zumal sie weniger an Jesus als an Johannes interessiert sind, dessen Wirken sie auf geheimnisvolle Weise fortgesetzt sehen. Die Auferstehungsvorstellung oder -hoffnung, die ja nach der Textaussage von Mk 6, 14f – deutlicher noch in Mk 8, 28 – im Volk und nicht im engeren Jüngerkreis kursiert, läßt vermuten, daß Johannes auf breiter Ebene als Heilsgestalt, als gerechter Prophet und Märtyrer, vielleicht sogar als messianische Erscheinung (vgl. Lk 3, 15; Apg 13, 25; Joh 1, 20; dazu Origenes, Comm. in Matth., 10, 20 ad 14, 1f) angesehen wird. Daß er in einem Atemzug mit Elija genannt werden kann und seine Wiederkunft ebenso erwartet wird wie die des Tischbiters, ist ein klarer Hinweis auf eine massive, von der Forschung weithin unterschätzte Johannes-Verehrung im Palästina des ersten Jahrhunderts.

Das Theologumenon eines propheta redivivus ist keineswegs singulär. Neben allgemeinen Traditionsentsprechungen (s. o. II:3.4.3) sind drei zeitgenössische Propheten mit messianischen Zügen zu nennen, deren wunderbare Wiederkehr ebenfalls erwartet wurde: Die hasmonäische Gefolgschaft sah in Johannes Hyrkanus I. (Reg. 134–104 v. Chr.) jenen Priesterkönig, der die neue Heilszeit inaugurieren sollte (vgl. TestLev 8, 2–17; 17, 11–18, 14; vgl. Jub 30, 18–21; 31, 11–17).[459] Wahrscheinlich hegte man in den einfachen Bevölkerungsschichten Hoffnung auf die Rückkehr des mysteriösen Ἀιγύπτιος, der zur Amtszeit des Prokurators Felix (52–59) Volksmengen, vorrangig Sikarier, unter phantastischen Versprechungen auf den Ölberg führte, wo die alarmierte Besatzungsmacht unter den Verführten ein Blutbad anrichtete (vgl. Josephus, Ant., 20, 172 i. V. m. Apg 21, 38; zur Sache noch Josephus, Bell., 2, 254–263).[460] Schließlich würde nach der Überzeugung der Qumran-Essener באחרית הימים der Lehrer der Gerechtigkeit wiederkeh-

---

[456] Unten soll aufgezeigt werden, daß dieses Urteil auch die innere Qualität der Botschaften Jesu und des Täufers trifft, s. u. II:3.5.1; 3.5.2.

[457] Vgl. SCHMITHALS, C: Mk I, 316.

[458] Vgl. SCHÜRMANN, C: Lk I, 507.

[459] Vgl. MEYER, Prophet, 60–70.

[460] Zur Auslegung von Apg 21, 38 vgl. MEYER, Prophet, 86; SCHÜRER, Geschichte I, 576 A. 33. Allerdings ist der Ägypter nach Josephus, Bell., 2, 263 nicht hingerichtet worden, sondern entflohen.

ren (vgl. CD 6, 10f).[461] In einer Reihe mit diesen so unterschiedlichen Heilsgestalten ist also auch der Täufer Johannes zu nennen. Dabei stellte man sich seine Rückkehr nicht als Einbruch aus der Transzendenz vor, sondern als Verkörperung des Johannes durch Jesus, an den sich nunmehr die gleiche Hoffnung knüpfte wie zuvor an den Täufer.[462] Darüber hinaus kursierte noch eine Tradition von der Verbergung des Johannes (vgl. Rec I, 54, 8[syr] [s. u. III:12.3.1.3]), der möglicherweise ein Entrückungsmotiv zugrundeliegt (vgl. EvThom 46a).[463] Dieser massive Täuferglauben ist bei der Würdigung der einschlägigen neutestamentlichen Passus zu berücksichtigen, so daß der Tradentenkreis einer Johannes-Sekte erst dann zu postulieren ist, wenn die Verehrung des Täufers in breiteren Schichten Palästinas zur Erklärung nicht ausreicht.

4. Daher ist das *Volks*gerücht über den Ioannes redivivus nicht ein Element einer im Täuferkreis gepflegten Auferstehungsjohannologie.[464] Ebensowenig referieren die Gerüchte über Elija „the conviction of the Baptist's followers".[465] Noch weniger lassen sich mit E. STAUFFER direkte Bezüge von der Enosch-Uthra-Epiphanie in R. Ginzā I, 201f sowie Rec I, 54, 8[syr] zur Theologie des Täuferkreises herstellen[466], denn die mandäische Vorstellung bezieht sich auf einen triumphalen Einbruch aus der Transzendenz, während Mk das Wiederverkörperungsmotiv präsentiert. Überhaupt ist die Gleichsetzung von Enosch-Uthra mit Jōhānā/Jahjā äußerst problematisch.[467]

---

[461] Zu den Analogien zwischen dem Täufer Johannes und dem qumranischen Lehrer der Gerechtigkeit, denen hiermit eine weitere hinzugefügt werden kann, vgl. BECKER, Johannes, 56–60.

[462] Vgl. MEYER, Prophet, 39f.

[463] Weitere Hinweise bei BERGER, Auferstehung, 254f A. 57.

[464] Gegen BÖCHER, Überlieferung, 47; GOGUEL, seuil, 48; mit Recht HOEHNER, Herod, 188: „it is more probable that the people who expressed this opinion were not in the immediate company of either John or Jesus".

[465] So aber LANE, C: Mark, 213.

[466] Vgl. Jesustradition, 14f; Jerusalem, 99.

[467] Vgl. GOGUEL, seuil, 124–135; RUDOLPH, Mandäer I, 69; SCHNACKENBURG, Evangelium, 29f.

3.5 Das religionsgeschichtliche Profil Jesu vor dem Hintergrund der Täuferbewegung

3.5.1 Das religionsgeschichtliche Profil Jesu im Vergleich mit dem des Täufers Johannes

Die Täufer- wie die Jesusforschung haben sich seit jeher, vor allem jedoch in jüngerer Zeit dem Vergleich der beiden Propheten gewidmet.[468] Sie setzten damit eine Tradition fort, die bereits Jesus selbst (vgl. Mt 11, 11 par; Mt 11, 16–19 par) und die Zeitgenossen (vgl. Mt 11, 16–19 par; Mk 2, 18 parr; 6, 14–16 parr) beschäftigt hat und wirkungsgeschichtlich außerordentlich fruchtbar wurde, wobei innerhalb der christlichen Überlieferung der Abstand zwischen beiden in christologischem Interesse immer größer wurde, während die mandäische Sicht durchaus den Täufer Jesus überordnen kann (vgl. R. Ginzā II, 152–154. 156; JB 30 [103–109]).

Phänomenologisch sind die Parallelen und Divergenzen zwischen Johannes und Jesus ohne Schwierigkeit erkennbar. Beide sind als prophetische Charismatiker mit endzeitlichem Situationsbewußtsein, autoritativem Anspruch und – je unterschiedlich akzentuierter – heilsmittlerischer Funktion aufgetreten und haben als solche eine religiöse Erneuerungsbewegung in Palästina inauguriert.[469] Sie haben – wiederum mit je eigener Akzentuierung – mit dem Gericht gedroht und das Heil in Aussicht gestellt und so zur Umkehr gerufen. Ihre Botschaft war strikt theozentrisch orientiert, von den herrschenden Systemen der führenden Religionsparteien ebenso entfernt wie von sozialrevolutionärem Programm, zelotisch-politischem Messianismus oder apokalyptischem Schwärmertum. Beide sind in dem gleichen sozialen und religiösen Milieu aufgetreten, vor allem vor den theologisch deklassierten Bevölkerungsgruppen[470] und fanden im Volk

---

[468] An älteren Untersuchungen der Johannes-Literatur sind zu nennen: Bebb, Art. John, 679f; Cheyne, Art. John, 2500–2504; Dibelius, Überlieferung, 139f u. ö.; Farmer, Art. John, 961f; Goguel, seuil, 235–274, v. a. 257–271; Kraeling, John, 123–157; Lohmeyer, Urchristentum, 18–20 u. ö.; Macgregor, problems, 360–362; Schlatter, Johannes, 66–90; Schütz, Johannes, 100–108; Scobie, John, 142–162; an älteren Werken der Jesus-Forschung: Bornkamm, Jesus, 40–47; Bultmann, Jesus, 24–26; Goguel, Jésus, 204–215; Meyer, Prophet, 114–120; Stauffer, Gestalt, 56–68. Neuere Versuche finden sich bei Burchard, Jesus, 17–19; Fiedler, Jesus, 261–269; Jeremias, Theologie, 50–56; Lindeskog, Johannes, 67–74; Linnemann, Jesus, 231–236; Merklein, Gottesherrschaft, 146–150; Ders., Botschaft, 27–36. Im übrigen gehört ein Kapitel über Johannes zum Standard der meisten Jesus-Werke. Monographisch beschäftigen sich mit dem Vergleich folgende Studien: Bacon, relation (1929); Becker, Johannes (1972); Enslin, John (1975); Merklein, Umkehrpredigt (1981); Michaelis, Täufer (1928); van Royen, Jezus (1953).

[469] Vgl. v. a. Rau, Markusevangelium, 2079f; zur Kategorie des Prophetischen Meyer, Prophet, 7–40, 103–132; Schnider, Prophet, 69–88. Insofern wird man beiden Propheten noch den qumranischen Lehrer der Gerechtigkeit beigesellen können, vgl. auch Becker, Johannes, 56–60.

[470] Vgl. Lindeskog, Johannes, 73f.

regen Anklang. Sie waren von einem Jüngerkreis umgeben und lebten, wie es scheint, ohne Eigentum und ehelos.[471]

Blickt man demgegenüber auf die Differenzen, so erweist sich zunächst die Schematisierung Jesus – der Heilsprophet, Johannes – der Gerichtsprophet als wenig sachdienlich, da sie wirkungsgeschichtlich relevante Interpretamente in die Deutung von deren historischen Ursprüngen reprojiziert. Zwar eignet sich bereits Jesus die unter Zeitgenossen kursierende Kontrastierung des „dunklen" Bußpredigers gegenüber dem „hellen" Künder des Evangeliums an (Mt 11, 16–19 par; vgl. Mk 2, 18–20 parr) und ist diese Beurteilung tendenziell nicht falsch, doch verdeckt sie mit ihrem Verzicht auf Differenzierung die Überschneidungen zwischen beiden Botschaften, die für die Feststellung ihrer Interdependenz von erheblicher Bedeutung sind.[472]

So wird Johannes nicht nur in interpretatione Christiana mit seiner Messias-Ankündigung als Heilsprophet verstanden (vgl. Mk 1, 7f / Mt 3, 11f / Lk 3, 15–18; Joh 1, 24–28; Apg 13, 24f; Justin, Dial., 49, 3; 88, 7), sogar als „Evangelist" bezeichnet (vgl. Lk 3, 18), sondern im Benediktus auch explizite in seiner Heilsfunktion gesehen: „δοῦναι γνῶσιν σωτηρίας τῷ λαῷ αὐτοῦ ἐν ἀφέσει ἁμαρτιῶν αὐτῶν" (Lk 1, 77; vgl. Lk 1, 76–79). Diese wirkungsgeschichtlichen Reflexe extrapolieren lediglich, was bei dem historischen Täufer bereits angelegt war. Der Zugang ist hier allerdings durch die möglicherweise bereits im Dienst der heilsgeschichtlichen Schematisierung erfolgte Selektion der Überlieferung erschwert. J. Becker (1972), der die selektierenden Traditionsprozesse methodisch vernachlässigt, zeichnet denn auch ein recht dunkles Bild von der täuferischen Gerichtsbotschaft.[473] Bei genauer Prüfung stellt sich jedoch der Heilsaspekt als die Bedingung der Möglichkeit der täuferischen Gerichtspredigt heraus. Denn ohne die Aussicht auf Verschonung vom Gericht wäre die von Johannes geschaffene Institution der Taufe schlechterdings dysfunktional.[474]

---

[471] Auf diese Parallele verweist Böcher, Überlieferung, 66 A. 96, vermengt diese Beobachtung aber mit Spekulationen über Nasiräat, Jesus als Ναζωραῖος, die Christen als Ναζωραῖοι und das Mandäertum; viel näher liegt es jedenfalls, die Enthaltsamkeit der beiden Propheten aus dem „eschatologischen Vorbehalt" und der von Johannes herbeigeführten „Situation des Nullpunkts" (s. u. IV:1.2) zu erklären!

[472] Mit Recht Kraeling, John, 151: „Prophecy in Israel had its Amoses and its Hoseas, but criticism has long since learned how impossible it is to make hard-and-fast distinctions between prophets of doom and prophets of salvation, and we must beware of dismissing the problem of Jesus and John with a ready-made solution suggested by such or similar distinctions"; dennoch Ders., ebd., 146 mit gerade einer solchen Vereinfachung: „Jesus construed the imminent eschatological event as the occasion for joy, John found it fraught with terror". Allzu lyrisch Schillebeeckx, Jesus, 123 in Anlehnung an Mt 11, 16–19 par: „Erschien Johannes dem Volk als ein grimmiger Aszet, völlig in Übereinstimmung mit seiner Botschaft vom kommenden unerbittlichen Gericht Gottes und deshalb als ein Trauergesang, so erscheint Jesus als ein Lied!"; auch hier meldet sich eine unerlaubte Simplifizierung.

[473] So etwa Johannes, 21, 106 u. ö.; ähnlich bereits Michaelis, Täufer, 14 und jetzt Schönle, Johannes, 16.

[474] Etwas überspitzt meint Schürmann, C: Lk I, 176 gar, daß Johannes' „ganzes Wirken der

Auch den Gerichtsbildern, am deutlichsten dem Bild vom συνάγειν des σῖτος in der ἀποθήκη (Mt 3, 12 / Lk 3, 17) inhäriert ein Moment der Bewahrung.[475] Überhaupt ist die Vorstellung vom Kassandra-Rufer mit dem breiten Echo, auf das der Täufer stieß, ebensowenig zu vereinbaren wie mit den Handlungsanweisungen, die Johannes seinen Zuhörern gab (Mt 3, 8 / Lk 3, 8a; vgl. Lk 3, 10–14; Josephus, Ant., 18, 116–119).[476] Schließlich wird man der Frömmigkeitsgeschichte zum Trotz auch nicht am Bild vom strengen Asketen festhalten können. Die von der frühesten Überlieferung ausgeschmückten Motive der schlichten Kleidung und Nahrung des Johannes (vgl. Mk 1, 6 / Mt 3, 4; EvEb sec. Epiphanium, Pan. haer., 30, 13, 4f; Justin, Dial., 88, 7) erklären sich als Bestandteile seiner nomadischen Lebensweise wie als signa prophetica der eschatologischen Botschaft und der Rückkehr zur Einfachheit des Anfangs (s. u. IV:1.2); sie gehören ebenso zum Zentrum der Botschaft des Johannes wie die Sündermähler zum Auftreten Jesu.[477]

Auf der anderen Seite ist Jesus weder einfachhin der Freund bürgerlicher Tafelfreuden (vgl. z. B. Mt 8, 19f / Lk 9, 57f)[478] noch ausschließlich der Heilsprophet, der neutestamentliche „Hosea" im Kontrast zu Johannes als „Amos". Obschon die Umkehrpredigt Jesus nicht in dem Maße prägt, wie es weithin angenommen wird[479], existieren neben einer Reihe von Sekundärbildungen mit Mt 11, 21–24 / Lk 10, 13–15; Mt 12, 41f / Lk 11, 31f; Lk 13, 3. 5 wahrscheinlich authentische Jesus-Logien, die den Umkehrgedanken zum Ausdruck bringen und das Gericht als Folge verweigerter Bekehrung in Aussicht stellen.[480] Hinzu tritt das drohende „Zuspät" mancher jesuanischer Krisis-Gleichnisse.[481] So ist

---

Rettung und Bewahrung vor dem kommenden Gericht galt", so daß sein „Interesse damit letztlich ganz auf das Heil ausgerichtet war".

[475] So auch BECKER, Johannes, 21f.

[476] Zum Heilsaspekt in der Täuferbotschaft vgl. auch ERNST, Täufer, 170–172; FIEDLER, Jesus, 261f; MERKLEIN, Umkehrpredigt, 37; DERS., Botschaft, 30f; WOLF, Gericht, 44, 48f. Allerdings wird man dem Täufer kaum mit SCHÜRMANN, C: Lk I, 175–177 die Geistverheißung als Heilszusage zutrauen, vgl. BECKER, Johannes, 23–25.

[477] Vgl. allgemein auch GAECHTER, C: Mt, 359: „Man erfaßt die Persönlichkeit des Johannes nicht, wenn man in ihm nur einen düsteren Gerichtspolterer sieht, oder einen asketischen Büßer, und meint, seine Haltung sei die des ‚dumpf-furchthaften Gestimmt-seins'" (unter Zitat von OTTO, Reich, 54).

[478] Die Darstellung KÜNGS, Christ, 232f, 244 ist klischeehaft, während STAUFFER, Geschichte, 93–95 ins Groteske abgleitet; daß das Thema anders behandelt werden kann, zeigt die aufschlußreiche Studie bei SCHILLEBEECKX, Jesus, 178–193.

[479] Darauf verweist mit Nachdruck SANDERS, Jesus, 112f, 326f u. ö..

[480] Vgl. BECKER, Johannes, 86–104; MERKLEIN, Gottesherrschaft, 146f; DERS., Umkehrpredigt, 38–43; WOLF, Gericht, 48f. Zur historischen Würdigung der Logien vgl. J. BLINZLER, Die Niedermetzelung von Galiläern durch Pilatus, in: NT 2 (1958) 24–49, passim; MERKLEIN, Umkehrpredigt, 41 A. 70 (Lit.!); kritisch zu BECKER äußert sich FIEDLER, Jesus, 265–268, der aber gegen die konvergierenden Belege des Kieler Neutestamentlers wenig mehr als allgemeine Skepsis zu bieten vermag.

[481] Vgl. JEREMIAS, Gleichnisse, 170–179; WOLF, Gericht, 49; dazu ERNST, Anfänge, 101: „Gotteskindschaft, Gottes verzeihende Barmherzigkeit und Liebe zu den Verlorenen, aber auch der mahnende Bußruf angesichts des nahe bevorstehenden Gerichts, die Mahnung zu ständiger

nicht einzusehen, warum Mk 1, 15 als freilich redaktionelles Summarium nicht die Botschaft Jesu sachgerecht zusammenfassen sollte.[482]

Das Novum Jesu gegenüber der Gerichtspredigt des Johannes liegt einerseits in der anderen Akzentuierung von Heil und Zorn, andererseits in der Reinterpretation des täuferischen Gerichts- und Umkehrgedankens. Ein Überblick über die ursprüngliche Jesus-Tradition läßt keinen Zweifel an der Heilspräponderanz zu, während bei Johannes nach der konvergierenden Überlieferungstendenz die Gerichtsbotschaft dominiert.[483] Umgekehrt ist für den Täufer das primär Gebotene die Umkehr, die dem zürnenden Richtergott unbedingt geschuldet ist, der dann die Möglichkeit gnädiger Verschonung gewährt, während für den Gott Jesu das Richten das opus alienum, die Heilsgabe das opus proprium ist[484], so daß Umkehr allein in der Annahme des von Gott gewährten Heils besteht und Gericht jene Wirklichkeit ist, in die der zurückfällt, der die von Gott souverän geschaffene Heilsmöglichkeit verweigert. Daher ist bei Jesus die Heilsansage apodiktisch und die Gerichtsdrohung bedingt formuliert, während es sich in der Täuferpredigt gerade umgekehrt verhält. Ist in dieser das Heil werbendes Nebenmotiv, so tritt bei jenem das Gericht akzidentiell als verschärfendes Movens hinzu. Jesus gibt insofern die Gerechtigkeitsvorstellung des Täufers auf, als er nicht dem bußfertigen Sünder die Verschonung vom Gericht in Aussicht stellt, sondern dem Sünder an sich das Heil.[485]

Bereits hier zeigt sich, daß die Botschaft Jesu nicht einfachhin unvermittelt neben der des Johannes oder gar ihr diametral gegenübersteht, wie es mancher an der Oberfläche bleibende Vergleich nahelegt. Jesus akzentuiert die gleiche Botschaft auf andere Weise und deshalb mit anderen Konsequenzen als der Täufer. Die genauere Analyse ergibt, daß die Predigt Jesu weithin aus der Botschaft des Johannes abzuleiten ist, daß diese jene geschichtlich vermittelt hat und Jesu originale Leistung vor allem darin besteht, die Gerichtspredigt des Täufers unter dem Primat des Heils reinterpretiert zu haben, so daß das Evangelium Jesu die Botschaft des Täufers positive, negative und supereminenter auf-hebt.

Wachsamkeit und die Aufforderung, um des Himmelreiches willen alles hinzugeben – dieses sind die Kernthemen der Gleichnisverkündigung".

[482] Vgl. PESCH, C: Mk I, 102f und insgesamt auch BULTMANN, Theologie, 21.

[483] Zur Begründung vgl. bei allen gebotenen Modifikationen BECKER, Johannes, v. a. 66–104 sowie FIEDLER, Jesus, 261–269; MERKLEIN, Umkehrpredigt, v. a. 38–45; DERS., Botschaft, 33–36.

[484] Vgl. BECKER, Johannes, 97.

[485] Vgl. DAHL, Volk, 148; MERKLEIN, Gottesherrschaft, 147–150; DERS., Umkehrpredigt, 43–45; DERS., Botschaft, 35f.

3.5.2 Die Interdependenz der Botschaften Jesu und des Täufers

Die möglicherweise bedeutsamste religionsgeschichtliche Leistung des Täufers Johannes liegt in der „Reduktion zum Nullpunkt": im Horizont der drängenden Enderwartung und in Ansehung der totalen Überlegenheit des zürnenden Richtergottes wie der völligen Schuldverfallenheit des Menschen bricht Johannes mit dem Selbstverständnis, der Kultur, der Geschichte und den religiösen Institutionen seines Volkes; der Auszug in die Wüste ist nur die „acted parable" dieser Rückkehr zur Schlichtheit des Anfangs, des radikalen Neubeginns (s. u. IV:1.2). Bei Jesus wird dies nicht mehr thematisch; der Bruch, die eschatologische Einfachheit werden bei ihm nicht mehr erkämpft, sondern als selbstverständlich vorausgesetzt.[486] Wird bei Johannes der Rückgriff auf Gottes früheres Erwählungshandeln explizite abgelehnt, so findet er bei Jesus faktisch nirgends statt.[487] Wie der Täufer distanziert sich Jesus vom Bisherigen, weil er auf das Kommende als das unum necessarium schaut (vgl. Mt 8,21f/Lk 9,59f; Mk 2,21f/Mt 9,16f/Lk 5,36–39; Mt 13,44–46; Lk 16,1–8).[488] Anders als die makkabäische Bewegung, das Pharisäertum oder der Spätrabbinismus legitimiert Jesus die Gegenwart nicht aus der Vergangenheit, sondern stellt ihr das qualitativ Neue der Eschata gegenüber.[489] Nicht an Kontinuität ist ihm gelegen; die einzige Kontinuität, die er kennt, ist die zum Täufer und zu dem von diesem herbeigeführten Kontinuitätsbruch. Bildlich formuliert: wenn Jesus in den Ortschaften Galiläas um die Sünder wirbt und mit ihnen feiert, so kann er dies in der Tat nur deshalb, weil er aus der Wüstensituation des Täufers kommt, zuvor aus allen sichernden Instanzen ausgezogen ist, jenen Instanzen, die für ihn an der apodiktischen Ansage des akut drohenden Gotteszorns zerbrochen sind.

Nicht nur den prinzipiellen Ausgangspunkt, sondern auch das Menschenbild übernimmt Jesus von Johannes: das vorfindliche Israel ist als Unheilskollektiv dem Gericht verfallen (vgl. Lk 13,3.5; der Sache nach auch Mt 10,32f/Lk 12,8f; Mt 11,21–23/Lk 10,13–15; Mt 12,41f/Lk 11,31f; Mt 24,37–41/Lk 17,26f. 30.34f; Lk 12,16–20.54–56).[490] Allerdings sieht Jesus im Unterschied zur klassischen Prophetie innerhalb dieses Kollektivs primär auf den Einzelnen[491], nachdem bereits Johannes mit dem Taufinstitut den Weg zu einem außer-

---

[486] MERKLEIN, Gottesherrschaft, 71: „Die Haltung Jesu zum Bisherigen ist daher als *Haltung der souveränen Distanz* zu beschreiben. Er kann Bisheriges anerkennen und rezipieren, sofern und soweit es seiner eschatologischen Botschaft einzuordnen ist. Er kann und muß aber auch sich über Bisheriges hinwegsetzen, wenn es dem proklamierten Neuen im Wege steht".

[487] DERS., Botschaft, 35; vgl. BECKER, Gottesbild, 108f. Bereits BULTMANN, Theologie, 25 spricht von dem „entgeschichtlichten" Gottesgedanken Jesu und der daraus folgenden „entgeschichtlichten" Sicht des Menschen.

[488] An Mt 8,21f/Lk 9,59f; Mt 13,44–46 demonstriert MERKLEIN, Gottesherrschaft, 56–71 Jesu Relativierung des Alten angesichts des Novum der Eschata.

[489] Vgl. BECKER, Johannes, 71f; MERKLEIN, Umkehrpredigt, 42.

[490] Vgl. BECKER, Johannes, 86–104; MERKLEIN, Botschaft, 33–36.

[491] Vgl. BULTMANN, Theologie, 25.

gewöhnlichen „Akt der Vereinzelung" freigelegt hat. Auch in dieser Hinsicht kann man also davon sprechen, daß Jesus die „anthropologische Prämisse"[492] vom Täufer übernimmt.

Die Grunddifferenz zwischen Johannes und Jesus ist in der theologischen Konklusion aus dieser Prämisse zu sehen, aus der sich alle weiteren Differenzen – die Gottesreich-Predigt, der Verzicht auf „Askese" und Taufe[493] und die jesuanische „Pastoral" – von selbst ergeben. Denn Jesus bricht mit der Logik des Johannes, wenn er dem Unheilskollektiv nicht das an sich verdiente Gericht ansagt, sondern statt dessen – jenseits aller Konsequenz – das Heil. Die Wurzel des Neuansatzes Jesu gegenüber dem Täufer liegt mithin in Jesu ureigenem Gottesbild oder in seiner Abba-Erfahrung.[494] Dabei bleibt er jedoch ganz innerhalb des von Johannes vorgegebenen Koordinatensystems, da sein Gottesverständnis vom eschatologischen Ansatz nicht zu trennen ist. Die Vater-Theologie Jesu wird wesentlich im eschatologischen Kontext entwickelt (vgl. Mt 6, 9/ Lk 11, 2; Mt 6, 32/Lk 12, 30; Mk 11, 25/Mt 6, 14; Mk 13, 32/Mt 24, 36 u. ö.) und erweist sich als Funktion der Eschatologie Jesu.[495] Es ist kein anderer Gott als der des Johannes, dessen Kommen Jesus ansagt[496], aber er kommt eben nicht als zorniger Richter, sondern als Abba, statt zornig barmherzig und statt strafend fürsorgend. Das Überraschende am Gott Jesu ist seine Menschlichkeit.[497]

Selbst diese Fundamentaldifferenz weist jedoch Wurzeln im Denken des Täufers auf. Jesus knüpft an die entschiedene Theozentrik des Johannes an[498], radikalisiert sie aber unter Rückgriff auf die geläufigen jüdischen Theologumena von der Barmherzigkeit Gottes[499], indem er dem Menschen noch die letzte Möglichkeit nimmt, sich in Umkehr und Taufe vor Gott zu rechtfertigen: der Vatergott nimmt den Menschen vor aller Umkehr bedingungslos an.[500] Aus dem Prae- der Buße wird das Prae- der Gnade; allein der von Gott gesetzte Kairos

---

[492] MERKLEIN, Botschaft, 27, 33.

[493] Mit einer „Verinnerlichung" gegenüber Johannes ist also gegen MEYER, Ursprung II, 433 der Taufverzicht Jesu keineswegs in Verbindung zu bringen.

[494] Wenn FIEDLER, Jesus, 268 das Gemeinsame am Gottesbild des Täufers und Jesu dahingehend expliziert, daß „der bald kommende Gott der absolut heilige Gott ist", so verweist er auf einen Gemeinplatz.

[495] Vgl. MERKLEIN, Gottesherrschaft, 206–211.

[496] Das Johannes im ἐρχόμενος Gott selbst gesehen hat, suchen wir unter IV:1.2 zu begründen.

[497] Vgl. STAUFFER, Geschichte, 83. Zum Gottesbild Jesu vgl. BECKER, Gottesbild, 107–117; BULT-MANN, Theologie, 22–26; FIEDLER, Jesus, 268f; GOGUEL, seuil, 262–266; JEREMIAS, Theologie, 67–73; KÜMMEL, Gottesverkündigung, passim; MacGREGOR, problems, 362; MERKLEIN, Gottesherrschaft, 203–215.

[498] Vgl. etwa BLANK, Konzeption, 161f.

[499] Zur Kontinuität des Gottesbildes Jesu zu dem des antiken Judentums vgl. etwa KÜMMEL, Gottesverkündigung, 115; MERKLEIN, Gottesherrschaft, 203; eine Radikalisierung des jüdischen Gottesgedankens durch Jesus (vgl. etwa GOGUEL, seuil, 263) wird man allerdings erst dann behaupten können, wenn man die durch Johannes vermittelte Eschatologisierung dieses Gottesbildes berücksichtigt (vgl. MERKLEIN, Gottesherrschaft, 206).

[500] Vgl. etwa MacGREGOR, problems, 362; MERKLEIN, Gottesherrschaft, 204.

der βασιλεία entscheidet; nicht beim Sünder, sondern bei Gott liegt die Initiative. Vielleicht ist es erlaubt, die Differenz zwischen Jesus und Johannes mit dem Wortspiel von Klgl 5, 21 zu beschreiben: forderte der Täufer das שׁוּב des Menschen, so verkündigt Jesus das הָשֵׁב Gottes (vgl. Jer 31, 18f).

Die Radikalisierung des täuferischen Gottesgedankens im Horizont der Vater-Theologie erweist sich als das eigentliche Novum Jesu gegenüber Johannes. Die meist als sachlich neues[501] oder gar inkompatibles[502] Gut der Täuferbotschaft kontrastierte Gottesreich-Predigt Jesu liegt demgegenüber tatsächlich wieder auf der Linie der täuferischen Eschatologie. Zwar kennt Johannes, soweit überliefert ist, die βασιλεία nicht[503] – der einzige Beleg Mt 3, 2 liegt ganz in der Tendenz matthäischer Parallelisierung[504] –, aber die Gottesherrschaft ist nichts anderes als das vom Täufer angesagte Kommen Gottes im Lichte der oben beschriebenen Fundamentaldifferenz. Der Gerichtsgedanke und das Theologumenon von der Gottesherrschaft sind motivgeschichtlich miteinander verwandt[505], wie bereits der Umstand anzeigt, daß Mt 3, 2.7–12 beide Motive unbefangen nebeneinanderstellt. Das Zentralmotiv ist das Kommen Gottes als König, das Aufrichten seiner souveränen Herrschaft, und dazu kann durchaus das Gericht gehören.[506] Wenn ferner das εὐαγγέλιον auf die הבשורה gedeutet werden darf (vgl. Targ zu Jes 52, 7)[507], findet sich der Bezug zur jesuanischen Predigt vom Gottesreich sogar explizite. Jesu Verkündigung der anbrechenden Gottesherrschaft erwächst jedenfalls aus der Gerichtspredigt des Täufers: Gott

---

501 So etwa MERKLEIN, Gottesherrschaft, 146.

502 BECKER, Johannes, 89, 97 sieht im βασιλεία–Gedanken den fundamentalen Unterschied zwischen Jesus und dem Täufer.

503 Das Gegenteil wird immer wieder behauptet, besonders deutlich etwa von BACON, relation, 69: „John makes it [scil. the Kingdom of God] the very heart of his message"; nach MICHAELIS, Täufer, 11–14, 34 ist wahrscheinlich, daß der Begriff der Gottesherrschaft „auf den Täufer zurückgeht und dann von Jesus (und zwar nicht erst in der Überlieferung) übernommen worden ist" (11); die Mutmaßung MARSHS, origin, 83f: „John's temperament and outlook made him stress the Judgment, but his message was uttered against a background of national belief in a Messianic Kingdom" ist zwar etwas pauschal, aber nicht unplausibel; nur fehlt auch hier ein Beleg in der Täuferpredigt! Den Gedanken der Gottesherrschaft sehen bereits beim Täufer auch ALAND, Vorgeschichte, 5; BEBB, Art. John, 679; BOWEN, John, 90; HUGHES, John, 212 u. ö.; KRAFT, Entstehung, 18, 38; B.H. STREETER, Was the Baptist's preaching apocalyptic?, in: JThS 14 (1913) 549–552, passim; ausführlich MARSH, origin, 82–94 und SCHLATTER, Johannes, 91–141.

504 Vgl. dazu GNILKA, C: Mt I, 63, 73f; MEIER, John, 388; SCHLOSSER, Règne I, 177 A. 103; TRILLING, Täufertradition, 285; WINK, John, 53. KRAFT, Entstehung, 18 („Aber es wäre schwer zu erklären, warum gerade Matthäus dem Täufer ein Wort zugeschoben haben sollte, das die Verkündigung Jesu vorwegnimmt") nimmt die Eigenart der matthäischen Täuferinterpretation nicht zur Kenntnis.

505 Vgl. etwa VOLZ, Eschatologie, 165–173.

506 Die mit Bezug auf Jesus festgestellte Thesis BULTMANNS, Theologie, 4: „Alles wird verschlungen von dem einzigen Gedanken, daß Gott dann herrschen wird" gilt wörtlich auch für Johannes! Vgl. DIBELIUS, Überlieferung, 57; ERNST, Täufer, 172; KRAELING, John, 67; WOLF, Gericht, 48.

507 Vgl. K. KOCH, Messias und Sündenvergebung in Jesaja 53 – Targum. Ein Beitrag zur Praxis der aramäischen Bibelübersetzung, in: JSJ 3 (1972) 117–148, hier: 127; PESCH, C: Mk I, 103 (zit. dort).

ist in der Tat der ἐϱχόμενος, der seine Königsherrschaft durchsetzt, aber nicht strafend, sondern vergebend.[508] Die Botschaft Jesu vom Gottesreich ist die positive Variation der Täuferpredigt. „Die eschatologische Gegenwart wird anders erlebt und gefüllt als … vom Täufertum, aber der Ansatz ist auch in der Verwandlung noch da. Dies verwandelte Täufertum ist der Ursprung des Urchristentums".[509]

Die für Jesus kennzeichnende praesentia regni-Vorstellung ist schließlich am ehesten als Radikalisierung der kaum noch zu überbietenden Naherwartung des Täufers verständlich: „To John the kingdom is imminent, to Jesus it is immanent"[510] (vgl. Justin, Dial., 51, 2f). Bereits die Täuferlogien Mt 3, 10. 12/Lk 3, 9. 17 (Mt 3, 10/Lk 3, 9: „ἤδη … ἡ ἀξίνη πϱὸς τὴν ῥίζαν τῶν δένδϱων κεῖται") qualifizieren die Gegenwart eschatologisch; nach ihnen kann nur noch die Präsenz des Angekündigten direkt angesagt werden: das von Johannes Vorhergesagte ist als erfüllt anzusehen.[511] So übernimmt Jesus die Naherwartung als „chronologische Prämisse" von Johannes, überbietet sie aber, indem er sie mit der Gegenwärtigkeit des Angesagten verbindet. Dabei wird bei ihm die Naherwartung allerdings nicht ausdrücklich thematisiert, sondern stets vorausgesetzt.[512] Mt 11, 2–6/Lk 7, 18–23 ist damit der Sache nach eine völlig korrekte Beschreibung des Verhältnisses zwischen der eschatologischen Predigt Jesu und der Bußbotschaft des Johannes, und es ist möglich, daß der „Heroldsruf" Jesu von der erfüllten Zeit (vgl. Mk 1, 15) konkret jene Zeit meint, die der Täufer Johannes Israel noch zugestanden hatte.[513]

Die Präsenz des Gottesreichs hängt für Jesus unmittelbar mit der eigenen Gegenwart zusammen, näherhin mit seinen Heilungen und Dämonenaustreibungen (vgl. Mt 12, 28/Lk 11, 20) und wohl auch mit seiner Person selbst (vgl.

---

[508] Vgl. auch FIEDLER, Jesus, 268f.

[509] MICHEL, Jesus, 313. Nur angeführt sei eine zwar wichtige, aber in mancher Hinsicht noch unklare Differenz in dem eschatologischen Vorstellungsgefüge Jesu und Johannes': für den Täufer existieren nur der Sünder und der bald kommende Richtergott (s. u. IV:1.2); Jesu „eschatologischer Spielraum" ist weiter und umfaßt neben der eigenen, endzeitlich relevanten Person des Verkündigers (s. u.) auch die Gestalt des Menschensohns. Da Johannes aber in dem Kommenden Jahwe selbst sieht (s. u. IV:1.2), wird Jesus seine Menschensohn-Vorstellung kaum von ihm übernommen haben (anders BECKER, Johannes, 105f).

[510] BACON, relation, 70; zur Sache des Kingdom s. aber o.. Es ist das für das Werk MICHAELIS', Täufer, v. a. 53–112 kennzeichnende Mißverständnis in der Interpretation Jesu, diese Radikalisierung zu übersehen; vgl. aber MÜLLER, Vision, 426f. Dazu noch SCHLOSSER, Règne I, 166: „Non seulement Jésus recourt au thème du Règne, en raison sans doute de l'aptitude du thème à exprimer l'aspect salvifique de la venue de Dieu, mais encore il proclame l'irruption et la réalisation acutelles de la Basileia"; zum Gottesreich-Gedanken Jesu vgl. noch CHARLESWORTH, Jesus, 468f; MÜLLER, Vision, 417.

[511] Belege bei MERKLEIN, Gottesherrschaft, 150–166. Zur diffizilen Problematik der Einheit von präsentischen und futurischen βασιλεία-Logien vgl. BECKER, Johannes, 76–85; FIEDLER, Jesus, 100–102; SCHÜRMANN, Reich, 37f.

[512] Vgl. MERKLEIN, Gottesherrschaft, 157.

[513] Zu Mk 1, 15 vgl. PESCH, C: Mk I, 101f, aber auch MERKLEIN, Gottesherrschaft, 19, der die Authentie des Logions skeptisch beurteilt.

Mt 12, 38–42 / Lk 11, 29–32; Mk 2, 19 parr). Dieses Sendungsbewußtsein ist nicht in geschichtslosem Raum entstanden, sondern wird sich in Auseinandersetzung mit dem die Grenzen des Gewohnten sprengenden Hoheitsbewußtsein des Täufers Johannes entwickelt haben. So ist der Täufer nicht nur mit einem auffälligen Anspruch auf charismatisch-prophetische Vollmacht aufgetreten, sondern hat dem von ihm selbst eingesetzten Taufritus eine heilsmittlerische Funktion zugeschrieben und so das Volk „mit der Erfahrung des Heils in der Vergebung der Sünden" beschenkt. Hier liegen die Wurzeln seiner späteren massiven und teilweise messianischen Verehrung. Auch Jesus nimmt für sich ein unmittelbares Verhältnis zu Gott in Anspruch und begründet damit sein Sendungsbewußtsein.[514] Aber was bei Johannes nur latente Voraussetzung war, wird bei Jesus thematisch und rückt von der Peripherie ins Zentrum der Botschaft. Für Jesus ist nicht mehr der Empfang der Bußtaufe das entscheidende Moment, an dem sich das Geschick des Menschen im Gericht entscheidet, vielmehr ist seine eigene Person das Gerichtskriterium (vgl. Mt 10, 32f / Lk 12, 8f; Mt 11, 20–24 / Lk 10, 12–15; Mt 12, 38–42 / Lk 11, 29–32; Mk 8, 34–38 parr).[515] In diesem Licht ist es dann keineswegs so außergewöhnlich, wenn Jesus dem Menschen die Sündenvergebung durch Gott zuspricht (vgl. Mk 2, 5–11 parr; Lk 7, 36–50[516]), denn er nimmt für sich nur in Anspruch, was zuvor der Täufer mit seiner Taufe verbunden hat (vgl. Mk 1, 4 / Lk 3, 3 diff Mt 3, 2).[517] In Mk 11, 27–30 parr stellt Jesus den Bezug seines eigenen Vollmachtsbewußtseins zur Dignität der Johannestaufe auch ausdrücklich her (s. o. II:3.3.5). Insofern setzt also das Sendungsbewußtsein Jesu in der Tat das Sendungsbewußtsein des Johannes voraus[518], genauer das spezifische Verständnis der Johannestaufe, und

---

[514] Vgl. Blank, Lernprozesse, 104–106.

[515] Zur Auswertung der Belegstellen vgl. Becker, Johannes, 98–104; Leivestad, Jesus, 244f; zur Sache ferner Becker, Gottesbild, 110–112; Bultmann, Theologie, 6; Kümmel, Gottesverkündigung, 120f. Zur historischen Würdigung der die Person Jesu als Gerichtskriterium herausstellenden Logien, gegen die erneut Fiedler, Jesus, 265f pauschale Skepsis äußert, vgl. die ausgewogenen Bemerkungen bei Becker, Johannes, 98–100.

[516] Dazu vgl. Pesch, C: Mk I, 156, 158.

[517] Daher zur Sache mit Recht Grundmann, C: Mk, 76: „An die Stelle der Taufe ‚der Umkehr zur Vergebung der Sünden' (1, 4) ist Jesu vollmächtiger Zuspruch der Vergebung getreten, den die Gemeinde mit der Johannes-Taufe verband". Zur Frage der Authentie in Mk 2, 1–12 allerdings skeptisch Merklein, Gottesherrschaft, 203; zuversichtlicher zu Lk 7, 36–50 ebd., 202. In dem hier konstatierten Sachverhalt liegt auch das granum salis der Thesis Thyens, Studien, 210: „Jesus ist nicht nur das Ende von allem Opferkult, sondern ebenso das Ende von allem Sakramentalismus. War die Johannestaufe an die Stelle der Opfer getreten, so ist nun Jesus selbst an die Stelle der Johannestaufe getreten"; jede Aktualisierung setzt jedoch eine systematische Auseinandersetzung mit den dogmatischen Modellen des Ursakraments Christus und des Wurzelsakraments Kirche voraus, die freilich nicht allein in Form bequemer exegetischer „Seitenhiebe" erfolgen kann.

[518] Diesen Satz wird man allerdings nicht mit Michaelis, Täufer, 9, 52f, 60f u. ö.; van Royen, Jezus, 57 so verstehen dürfen, als habe Jesus seine eigene Person in die Variable der Täuferpredigt eingesetzt: „Jezus beschouwde zich als de door Johannes aangekondigde 'komende'. Als zodanig was hij de meerdere van de grootste van alle mensen, die behoorden tot de oude bedeling. Als de

es erhellt, warum Jesus bei aller prinzipiellen Achtung des Taufinstruments die Taufpraxis des Johannes nicht fortsetzt. So bleibt festzuhalten, daß sich auch das so an den Täufer anknüpfende und zugleich von ihm abrückende Selbstverständnis Jesu letztlich nur vor dem Hintergrund des Gottesbildes Jesu, seiner Abba-Erfahrung, erklären läßt.

3.5.3 Die Täuferbewegung als der religionsgeschichtliche Hintergrund Jesu

Das Gesamtbild der Botschaft und des Wirkens Jesu weist insgesamt also eindeutig auf dessen Verwurzelung im religionsgeschichtlichen Umfeld der Bewegung des Täufers Johannes. Der Hinweis auf den gemeinsamen Nährboden des zeitgenössischen Judentums, zumal der qumranischen Eschatologie und Kultkritik ist wichtig[519], reicht aber zur Erklärung der organischen Verbindung zwischen beiden Propheten nicht aus. In keiner Weise kann man sich vor allem damit begnügen, die drängende Naherwartung als gemeinsames Tertium zwischen Johannes und Jesus anzuführen; angesichts des religionsgeschichtlichen Umfelds beider ist der Aufweis eines solchen „gemeinsamen Kerns" ohnehin ein Gemeinplatz, zumal auch die Naherwartung des Täufers von Jesus durch die Präsenzansage überboten wird, wodurch er sich von seiner Umwelt im allgemeinen und von Johannes im besonderen unterscheidet.[520] Die Auskunft, es gäbe „im Zusammenhang mit dem Täufer kaum etwas, das sich inhaltlich als Jesu Predigt und Wirken bestimmend erweisen läßt"[521], ist in Ansehung der oben aufgezeigten sachlichen Anknüpfung Jesu an den Täufer schlechterdings falsch.[522] Im Gegenteil wird man in summa konstatieren: Jesu Botschaft *ist* die Täuferpredigt im Horizont des spezifisch jesuanischen Gottesbildes und unter dem Anspruch der Erfüllung. Nur so erklärt sich die breite gemeinsame Basis beider Propheten in der eschatologischen „Nullpunkt-Situation" als Ausgang ihres Wirkens sowie in den chronologischen, anthropologischen und theozentrischen Prämissen ihrer Predigt, in ihrer Erwartung des Kommenden, in ihrem Selbstverständnis als Heilsmittler, in ihrer Distanz zu den Selbstverständlich-

---

'komende' was hij ook de 'sterkere'" (van ROYEN, Jezus, 57 [ohne Hervorhebung]). Diesen Schritt geht erst die Gemeinde, in der Täuferanfrage (Mt 11,2–6/Lk 7,18–23) explizite und implizite in der interpretatio Christiana der Täuferpredigt (Mk 1,2–8 parr; Mt 3,7–10/Lk 3,7–9).

[519] Vgl. ERNST, Täufer, 167.
[520] Gegen BARTSCH, Jesus, 118.
[521] Ebd..
[522] Daher scheitern auch alle Versuche, jedwede direkte historische Beziehung zwischen Jesus und dem Täufer Johannes zu negieren, so einer der Hauptthesen der Untersuchung GUÉNINS, conflit, passim, die neuerdings von ENSLIN, John, v. a. 10–14 erneuert worden ist (vgl. auch HAENCHEN, C: Weg, 61–63).

keiten und Machthabern ihrer Gesellschaft und ihrem Bemühen um die religiös Deklassierten, in ihrer Botschaft von Umkehr, Gericht und Heil. Nur so erklären sich aber auch die alle im Gottesverständnis Jesu wurzelnden Spezifika seiner Frohbotschaft: der Primat des Heils, die Gottesherrschaft, Umkehr und Gericht im Licht der Initiative Gottes, Anbruch und Eigenart der eschatologischen Hoch-zeit unter Verzicht auf Bußfasten und Taufe im gemeinsamen Fest gerade mit dem Sünder. In seinen Differenzen zum Wirken des Täufers erweist sich Jesus noch einmal als Prophet im Rahmen der Täuferbewegung, und selbst der Verzicht auf eine eigene Taufpraxis erweist sich als spezifisch „täuferisch" motiviert.

Daß die so beschriebene geschichtliche Vermittlung der ureigenen Botschaft Jesu und ihre Kontinuität zur Predigt des Johannes hier nicht nur postuliert wird, sondern bereits von Jesus selbst als gegeben anerkannt worden ist, geht aus den im Kern zuverlässigen Logien Mt 11, 9. 11 / Lk 7, 26.28; Mt 11, 16–19 / Lk 7, 31–35; Mt 21, 31f / Lk 7, 29f; Mk 11, 27–33 parr, wohl auch aus Mt 11, 12f / Lk 16, 16 (s. o. II:3.3) unzweideutig hervor. Nirgends beurteilt Jesus Predigt, Taufe und Auftreten des Johannes, die sich von seinem eigenen Wirken erheblich unterscheiden, negativ; stets stellt er seine eigene Botschaft und Lebensweise gelassen neben die des Täufers. *Was* Jesus zu sagen hat, besteht gerade in der unbedingten Anerkennung des Johannes. Aber eben dadurch, *daß* Jesus überhaupt noch etwas zu sagen hat, desavouiert er faktisch bereits den Täufer, der doch in Anspruch genommen hat, Gottes letzter Bote zu sein. Als „letzter Bote Gottes nach dessen letztem Boten"[523] hat Jesus mehr und anderes zu sagen als der Jordanprophet[524], oder genauer: er hat das, was Johannes gesagt hat, zu seiner Tiefe zu führen und zu aktualisieren. So löst sich die scheinbare Aporie, daß die radikale Differenz von Jesus selbst als umfassende Kontinuität beschrieben wird. Der Täufer hat richtig gepredigt und gehandelt, aber durch Gottes souveräne und gnädige Initiative kommt statt des Gerichts das Heil, und es bricht ein in Jesu eigener Gegenwart als Statthalter der Gottesherrschaft; darin liegt das „πλεῖον" des Kerygmas Jesu auch Johannes gegenüber.[525] Von daher erledigt sich der oben nur festgestellte, widersprüchlich anmutende Befund, daß Jesus, der es an vorbehaltlosem Täuferlob nicht fehlen läßt, Johannes gleichwohl dem Gottesreich nicht zuzuordnen vermag (s. o. II:3.3.1): der Täufer stand *chronologisch* im Vorhof der βασιλεία und hat, von der unerwarteten Initiative der Gnade Gottes noch nicht betroffen, *sachlich* eine andere, mit dem Auftreten Jesu obsolet gewordene Botschaft vertreten, die in ihrer Theozentrik noch nicht konsequent genug war: „It was not as if the expectations of John were false; the

---

[523] Vgl. R. PESCH, Wie Jesus das Abendmahl hielt. Der Grund der Eucharistie, Freiburg i. Br. ²1978, 85.

[524] Vgl. WOLF, Gericht, 47.

[525] Zu Mt 12, 41f / Lk 11, 31f vgl. MÜLLER, Vision, 434 A. 49.

point of difference was that, contrary to his own belief, these expectations were being fulfilled in the ministry of Jesus".[526]

In historisch-biographischem Interesse läßt sich manche Spekulation darüber anstellen, wie Jesus denn zu seiner ureigenen Überzeugung von der souveränen, gnädigen Initiative Gottes gelangt ist. Die Theorie einer Taufvision wird man zurückweisen (s. o. II:2.1.5); der Verweis auf den Eindruck, den die Bußbewegung bei Jesus hinterließ[527], bleibt zu allgemein; außerdem ist nicht einsichtig, wie die Umkehr der Sünder die Überzeugung vom Anbruch der Gottesherrschaft heranreifen lassen konnte.[528] Die Hypothesen von Jesu Erfahrungen bei Heilungen und Dämonenaustreibungen (vgl. Lk 11, 20) als Quelle seiner Gottesreich-Überzeugung klingen einleuchtend[529] (vgl. Mt 11, 2–6 / Lk 7, 18–23); U. MÜLLER (1977) hat in einer beachtlichen Studie die Vision vom Satanssturz (Lk 10, 18) als möglichen Ansatz der ureigenen Botschaft Jesu herausgestellt.[530] Jedoch ist es außerordentlich schwierig, aus isolierten Logien biographische Eckdaten zu destillieren: historia Iesu non scribitur. Entsprechend besteht allerdings auch keine Verpflichtung, MÜLLERS Lösung durch andere biographische Konstruktionen zu ersetzen; es genügt, das wirklich faßbare Gesamtbild aufzuhellen. So wird man nur allgemein Jesu ureigene Abba-Theologie als Quelle seines Novum erkennen[531], obschon mit Recht angenommen werden darf, daß dieser entsprechende Erfahrungen Jesu zugrunde liegen.[532]

H. SCHÜRMANN (1983) hat den angesichts der Diskussionslage überraschenden und originellen Gedanken vorgetragen, Jesu Botschaft setze das innere Scheitern der Tätigkeit des Jordanpropheten voraus. Die Predigt des Johannes habe ihr Ziel, Israel zur Umkehr zu führen, verfehlt. Jesus habe also von vornherein die Predigt des Täufers gar nicht fortsetzen können, sondern sich gezwungen gesehen, anders anzusetzen[533]:

„Er stiftete der Erfolglosigkeit der Täufersendung ein ‚Trotzdem' ein: Der, den Jesus als den Abba erkannt hatte, wird – so weiß er – trotz der Unbußfertigkeit Israels seine heilbringende Basileia aufrichten. ... Jesus verkündete – ganz anders als der Täufer – der erwiesenen Unbußfertigkeit Israels zum Trotz das nahende Reich Gottes als Heil. Von

---

[526] HUGHES, John, 210.

[527] LINNEMANN, Jesus, 231–235.

[528] SCHÜRMANN optiert, wie unten zu zeigen ist, für den diametralen Gegensatz: nicht der überwältigende Erfolg, sondern das Scheitern des Täufers führt Jesus zum Gedanken der Gottesherrschaft!

[529] Vgl. etwa KRAELING, John, 151f; MERKLEIN, Gottesherrschaft, 158–160; PERCY, Botschaft, 178–181.

[530] Vision, passim; vgl. auch MERKLEIN, Gottesherrschaft, 160; PERCY, Botschaft, 181–187.

[531] Von daher kritisiert KRAELING, John, 148–152 zu Unrecht die theologische Linienführung in der Rekonstruktion GOGUELS, seuil, v. a. 262–268.

[532] Vgl. KRAELING, John, 151. MÜLLER, Vision, 428 dürfte richtig vermuten, daß diese Erfahrungen in einem vorauslaufenden Wirken Gottes verankert sind.

[533] Daß Jesus „insofern ... kein ‚Täuferschüler'" war (SCHÜRMANN, Reich, 33), ist eine These, die Schülerschaft mit Übereinstimmung gleichsetzt.

ihr her bekam die Heilsverkündigung Jesu etwas Angriffiges, eine fast paradoxe Vehemenz, weil sie doch aus einem gewissen Zweifel – was die Sammlung ganz Israels auf Bekehrung hin anging – getätigt werden mußte. Aber es war Jesu Auftrag und Ge-Schick, aus der Gegenwartserfahrung seines ,Aufblicks' zum Abba von dieser seiner Abba-Erfahrung zu erzählen und seine Basileia-Verkündigung zuinnerst von ihr bestimmt sein zu lassen".[534]

Nun leidet es einigen Zweifel, ob die Mission des Täufers tatsächlich scheiterte. In äußerer Hinsicht war sie jedenfalls außergewöhnlich erfolgreich (vgl. Mk 1, 5 / Mt 3, 5; Lk 3, 21; Josephus, Ant., 18, 116–119; ferner Mt 21, 31f / Lk 7, 29f; Mk 11, 27–33 parr), erfolgreicher möglicherweise als Jesu eigenes Wirken. Ob die Sendung des Jordanpropheten innerlich scheiterte, hängt davon ab, inwiefern sich Johannes wirklich die Sammlung ganz Israels zum Ziel gesetzt hatte; seine apodiktische Gerichtsandrohung läßt dies jedenfalls nicht vermuten. Schließlich fragt sich, warum Jesus sich ständig durch den Rekurs auf ein gescheitertes Werk hätte legitimieren sollen. „Si Jésus a jugé la prédication de Jean-Baptiste insuffisante et inefficace, il n'a cependant jamais contesté que Jean eut reçu une mission divine".[535] Jesu Wertschätzung des Täufers, aber auch die ἀρχή-Theologie der frühesten Kirche (s. u. IV:3) lassen Jesus vielmehr in Kontinuität zu Johannes begreifen: er wollte nicht Gescheitertes ersetzen, sondern Begonnenes fortsetzen und vollenden und insofern die Täuferpredigt zu sich selbst führen. Daß das Element der Diskontinuität in diesem Kontinuum tatsächlich in Jesu Abba-Erfahrung lag, sieht SCHÜRMANN richtig und suchte – ihm folgend – der vorliegende Profilvergleich darzulegen.

Nach dem Gesagten wird Jesus im Auftreten des Johannes das eschatologische Fanal gesehen haben[536]: Johannes bereitet den Anbruch des Gottesreichs vor, indem er die „anthropologische Prämisse" klärt, den Zustand des Menschen offenlegt, dessen Gott sich erbarmt. Er als erster kündigt Gottes Kommen autoritativ an und ist insofern in der Tat „Anfang" des Evangeliums Jesu. Nach Mk 11, 27–33 parr mag es in concreto die Johannestaufe und die durch sie ausgelöste Umkehrbewegung sein, die Jesus als entscheidende Voraussetzung seines eigenen Wirkens begreift.[537] Der Täufer gehört für Jesus in die Zeit der

---

[534] SCHÜRMANN, Reich, 33f; tendenziell vertritt den Gedanken vom Scheitern des Johannes und vom Neuansatz durch Jesus bereits DIBELIUS, Überlieferung, 138–140.

[535] GOGUEL, seuil, 271.

[536] Vgl. etwa auch KRAELING, John, 145.

[537] Vgl. PERCY, Botschaft, 200. Nur am Rande sei vermerkt, daß das dunkle Logion vom Jona-Zeichen (Mt 12, 39 / Lk 11, 29) möglicherweise in diesem Kontext zu verstehen ist: die große, durch die Botschaft des Täufers ausgelöste Umkehrbewegung ist das der Reue der Niniviten vergleichbare Zeichen, das „diesem Geschlecht" gewährt wird (vgl. BRANDT, Baptismen, 82–84; van ROYEN, Jezus, 63f; v. a. aber LINNEMANN, Jesus, 232–235, die sich auch mit anderen Deutungsmöglichkeiten auseinandersetzt); CHEYNE, Art. John, 2501f; KRAELING, John, 136f; MANSON, sayings, 89–91 (vgl. WINK, John, 22f A. 2) beziehen das Zeichen auf die Person des Johannes. Vgl. jedoch C. R. BOWEN, Was John the Baptist the Sign of Jonah?, in: AJT 20 (1916) 414–421. Einen Überblick über die diversen Lösungsalternativen bietet J. JEREMIAS, Art. „Ἰω-

„eschatologischen Wehen", ist Wegbereiter und Vorläufer nicht direkt Jesu, sondern der Gottesherrschaft und damit indirekt auch Jesu (vgl. Mt 11, 9 / Lk 7, 26; Mt 11, 11 / Lk 7, 28; Mt 21, 31f / Lk 7, 29f; Mk 11, 29f parr). Da freilich Jesus Johannes im Licht der ureigenen βασιλεία-Botschaft sieht und dessen ursprünglichen Intentionen durchaus nicht in dessen Sinne interpretiert, wird man mit E. LOHMEYER festhalten, daß der Geschichtsverlauf „Jesus in umfassendem Sinne zum Nachfolger des Johannes, nicht aber diesen zum Vorläufer Jesu macht".[538]

Steht also die religionsgeschichtliche Zugehörigkeit Jesu zur Täuferbewegung zweifelsfrei fest, so liegt damit doch kein Indiz für Jesu Gliedschaft im engeren Jüngerkreis vor. Denn einerseits sind die Prämissen, die Jesus mit dem Täufer teilt, so allgemein, daß sie aus der Prägung Jesu durch die Johannes-Bewegung hinreichend erklärt werden können[539], und andererseits darf nicht übersehen werden, daß Jesus beansprucht, die Täuferbotschaft besser zu verstehen als der Täufer selbst, und sie einer Interpretation unterwirft, die den ursprünglichen Absichten des Johannes fremd ist; er modifiziert die Täuferbotschaft erheblich, ohne daß irgendwo ein abrupter Kontinuitätsbruch festzustellen ist (s. o. II:2.1). Dies erklärt sich am ehesten dadurch, daß Jesus unter generellem Rekurs auf die Predigt des Johannes von Anfang an selbständig auftritt. Jesus beansprucht als autonomer Prophet, die Sendung des Täufers zu vollenden. „This more than any sense of loyalty to a former mentor, explains why Jesus would have continued to speak highly of John and why he would have seen a real continuity between their respective ministries".[540]

---

nāw", in: ThWNT III (1938), 410–413, hier: 412f; die Liste wäre um den jüngsten Vorschlag bei G. SCHMITT, Das Zeichen des Jona, in: ZNW 69 (1978) 123–129 zu ergänzen, nach dem das Signum die Zerstörung Jerusalems sei (dazu GNILKA, C: Mt I, 468f).

[538] Urchristentum, 16.

[539] Sie sind freilich zu konkret, um sich lediglich durch das allgemeine religionsgeschichtliche Umfeld erklären zu lassen.

[540] HUGHES, John, 210; zur Kontinuität vgl. ERNST, Täufer, 169–174; HUGHES, John, 202–212.

4. Summe: Jesus und der Täuferkreis

Das erste Resultat des vorliegenden Teils der Untersuchung ist negativ. Gegen eine sententia fere communis der Täuferkreis- und Jesus-Forschung (s. o. II:1) gehörte Jesus von Nazaret dem „narrower circle" der Johannesjünger mit einem denkbar hohen Wahrscheinlichkeitsgrad nicht an. Alle einschlägigen Hypothesensysteme, seien es die diversen Konflikttheorien im strikten Sinne (s. o. II:2.1.1; 2.1.2.1; 2.1.3.1; 2.1.4.1) oder die Theorien einer Anfangsvision (s. o. II:2.1.1; 2.1.5.1), erweisen sich in der Einzelprüfung als unhaltbar (s. o. II:2.1.2.2; 2.1.3.2; 2.1.4.2; 2.1.5.2). Alle beigebrachten Einzelargumente, im wesentlichen die Hinweise auf die Bezeichnung Jesu als Nazorärer (s. o. II:2.2.1), die Wendungen „ὁ ὀπίσω μου ἐρχόμενος" (s. o. II:2.2.2) und „λῦσαι τὸν ἱμάντα τῶν ὑποδημάτων αὐτοῦ" (s. o. II:2.2.3) und auf den Terminus ὁ μικρότερος (s. o. II:2.2.4), stellen sich nicht nur als nicht triftig heraus, sondern sind durch ökonomischere und plausiblere Erklärungen völlig ersetzbar (s. o. II:2.2.1–2.2.4). Die angeführten Belegtexte, denen in dieser Studie noch eine verschollene Toledot-Überlieferung hinzuzufügen war (s. o. II:2.2.6), bringen entweder eine Jüngerschaft Jesu gar nicht zum Ausdruck (s. o. II:2.2.5) oder sind in toto historisch unbrauchbar (s. o. II:2.2.6).

Die Destruktion einer Mitgliedschaft Jesu im Täuferjüngerkreis genügte indes nicht, sondern war durch den positiven Aufweis der tatsächlichen Beziehungen Jesu zu diesem Kreis zu ergänzen. Ohne der Untersuchung der expliziten Belegtexte vorzugreifen (s. u. III:2; 3; 6), ist doch zu konstatieren, daß sie Jesus als einen vom Täuferkreis unabhängigen Propheten eigener Prägung erkennen lassen. Also blieb der Rekonstruktion nur, die Beziehung Jesu zu dem als seinen „Meister" oder „Lehrer" vermuteten Täufer genauer zu untersuchen. Zugleich war so Aufschluß über die Ursprünge und Wirkungen der christlichen Täuferinterpretation zu erhoffen, die die Hauptstütze für die regelmäßig postulierte Täuferkreis-Polemik bzw. -Apologetik der neutestamentlichen Literatur darstellt.

Auf der Grundlage des als „authentisch" zu sichernden Bestands der Logienüberlieferung und der ebenso gesicherten Einschätzung Jesu und Johannes' durch ihre Zeitgenossen (s. o. II:3.2–3.4) ergab sich der folgende, in groben Zügen zu skizzierende Zusammenhang: Jesus trat in zeitlichem Abstand zum Täufer auf und bewegte sich in dem gleichen religiös-sozialen Milieu wie dieser; auch seine Anhängerschaft setzte sich zu einem bedeutenden Teil aus Kreisen

der Umkehrbewegung des Johannes zusammen. Jesus bekannte sich vorbehalt-
los zur Predigt und zum Wirken des Jordanpropheten und sah sich selbst
weithin als „Parallele" zum Täufer; auch die Zeitgenossen haben Jesu Auftreten
in diesem Sinn verstanden. Jesus wirkte mithin primär als ein eschatologischer
Prophet im Rahmen der Täuferbewegung; bei seinen Hörern setzte er stets eine
hohe Wertschätzung des Johannes voraus. Gleichwohl entwickelte Jesus nicht
nur das „Erbe" des Täufers fort, sondern beanspruchte zugleich, dessen Botschaft authentisch zu interpretieren und sie mit der Predigt von der Gottesherrschaft zu sich selbst und an ihr Ziel zu führen. Für ihn hob mit der Johannestaufe
und der durch sie ausgelösten und verkörperten Massenbewegung jene „heilsgeschichtliche" Dynamik an, als deren Vollender er sich selbst sah. Daher entschied sich die Stellung zur Gottesherrschaft und damit auch zur Person Jesu
zwar bereits am Verhalten gegenüber Johannes und seinem Bußritus, doch
gehörten der Täufer und seine Taufe dem ordo vetus an. Diese „heilsgeschichtliche" Einordnung des Jordanpropheten hat Jesus mehrfach beschäftigt: Johannes und er selbst waren die end-gültigen Gottesboten, doch stand Johannes im
Vorraum, Jesus im Anbruch der Eschata.

Die überlieferungsgeschichtliche Fortentwicklung und der wirkungsge-
schichtliche Reflex dieser Logien (s. o. II:3.2–3.4) setzen die bereits bei Jesus zu
beobachtenden Tendenzen fort. Sie bestätigen die überraschend breite und hohe
Verehrung des Johannes unter seinen jüdischen Zeitgenossen; kurz nach seinem
Tod galt der Täufer als Heilsgestalt. Ein zentrales theologisches Problem blieb
die heilsgeschichtliche Einordnung des Johannes, insbesondere sein Verhältnis
zu Jesus. Zugleich bestätigt sich ein Bewußtsein der Ursprungsidentität von
Täuferbewegung und Christentum. Die neutestamentliche Täuferinterpretation
ist, soweit sie untersucht wurde, weithin eine „Reflexion" auf die eigene
Ursprungsgeschichte.

Das so – naturgemäß fragmentarisch (s. o. II:3.2) – gewonnene Bild vom
Verhältnis Jesu zum Täufer ließ sich im allgemeinen religionsgeschichtlichen
Vergleich zwischen den beiden Propheten verifizieren und präzisieren (s. o.
II:3.5). In ihren Parallelen und Divergenzen zur Täuferpredigt (s. o. II:3.5.1)
erweist die Botschaft Jesu ihre geschichtliche Vermittlung durch diese (s. o.
II:3.5.2). Jesus hat die Predigt des Johannes unter der Prädominanz der Abba-
Theozentrik reinterpretiert und konsequent radikalisiert. Wie sich die Umkehr-
bewegung des Täufers als religiös-soziale Voraussetzung des Wirkens Jesu und
des Christentums erweist, so dessen Botschaft als deren sachliche Prämisse.
Gleichwohl ist Jesus von Anfang an autonom und mit dem Anspruch des πλεῖον
aufgetreten (s. o. II:3.5.3).

Der religionsgeschichtliche Vergleich zwischen Jesus und Johannes ist insofern negativ, als die Eigenart der Beziehungen keinen Raum für eine Mitgliedschaft Jesu im engeren Kreis der Johannesjünger läßt; dessen Zugehörigkeit zur
Täuferbewegung im weiteren Sinn belegt er indes mit aller Deutlichkeit. Der

heuristische Wert dieses Vergleichs für die weitere Untersuchung des Phänomens „Täuferkreis" liegt im Nachweis 1) einer breiten und fortgesetzten starken Täuferverehrung im Judentum, 2) einer weitgehenden Ursprungsidentität von Täuferbewegung und frühestem Christentum, 3) der daraus resultierenden – vor allem christologischen – Aporien der neutestamentlichen Täuferinterpretation. Damit konnte historisch wie überlieferungsgeschichtlich ein Problemkreis erhellt werden, dessen neutestamentlichen Lösungen oft kurzschlüssig einfachhin als Apologetik oder Polemik angesichts religiöser Geltungsansprüche einer Sekte von Johannesjüngern erklärt werden. Im Licht der hier gewonnenen Resultate zeigt sich vielmehr, daß diese Erklärungsversuche eine unsichere der sicher belegbaren Darstellungsabsicht vorziehen. Das Bedürfnis nach christologischen Absicherungen läßt sich ebenso völlig plausibel ohne Rekurs auf eine hypothetische Täufersekte erklären wie eine besondere, von den Synoptikern bekämpfte Verehrung des Johannes in jüdischen Volksschichten. Die Verwurzelung Jesu, seines Anhangs und des frühen Christentums in der Täuferbewegung, die Kirche als Folge und Wirkung der Initiative des Johannes stellen das eigentliche Problem der neutestamentlichen und insbesondere der synoptischen Täuferinterpretation dar, nicht aber die Befehdung einer hypothetischen Täufersekte mit hypothetischen Geltungsansprüchen. Die neutestamentlichen Theologen setzen sich nicht primär apologetisch-polemisch mit einer konkurrierenden Gemeinschaft auseinander, sondern „protologisch" mit der Ursprungsgeschichte der eigenen Gemeinschaft.

Im Ausgang von der so gewonnenen Perspektive sind die Täuferkreis-Passus im engeren Wortsinn zu untersuchen.

TEIL III

Der Täuferkreis in der neutestamentlichen, nebenneutestamentlichen und frühnachneutestamentlichen Literatur

1. Methodologische Vorüberlegungen

Der forschungsgeschichtliche Überblick hat das Desiderat einer methodologisch reflektierten Relektüre der einschlägigen Täuferkreis-Passus deutlich werden lassen (s. o. I:1). Hier stellt sich zunächst die Frage, welche Texte als „einschlägig" zu betrachten sind, sodann das Problem, wie diese Relektüre erfolgen soll.

Für den hier zu untersuchenden Gegenstand sind einschlägig an erster Stelle alle neutestamentlichen, nebenneutestamentlichen und frühnachneutestamentlichen Passus[1], die den Täuferkreis im weitesten Sinne – Johannesjünger, eine Johannes-Sekte oder ähnliches – nennen, ferner solche Texte, in denen nach dem Urteil eines beachtlichen Teils der Forschung[2] dieser Täuferkreis thematisch wird, ohne explizite genannt zu werden, sei es neutral narrativ oder apologetisch, polemisch oder missionarisch oder handle es sich um eine auf den Täuferkreis zurückgeführte mündliche Tradition oder Quelle. Um jedoch zu einem möglichst wahrscheinlichen Resultat zu gelangen – wie aus untersuchungs- und darstellungstechnischen Gründen –, empfiehlt es sich, die diffizile Frage nach der Bedeutung des Täuferkreises in den neutestamentlichen Redaktionen erst nach Absicherung des historisch und redaktionsgeschichtlich einfacher zu erhellenden Grundes der direkten Belege sowie nach Klärung der historisch-religionsgeschichtlichen Rahmenbedingungen (s. u. IV) zu stellen (s. u. V).

Zur methodologischen Reflexion bei der erforderlichen Relektüre gehört primär, daß Existenz und Eigenart des Täuferkreises in kritischer Distanz zum forschungsgeschichtlichen Herkommen nicht als abgesichert und bekannt vorausgesetzt, sondern *für den einzelnen Belegtext* als Problem aufgefaßt und untersucht werden. Dabei müssen die oben entwickelten methodologischen Prinzipien und Kriterien zur Anwendung kommen (s. o. I:2). Um eine möglichst breite historische Basis und einen möglichst prägnanten redaktionsgeschichtlichen Befund zu erreichen, hat sich die Texterschließung der strikt

---

[1] Auf die nicht näher zu untersuchenden Texte gehen wir summarisch unter III:13.9 ein.

[2] Sollte jede einzelne Forschungsmeinung berücksichtigt werden, so wären sub voce Täuferkreis nachgerade die gesamte Evangelienliteratur, die Acta, zahlreiche Briefe und Apokryphen zu untersuchen. Wir demonstrieren die Auswüchse paradigmatisch an den Thesen Jones', references (s. u. V:3.1).

diachronen Analyse zu bedienen, darf sich also nicht, wie es in der Täuferkreis-Forschung weithin geschieht, damit begnügen, vordergründig-eindimensional eine Beziehung zum Täuferkreis festzustellen. Vielmehr ist nach dem üblichen Verfahren historischer Sinnerhebung die älteste erreichbare Fassung der Überlieferung zu rekonstruieren, die historischen Grundlagen sind zu prüfen und auszuwerten, auf jeder überlieferungsgeschichtlichen Ebene ist der Bezug zum – jeweils präziser zu beschreibenden – Täuferkreis freizulegen. Unter Umständen ist die Auslegung genötigt, den Sinn des Textes über das unmittelbare Thema des Täuferkreises hinaus zu erschließen, um so die eigene, „nicht-täuferische" Interpretation gegenüber anderen – meist auf eine „Täuferpolemik" zielenden – Ansätze abzusichern. Je direkter sich eine Perikope auf den Täuferkreis bezieht, um so detaillierter muß sie in der Einzelanalyse erschlossen werden.

Die Auslegung der einschlägigen Passus kann auf die Resultate des ersten Hauptteils der Untersuchung zurückgreifen (s. o. II). Die heilsgeschichtliche Position des Täufers Johannes gegenüber Jesus und am Ursprung des Christentums war der frühesten christlichen Täuferinterpretation *in sich* ein Problem. Täufer-Apologetik, -Polemik oder -Mission war bislang weder für Q noch für die Synoptiker zu ermitteln. Indes zeigte sich die enge Verzahnung Jesu, der Jesus-Bewegung und der frühesten Kirche mit der Täuferbewegung und ein besonderes Interesse von Q an der Gestalt und Deutung des Täufers Johannes, das auf die Ursprungsgeschichte der Q-Gemeinde zurückweisen mag.

2. Mt 11, 2–6 / Lk 7, 18–23

2.1 Rekonstruktion des Wortlauts der Q-Vorlage

Der Wortlaut differiert bei beiden Seitenreferenten so stark, daß er kaum verbotenus zu rekonstruieren ist; jedoch kann die sachliche Essenz des Q-Textes noch ermittelt werden. Im ganzen erscheint die lukanische Version, wie fast allgemein geurteilt wird, gegenüber der forma brevior bei Mt als sekundär. Lk 7, 20f wirkt wie eine „verlebendigende Ausmalung"[3] der matthäischen Parallele und weist mit der einleitenden Partizipialkonstruktion „παραγενόμενοι δὲ πρὸς αὐτὸν οἱ ἄνδρες" (Lk 7, 20) und in der Ausführung der therapeutischen Tätigkeit Jesu (7, 21) deutlich lukanische Spracheigentümlichkeiten auf.[4] Kompositionstechnisch[5] und vor allem inhaltlich[6] entspricht der Einschub lukanischer Intention, während umgekehrt nicht einsichtig ist, warum Mt die Illustration der ἔργα τοῦ Χριστοῦ hätte streichen sollen.[7]

Bedeutsam sind in Mt 11, 2 diff Lk 7, 18:
1. die Ortsangabe „ἐν τῷ δεσμωτηρίῳ",
2. das Objekt „τὰ ἔργα τοῦ Χριστοῦ" statt „περὶ πάντων τούτων",
3. die Präposition „διά" c. gen. statt des Numerale „δύο".

---

[3] KÜMMEL, Antwort, 149; vgl. näherhin VÖGTLE, Wunder, 220: „Mit Hilfe des Einschubs seiner V. 20f expliziert Lk die in Q enthaltene Aussage über die Wunder Jesu zu einer ausdrücklichen zweifachen Bestätigung der Heilbringerwürde Jesu, nämlich erst durch die als solche wahrgenommenen Wunder (V. 21–22a, b), dann durch den Hinweis, daß diese die Erfüllung eschatologischer Verheißungen bedeuten (V. 22c)".

[4] Zu Lk 7, 20 vgl. die vokabel- und stilstatistischen Beobachtungen bei SCHÖNLE, Johannes, 175f A. 8; SCHULZ, Q, 191; zu Lk 7, 21 vgl. HOFFMANN, Studien, 193 A. 13; SCHÖNLE, Johannes, 39f; SCHULZ, Q, 191f.

[5] Vgl. dazu SCHÖNLE, Johannes, 39.

[6] Vgl. dazu SCHÜRMANN, C: Lk I, 410.

[7] Lk 7, 20f wird etwa auch von BULTMANN, Geschichte, 22; DIBELIUS, Überlieferung, 33 A. 1; GARDNER, appraisal, 98–100; GNILKA, C: Mt I, 405; HOFFMANN, Studien, 192f; KÜMMEL, Antwort, 149; SABUGAL, embajada, 122f u. ö.; SCHMIDT, Rahmen, 117; SCHÖNLE, Johannes, 39 u. ö.; SCHULZ, Q, 191f; VÖGTLE, Wunder, 220 für sekundär gehalten. Unnötig kompliziert RIESNER, Lehrer, 300, der für die beiden Seitenreferenten zwei verschiedene Vorlagen postuliert; es genügt zur Erklärung aber völlig, von einer erweiternden Redaktionsarbeit des Lk auszugehen.

Zu 1.: Vokabelstatistisch bevorzugen die Großevangelien ἡ φυλακή, τὸ δεσμωτήριον ist synoptisches Hapaxlegomenon.[8] Außerdem zeigt sich Lk, der bereits in Lk 3, 19f die Inhaftierung des Täufers erwähnt (vgl. Mt 14, 3), auch sonst an dessen Gefängnisaufenthalt desinteressiert (vgl. Mk 6, 14–29/Mt 14, 1–12 diff Lk 9, 7–9).[9]

Zu 2.: Der Hoheitstitel Χριστός ist für Q nicht belegt[10], sachlich entspricht die Wendung „τὰ ἔργα τοῦ Χριστοῦ" matthäischer Christologie[11]; das bedeutet freilich nicht, daß die lukanische Alternative deshalb bereits den Q-Text repräsentiert, aber gegen sie lassen sich keine triftigen Einwände vorbringen.[12]

Zu 3.: Die Zweizahl der Zeugen ist lukanisches Interpretament[13] und Korrektur der auch von C³ L f¹ 𝔐 aur ff¹ g¹ vg sy^hmg bo; Or veränderten, sprachlich nicht sehr geläufigen matthäischen Lesart, die Lk im Zuge seiner Neuformulierung der Einleitung vornimmt.

Die übrigen Differenzen sind eher stilistischer Art. ἀπαγγέλλω (Lk 7, 18a) ist lukanische Vorzugsvokabel[14]; auch die Präpositionalwendung in Lk 7, 18 ist lukanisch formuliert.[15] Ebenso wird der Titulus ὁ κύριος (Lk 7, 19a) auf den dritten Evangelisten zurückgehen.[16] Die Umstellung im Objektsatz Mt 11, 4b/ Lk 7, 22b und die praeteritale Zeitstufe der Verben trägt dem lukanischen Einschub Lk 7, 20f Rechnung.[17] Die übrigen Textdifferenzen lassen keine sichere Entscheidung zu.[18]

---

[8] Vgl. SABUGAL, embajada, 40 A. 21, 119.
[9] Ebenso GARDNER, appraisal, 96; KÜMMEL, Antwort, 149f; MARSHALL, C: Luke, 289; SABUGAL, embajada, 40 A. 21, 119; anders GNILKA, C: Mt I, 405; SCHÖNLE, Johannes, 40; SCHULZ, Q, 191; VÖGTLE, Wunder, 221; resignierend HOFFMANN, Studien, 192.
[10] SCHÖNLE, Johannes, 40.
[11] Vgl. GARDNER, appraisal, 95; HELD, Interpret, 239f; HOFFMANN, Studien, 191; SABUGAL, embajada, 120; SCHÖNLE, Johannes, 40; SCHULZ, Q, 191; STUHLMACHER, Evangelium, 218.
[12] Nach VÖGTLE, Wunder, 221 verweist die Präpositionalwendung auf Lk 7, 1–10. 11–17 zurück, aber die Formulierung wirkt doch allzu pauschal. Auch SCHULZ, Q, 190f A. 117 hält die lukanische Lesart unter Berufung auf die vokabelstatistische Auffälligkeit von πᾶς und οὗτος im Lk-Werk für sekundär, doch hätte er wohl kaum weniger signifikante Vokabeln zur Demonstration wählen können. SCHÖNLE, Johannes, 40 bleibt unbestimmt.
[13] Vgl. GARDNER, appraisal, 95; MARSHALL, C: Luke, 289; VÖGTLE, Wunder, 220.
[14] Vgl. HOFFMANN, Studien, 192.
[15] Vgl. ebd.; SCHÖNLE, Johannes, 40.
[16] Zur Begründung vgl. GARDNER, appraisal, 97; VÖGTLE, Wunder, 221.
[17] Vgl. HOFFMANN, Studien, 193; SCHULZ, Q, 192; zur Diskussion SCHÖNLE, Johannes, 41.
[18] Zur eingehenderen synoptischen Diskussion vgl. GARDNER, appraisal, 95–101; HOFFMANN, Studien, 192f; SABUGAL, embajada, 118–123; SCHÖNLE, Johannes, 38–41; SCHULZ, Q, 190–192; VÖGTLE, Wunder, 219–222.

2.2 Überlieferungsgeschichtliche Analyse

In überlieferungsgeschichtlicher Perspektive stellt sich die Alternative, die Perikope Mt 11, 2–6/Lk 7, 18–23 als ursprüngliche Einheit zu betrachten[19] oder davon auszugehen, daß ein historisches bzw. überkommenes Logion Mt 11, 5f/Lk 7, 22f sekundär mit der apophthegmatischen Exposition Mt 11, 2–4/Lk 7, 18–21 verknüpft worden ist[20]; eine isolierte Tradierung der Rahmenszene kommt wegen deren völliger Pointenlosigkeit nicht in Betracht.

Zugunsten der zweiten Möglichkeit kann man keineswegs auf die Inkongruenz der beiden Teile verweisen, denn gerade der Umstand, daß im Logion weder der Täufer genannt noch seine Frage direkt beantwortet wird, zeigt, daß dieses Logion die Bildung des Rahmens nicht angeregt hat.[21] Außerdem erweist die Texterschließung, daß die verhüllte Antwort im redaktionellen Gefüge von Q durchaus zur Täuferfrage paßt (s. u. III:2.5). So führt einzig die Option der Authentizität des Logions bei gleichzeitigem Mißtrauen gegen die historische Zuverlässigkeit des Rahmens zur überlieferungsgeschichtlichen Diakritik.[22] Indes stellt sich bei näherer Untersuchung heraus, daß die Perikope in *beiden* Teilen nicht Historisches mitteilt (s. u. III:2.3).[23] Schließlich wäre bei einer Sekundärkomposition der Exposition, der dann ein täuferbiographisches Interesse zu unterstellen wäre, eine Schlußsentenz oder ähnliches erwartbar, ohne die der „Rahmen" unvollständig bleibt.[24] Vor allem ist eine situationslose Tradierung des Herrenlogions nicht denkbar: die Endzeitschilderung setzt „einen Rahmen voraus, der die Antwort Jesu ortet".[25] Mithin gehören Exposition und Logion ursprünglich zusammen.

Mt 11, 6/Lk 7, 23 ist von Mt 11, 5/Lk 7, 22 nicht zu trennen, da hier allererst die Pointe geboten wird[26] und auch eine isolierte Überlieferung von Mt 11, 6/Lk 7, 23 nicht vorstellbar ist. Zur Rahmenszene besteht, da der Makarismus nicht auf den Täufer, sondern auf den Leser zu beziehen ist (s. u. III:2.5.4), ein

---

[19] So DIBELIUS, Überlieferung, 37; GNILKA, C: Mt I, 409; HOFFMANN, Studien, 209f; KÜMMEL, Antwort, 155; MARSHALL, C: Luke, 288f; PESCH, Taten, 39; SABUGAL, embajada, 123f; SCHÖNLE, Johannes, 58; SCHULZ, Q, 193; STROBEL, Untersuchungen, 271f; STUHLMACHER, Evangelium, 223f; VÖGTLE, Wunder, 236–238.

[20] So BULTMANN, Geschichte, 22 u.ö.; MERKLEIN, Gottesherrschaft, 162f; vgl. auch BECKER, Johannes, 84.

[21] Vgl. LÜHRMANN, Redaktion, 26; PESCH, Taten, 39; VÖGTLE, Wunder, 238.

[22] So argumentiert BULTMANN, Geschichte, 22, 135.

[23] Um jede Vorentscheidung zu meiden, werden Rahmen und Logion in der historischen Würdigung getrennt untersucht!

[24] Vgl. KÜMMEL, Antwort, 155.

[25] HOFFMANN, Studien, 210; ähnlich KÜMMEL, Antwort, 155. Bei dem vergleichbaren Logion Mt 13, 16f/Lk 10, 23f ist diese Ortung durch den eindeutigen Bezug auf Jesu eschatologisch relevantes Wirken gegeben; dem Makarismus eignet hier eine andere Funktion als in Mt 11, 6/Lk 7, 23; vgl. auch VÖGTLE, Wunder, 235.

[26] Vgl. BULTMANN, Geschichte, 115.

direkter Zusammenhang; außerdem formuliert der Rahmen gerade pluralisch (Mt 11,3/Lk 7,19), so daß der Numeruswechsel in Mt 11,6/Lk 7,23 nicht gegen die Einheitlichkeit der Perikope ins Feld geführt werden kann.[27] Gegenüber anderen Seligpreisungen (vgl. Mt 13,16f/Lk 10,23f) hebt sich die hier vorliegende auch dadurch ab, daß sie durch die Konjunktion καί mit dem vorangehenden Satz verbunden ist.[28]

Somit darf im ganzen die literarische Einheitlichkeit der Perikope als gesichert gelten; die weitere Analyse (s. u. III:2.3.1; 2.5.5) ergibt, daß diese Einheit sich im wesentlichen auf die Q-Gemeinde zurückführen läßt.

2.3 Historische Würdigung

2.3.1 Die Rahmenszene

Die Historizität der Perikope ist ein oft behandeltes Thema, zumal sie als christologischer Schlüsseltext prinzipielle hermeneutische Erwägungen zur Authentizität der Jesus-Überlieferung überhaupt anregt.[29] Während das Logion Mt 11,5f/Lk 7,22f häufig auf Jesus zurückgeführt wird[30], findet die historische Zuverlässigkeit des in der Rahmenszene Dargestellten jedenfalls in der jüngeren

---

[27] Gegen HOFFMANN, Studien, 210 A. 81.

[28] Vgl. VÖGTLE, Wunder, 235f.

[29] So KÜMMEL, Antwort; vgl. VÖGTLE, Wunder, 219.

[30] BALDENSPERGER, Prolog, 102f A. 6; BECKER, Johannes, 83f; BÖCHER, Überlieferung, 59 A. 9; BORNKAMM, Jesus, 60; BRAUN, Radikalismus II, 46–53 A. 1 (51); BULTMANN, Geschichte, 135f, 163; CHEYNE, Art. John, 2501; CULLMANN, Christologie, 162; DIBELIUS, Überlieferung, 37, 140; DUPONT, ambassade, 805,810f; GAECHTER, C: Mt, 360f; GRUNDMANN, C: Mt, 304; HUGHES, Disciples, 89–93; JEREMIAS, Gleichnisse, 115f; DERS., Theologie, 106f; KERTELGE, Überlieferung, 188f (vorsichtig); KÜMMEL, Verheißung, 102–104; DERS., Antwort, 152–158; KUHN, Enderwartung, 197; LÜHRMANN, Redaktion, 25f; MARSHALL, C: Luke, 288; PERCY, Botschaft, 188f; van ROYEN, Jezus, 56; SABUGAL, embajada, 151–159; SCHNACKENBURG, Herrschaft, 81; SCHÜRMANN, C: Lk I,413f; SCHÜTZ, Johannes, 103f; SCOBIE, John, 144; SPITTA, Sendung, 544–547; STAUFFER, Jerusalem, 93; DERS., Gestalt, 67; STROBEL, Untersuchungen, 271f, 277. Hingegen sprechen sich gegen die Authentie des Logions aus: von GALL, Βασιλεία, 431f; GARDNER, appraisal, 105–108; GOGUEL, seuil, 63f, 273; HAENCHEN, C: Weg, 44; HOFFMANN, Studien, 209f; KRAELING, John, 130f; LINDESKOG, Johannes, 68; MEYER, Ursprung I, 84f; PESCH, Taten, 39–41; SCHILLEBEECKX, Jesus, 165; SCHÖNLE, Johannes, 64 u. ö.; SCHULZ, Q, 193; SCHWEIZER, C: Mt, 165; STUHLMACHER, Evangelium, 219, 223f; THYEN, Studien, 142; VÖGTLE, Wunder, 231–236, 242. Unbestimmt bleiben G. DELLING, Botschaft und Wunder im Wirken Jesu, in: H. RISTOW u. K. MATTHIAE (Hg.), Der historische Jesus und der kerygmatische Christus. Beiträge zum Christusverständnis in Forschung und Verkündigung, Berlin ³1964, 389–402, hier: 394 A. 23; ERNST, C: Lk, 245f,247; FRIDRICHSEN, problem, 99–101; LOHMEYER, Urchristentum, 18; MERKLEIN, Gottesherrschaft, 163f; DERS., Botschaft, 67; MONTEFIORE, C: gospels II, 158; WINK, John, 23f.

Forschung relativ wenige Verfechter.[31] Für die hier zu untersuchende Problematik ist die Historizität der die Johannesjünger erwähnenden Exposition von besonderer Relevanz.[32]

In der tradierten Form zielt die Anfrage des Täufers Mt 11, 3 / Lk 7, 19 im Horizont von Mk 1, 7 / Mt 3, 11 / Lk 3, 16 (vgl. Joh 1, 15. 27. 30; Apg 13, 25; 19, 4; Justin, Dial., 49, 3; 88, 7) eindeutig auf den von Johannes angekündigten, aber christlich gedeuteten ἐρχόμενος. So erledigt sich bereits das von W. G. KÜMMEL vorgebrachte Echtheitsindiz, „ὁ ἐρχόμενος" sei keine im Judentum oder Urchristentum geläufige Messiasbezeichnung[33], denn nicht um ein beliebiges messianisches Prädikat geht es dem Text, sondern um die Identifizierung Jesu mit der Richtergestalt der Täuferpredigt. Nun hat der historische Johannes in der Tat nicht den Messias, sondern den zürnenden Gott angesagt (s. u. IV:1.2); daher fehlt es der Täuferanfrage an jeweder Möglichkeitsbedingung im historisch nachweisbaren Wirken des Johannes, denn selbst die Haltung „kritischer Sympathie"[34]

---

[31] Eine Ausnahme bildet hier vor allem SCHLATTER, Johannes, 152: „Unter allen Aussagen der Evangelien, die vom Verkehre des Täufers mit Jesus reden, ist, soweit es sich um die fides humana handelt, die Frage desselben: ‚Bist du, der kommen soll, oder sollen wir auf einen Anderen warten?' (Mt. 11, 3) die sicherste"; ähnlich plädieren für historische Zuverlässigkeit: BALDENSPERGER, Prolog, 102f A. 6; BÖCHER, Überlieferung, 59 A. 9; CHEYNE, Art. John, 2501; CULLMANN, Christologie, 24; DIBELIUS, Überlieferung, 37, 140; DUPONT, ambassade, 805, 810f; GAECHTER, C: Mt, 359f; GRUNDMANN, C: Mt, 304f (tendenziell); HUGHES, Disciples, 88–99; DERS., John, 202–207 (vorsichtig); KÜMMEL, Verheißung, 102–104; DERS., Antwort, 150–158; MARSHALL, C: Luke, 288f; van ROYEN, Jezus, 56; SABUGAL, embajada, 143–151, 159; SCHNAKKENBURG, Herrschaft, 81; SCHÜTZ, Johannes, 103f; SCOBIE, John, 143f; SINT, Eschatologie, 114; SPITTA, Sendung, 541–547; STAUFFER, Jerusalem, 93; DERS., Gestalt, 67; STROBEL, Untersuchungen, 271f. Hingegen sprechen sich gegen die historische Zuverlässigkeit von Mt 11, 2–4a / Lk 7, 18–21 aus: BULTMANN, Geschichte, 22; von GALL, Βασιλεία, 431f; GARDNER, appraisal, 105–108; GNILKA, C: Mt I, 409f; GOGUEL, seuil, 63; HAENCHEN, C: Weg, 44; HOFFMANN, Studien, 200f; KLAUSNER, Jesus, 249; KLOSTERMANN, C: Mt, 95; KRAELING, John, 127, 130f; KUHN, Enderwartung, 195f A. 5; LINDESKOG, Johannes, 68; LÜHRMANN, Redaktion, 26; MERKLEIN, Gottesherrschaft, 162; MEYER, Ursprung I, 84f; PESCH, Taten, 39–41; SCHÖNLE, Johannes, 64 u. ö.; SCHÜRMANN, C: Lk I, 413f; SCHULZ, Q, 193; STUHLMACHER, Evangelium, 223f (tendenziell); THYEN, Studien, 142; VÖGTLE, Wunder, 222–231, 242. Unbestimmt bleiben ERNST, C: Lk, 245f; FRIDRICHSEN, problem, 99–101; JEREMIAS, Gleichnisse, 116 A. 5; KERTELGE, Überlieferung, 187; LOHMEYER, Urchristentum, 18; MONTEFIORE, C: gospels II, 157; SCHWEIZER, C: Mt, 165f.

[32] Zur methodischen Scheidung der historischen Würdigung der Rahmenszene von der historischen Würdigung des Herrenlogions s. o. III:2.2.

[33] Vgl. Verheißung, 103; Antwort, 153f.

[34] Vgl. KÜMMEL, Antwort, 143 u. ö.; so sehr es gewiß der historischen Hyperkritik der klassischen Formgeschichte an nüchterner Sachlichkeit fehlte, so unglücklich scheint uns dieser von KÜMMEL nachgerade zum hermeneutischen Prinzip erhobene Begriff: „Sympathie" bezeichnet einen zur konkreten historischen Rückfrage nicht dienlichen Affekt: nicht um persönliche Stimmungen des Auslegers geht es, sondern um die Stimmigkeit seiner Argumentation! Außerdem ist ein Text, theologisch betrachtet, für den Glaubenden desto „sympathischer", je mehr er an historischer Information mitteilt. Der Wert der methodologischen Ausführungen KÜMMELs liegt daher in erster Linie im Hinweis auf das Vorverständnis des Auslegers; in Hinsicht auf die historische Rückfrage wird man dieses am ehesten durch die oben (s. o. II:3.2) aufgewiesenen Kriterien

wird dessen Identifizierung mit Jesus von Nazaret außerhalb des historisch Möglichen ansiedeln.[35]

In der Gegenprobe entspricht die Rahmenszene völlig den für Q und die in ihrem Hintergrund stehende Gemeinde anzunehmenden Intentionen. In der synoptischen Gerichtspredigt des Täufers (Mk 1,7f/Mt 3,11f/Lk 3,16f; vgl. Apg 13,24f; 19,4) wird Jesus nicht explizite mit der kommenden Richtergestalt identifiziert.[36] Diese Identifizierung war vermutlich schon deshalb nicht möglich, weil die sehr erfolgreiche öffentliche Predigt des Johannes (s.o. II:3.3.3; 3.3.5) als bekannt vorauszusetzen war. Nun mußte Q daran gelegen sein, die Möglichkeit ihrer interpretatio Christiana bei Johannes selbst freizulegen. Dazu eignete sich die – naturgemäß verborgene – Anfrage des Täufers aus dem Gefängnis in besonderer Weise, und sie konnte keinen günstigeren Platz finden als am Eingang der größeren Täuferkomposition von Q (Mt 11,2–19/Lk 7,18–35), in der im weiteren nur noch ausgesprochen positiv von Johannes die Rede sein sollte. Damit erfüllt die als Einleitung der Gesamtkomposition eingesetzte Perikope die doppelte Funktion, die Präsentation der tradierten Jesus-Logien (s.o. II:3.3) im Raum der Q-Gemeinde zu ermöglichen und zugleich den Hiat zwischen der Täuferbotschaft und der jesuanischen Täuferpreisung zu überbrücken. Wenn die Herrenlogien von einer tiefen Einheit zwischen Jesus und Johannes ausgehen, so konnte Q diese Einheit nur in einem im Ansatz christlichen Bekenntnis des Johannes sehen. Erst wenn das Verhältnis des Täufers zu Jesus geklärt war, konnte Q die ihr überkommene Tradition über Jesu Verhältnis zu Johannes mitteilen.[37] Mithin scheint sich in der Perikope „der letzte Sinn der beiden Gestalten und ihres Werkes ... verkörpern zu sollen"[38], und gerade deshalb ist sie nicht als historisch einzustufen.[39]

Zugunsten der Historizität ist nun angeführt worden, daß statt eines Christus-Bekenntnisses des Johannes nur von einem „halbgläubigen Fragen" die Rede ist.[40] Jedoch kann einerseits nicht pauschal behauptet werden, das Urchristentum habe den Täufer als „Herold Jesu"[41] und „Christuszeugen"[42] stilisiert; für das synoptische Schrifttum gilt das höchstens in zaghaften Ansätzen (vgl. Mt

---

lenken und korrigieren lassen, wobei dem criterion of dissimilarity vorrangige Bedeutung zukommt.

[35] Vgl. ausführlich auch VÖGTLE, Wunder, 223–231.

[36] Das „Privatgespräch" Mt 3,14f entstammt matthäischer Christologie (s.u. V:3.2)!

[37] Daß Q ein Konkurrenzverhältnis zwischen Johannes und Jesus hätte durchscheinen lassen müssen, ist gegen PESCH, Taten, 38f nicht gesagt.

[38] LOHMEYER, Urchristentum, 18.

[39] Zur exegetischen Absicherung dieser Ausführungen s.u. III:2.5.5. Die an sich denkbare diachrone Analyse des Vor-Q-Stadiums erscheint methodologisch äußerst problematisch (s.u. III:2.4).

[40] DIBELIUS, Überlieferung, 37; vgl. KÜMMEL, Verheißung, 103; STROBEL, Untersuchungen, 272.

[41] DIBELIUS, Überlieferung, 37.

[42] KÜMMEL, Verheißung, 103; STROBEL, Untersuchungen, 272.

3, 14f), für Q jedenfalls überhaupt nicht.[43] Andererseits ist es, gerade wenn man hinter Q ehemalige Anhänger der Täuferbewegung annimmt (s. u. III:2.5.5), gänzlich unwahrscheinlich, daß der Redaktor nach Belieben mit der in seiner Hintergrundgemeinde gepflegten Täufertradition schalten konnte. Vielmehr blieb ihm nur, die Bedingung der Möglichkeit des Messiasbekenntnisses bei Johannes darzutun. Hierfür eignete sich die „apokryphe Szenerie" des Gefängnisses und der Vermittlung durch Boten: wichtige, der Gemeinde aber unbekannt gebliebene Herrenworte konnten so mitgeteilt werden, ohne daß Einwände zu befürchten waren. Geschichtskolorit vermittelt die legatio Baptistae also keineswegs. Was im übrigen in der Anfrage noch unsicher bleibt, findet sich in der Antwort dann in aller wünschenswerten Klarheit, und wenn in Entsprechung zur kompositionellen Funktion im Anschluß an die Perikope von der Reaktion des Täufers nicht berichtet wird, so expliziert Q dessen wesentliche Bedeutung doch spätestens in Mt 11, 10 / Lk 7, 27 (s. o. II:3.3.1.2); Mt 11, 11 / Lk 7, 28 (s. o. II:3.3.1.3).

Es ist a priori nicht auszuschließen, daß Q eine überkommene, vielleicht historisch zuverlässige Tradition über eine Jesus betreffende Unsicherheit des inhaftierten Täufers verwendet. Tatsächlich lag Jesu Botschaft in der Fluchtlinie der Täuferpredigt (s. o. II:3.5); möglicherweise stand Johannes vor der Frage, wie er sich zur „Fortsetzung" seines Wirkens durch Jesus stellen sollte. Die unter dieser Voraussetzung wahrscheinlichste Hypothese ist von J. H. HUGHES (1972) vorgelegt worden: unter dem Eindruck der Jesus-Bewegung habe der Täufer am Ende seines Lebens seine ἐρχόμενος-Erwartung dem Erfüllungsanspruch Jesu unterworfen, also korrigiert.[44] Jedoch ist eher anzunehmen, daß sich ein solcher Umdenkungsprozeß erst in der Anhängerschaft des Johannes vollzog. Hätte man von einer ausdrücklichen Ablehnung Jesu durch den Täufer gewußt, so wäre es kaum zu dem bruchlosen Übergang eines großen Teils der Anhängerschaft des Johannes zu Jesus gekommen (s. u. IV:3.1). Andererseits hätte die christliche Mission es nicht versäumt, eine explizite Anerkennung Jesu durch den Täufer ebenso publik zu machen wie Jesu Täuferlob (Mt 11, 7–19 / Lk 7, 24–35); in diesem Fall hätte ja auch die außerchristliche Täuferbewegung ihre Existenzberechtigung verloren.[45] So ist zu vermuten, daß es wegen der frühzeitigen Liquidierung des Johannes nicht mehr zu dessen Auseinandersetzung mit dem Evangelium Jesu kommen konnte; daraus resultiert eine gewisse Unklarheit über die Beziehung des Täufers zu Jesus, die sich literarisch auch in der Erzählung von der legatio Baptistae niederschlägt.[46]

---

[43] Dies schließt selbstverständlich nicht aus, daß Q in interpretatione Christiana die Täuferbotschaft auf Jesus als den Christus bezogen hat, nur legt sie diese interpretatio dem Täufer nicht in den Mund.

[44] John, 203–207, 209f.

[45] Vgl. VÖGTLE, Wunder, 228f.

[46] SCHÜRMANN, C: Lk I, 414; vgl. auch GARDNER, appraisal, 107.

2.3.2 Das Herrenlogion

Gerade im Vergleich mit dem weithin als authentisch anerkannten[47] und prima facie kohärenten Logion Mt 13, 16f / Lk 10, 23f wirkt Mt 11, 4–6 / Lk 7, 22f aus nachösterlicher Perspektive fortentwickelt. Der Rekurs auf jesajanische Heilsmotive (vgl. Jes 26, 19; 29, 18f; 35, 5f; 42, 18; 61, 1)[48] erscheint reflektierter[49], zumal sich Mt 11, 4–6 / Lk 7, 22f weder wie der Jubilus auf die Augen- und Ohrenzeugen noch auf Jesu konkretes geschichtliches Wirken bezieht[50]; außerdem stellt Mt 11, 6 / Lk 7, 23 den Bezug der Endzeit auf die Person Jesu ausdrücklich her.[51] Wenn bei gleichzeitigem Fehlen der für Jesus charakteristischen Dämonenaustreibungen[52] Totenauferweckungen erwähnt werden, trägt das auch für den, der keine weltanschaulichen Reserven hegt[53], nicht gerade zur Vermutung der Authentie des Logions bei.[54] Der abschließende Makarismus trägt im Unterschied zu Mt 13, 16f / Lk 10, 23f deutliche Züge einer theologischen Konfliktsituation (s. u. III:2.5.4).[55] Da schließlich die literarische Einheit der Perikope aufgewiesen wurde (s. o. III:2.2), ist es geboten, sie im ganzen als Gemeindebildung zu betrachten.[56] Dies schließt nicht aus, daß bei der Gestaltung des Herrenlogions freie Reminiszenzen historischen Geschehens aufgegriffen wurden[57], möglicherweise sogar Mt 13, 16f / Lk 10, 23f.[58] Daß Jesus

---

[47] Vgl. Becker, Johannes, 81f; Bultmann, Geschichte, 133,135; Gnilka, C: Mt I, 484; Hoffmann, Studien, 210; Kümmel, Verheißung, 104f; Kuhn, Enderwartung, 195; Merklein, Gottesherrschaft, 163; Vögtle, Wunder, 240.

[48] Vgl. Gundry, use, 79f; Pesch, Taten, 41–43. Nach Schulz, Q, 193; Vögtle, Wunder, 232 greift das Logion auf den LXX-Text zurück, anders Becker, Johannes, 84; Kuhn, Enderwartung, 196 A. 3.

[49] Vgl. Suhl, Funktion, 161.

[50] Vgl. Merklein, Gottesherrschaft, 163f.

[51] Vgl. ausführlicher Hoffmann, Studien, 210–212.

[52] Vgl. Vögtle, Wunder, 233; daß die mangelnde Kohärenz eher für Authentizität plädieren lasse, wie Merklein, Gottesherrschaft, 163 annimmt, ist nicht plausibel.

[53] So der Verdacht Kümmels, Antwort, 158.

[54] Dieses Argument gilt auch dann, wenn man in Mt 11, 5 / Lk 7, 22 keinen „Wunderkatalog" sieht, denn auch der Anbruch der Heilszeit bedarf einer Verifizierung an der konkreten Situation Jesu.

[55] Vgl. Vögtle, Wunder, 237f.

[56] Zur ausführlichen Auseinandersetzung mit der Argumentation zugunsten der Authentie vgl. die eingehende Argumentation Vögtles, Wunder, 222–242.

[57] Vgl. Hoffmann, Studien, 202f, 210; Kertelge, Überlieferung, 187–189; Kuhn, Enderwartung, 196f.

[58] So Merklein, Gottesherrschaft, 164; vgl. Gardner, appraisal, 107f; Vögtle, Wunder, 240–242. Versuche, einzelne, dem Empfinden des jeweiligen Auslegers nach historisch unwahrscheinliche Motive aus Mt 11, 5f / Lk 7, 22f herauszudestillieren (vgl. Hirsch, Frühgeschichte II, 93f; Strobel, Untersuchungen, 274 A. 1) wirken allzu gekünstelt. Auch die Versuche, die einzelnen Aussagen von Mt 11, 5 / Lk 7, 22 metaphorisch zu verstehen (vgl. Hirsch, Frühgeschichte II, 93: „Dabei wäre das Sehendwerden der Blinden als Gleichnisspruch gemeint, dessen Sinn in der zweiten Hälfte des Satzes gleich aufgelöst wird"; Percy, Botschaft, 187f) überzeugen nicht. S. Hirsch, Studien, 241–245 sieht in Joh 3, 22–4, 3 die „alte Quelle" der Perikope und mutmaßt, die Initiative der Anfrage sei von den Jüngern des Johannes ausgegangen; ähnlich vermengt Spitta, Sendung, 547–551 das Inkommensurable.

ähnlich gesprochen hat, ist vor dem Hintergrund seiner Botschaft von der Gottesherrschaft gut vorstellbar, aber die gesamte Perspektive des tradierten Logions läßt Rahmen wie Formulierung als Gemeindegut verstehen.

2.4 Auslegungsgeschichtlicher Überblick zur quaestio Baptistae

Dem Täuferbild der vorkritischen Exegese, geprägt von der Vorstellung vom unbeugsamen Christuszeugen, mußte die unsichere „Anfrage" des Johannes einige Verlegenheit bereiten: „Neque enim poterat ignorare, quem ignorantibus ante monstraverat" (Hieronymus, Ep., 121, 1).[59] Sofern man nicht die ärgerliche Frage einfachhin umdeuten wollte (vgl. Ambrosius, Exp. Ev. Lc., 5, 92–96) oder den „Geisteszustand" des Gefangenen bezweifelte (vgl. Tertullian, De bapt., 10, 5)[60], lag es nahe, das Augenmerk auf das Motiv der Gesandtschaft zu richten: nicht um seiner selbst, sondern um seiner Jünger willen habe der glaubensstarke Johannes nach Jesus geschickt, um diese so von der Messianität des Befragten zu überzeugen. Die klassische Version dieser Theorie formuliert Hieronymus: „Iohannes interficiendus ab Herode discipulos suos mittit ad Christum ut per hanc occasionem uidentes signa atque uirtutes, crederent in eum, et magistro interrogante, sibi discerent" (Comm. in Math., 2 ad 11, 3). Diese Erklärung vermochte sich in der Väterexegese[61], aber auch in der mittelalterlichen Theologie[62], bei den Reformatoren (LUTHER, CALVIN) und frühen Exegeten (BEZA, GROTIUS, BENGEL)[63] durchzusetzen und wirkt bis in das 20. Jahrhundert hinein.[64]

---

[59] Vgl. KNABENBAUER, C: Matthaeus I, 418: „Sollemne est apud S. Patres et interpretes catholicos fere omnes omnem dubitationis umbram a Ioanne baptista excludere".

[60] Moderne historisierende Nachahmer weichen auf das Feld der Psychiatrie aus (vgl. ENSLIN, John, 6).

[61] Zahlreiche Belege bei KNABENBAUER, C: Matthaeus I, 419f.

[62] Vgl. ebd., 420.

[63] Nach INNITZER, Johannes, 324f A. 1; PLUMMER, C: Luke, 202.

[64] So bei BEBB, Art. John, 680; BUZY, Jean-Baptiste, 363; GAECHTER, C: Mt, 359f; INNITZER, Johannes, 328–330; KNABENBAUER, C: Matthaeus I, 416; daß die Erklärung aber auch auf vorkritischem Niveau nicht immer befriedigte, belegt BRUNEC, legatio, 198. Auf anderer Ebene versteht PERCY, Botschaft, 232f die Frage als historisches Problem der Täuferjünger, ohne jedoch Bezug auf Johannes zu nehmen. Einen Überblick über die Behandlung der „peinlichen Perikope" in der vorkritischen Auslegung geben BRUNEC, legatio, 193–199; INNITZER, Johannes, 322–330; KNABENBAUER, C: Matthaeus I, 417–421; PLUMMER, C: Luke, 202; SABUGAL, embajada, 6–9. DUPONT, ambassade, 806–813 unterscheidet folgende Erklärungsmodelle: 1) doute fictif; 2) ignorance ou incompréhension; 3) étonnement: a) véritable hésitation, b) simple impatience.

In kritischer Fortschreibung dieses Ansatzes[65] transponiert ein Großteil der gegenwärtigen Forschung[66] das historisierende Modell auf die Ebene der Gemeindebildung: „Im Sinne unserer Erzählung hat das durch die Täuferanfrage ausgelöste Selbstzeugnis Jesu offenbar auch den Täuferjüngern zu gelten"[67]; näherhin ziele es auf die Profilierung Jesu als entscheidender Heilsgestalt gegenüber Johannes dem Täufer[68] und wende sich entweder apologetisch-polemisch gegen die Ansprüche der Täufergemeinde[69] oder suche sie missionarisch werbend zu gewinnen.[70] Die vorliegende Perikope ist somit neben Mt 11, 11 / Lk 7, 28 zu einem synoptischen Hauptbeleg für die christliche Auseinandersetzung mit der Täufergemeinde geworden.

Diese Bestimmung ist neuerdings von V. Schönle (1982) dahingehend präzisiert worden, daß die Ebene der mündlichen Tradition im Hintergrund von Q von der Auseinandersetzung mit der Täufergemeinde um die Frage nach der Dignität des Johannes als endzeitlicher Prophet geprägt sei[71]; mit der Bildung der Perikope suche die christliche Gemeinde Johannes als Christuszeugen zu vereinnahmen.[72] Für diese These beansprucht Schönle, „einigermaßen sichere Indizien"[73] aufweisen zu können, die sich dann allerdings in rhetorischen Fragen erschöpfen: „Aber liegt nicht doch auch in der Frage als solcher schon eine deutliche Vereinnahmung des Täufers als Christuszeugen? Und könnte nicht gerade mit dieser Frage die urchristliche Gemeinde gegenüber den Täuferanhängern sehr geschickt zum Ausdruck gebracht haben, daß die Identifizierung Jesu mit dem von Johannes angekündigten Kommenden, wiewohl nicht vom Täufer selbst vollzogen, so doch von ihm angeregt ist?"[74] Während etwa S. Schulz[75] und P. Stuhlmacher[76] die Debatte mit der Täufergemeinde Q zuweisen, beschränkt Schönle seine Deutung auf das Stadium der oral tradition und vermag im Q-Kontext nur noch ein „bloßes Selbstzeugnis" Jesu

---

[65] Vögtle, Wunder, 228 stellt diesen Bezug ausdrücklich her.

[66] Vgl. dazu v. a. die hilfreiche Übersicht bei Sabugal, embajada, 9–25.

[67] Vögtle, Wunder, 228.

[68] Zur Differenzierung dieses bei den einzelnen Autoren unterschiedlich gedeuteten Begriffs s. u. III:2.5.

[69] Bultmann, Geschichte, 22; Ernst, C: Lk, 245f; Fridrichsen, problem, 97–101; von Gall, Βασιλεία, 431f; Goguel, seuil, 64, 273; Klostermann, C: Mt, 95; Loisy, C: Luc, 224; Lührmann, Redaktion, 26; Reitzenstein, Mandäerfrage, 55; Schulz, Q, 193, 203; Stuhlmacher, Evangelium, 219f; Thyen, Studien, 142; Wink, John, 23f; vgl. Kraeling, John, 127f.

[70] So Vögtle, Wunder, 226f, 228, 231, 236, 241f; als Möglichkeit erwogen bei Marshall, C: Luke, 288f.

[71] Bereits zuvor hat Lührmann, Redaktion, 24–31 den Täuferkonflikt in das Vorstadium der Q-Redaktion verwiesen.

[72] Johannes, 57–64, 98f u.ö..

[73] Ebd., 60.

[74] Ebd., 60. Ebd., 60–64 prüft Schönle die Formulierung ὁ ἐρχόμενος und die Historizität der Perikope, die er mit Recht verneint; im weiteren wird lediglich der zuvor nach Stuhlmacher referierte Stand (ebd., 58f) wiederholt (ebd., 64, 98f).

[75] Q, 193, 203.

[76] Evangelium, 220; ähnlich bereits Goguel, seuil, 65.

zu erkennen, in dem die Inferiorität des Johannes wie selbstverständlich vorausgesetzt wird.[77] „Der entscheidende Grund für das veränderte Verständnis liegt aber natürlich [?] darin, daß zur Zeit von Q die zwischen der Johannes- und der Jesusgemeinde kontroverse Frage nach der Superiorität des Täufers oder Jesu bereits definitiv beantwortet ist".[78] Aus der polemischen Situation erwächst die positive Bezugnahme auf Johannes, der das Kommen Jesu, des endzeitlichen Heilsbringers, angekündigt hat.[79]

Das einzige, das an Schönles Argumentation hier wirklich überzeugt, ist die Thesis, daß Q an der Täuferkontroverse kein aktuelles Interesse hegt. Daß sie jedoch auf eine solche zurückblickt[80], ist dadurch noch nicht gesagt. Sieht man von den methodologischen Bedenken ab, die Vor-Q-Überlieferung diachron exakt so zu profilieren, wie Schönle es unternimmt[81], so ist doch die Behauptung ehemaliger Polemik nur in dem Maße zu halten, als sich Spuren einer solchen am Text nachweisen lassen. Hier aber wartet man vergeblich auf ein einziges „einigermaßen sicheres Indiz"[82], so daß sich die Legitimation für Schönles Darlegungen auf die forschungsgeschichtliche Selbstverständlichkeit der Annahme von Täuferpolemik reduziert.

In der Tat hat die Forschungsgeschichte eine relativ breite Basis für die Annahme einer täuferpolemischen bzw. -missionarischen Darstellungsintention der Perikope geschaffen. Sie umfaßt die Interpretation der Täuferanfrage (Mt 11,3/Lk 7,19) (s. u. III:2.5.1), des legatio-Motivs (s. u. III:2.5.2), des endzeitlichen Jubilus (Mt 11,4bf/Lk 7,22) (s. u. III:2.5.3) und des Schlußmakarismus (Mt 11,6/Lk 7,23) (s. u. III:2.5.4).

---

[77] Johannes, 99.
[78] Ebd.. Am Rande sei vermerkt, daß die Ausführungen Schönles im ganzen an Präzision gewonnen hätten, wenn der Verfasser nicht durchgehend auf allzu einfache und z. T. Argumentation ersetzende Füllwörter wie „natürlich" oder „freilich" zurückgegriffen hätte.
[79] Vgl. ebd., 100.
[80] Vgl. ebd., 97.
[81] Hoffmann, Studien, 215 A. 91 und Strobel, Untersuchungen, 268 meinen umgekehrt, Q blicke *noch nicht* auf die Täuferkontroverse!
[82] Vgl. Schönle, Johannes, 60.

2.5 Untersuchung eines täuferpolemischen bzw. -missionarischen Darstellungsinteresses der Perikope im Rahmen von Q

2.5.1 Die Anfrage (Mt 11, 3 / Lk 7, 19)

Das Grundthema der Perikope wird durch die quaestio Baptistae angegeben. Die Funktion der Exposition im Zusammenhang der Täufertradition von Q wurde bereits dargestellt (s. o. III:2.3.1), doch ist das Gesagte zu überprüfen und vor allem daraufhin zu untersuchen, ob die Frage, wie von nahezu allen Verfechtern der täuferpolemischen bzw. -missionarischen Interpretation angenommen wird, tatsächlich der Kontroverse mit der Täufergemeinde zuzuordnen ist.

So ist zunächst SCHÖNLES oben zitierte Überlegung, ob „nicht doch auch in der Frage als solcher schon eine deutliche Vereinnahmung des Täufers als Christuszeugen" liege[83], sowohl hinsichtlich des Adjektivs „deutlich"[84] als auch hinsichtlich Qualifizierung „Vereinnahmung als Christuszeugen" zu verneinen. In Ansehung des aenigmatischen Charakters der „halbgläubigen" Täufer*frage* bleibt es rätselhaft, wie man hier von einem „Zeugnis" sprechen kann, das doch allererst durch die Frage herausgefordert werden soll. Dem Täuferwort eignet kein Zeugniswert, „puisque Jean semble hésitant et qu'il interroge au lieu d'affirmer"[85]; nicht einmal die Reaktion des Täufers auf Jesu Selbstzeugnis wird mitgeteilt.[86] So schließt der Wortlaut zumindest eine explizite Täuferpolemik, ein „morceau de polémique destiné à combattre les disciples de Jean"[87] aus; allenfalls wäre an ein relativ zaghaftes missionarisches Werben um die Täufergemeinde zu denken.

Jedoch auch dann verfehlt die vor allem von P. STUHLMACHER mit Entschiedenheit vertretene und nach ihm häufig wiederholte Erklärung, der Text spiegele die Konkurrenz zwischen Jesus und Johannes als endzeitliche Heilsgestalten wider[88], die hypothetische Situation. Denn der Täufer steht ja völlig

---

[83] Johannes, 60.
[84] Daß es jedenfalls an *deutlichen* Spuren im Text fehlt, zeigt schon SCHÖNLES sehr konjekturale Frage und die den Konjunktiv bevorzugende Formulierungsweise; auch SCHULZ, Q, 203 spricht von „unüberhörbarer Unterordnung".
[85] DUPONT, ambassade, 810; vgl. auch VÖGTLE, Wunder, 240.
[86] Vgl. DUPONT, ambassade, 810.
[87] GOGUEL, seuil, 65.
[88] Evangelium, 219f; ähnlich von GALL, Βασιλεία, 431f; LÜHRMANN, Redaktion, 26; SCHÖNLE, Johannes, 59–64, 98f. Die kategoriale Bestimmung dieser Heilsgestalt variiert: Menschensohn (von GALL), Messias (LÜHRMANN), endzeitlicher Prophet (SCHÖNLE, STUHLMACHER).

außerhalb der Konkurrenz! Der ἄλλος/ἕτερος[89] ist eine beliebige andere Figur, in keinem Fall aber Johannes. Die disjunktive Frage σὺ ἢ ἄλλος trifft also die für die Täufergemeinde zu postulierende Alternative Ἰωάννης ἢ Ἰησοῦς überhaupt nicht und steht damit jenseits des allein sinnvollen Themas einer möglichen Täuferkontroverse. Sie hat mit dem Problem, „ob womöglich Johannes der endzeitliche Prophet sei"[90] nicht nur nichts zu tun, sondern schließt es definitiv aus.[91]

Von daher bleibt nur die insbesondere von A. Vögtle vorgetragene Variation übrig, daß gegenüber den Johannesjüngern demonstriert werde, daß Jesus der von ihrem Meister angekündigte Zu-Kommende sei[92]; demnach wird der Täufer Jesus nur indirekt subordiniert. Doch die Frage Mt 11,3/ Lk 7,19 leistet nicht das, was Vögtle von ihr fordert. Denn wie Vögtle – freilich ohne daraus Konsequenzen zu ziehen – gelegentlich selbst sieht[93], konnte in der postulierten Täufergemeinde nur eine solche Tradition gepflegt worden sein, in der unter dem ἐρχόμενος kein anderer verstanden wurde als in der Gerichtspredigt des Meisters, also Jahwe als der zürnende Richtergott (s. u. IV:1.2).[94] Diese Vorstellung liegt aber völlig außerhalb des Horizontes der Täuferanfrage, denn diese setzt die interpretatio Christiana des ἐρχόμενος-Motivs voraus. Nur im Verständnis der christlichen Gemeinde kann die Identität des vom Täufer angekündigten Kommenden (vgl. Mk 1,7/Mt 3,11/Lk 3,16; Joh 1,15.27.30; Apg 13,25; 19,4) *überhaupt erwogen* werden. Für eine missionarische Werbung von Johannesjüngern liegt die Täuferanfrage damit praeter rem; hier wäre allererst eine Vermittlung zwischen dem originären täuferischen und dem sekundären christlichen Verständnis des ἐρχόμενος notwendig gewesen, ein Nachholen jenes komplizierten Prozesses, der sich bereits in der Fortentwicklung der Täuferpredigt durch Jesus vollzogen hatte (s. o. II:3.5). Das oben entwickelte Interpretationsmodell (s. o. I:2.1.3) sieht für ein missionarisches Jüngerverständnis als Adressaten den Täuferkreis in seiner speziellen Situation vor, aber dessen Voraussetzungen werden nach der hier zu prüfenden Hypothese gar nicht getroffen. Ferner wäre bei einer Werbung der Täufergemeinde nicht denkbar, warum noch ein ἄλλος/ἕτερος in die entscheidende Frage eingeführt wird; die Frage wäre, im Ringen um die Johannesjünger gestellt, missionstechnisch dysfunktional. Sie kann sinnvoll nur im Binnenraum der

---

[89] Die Wortwahl läßt keine Rückschlüsse zu, da die neutestamentliche Koine hier nicht korrekt zu unterscheiden pflegt, vgl. BLASS/DEBRUNNER, § 306; dazu auch VÖGTLE, Wunder, 226 A. 37.

[90] SCHÖNLE, Johannes, 99.

[91] So auch VÖGTLE, Wunder, 240.

[92] Vgl. ebd.; auch SCHÖNLE, Johannes, 60, 63f, 98f scheint in diese Richtung zu tendieren und den Ansatz mit dem oben zurückgewiesenen Modell STUHLMACHERS vereinbaren zu wollen.

[93] Vgl. Wunder, 226.

[94] Eben dies übersieht PERCY, Botschaft, 232f, wenn er zwar dem Täufer die Anfrage abspricht, sie dann aber als historische Frage der Johannesjünger versteht.

christlichen Gemeinde oder höchstens im Horizont der allgemeinen jüdischen Messiaserwartung gestellt worden sein.

So ist abschließend nur noch das hier vorausgesetzte Verständnis der ἐρχόμε-νος-Gestalt abzusichern und gegenüber anderen Interpretationen abzugrenzen. Dem nachgerade üblichen, methodologisch mangelhaften Verfahren der Täu-ferkreis-Forschung (s. o. I:2.1.3) entspricht es, wenn einmal mehr der zur Debatte stehende Begriff, hier ὁ ἐρχόμενος, als terminus technicus der Theolo-gie der Täufergemeinde zugewiesen wird.[95] Dabei hat man gar unter Verwechs-lung von Ursache und Wirkung auf das „antijesuanische Täuferorakel" R. Gin-zā I, 200–202, verwiesen, nach dem Enosch-Uthra als Inkarnation des Täufers Johannes „komme", um jene Heilstaten zu vollbringen, die Mt 11, 5 / Lk 7, 22 Jesus zuschreibe.[96] Die verschiedenen Versuche, den Begriff aus einem alttesta-mentlichen Passus abzuleiten[97], so etwa aus Gen 49, 10[98], Hld 2, 8[99], Dan 7, 13[100] oder Hab 2, 3[101], aus Ps 118, 26 oder Sach 9, 9; 14, 5[102], verbleiben im Raum beliebiger Vermutung.[103] „Kommend" ist vielmehr ganz allgemein und unbe-schadet möglicher Inspirationen aus der alttestamentlichen Vorstellungswelt alles, was die Endzeit prägt[104]; als einzige direkte Bezugsmöglichkeit kommt Mk 1, 7 / Mt 3, 11 / Lk 3, 16 in Betracht.[105] Nun besteht zwischen dieser traditio triplex und dem Q-Logion Mt 11, 3 / Lk 7, 19 wohl kein literarischer Nexus, aber die Rede des historischen Täufers vom Kommenden ist so sicher belegt (vgl. noch Joh 1, 15. 27. 30; Apg 13, 25; 19, 4), daß die Täuferpredigt als unmit-telbarer Hintergrund angenommen werden muß[106], zumal wenn man die Q-Gemeinde dem Täufermilieu zuordnet (s. u. III:2.5.5). Deshalb ist es auch eine für die Texterschließung überflüssige Annahme, im ἐρχόμενος sei der Endzeit-

---

[95] Vgl. DIBELIUS, Überlieferung, 34 A. 3; SCHÖNLE, Johannes, 61f; weniger vorsichtig als diese Autoren STROBEL, Untersuchungen, 277.

[96] So von GALL, Βασιλεία, 431f; GRUNDMANN, C: Lk, 162f; LOISY, C: Luc, 224; REITZENSTEIN, Mandäerfrage, 55–57; STAUFFER, Jesustradition, 14–20; DERS., Jerusalem, 99f; zur Kritik GUN-DRY, use, 80; SCHÖNLE, Johannes, 61; VÖGTLE, Wunder, 232 A. 49; grundsätzlich GOGUEL, seuil, 124–135.

[97] Einen Überblick bieten DUPONT, ambassade, 814–818; SCHÖNLE, Johannes, 61f.

[98] Vgl. DUPONT, ambassade, 818.

[99] KÜMMEL, Verheißung, 103 A. 18.

[100] HOFFMANN, Studien, 199f; SCHULZ, Q, 194.

[101] SCHÜRMANN, C: Lk I, 408f; STROBEL, Untersuchungen, 265–277.

[102] Vgl. SCHÖNLE, Johannes, 61; zum jüdischen Hintergrund STRACK / BILLERBECK I, 850.

[103] So auch SCHÖNLE, Johannes, 61; vgl. KÜMMEL, Antwort, 153f.

[104] Vgl. BULTMANN, Geschichte, 168; HAHN, Hoheitstitel, 393; J. SCHNEIDER, Art. „ἔρχομαι κτλ", in: ThWNT II (1935), 662–682, hier: 666f; SCHÖNLE, Johannes, 61.

[105] HUGHES, John, 203–205 bezweifelt „that in using the phrase ὁ ἐρχόμενος in two different contexts the Baptist necessarily had in mind the same definite eschatological figure" (205), und fragt sich unter Voraussetzung der Historizität der Täuferanfrage und der Erwartung Jahwes in der ursprünglichen Täuferpredigt, ob Johannes nicht schließlich im Gefängnis doch über Jesus spekuliert habe – kaum einleuchtend!

[106] So mit zahlreichen weiteren Auslegern etwa KÜMMEL, Antwort, 153f; SCHÖNLE, Johannes, 62; VÖGTLE, Wunder, 240.

prophet zu sehen und dieses Verständnis den Täuferjüngern zuzuschreiben.[107] Ebenso rät das Sparsamkeitsprinzip dazu, auf die Hpyothese, der Begriff ὁ ἐρχόμενος sei im allgemeinen auf die Theologie der Täufergemeinde zu beziehen, zu verzichten, weil Mt 11,3/Lk 7,19 auch ohne diesen Rekurs völlig verständlich ist und kein Rest bleibt, der durch den Verweis auf ein solches Theologumenon erklärt werden könnte.[108]

2.5.2 Das legatio-Motiv

Gegen die letzte Behauptung könnte jedoch geltend gemacht werden, daß dieser Rekurs immerhin die Sendung einer Gesandtschaft von Täuferjüngern plausibel erscheinen lasse, denn viel einfacher wäre es nach A. Vögtle jedenfalls, Johannes hätte Jesus selbst aufgesucht, „um in einer für ihn und seine Botschaft zweifellos höchst entscheidenden Frage Gewißheit zu erlangen".[109] So sucht Vögtle die Perikope auf die Situation der Täuferjünger transparent zu machen, indem er vor allem sowohl die pluralische Formulierung der Täuferanfrage (Mt 11,3/Lk 7,19) und der Rücksendung (Mt 11,4b/Lk 7,22a) als auch die verallgemeinernde III. pers. sing. „ὃς ἐάν" (Mt 11,6/Lk 7,23) auf diese bezieht.[110] Auch für V. Schönle spricht der Umstand, „daß Johannes die Frage an Jesus durch seine Jünger stellen läßt und Jesus also diesen Antwort gibt, für die Annahme, daß es in der Perikope eigentlich um die Täuferjünger geht".[111]

Der „pluralische Aspekt" der Perikope erklärt sich indes aus der Tatsache, daß nicht eine biographische Mitteilung, die ein Geschehen zwischen den Individuen Johannes und Jesus schildert, vorliegt, sondern ein kerygmatisch orientiertes Apophthegma, das das Fragen einer breiteren Adressatenschicht zu berücksichtigen hat. Das Jüngerverständnis ist also paränetisch geprägt, deshalb aber noch nicht polemisch ausgerichtet. Die Annahme eines besonderen Interesses an den Johannesjüngern ist darüber hinaus unnötig. Wenn von diesen die Rede ist, so ist das erzählerisch ebenso natürlich wie etwa bei ihrer Erwähnung in der Schilderung der Bestattung ihres Meisters (Mk 6,29/Mt 14,12). Nun wurde oben die Ansicht vertreten, daß bereits im Wortlaut von Q der Gefängnisaufenthalt des Johannes erwähnt wird[112]; zumindest setzt Q ihn implizite voraus.[113] Diese Dramatisierung erklärt sich aus der oben konstatierten Not-

---

[107] So aber Cullmann, Christologie, 25.

[108] Auch hier liegt also ein Beispiel dafür vor, daß die Täuferkreis-Hypothese nicht selten eher der Komplizierung als der Vereinfachung von Problemlösungen dient.

[109] Wunder, 228.

[110] Vgl. ebd., 226f, 230, 236, 241.

[111] Johannes, 202 A. 34.

[112] Vögtle, Wunder, 221 lehnt dies mit dem allzu pauschalen Verdikt „unwahrscheinlich" ab; differenzierter bei gleichem Resultat Schönle, Johannes, 40,202f A. 34 (203); s. o. III:2.1.

[113] Anders Spitta, Sendung, 535–541; Vögtle, Wunder, 228. Das Problem, wie der inhaftierte

wendigkeit, eine „apokryphe Täufertradition" zu kreieren, da das bekannte öffentliche Auftreten des Johannes die ihm zugeschriebene Anfrage äußerst unwahrscheinlich erscheinen lassen mußte (s. o. III:2.3.1). Wenn die christliche Tradition Jesus und Johannes nach dem Grundsatz „If you can't lick 'em, join 'em"[114] verbinden wollte, so konnte sie doch nicht einfachhin das – zumal im ehemaligen Anhang des Täufers – bekannte Faktum umgehen, daß eine direkte Begegnung beider Propheten, bei der Johannes die Botschaft Jesu gutgeheißen hatte, nie stattgefunden hatte; daher mußte sie auf die Behauptung „verdeckter Kontakte" ausweichen. Der Rekurs auf geheime Jüngerbelehrung bei Mangel an entsprechender „offener Offenbarung" ist ein gängiges Verfahren der Apokryphen (vgl. z. B. EpJac 1, 8–2, 39; Tertullian, De praescr. haereticorum, 25, 6–9), eine naheliegende Analogie ist die „verhinderte Begegnung" und der Verkehr über Eilboten zwischen Jesus und dem Toparchen Abgar V. Ukkama nach der Abgarsage.[115] Daß die Täuferjünger kein erzählerisches Eigengewicht besitzen, zeigt schließlich deutlich der Wortlaut: „εἶπεν αὐτῷ" (Mt 11, 3; vgl. Lk 7, 19), „ἀπαγγείλατε Ἰωάννῃ" (Mt 11, 4 / Lk 7, 22) ist direkt auf den Täufer formuliert; „les messagers ne sont que des intermédiaires".[116] Der Semitismus διά (דביד)[117] (Mt 11, 2) unterstreicht die rein funktionale Bedeutung der Jünger als Boten. „Les messagers ne comptent pas; seul le message a de l'importance".[118] Das Jüngerbild der Perikope ist in narrativer Hinsicht real-historisch gemeint und paränetisch auf den Binnenraum der Gemeinde ausgerichtet; es ist weder missionarisch noch polemisch orientiert.[119]

2.5.3 Der endzeitliche Jubilus (Mt 11, 4f / Lk 7, 22)

Blickt man auf den ersten Teil der Antwort Jesu, so findet sich dort nicht einmal andeutungsweise ein möglicher täufermissionarischer oder -polemischer Zug. Gewiß, Jesu Erwiderung „was geen rechtstreeks antwoord op de ondubbelzinnige vraag, welke slechts met ja of neen beantwoord had kunnen worden"[120], aber Polemik ließe sich darin allenfalls vermuten, wenn vom Täufer vergleichbare Wunder berichtet wurden, wovon in der Tat nach der in der Täuferkreis-

---

Täufer mit seinen Jüngern in Kontakt treten konnte (vgl. SPITTA, Sendung, 538), stellt sich nur der historisierenden Betrachtungsweise und ist selbst dann nicht von Gewicht (vgl. SCHMIDT, Rahmen, 117).

[114] ENSLIN, John, 10 (in der Tendenz nicht unzutreffend).

[115] Vgl. die Kommentierung H. J. DRIJVERS' in SCHNEEMELCHERS Textausgabe, I, 389–395.

[116] DUPONT, ambassade, 808.

[117] Vgl. BLACK, approach, 115; GRUNDMANN, C: Mt, 305; SCHLATTER, C: Mt, 358.

[118] DUPONT, ambassade, 807.

[119] Am Rande sei vermerkt, daß auch bei der Ausscheidung des lukanischen „δύο" (Lk 7, 18) auf keiner Ebene der Tradition daran gedacht worden sein dürfte, Johannes habe alle seine Jünger zu Jesus geschickt (gegen die Bedenken bei SABUGAL, embajada, 131).

[120] Van ROYEN, Jezus, 51.

Forschung bevorzugt verwendeten via contradictionis (s. o. I:2.1.3) einige Ausleger ausgehen. Bereits A. Loisy (1924) vermutet: „on pourrait admettre que le programme messianique énoncé (d'après Is. XXXV, 5; LXI, 1) dans la réponse de Jésus aux envoyés de Jean était reconnu par les sectateurs du Baptiste avant la naissance du christianisme, et que chacune des deux sectes a prétendu l'entendre de son héros".[121] A. Fridrichsen (1925) sieht im „problème du miracle" das eigentliche Anliegen der Perikope: sie verdanke sich der Debatte zwischen den Jüngerkreisen Johannes' und Jesu um die messianische Dignität der ἔργα Jesu; das Argument der Jünger Jesu laute, mit den Wundern ihres Herrn habe sich die messianische Weissagung erfüllt, Jesus sei keineswegs bloß ein Thaumaturge.[122] Nach M. Goguel (1928) dient die Perikope sogar grober Polemik der Christen gegen die Johannesjünger „en montrant que leur maître a refusé de s'incliner devant les preuves cependant éclatantes de la messianité de Jésus que constituaient les miracles accomplis par lui".[123]

Nun wurde es im öffentlichen Bewußtsein wohl gerade als die kennzeichnende Differenz zwischen Jesus und dem Täufer empfunden, daß der letztere keine Wunder vollbracht hatte (s. o. II:3.4.3). Die Basis für eine Wundertätigkeit des Johannes ist derart schwach, daß selbst entschiedene Verfechter einer täuferpolemischen Intention der Perikope wie P. Stuhlmacher deren Annahme verwerfen.[124] Es kann aber darüber hinaus gegen Stuhlmacher gar nicht davon die Rede sein, daß die Aufzählung der Wundertaten die Vorstellung vom endzeitlichen Propheten beschwöre, und zwar „mit der Absicht, im Gegenschlag gegen die Täuferanhänger Jesus als den wahren, überlegenen Propheten der Endzeit zu erweisen".[125] Die Profilierung Jesu als eschatologischer Prophet liegt gar nicht in der Darstellungsabsicht der Perikope. Denn die alttestamentlichen Heilsbilder bilden keineswegs einen Katalog der Jesus zugeschriebenen und ihn so als Endzeitpropheten legitimierenden Wunder[126], sondern charakterisieren als „poetische Variierung des einen Themas von der Heilszeit"[127] die durch die Anwesenheit Jesu geprägte *Zeit* als eschatologische Erfüllungszeit im Sinne der alten Verheißungen. „V. 5 ist also in erster Linie nicht Beschreibung der Gegenwart, sondern Proklamation eschatologischen Heils in der Gegen-

---

[121] C: Luc, 224; ähnlich Baldensperger, Prolog, 89f A. 5; Meyer, Prophet, 40, 114f geht – allerdings unter Berufung auf Mk 6, 14 – davon aus, daß vom Täufer Wunder erzählt wurden und die Johannesjünger erwarteten, daß der Täufer „durch Wundertaten jenen idealen Wüstenzustand herzustellen im Begriffe sei" (115).

[122] Problem, 97–101; ähnlich Bultmann, Geschichte, 22.

[123] Seuil, 65.

[124] Evangelium, 220; ähnlich Vögtle, Wunder, 239; vgl. auch Bammel, miracle, 187; zur historischen Würdigung Gardner, appraisal, 102f.

[125] Evangelium, 220; ebenso Schönle, Johannes, 59f, 64, 98f; Schulz, Q, 203.

[126] So aber Pesch, Taten, 41–43; Schulz, Q, 196–198; Stuhlmacher, Evangelium, 218–224; vgl. Vögtle, Wunder, 242.

[127] Dibelius, Überlieferung, 36 (ohne Hervorhebung).

wart".[128] Dafür spricht, daß der Jubilus nicht konkrete Machterweise aus der Vita Jesu aufzählt – Dämonenaustreibungen fehlen, Totenerweckungen werden genannt – und durchgehend die III. pers. pl. ohne Bezug auf die Person Jesu (vgl. Jes 61, 1!) verwendet wird (vgl. Lk 4, 16–21).[129] Dies schließt nicht aus, daß historische Reminiszenzen an Jesu Wirken inspirierend gewirkt haben[130], aber jedenfalls liegt keine „geheimnisvolle, vom Hörer selbst zu entscheidende, indirekte Aussage über die Würde Jesu"[131] vor, sondern in Fortschreibung von Mt 13, 16f/Lk 8, 23f eine offene, paränetische, direkte Aussage über den Anbruch der Heilszeit.[132] Damit liegt Mt 11, 4f/Lk 7, 22 auf der Linie der jesuanischen βασιλεία-Predigt, die sie freilich rückschauend, erweiternd und vertiefend interpretiert. Um die mit Johannes konkurrierende Würde Jesu geht es mithin nicht, und ein Bezug auf die Konkurrenz der Johannesjünger verfehlt den direkten und sachlichen Kontext der Perikope.

Dies sei abschließend noch am Objektsatz „ἃ ἀκούετε καὶ βλέπετε" (Mt 11, 4b; vgl. Lk 7, 22a) illustriert: für die postulierte konkurrierende bzw. zu werbende Gemeinde der Täuferjünger müßte gerade diese Behauptung mit Bezug auf die Wundertaten völlig unverständlich bleiben (anders Joh 1, 39. 46); die Christen würden ihnen gegenüber gleichsam mit „des Kaisers neuen Kleidern" argumentieren, denn die Erfahrung des christlichen Herrn als Wundertäter wird man bei den distanzierten Täuferjüngern kaum annehmen können. Vielmehr richtet sich auch der Objektsatz an den Binnenraum der christlichen Gemeinde.

2.5.4 Der Makarismus (Mt 11, 6/Lk 7, 23)

Mit der Erschließung des Logions Mt 11, 4f/Lk 7, 22 wird auch der abschließende Makarismus, der zunächst als Stütze der hier kritisierten Auffassung erscheinen mag[133], plausibel. Prima facie entbehrt die Erwähnung des Ärgernisses einer Grundlage im Text, so daß es verständlich ist, wenn viele Ausleger *hinter* dem Text eine Ärgernis nehmende Gruppierung vermuten,

---

[128] MERKLEIN, Gottesherrschaft, 163.

[129] „Es bleibt also offen, wer die Taten vollbringt; allein die Tatsache, daß sie geschehen, bestimmt die Aussage" (HOFFMANN, Studien, 202); vgl. näher BECKER, Johannes, 83f; BULTMANN, Geschichte, 22, 136; DIBELIUS, Überlieferung, 35f; HOFFMANN, Studien, 202f; JEREMIAS, Gleichnisse, 115f; KERTELGE, Überlieferung, 187–189; KÜMMEL, Verheißung, 105; KUHN, Enderwartung, 196f; MERKLEIN, Gottesherrschaft, 162f; SUHL, Funktion, 161.

[130] Vgl. dazu näher HOFFMANN, Studien, 202f, 210; KERTELGE, Überlieferung, 187–189; KUHN, Enderwartung, 196f.

[131] STUHLMACHER, Evangelium, 221.

[132] Zur ausführlichen Auseinandersetzung mit STUHLMACHER vgl. HOFFMANN, Studien, 213f.

[133] Selbst der hier sehr zurückhaltende SINT, Eschatologie, 115 sieht in dem „warnenden Makarismus" den einzigen Anhalt, „der in etwa einen polemischen Akzent tragen könnte".

näherhin wird erneut auf die Täufergemeinde geschlossen. In der Tat lädt ja der konditionale Relativsatz zur Generalisierung ein.[134]

Die Funktion des Makarismus erklärt sich aber einfacher ohne diesen Rekurs aus dem Kontext so, daß die Heilszeit in Weiterentwicklung des authentischen Logions Mt 13, 16 f / Lk 10, 23 f (s. o. III:2.3.2) explizite an die Gegenwart Jesu gebunden wird und diese Personalisierung der Eschata gegenüber möglichem Ärgernis abzusichern ist. Die Seligpreisung gilt jetzt nicht mehr den Augen- und Ohrenzeugen des Anbruchs der Heilszeit, sondern jenen, die sich dem Bekenntnis zu Jesus als deren Mitte nicht verschließen. Die in Mt 11, 5 / Lk 7, 22 dargebotene „historisierte Eschatologie" birgt also die Möglichkeit des Anstoßes, und solchen Anstoß werden nicht etwa spezielle Formationen von Johannesjüngern nehmen, sondern prinzipiell alle Suchenden, denen das „Nadelöhr des Geschichtlichen" zugemutet wird.[135]

2.5.5 Die Funktion der Perikope im Leben der Q-Gemeinde

Nachdem jede täuferpolemische oder -missionarische Darstellungsintention der Perikope abgewiesen worden ist, bedarf es der positiven Bestimmung ihrer Funktion, denn es ergab sich auch, daß es sich bei Mt 11, 2–6 / Lk 7, 18–23 um ein kerygmatisch geprägtes Apophthegma handelt (s. o. III:2.3). Die Darstellungsabsicht ist angesichts des Achtergewichts der „pronouncement story"[136] primär christologisch: mit Jesus bricht die verheißene Heilszeit an. Wenn am Ende jeder Hinweis auf die Reaktion des Täufers fehlt, so illustriert das, „que l'intérêt de l'épisode porte sur Jésus et non sur Jean-Baptiste".[137] Dabei geht es vor allem um das Kontinuum von der Täuferpredigt zum Christus-Bekenntnis (s. o. III:2.5.1). Die „Mehrzahl", an die der Text sich wendet (s. o. III:2.5.2), ist dabei die Gemeinde, deren Bekenntnis zu ihrem Herrn im Täufergeschehen verankert wird, deren Täuferverständnis jedoch auch ins Licht des christlichen Glaubens gehoben werden soll. Möglicherweise richtet sich die Darstellungsabsicht nicht nur kerygmatisch an den Binnenraum der Gemeinde, sondern auch werbend an das missionsfähige, von ihr kaum exakt geschiedene Umfeld des Judentums[138],

---

[134] VÖGTLE, Wunder, 241: „Um der Erlangung des Heils willen sollen die Täuferjünger keinen Anstoß daran nehmen, daß der von ihrem Meister angekündigte eschatologisch Zu-Kommende vor dem Gericht als Heilbringer aufgetreten ist, daß jener Zu-Kommende kein anderer ist als Jesus selbst"; ähnlich BACON, relation, 58f; SABUGAL, embajada, 131f, 140; SCHÖNLE, Johannes, 205 A. 81.

[135] Vgl. SCHÜRMANN, C: Lk I, 411f. Der Sünderverkehr Jesu wird gegen KÜMMEL, Antwort, 157 in der Perikope mit keinem Wort angedeutet.

[136] MARSHALL, C: Luke, 287.

[137] GOGUEL, Jésus, 215.

[138] SCHÜRMANN, C: Lk I, 413: „Offenbar gab es breitere Schichten im Volk, die dem Bußruf des Täufers gegenüber sich offen verhalten hatten ..., aber noch nicht zum Christusglauben durchfanden"; KRAELING, John, 130 überspitzt: „Where the problem was acute was clearly

doch wird man nicht einfach konstatieren können: „Johannes fragt, wie jeder jüdische Fromme jener Zeit fragen könnte"[139], weil die interpretatio Christiana des venturus deutlich vorausgesetzt ist (s. o. III:2.5.1).[140] Die Perikope ist daher kaum in der frühen Palästina-Mission anzusiedeln[141], sondern sucht ein ureigenes Problem der Gemeinde zu bewältigen, die sich zu Jesus als ihrem Herrn bekennt und doch auch an Johannes, dem so unterschiedlichen Propheten, stark interessiert ist.

Dieses Interesse wird sich am ehesten daraus erklären, daß – wie Mt 11, 7–19; 21, 31f / Lk 7, 24–35; 16, 16 bestätigt – die Q-Gemeinde sich zu einem bedeutenden Teil aus dem ehemaligen palästinischen Täuferanhang rekrutierte: „Die Perikope kann als literarischer Reflex jener Übertragung der Verkündigung des Täufers auf den Propheten Jesus von Nazareth angesehen werden, die die Gruppe [scil. die Q-Gemeinde] selbst vollzogen hat".[142] Dieser Kreis ist allerdings sehr weit zu denken und in keiner Weise mit der soziologisch fest umrissenen Formation des Jüngerkreises zu verwechseln.[143]

2.6 Redaktionsgeschichtliche Analyse: Der Täuferkreis in der matthäischen Redaktion (Mt 11, 2–6)

Zu den entschiedensten Verfechtern einer täuferpolemischen Deutung der Perikope auf allen Ebenen der Überlieferungsgeschichte gehört S. SABUGAL (1980). Bereits im Q-Stadium weise die Erzählung auf eine „situación vital de una polémica misionaria [sic!] entre comunidades cristianas judeo-palestinenses y sectarios baptistas"[144]: „Una situación vital común a la que posteriormente acusarán las redacciones evangélicas de Mt y Lc. ... La polémica antibaptista de

---

among those who hat the Baptist's proclamation still ringing in their ears, who lived in close contact with faithful disciples of John and whose thinking about Jesus was conditioned in large measure by their recollection of his life in their midst".

[139] LOHMEYER, Urchristentum, 18; vgl. DIBELIUS, Überlieferung, 38; SCHÜRMANN, C: Lk I, 413 A. 41b; VÖGTLE, Wunder, 242. Bereits die vorkritische Exegese vertrat die Auffassung, Johannes stelle seine Frage nicht „de aliquo dubio Ioannis vel eius discipulorum", sondern um des populus Israeliticus wegen (BRUNEC, legatio, 193–199).

[140] Daher kann man nur cum grano salis sagen, der Text suche den Gegensatz „der Messiasauffassung [?] des Täufers und der christlichen Auffassung von Jesus" zu lösen (HOFFMANN, Studien, 214 im Anschluß an KRAELING, John, 130).

[141] So aber SCHÜRMANN, C: Lk I, 413.

[142] HOFFMANN, Studien, 215.

[143] So auch SCHÜRMANN, C: Lk I, 413; daher sollte man nicht formulieren, daß hinter der Perikope „ehemalige Täuferschüler" stehen, so aber GNILKA, C: Mt I, 410.

[144] Embajada, 132.

Mt prolonga, pues, más cerca que Lc, la respectiva de su fuente Q. Una cercanía, por lo demás paralela a la de su redacción literaria, más próxima al texto de Q que la respectiva de Lucas".[145] Nach der Rekonstruktion des Q-Wortlauts (s. o. III:2.1) und der Überlieferungsgeschichte (s. o. III:2.2) ergibt sich aber aus dem matthäischen Text kein einziger Anhaltspunkt für ein solches Verständnis, selbst wenn man ad hominem konzedieren wollte, daß Q Täuferpolemik betreibe. Dem ersten Evangelisten geht es, sofern aus seiner Gestaltung der Q-Vorlage ersichtlich wird, um die christologische Relevanz der „ἔργα τοῦ Χριστοῦ" im Hinblick auf die kerygmatische Orientierung der eigenen Gemeinde (s. o. III:2.1).[146] Ein besonderes historisches, aktuelles oder theologisches Interesse an den Täuferjüngern findet bei ihm keinerlei Niederschlag, und es ist nicht einzusehen, wie SABUGAL eine „polémica misionaria de su [scil. des Mt] Comunidad con el Judaísmo farisáico y con sectas baptistas"[147] am Text von Mt 11, 2–6 im allgemeinen und an dessen diachroner Schichtung im besonderen belegen will.[148] Im übrigen ist der weitere Zusammenhang der matthäischen Täuferinterpretation zu berücksichtigen (s. u. V:3).

2.7 Redaktionsgeschichtliche Analyse: Der Täuferkreis in der lukanischen Redaktion (Lk 7, 18–23)

Ebensowenig wie bei Mt fallen bei Lk gegenüber der Q-Vorlage Veränderungen auf, die so markant sind, daß sie eine täuferpolemische Deutung stützen könnten (s. o. III:2.1; 2.2). Für den dritten Evangelisten sind die beiden Täuferjünger lediglich ἄγγελοι, die dem Zeugenrecht entsprechend (vgl. Dtn 19, 15) die endzeitlichen Taten des κύριος (Lk 7, 19) beglaubigen.[149] Diese werden denn auch gegenüber Q reich ausgemalt, und um diese christologische Sinnspitze allein geht es der lukanischen Darstellung.[150]

---

[145] Ebd..

[146] Mit Recht SAND, C: Mt, 238: „Die Frage des Täufers ist die Anfrage der Gemeinde. Und die darin ausgedrückte Unsicherheit ist die Unsicherheit der Gemeinde des Mt selbst"; vgl. näher GNILKA, C: Mt I, 406; SAND, C: Mt, 238; allgemein auch SCHÖNLE, Johannes, 121–149.

[147] Embajada, 55 (ohne Hervorhebung).

[148] Vgl. zur Auslegung von Mt 11, 2–6 näherhin GNILKA, C: Mt I, 405–410; SAND, C: Mt, 236–238; SCHÖNLE, Johannes, 123–125.

[149] Vgl. SCHÜRMANN, C: Lk I, 408.

[150] Vgl. zur Auslegung von Lk 7, 18–23 näher ERNST, C: Lk, 245–248; SCHÜRMANN, C: Lk I, 406–414.

2.8 Resümee

Das Ergebnis der Untersuchung von Mt 11,2–6/Lk 7,18–23 ist zunächst negativ. Die Perikope bietet auf der realhistorischen Erzählebene keinerlei wahrscheinliche Auskunft über den Täuferkreis und sein Verhältnis zum inhaftierten Meister einerseits und zu Jesus und seinem Hoheitsanspruch andererseits. Obwohl die Forschung weithin zumindest für Q und deren traditionsgeschichtliches Vorstadium ein täuferpolemisches Darstellungsanliegen postuliert und – zumal im Vergleich mit anderen Belegtexten – in der Tat prima facie mehrere Indikatoren, die Motive der Anfrage, der Jüngergesandtschaft, des Jubilus und des Makarismus, ein derartiges Postulat zu untermauern scheinen, erweist dieses sich doch in der Detailanalyse nicht nur als unbegründet, sondern als definitiv ausgeschlossen. Vielmehr bestätigt sich die oben konstatierte christologische Unsicherheit, vor die die Phänomene „Täufer" und „Täuferbewegung" die junge Gemeinde stellten (s. o. II) und zu deren Bewältigung die Perikope beitragen will. Ebenso zeigt sich, daß die Nähe der weiteren Täuferbewegung zu Jesus (s. o. II) wahrscheinlich zum Einmünden eines Teiles von ihr in das Christentum führte, in concreto hier in die hinter Q stehenden Formationen, die sich in der untersuchten Erzählung ihrer eigenen Ursprünge vergewissern. Dagegen hegen die Redaktoren der beiden Großevangelien kein derartiges Interesse mehr an Täufer und Täuferjüngern; Johannes steht im Dienst ihrer je eigenen Christologie, die Täuferjünger dienen – nachgerade im ursprünglichsten Wortsinn – der christologischen „Transmission".

3. Mk 2, 18–22 / Mt 9, 14–17 / Lk 5, 33–39

3.1 Überlieferungsgeschichtliche Analyse

3.1.1 Synoptische Vorüberlegungen

Die Perikope von der Fastenkontroverse (Mk 2, 18–22 / Mt 9, 14–17 / Lk 5, 33–39; vgl. EvThom 47b) wirkt bereits prima facie mehrdimensional. Die Gemeinde setzt sich hier einerseits mit der Fastenpraxis des Judentums im allgemeinen und der Johannesjünger im besonderen auseinander, andererseits aber auch mit ihrer eigenen Vergangenheit, näherhin mit dem Fastenverzicht Jesu; sie besinnt sich auf das angebrochene Neue und den Lauf dieses Neuen in geregelten Bahnen. Dieser Vielschichtigkeit trägt die diachrone Analyse Rechnung; sie ermittelt einen komplizierten Wachstumsprozeß, über den allerdings ein vergleichsweise breiter Forschungskonsens besteht.

Als Basis der Rekonstruktion ist aufgrund der literarischen Priorität Mk zu wählen. Jedoch weist vor allem der zweite Teil der Perikope einige minor agreements auf:

1. Mt 9, 14 / Lk 5, 33 sine Mk 2, 18a,
2. Mt 9, 15 / Lk 5, 34 sine Mk 2, 19b,
3. Mt 9, 16 / Lk 5, 36: „ἐπιβάλλει" diff Mk 2, 21: „ἐπιράπτει",
4. Mt 9, 17 / Lk 5, 37: „εἰ δὲ μή γε" diff Mk 2, 22: „εἰ δὲ μή",
5. Mt 9, 17: „ἐκχεῖται" / Lk 5, 37: „ἐκχυθήσεται" diff Mk 2, 22 sine verbo,
6. Mt 9, 17: „βάλλουσιν" / Lk 5, 38: „βλητέον" diff Mk 2, 22 sine verbo.

Dennoch ist nicht von einer Parallelüberlieferung in Q auszugehen[151], denn der Befund erklärt sich ohne weiteres aus naheliegenden sprachlichen Verbesserungen durch die beiden Großevangelien.[152] Allenfalls könnte man daran denken, „ἐπιβάλλει", das in Paranomasie mit „ἐπίβλημα" ursprünglicher wirkt, einer

---

[151] Vgl. hierzu HAHN, Bildworte, 361; erheblich komplizierter noch ist der Lösungsversuch FEUILLETS, controverse, 119–123: „si Matthieu et Luc s'accordent parfois contre Marc, c'est qu'ils dépendent littérairement d'une source commune autre que le second évangile et antérieure à lui" (123), nämlich vom Ur-Mt L. VAGANAYS.

[152] Vgl. CREMER, Fastenansage, 3f; FITZMYER, C: Luke I, 594f; KLAUCK, Allegorie, 169f; SCHÄFER, fasten, 126f; ausführlich STEINHAUSER, Doppelbildworte, 42–44; zu n. 1 s. u. III:3.6; 3.7.

nebenmarkinischen oral tradition zuzuweisen[153], aber vermutlich wird nur das Hapaxlegomenon „ἐπιράπτει" durch eine geläufigere Vokabel ersetzt[154], zumal zu beachten ist, daß die syntaktische Position des Verbums bei Mk und Lk gegen Mt übereinstimmt und „ἐπίβλημα" zur Formung der figura etymologica einlädt. So bedarf es zur Erklärung der Synopse keiner weiteren Hypothesen als der einer redaktionell bearbeiteten Mk-Vorlage.

3.1.2 Mk 2, 18b. 19a

Die überlieferungsgeschichtliche Analyse erschließt das Streitgespräch Mk 2, 18b. 19a mit Lehrfrage und Erwiderung als Ausgangsbasis des Traditionsprozesses.[155] Das Thema dieser Debatte ist das Nicht-Fasten der Jünger Jesu vor dem Hintergrund des Fastens ihrer Umwelt. Diese Einheit stellt zwei Probleme:

1. Ist in Mk 2, 18b der zweite Teil des Subjekts „καὶ οἱ μαθηταὶ τῶν Φαρισαίων" Bestandteil der ursprünglichen Tradition?
2. Gehört in Mk 2, 19a das Subjekt des temporalen Relativsatzes „ὁ νυμφίος" zur Ursprungstradition?

Zu 1.: Gegen die Ursprünglichkeit einer Erwähnung der Pharisäerjünger wird mitunter darauf verwiesen, daß die unkorrekte Bezeichnung – nicht die Pharisäer als solche, sondern die pharisäischen Schriftgelehrten umgaben sich mit תלמידים – auf die diffusen Kenntnisse oder die anachronistische Diktion einer späteren Zeit schließen läßt[156], aber der mit jüdischen Gepflogenheiten vertraute Mt bietet – anders als in Mt 9, 14 (vgl. Mk 2, 18 sec. Θ 1424 pc a ff²) – in Mt 22, 15f diff Mk 12, 13 / Lk 20, 20 die gleiche Wendung, und man mag sie ähnlich wie Mt 12, 27 / Lk 11, 19 „οἱ υἱοὶ τῶν Φαρισαίων" als zeitgenössisch mögliche Gattungsbezeichnung verstehen.[157] Dennoch ist es nicht einfachhin „willkürliche Buchhaltung", wenn man die Formulierung der Redaktion zuschreibt.[158] Denn dafür spricht nicht etwa, daß die Wendung „ungewöhnlich" sei[159], sondern daß sie den unmittelbaren Zusammenhang sprengt, wie auch Lk 5, 33 und unter den Textzeugen vor allem A empfinden: μαθηταί ist in Mk 2, 18b jeweils verschieden – einmal als Bezeichnung eines konkreten Jüngerkreises, dann als Gattungsbezeichnung – verwendet.[160] Anderseits fügt sich die Wendung in den Rahmen

---

[153] Vgl. HAHN, Bildworte, 362; THISSEN, Erzählung, 205f; WANKE, Bezugsworte, 83f.

[154] ἐπιβάλλω – Mk: 4; Mt: 2; Lk / Apg: 5/4.

[155] Zur Begründung s. u. III:3.1.3.

[156] Vgl. GNILKA, C: Mk I, 112; LOHMEYER, C: Mk, 59; SCHMITHALS, C: Mk I, 175; SCHÜRMANN, C: Lk I, 294; vgl. BULTMANN, Geschichte, 17 A. 3.

[157] Vgl. MARSHALL, C: Luke, 224; RENGSTORF, Art. μανθάνω, 445f.

[158] So aber PESCH, C: Mk I, 170.

[159] Vgl. aber ebd..

[160] Dies entgeht RENGSTORF, Art. μανθάνω, 445f; SCHMIDT, Rahmen, 87.

der sekundären, interpretierenden Zusätze, die den Akzent auf den Kontrast Christentum vs. Judentum legen (s. u. III:3.1.4; 3.2.3), für welches letztere die Jünger der Pharisäer als pars pro toto stehen mögen. Außerdem lädt der markinische bzw. vormarkinische Kontext Mk 2, 1–3, 6, eine Serie von Streitgesprächen vor allem mit pharisäischen Gegnern (vgl. Mk 2, 6. 16. 24; 3, 2. 6), nachgerade zur Einfügung dieser Antagonisten auch in die vorliegende Konflikterzählung ein, so daß die auch von beiden Seitenreferenten und zahlreichen Textzeugen (C² D *f*¹·¹³ 𝔐 syʰ boᵖᵗ; W Δ; Θ 1424 *pc* a ff²; A *pc*) als kompliziert empfundene Wendung mit der Doppelung des μαθητής-Begriffs am ehesten auf markinischen bzw. vormarkinischen Eingriff zurückzuführen ist. Sie rechtfertigt „l'insertion de la péricope dans une série de conflits de Jésus avec les Pharisiens"; „originairement le contraste n'était établi qu'entre les disciples de Jean et ceux de Jésus".[161]

Zu 2.: Zugunsten des sekundären Charakters des Substantivs „ὁ νυμφίος" wird darauf verwiesen, daß der Terminus in der Regel allegorisch verstanden wird[162], doch läßt die nähere Prüfung des konkreten Sinns der Bezeichnung keinen Zweifel an ihrer Zugehörigkeit zur Kerntradition aufkommen (s. u. III:3.2.1).

3.1.3 Mk 2, 19b. 20

„The 'counter-question' form of 19a is a form meant to be a 'stopper', i.e. an answer complete in itself, not a take off point for a chain of reflection such as we find in 19b–20".[163] Diese aktualisierende Interpretation in Mk 2, 19b. 20 setzt nicht mehr – wie die Ursprungstradition – eine Situation im Auftreten Jesu voraus, sondern einen kirchlichen Konfliktfall (s. u. III:3.2.1; 3.2.2). Mk 2, 19b nimmt die Aussage von Mk 2, 19a im relativischen Anschluß wieder auf und beantwortet die doch rhetorisch gemeinte Frage[164], so daß der Eindruck einer Dublette entsteht, die von den Seitenreferenten und den Textzeugen D W *f*¹ 33.

---

[161] FEUILLET, controverse, 126f. Vgl. auch BULTMANN, Geschichte, 17 A. 3, 54; DIBELIUS, Überlieferung, 40; GARDNER, appraisal, 18f; GNILKA, C: Mk I, 112; GRÄSSER, Problem, 44f; GRUNDMANN, C: Mk, 85; HIRSCH, Frühgeschichte I, 13; KEE, question, 162f; KUHN, Sammlungen, 70; LOHMEYER, C: Mk, 59; PERRIN, teaching, 79; ROLOFF, Kerygma, 224, 234; SCHMITHALS, C: Mk I, 175; SCHÜRMANN, C: Lk I, 294f A. 5; TAYLOR, C: Mark, 209f; WANKE, Bezugsworte, 83. Der Vorschlag, die Wendung aus dem Kernbestand auszugrenzen, erscheint jedenfalls viel eher angemessen als die komplizierte Hypothese HULTGRENS, adversaries, 80f, nach der sie dem jüdisch-christlichen Fastenstreit zuzuordnen sei und gewissermaßen den Grundbestand der conflict story bilde, die darüber hinaus auf „a remembered question and a remembered answer from the ministry of Jesus" (Mk 2, 18b. 19a) rekurriere.

[162] Vgl. HULTGREN, adversaries, 79; NINEHAM, C: Mark, 103f.

[163] GARDNER, appraisal, 16.

[164] μή markiert einfache Satzfragen, auf die ausschließlich verneinend geantwortet werden kann (vgl. BLASS/DEBRUNNER, § 440).

700 it vg^mss (sy^p) prompt getilgt wird.[165] Gleichzeitig verschiebt sich in der Antwort jedoch der Schwerpunkt auf das chronologische Moment – aus „ἐν ᾧ" (Mk 2, 19a) wird „ὅσον χρόνον" (Mk 2, 19b)[166] –, in Mk 2, 20 wird schließlich die Zeit Jesu sogar retrospektiv betrachtet. Vor allem erfolgt in Mk 2, 19b. 20 ein Wechsel des Skopus: nicht mehr der Fastenverzicht Jesu, sondern im Gegenteil die Fastenpraxis der Gemeinde steht nunmehr zur Debatte. Das in sich völlig ausreichende[167] Bild der Erwiderung Mk 2, 19a, der Form nach ein eingliedriger Maschal[168], wird modifiziert, wobei die Sachhälfte die Bildhälfte verdrängt, denn „it is not normal for the Bridegroom to be 'taken away', while even his best friends would not expect him to stay at the festivities indefinitely. When he does leave this is not usually an occasion for fasting".[169]

---

[165] Freilich mag dies bei den Textzeugen auch auf Paralleleinfluß und Homoioteleuton zurückzuführen sein. Die Dublette ist insofern nahezu in beiden Hälften deckungsgleich, als jedes Glied von Mk 2, 19a in Mk 2, 19b eine Entsprechung findet: „μὴ δύνανται" – „οὐ δύνανται"; „οἱ υἱοὶ τοῦ νυμφῶνος" – in: „ἔχουσιν"; „ἐν ᾧ" – „ὅσον χρόνον"; „ὁ νυμφίος" – „τὸν νυμφίον"; „μετ' αὐτῶν ἐστιν" – „μετ' αὐτῶν"; „νηστεύειν" – „νηστεύειν".

[166] Vgl. GARDNER, appraisal, 16.

[167] So mit Recht BULTMANN, Geschichte, 18 A. 1 gegen DIBELIUS, Formgeschichte, 62.

[168] Vgl. BULTMANN, Geschichte, 84.

[169] KEE, question, 165; vgl. BRAUMANN, Tag, 266; JÜLICHER, Gleichnisreden II, 184; PESCH, C: Mk I, 175. Mk 2, 19b. 20 wird prinzipiell von der überwiegenden Majorität der gegenwärtigen Forschung für eine sekundäre Erweiterung gehalten, so von ALBERTZ, Streitgespräche, 9; BOUSSET, Kyrios, 40f; BULTMANN, Geschichte, 17f; FITZMYER, C: Luke I, 595; GARDNER, appraisal, 16f; GNILKA, C: Mk I, 111; GRÄSSER, Problem, 44–46; GRUNDMANN, C: Mk, 85; HAENCHEN, C: Weg, 116f; HAHN, Hoheitstitel, 126f A. 4; HULTGREN, adversaries, 80; KÜMMEL, Verheißung, 68–70; KUHN, Sammlungen, 61f; NINEHAM, C: Mark, 102; PESCH, C: Mk I, 171; ROLOFF, Kerygma, 225f, 229f; SCHMITHALS, C: Mk I, 179; SCHÜRMANN, C: Lk I, 297. Zu einer weiteren überlieferungsgeschichtlichen Differenzierung besteht hingegen kein Anlaß! Hier werden im wesentlichen vier Dekompositionen vorgeschlagen: 1) Nur Mk 2, 19a wird als primär angesehen, Mk 2, 18b ausgegrenzt (SCHWEIZER, C: Mk, 32; als Erwägung bei SCHÜRMANN, C: Lk I, 297; vgl. GNILKA, C: Mt I, 338); jedoch bedarf Mk 2, 19a, um überlieferungsfähig zu sein, der einleitenden Szene, und die Mk 2, 18b mitgeteilte Szene ist völlig unverdächtig. 2) Die Zeitbestimmung in Mk 2, 19a wird als sekundär derjenigen in Mk 2, 19b. 20 angeglichen verstanden (BOUSSET, Kyrios, 40f; HAHN, Hoheitstitel, 126f A. 4 [127]; WANKE, Bezugsworte, 82); doch läßt sich die Differenz der temporalen Nebensätze erheblich ökonomischer erklären (s. u. III:3.2.2). 3) Die Einheitlichkeit der Erweiterung von Mk 2, 19b. 20 wird bestritten und Mk 2, 19b später als Mk 2, 20 angesetzt (GRÄSSER, Problem, 45; HIRSCH, Frühgeschichte I, 13); jedoch scheint der nur als Brückenvers sinnvolle Satz Mk 2, 19b ursprünglich zu Mk 2, 20 zu gehören. 4) Aufgrund der unterschiedlichen Zeitangaben „ἡμέραι" und „ἐν ἐκείνῃ τῇ ἡμέρᾳ" wird der Schlußteil von Mk 2, 20 noch einmal ausgegrenzt (KLAUCK, Allegorie, 161, 166; THISSEN, Erzählung, 68; WAIBEL, Auseinandersetzung, 66–68); demgegenüber ist zu betonen, daß die unterschiedlichen Zeitangaben gar nicht so auffällig sind, da die erste generell die Zukunft markiert, während sich der durch das Demonstrativpronomen hervorgehobene Singular auf ein konkretes Datum (s. u. III:3.2.2) bezieht, ein nachträglicher Interpretationsversuch hätte sich wohl auch viel eher damit begnügt, den Plural der ersten Zeitangabe in den Singular zu verwandeln. Auf der anderen Seite bestreiten nicht wenige Exegeten überhaupt das Recht zur überlieferungsgeschichtlichen Abhebung von Mk 2, 19b oder sogar von Mk 2, 19b. 20 im ganzen. So sehen KLOSTERMANN, C: Mk, 27 und LOHMEYER, C: Mk, 59f Mk 2, 19 als Einheit, die erst in Mk 2, 20 erweitert wurde; jedoch läßt die formale Gleichheit bei gleichzeitiger sachlicher Verschiebung den Bruch hinter Mk 2, 19a vermuten. MUDDIMAN, controversy, 166 (vgl. ebd., 129–168) sucht, gestützt vor allem auf formgeschichtliche Parallelen der rabbinischen Literatur,

Die durch „ἀπ' αὐτῶν ὁ νυμφίος" (Mk 2, 20) gekennzeichnete Situation wird man in der frühen nachösterlichen Gemeinde ansetzen.[170] Daß der Zuwachs erst der markinischen Redaktion zuzuschreiben ist[171], wird daher kaum anzunehmen sein.

3.1.4 Mk 2, 21. 22a. b

Der so entstandenen Einheit wurde als Kommentarwort[172] die „Schneider- und Küferregel" Mk 2, 21. 22a. b beigegeben. Die gleiche Formalstruktur, Intention und Hintergrundsituation in beiden Hälften des Doppellogions und ihre Interdependenz[173] lassen auf ihre ursprüngliche Einheit schließen[174] und grenzen es

die *formale* Einheit von Mk 2, 18–22 zu illustrieren, doch beansprucht konkrete inhaltliche Differenz den Vorrang vor formaler Analogie! Am häufigsten begegnet der Einwand, hinter dem isolierten Vers Mk 2, 19a sei keine eigene Intention zu erkennen, da es eine nicht fastende Kirche im ersten Jahrhundert nicht gegeben und auch Jesus das Fasten nicht prinzipiell abgelehnt habe (CREMER, Fastenansage, 5f; KEE, question, 166f; MARSHALL, C: Luke, 223; SCHÄFER, fasten, 144f; STEINHAUSER, Doppelbildworte, 54f; TAYLOR, C: Mark, 211f); dieser Einwand verkennt jedoch den eigentümlichen Charakter des Fastenverzichts Jesu (s. u. IV:2.2) und die formgeschichtliche Eigenart der „unitary conflict story", der es ja gar nicht um die Grundsatzfrage „De ieiunio" geht! Besonders kraß mißversteht KEE, question, 168 die Situation, der von Jesus der Substanz nach etwa folgende Antwort erwartet: „How do you know whether my disciples fast or not? No one should be able to tell simply by looking at them. When you fast do not go around mourning as at a funeral, but joyful, as at a wedding"; ebd., 170 wertet er die Antwort Mk 2, 19f als „a view of fasting inferior to the view of Jesus", die er in Mt 6, 16–18 zu finden meint. Das Gegenteil ist richtig: Mk 2, 19a bezeichnet den eschatologischen Siedepunkt, während Mt 6, 16–18 wieder in gewohnter Fastenpraxis verläuft! An Kompliziertheit kaum noch zu überbieten ist die ebd., 171 vorgetragene Konstruktion, daß Jesus und seine Jünger fasteten, die jüdische Umwelt ihnen jedoch vorwarf, nicht zu fasten, die Gemeinde später der jüdischen Kritik Glauben schenkte und sich gezwungen sah, ihr eigenes Fasten gegenüber dem vermeintlichen Nicht-Fasten der Jesus-Jünger zu rechtfertigen. Hier scheint der Ausleger näher an den Ereignissen als die Zeitgenossen! Schließlich ist noch der Einwand EBELINGS, Fastenfrage, 388 zu nennen, nach dem die Gemeinde nicht aus Reminiszenzen aus der Zeit des nunmehr abwesenden Herrn lebe, sondern aus der Gewißheit seiner Gegenwart, so daß Mk 2, 19f kaum Gemeindebildung sei. So pauschal wird man aber die Gegenwartsgewißheit bei den frühesten Gemeinden nicht voraussetzen können; theologische Inkonsequenzen sind der Gemeinde, zumal wenn sie in der Defensive steht, durchaus zuzutrauen, und die Zeit vor der Parusie ist eben nicht nur durch die Gegenwart, sondern in gewisser Weise auch durch unerträgliche Ferne des Bräutigams geprägt (vgl. nur Offb 22, 20).

[170] Vgl. auch GARDNER, appraisal, 17.
[171] So erwogen bei BULTMANN, Geschichte, 18.
[172] Vgl. WANKE, Bezugsworte, 86–88, der allerdings in Mk 2, 18. 19a das Bezugs- und in Mk 2, 21f das Kommentarwort sieht und daher eine komplizierende Interpolation von Mk 2, 19b. 20 in einen vorgebenen Zusammenhang annehmen muß.
[173] KLAUCK, Allegorie, 172 zeigt auf, daß beide Regeln nur im Paar verständlich sind.
[174] Ebenso HAHN, Bildworte, 362; KLAUCK, Allegorie, 171f; PESCH, C: Mk I, 176; STEINHAUSER, Doppelbildworte, 60–62. Anders CREMER, Fastenansage, 4f; SCHÄFER, fasten, 137, die zu Unrecht ein unterschiedliches Aussageinteresse beider Regeln vermuten (gegen diese und ähnliche Versuche vgl. STEINHAUSER, Doppelbildworte, 61f). BULTMANN, Geschichte, 90 erwägt, ob Mk 2, 22 Analogiebildung zu Mk 2, 21 sei, aber das Motiv für eine solche nachträgliche Doppelung bleibt unklar.

zugleich von der vorausgehenden Einheit ab, zu der kein sachlicher Bezug besteht. Statt um die Frage des Fastens geht es diesen Klugheitsregeln nunmehr grundsätzlich um die Frage des Novum Christianum.[175]

Es empfiehlt sich nicht, innerhalb von Mk 2, 21 die Wendung „τὸ καινὸν τοῦ παλαιοῦ" als sekundären Zuwachs auszuscheiden, da sie „unverkennbar den Charakter eines Einschubs" trage[176], denn ästhetisierende Maßstäbe werden dem Text nicht gerecht, und die Wendung ist als ungeschickt plazierte, wiederholend verdeutlichende Apposition durchaus verständlich.[177]

Die literarische Verknüpfung der eigenartigen Doppelregel mit dem Kontext der Konflikterzählungen ist also als Leistung der markinischen oder vormarkinischen Redaktion anzusehen[178]; den Anstoß mag der Nexus νυμφίος – οἶνος gegeben haben.

3.1.5 Mk 2, 22c

Daß Mk 2, 22c dem Doppelbildwort nachträglich angefügt wurde, wird man zwar nicht ästhetisierend mit der formalen Überschüssigkeit des Verses begründen können[179]; auch das Adjektiv καινός ist neben νέος nicht auffällig.[180] Aber es macht sich doch ein sachlicher Hiat bemerkbar, denn die Perspektive

---

[175] JÜLICHER, Gleichnisreden II, 196: „Wen würden ohne diese Stellung bei Mc die Sprüche vom Alten und Neuen an das Wort vom Bräutigam und Fasten erinnern?" Für die sekundäre Verknüpfung von Mk 2, 21f mit der Fastenstreit-Perikope plädiert die weitaus überwiegende Mehrheit der Ausleger, so etwa BULTMANN, Geschichte, 18; CREMER, Fastenansage, 5; GARDNER, appraisal, 15; GNILKA, C: Mk I, 111; GRUNDMANN, C: Mk, 85; HAENCHEN, C: Weg, 118; HAHN, Bildworte, 369f; HULTGREN, adversaries, 82; KUHN, Sammlungen, 71; LOHMEYER, C: Mk, 61; PESCH, C: Mk I, 176; ROLOFF, Kerygma, 234; SCHÜRMANN, C: Lk I, 299; STEINHAUSER, Doppelbildworte, 55, 59; THISSEN, Erzählung, 68f. Anders etwa GOULD, C: Mark, 45-47; SCHILLE, Anfänge, 172f; WAIBEL, Auseinandersetzung, 77f, die jedoch nur auf denkbar allgemeine Zusammenhänge verweisen können. MUDDIMAN, controversy, 269–288 sieht sich gar veranlaßt „professional washing or 'fulling' as metaphor for the work of John" zu deuten! G. BROOKE, The Feast of New Wine and the question of fasting, in: ET 95 (1983/84) 175f verweist völlig unvermittelt auf 11 QT 19, 11–21, 10; hiergegen R. T. BECKWITH, The Feast of New Wine and the question of fasting, in: ET 95 (1983/84) 334f.

[176] HAHN, Bildworte, 362f; ähnlich KLAUCK, Allegorie, 169; STEINHAUSER, Doppelbildworte, 55; THISSEN, Erzählung, 206.

[177] Erst recht kann man nicht wie HAHN, Bildworte, 363 mit dem Adjektiv καινός argumentieren, denn es trägt gerade auch in Mk 2, 22c keinen eschatologischen Zug!

[178] Für markinische Redaktion plädieren BULTMANN, Geschichte, 18; GRUNDMANN, C: Mk, 88; HULTGREN, adversaries, 82; KLAUCK, Allegorie, 169; LOHMEYER, C: Mk, 61; O'HARA, fasting, 88; ROLOFF, Kerygma, 234. Hingegen siedeln GARDNER, appraisal, 15f; STEINHAUSER, Doppelbildworte, 58f; THISSEN, Erzählung, 68f; WANKE, Bezugsworte, 84 die Erweiterung im vormarkinischen Redaktionsprozeß an (s. u. III:3.1.6).

[179] So aber GNILKA, C: Mk I, 111; HAHN, Bildworte, 363; KLAUCK, Allegorie, 169.

[180] So aber HAHN, Bildworte, 363.

wechselt völlig unvermittelt und dem Grundgedanken von der Inkommensurabilität von Alt und Neu sogar widersprechend zu den neuen Schläuchen.[181]

3.1.6 Mk 2, 18a

Der markinische Redaktor bzw. die vormarkinische Redaktion[182] wurde nicht nur durch die Einschaltung des zweiten Teils des Subjekts in Mk 2, 18b und die Erweiterung um die Klugheitsregeln Mk 2, 21f tätig, sondern auch durch die Schaffung der knapp die Situation vorgebenden Exposition Mk 2, 18a. Durch das Stichwort Φαρισαῖοι verbindet sich die „unitary conflict story"[183] mit der Serie von Konflikterzählungen des Makrokontexts Mk 2, 1–3, 6. Mk 2, 18b bildet mit „ἔρχονται" und „λέγουσιν" im unpersönlichen Plural einen passenden Perikopenbeginn, während das Imperfectum periphrasticum in Mk 2, 18a auf eine konkrete Situation zielt, die aber nach Mk 2, 19a gar nicht zu erwarten ist: „In other words, the attempt of 18a to fix the setting of 18b as a single occasion of fasting actually distorts the broader issue which lies behind 18b".[184]

3.2 Diachrone Sinnerschließung

3.2.1 Mk 2, 18b. 19a

Den Grundstock der Überlieferung bildet mithin der knappe Dialog Mk 2, 18b. 19a. Unbekannte Fragesteller veranlassen Jesus zu einer Äußerung über den auffallenden Unterschied in der Fastenpraxis zwischen Jesus- und Johannes-Jüngern. Von einer Fastenkontroverse kann man hier noch nicht sprechen; „ἔρχονται" und „λέγουσιν" bezeichnen den unpersönlichen Plural[185], die Ge-

---

[181] Vgl. GNILKA, C: Mk I, 111; HAHN, Bildworte, 363; KLAUCK, Allegorie, 169f; SCHLATTER, C: Mk, 71; THISSEN, Erzählung, 206f; WANKE, Bezugsworte, 83. Mk 2, 22c wird am ehesten demselben Erweiterungsprozeß zuzuschreiben sein, der Mk 2, 21. 22a. b an Mk 2, 18b–20 fügte.

[182] Das Problem der Eigenart der Redaktion in der Streitgespräch-Sammlung kann hier nicht behandelt werden. Wir halten die These von einer Zurückhaltung des markinischen Redaktors gegenüber einer vormarkinischen Sammlung im ganzen für überzeugend. Zur Diskussion vgl. GARDNER, appraisal, 201f A. 7; THISSEN, Erzählung, 14–29.

[183] Vgl. HULTGREN, adversaries, 78f.

[184] GARDNER, appraisal, 18. Die hier vorgeschlagene Lösung findet sich ähnlich bei BULTMANN, Geschichte, 17; HULTGREN, adversaries, 80; PESCH, C: Mk I, 171; ROLOFF, Kerygma, 234; WANKE, Bezugsworte, 82. Hingegen rechnen GRUNDMANN, C: Mk, 85; STEINHAUSER, Doppelbildworte, 38f Mk 2, 18a zum Grundbestand; SCHMIDT, Rahmen, 87 bleibt indifferent.

[185] Vgl. auch MUDDIMAN, controversy, 359 u. ö..

sprächspartner bleiben also ungenannt und sind erst im vorliegenden Kontext als Antagonisten auszumachen. „It is arguable that, as originally conceived at least, the question implies little criticism, rather mostly curiosity – though we must remember that any deviance from the customary is apt to make people uncomfortable".[186] Die divergierenden Verhaltensweisen werden in parallelen Sätzen kontrastiert. Dabei werden nicht die – letztlich für das Auftreten ihrer Jünger verantwortlichen[187] – Meister miteinander verglichen (vgl. Mt 11, 16–19/ Lk 7, 31–35), sondern die Jüngerkreise selbst. Die Frage setzt Vergleichbarkeit voraus: Ungleiches fällt erst bei ähnlichen, benachbarten Phänomenen auf. Nach rabbinischer Weise antwortet Jesus mit einer Gegenfrage. In einem Bildwort[188] vergleicht er seine Jünger mit den υἱοὶ τοῦ νυμφῶνος des palästinischen Hochzeitsbrauchtums; die בני החופה sind die zur Hochzeitsfeier geladenen Freunde des Bräutigams.[189] Das Bild bringt deutlich zum Ausdruck, daß die Heilszeit der Gottesherrschaft die Bußaskese des Fastens gänzlich ausschließt.[190]

Die Rede vom „Bräutigam" sollte weder als messianische Allegorie überinterpretiert noch als sprichwörtliche Redensart beiseite geschoben werden. Es ist in der Tat unwahrscheinlich, daß νυμφίος auf der frühen Ebene der Tradition schon messianologisch verstanden worden ist. Eine solche hoheitliche Prädikation würde sich kaum in einem temporalen Nebensatz verbergen; zudem kennt weder das Alte Testament noch das spätantike Judentum ein Messiasprädikat „Bräutigam".[191] Andererseits bezeichnet die Konstruktion „ἐν ᾧ ὁ νυμφίος μετ' αὐτῶν ἐστιν" nicht einfachhin nur eine Zeitspanne, für die die Figur des Bräutigams im Grunde unerheblich ist[192], denn gerade diese Zeitbestimmung bricht die Logik des Bildes: wenn der Bräutigam nicht mehr „μετ' αὐτῶν" ist, beginnen die Hochzeitsgäste ja nicht zu fasten[193]; außerdem wäre sie sehr viel einfacher durchzuführen, etwa mit διὰ γάμων. Offensichtlich besteht ein

---

[186] DAUBE, responsibilities, 4. Freilich vermutet bereits Johannes Chrysostomos Polemik, wenn er meint, Jesu Replik wolle die Aufgeblasenheit der Johannesjünger wegen des Todes ihres Meisters dämpfen (vgl. JÜLICHER, Gleichnisreden II, 185).

[187] Vgl. PESCH, C: Mk I, 172 und den sehr instruktiven Aufsatz DAUBE, responsibilities.

[188] Nach BULTMANN, Geschichte, 107 A. 1, 109; BURKILL, guests, 41f; LANE, C: Mark, 109f (vgl. aber SCHÜRMANN, C: Lk I, 297f) mag es sich um ein Sprichwort handeln; dies schließt aber nicht aus, daß es in konkreter Situation prägnante theologische Bedeutung gewann (vgl. KÜMMEL, Verheißung, 51 A. 123).

[189] Vgl. STRACK/BILLERBECK I, 500–504.

[190] Zum Bildfeld vgl. etwa KLAUCK, Allegorie, 162–164.

[191] Vgl. JEREMIAS, Art. νύμφη, 1094f; zur bridegroom-Analogie allgemein vgl. die ausführliche Studie MUDDIMANS, controversy, 214–238.

[192] So JEREMIAS, Art. νύμφη, 1096; DERS., Gleichnisse, 49 A. 3.

[193] „Es handelt sich bei dieser Antwort nicht um ein einfaches Gleichnis, bei dem ein Urteil, das auf dem Gebiet hochzeitlicher Bräuche gültig ist, auf ein anderes übertragen werden soll. Der Kern der Antwort liegt darin, daß gerade dieses ‚Gleichnis' dieser Frage gegenübergestellt wird; mit anderen Worten: Hier ist Hochzeit, ist ein Bräutigam, sind Hochzeitsgäste" (LOHMEYER, C: Mk, 60; vgl. auch SCHÜRMANN, C: Lk I, 296).

Interesse an der Gestalt des νυμφίος: mit ihm steht und fällt die Hochzeits-feier.[194] Es wird sich hier um eine Selbstaussage Jesu, des eschatologischen Boten, handeln[195], die sich freilich mit einer bedeutungsvollen, assoziativ reich besetzten Anspielung[196] begnügt. Der Akzent der Aussage liegt jedenfalls auf der durch das gängige Bild der Hochzeit[197] insinuierten Heilszeit: „Da, wo der Bräutigam mit den Seinen Mahlgemeinschaft hält, wird die Heilszeit als gegen-wärtig erfahren; und weil das jetzt geschieht, darum gilt es für die Geladenen, mit ihm zu essen und nicht zu fasten".[198] Von daher steht im Zentrum des Dialogs nicht die kasuistische Fastenfrage, sondern die prinzipielle Kluft zwi-schen Jesus und dem Täufer: was er verkündigt hat, ist mit dem Anbruch der βασιλεία erfüllt (s. u. IV:2.2).[199]

Dieser Grundstock der Tradition wurde bei seiner Einarbeitung in den Kontext der (vor)markinischen Sammlung, als deren Mittelachse und Kristalli-sationspunkt die Perikope zu betrachten ist[200], in einigen Punkten umgedeutet: die ursprünglich arglose Frage wird zur Streitfrage, der νυμφίος wird nun eindeutig christologisch verstanden (vgl. Mk 2, 10. 19b–22. 28), der Vergleich zwischen Jesus- und Johannes-Jüngern wird – schon durch die Aufnahme der Pharisäerjünger – zum Konflikt zwischen der Gemeinde und dem Judentum (vgl. Mk 2, 6. 16. 24; 3, 2. 6): aus dem Eschaton Jesu wird das Novum des Christentums.

3.2.2 Mk 2, 19b. 20

Die negative Antwort Mk 2, 19b auf die rhetorische Frage Mk 2, 19a klingt tautologisch, verschiebt aber die Akzente. Während in Mk 2, 19a die Präpositio-nalwendung „ἐν ᾧ" lediglich die Gleichzeitigkeit anzeigt, markiert in Mk 2, 19b der Akkusativ der Zeitdauer[201] das quousque der Anwesenheit des Bräutigams und damit das Ende der Hochzeitsfeier: „aus ‚während' wird ‚solange'".[202] Durch den Nachsatz scheint deutlich die nachösterliche Situation: die Jünger waren zeitweilig Gäste der Hochzeitsfeier, aber die messianische Heilszeit gehört jetzt der Vergangenheit an. Der νυμφίος rückt in das Zentrum. So

---

[194] MUDDIMAN, controversy, 238: „Jesus is the νυμφίος because his disciples are acting as sons of the bride-chamber and he is defending them".
[195] Vgl. PESCH, C: Mk I, 173.
[196] Vgl. KLAUCK, Allegorie, 166.
[197] Vgl. STRACK/BILLERBECK I, 517f.
[198] ROLOFF, Kerygma, 227; vgl. GARDNER, appraisal, 21–23; PESCH, C: Mk I, 173. Wenn das Bild später allegorisch verwendet wurde, schließt das einen anfänglich anderen Gebrauch keineswegs aus (gegen HULTGREN, adversaries, 79).
[199] Vgl. auch ROLOFF, Kerygma, 228.
[200] Vgl. THISSEN, Erzählung, 176–182, 192–196.
[201] Vgl. BLASS/DEBRUNNER, §201 A. 4.
[202] PESCH, C: Mk I, 174.

schließt Mk 2, 19b zwar formal an Mk 2, 19a an, schafft aber zugleich die Bedingung, das Fasten der Gemeinde trotz der unzweideutigen Ablehnung Mk 2, 19a in Mk 2, 20 dann doch plausibel zu machen.[203]

Dazu dient vor allem der Kontrast zwischen der Gegenwart und der Zukunft: „ὅσον χρόνον ἔχουσιν τὸν νυμφίον μετ' αὐτῶν" – „ὅταν ἀπαρθῇ ἀπ' αὐτῶν ὁ νυμφίος". Das Fasten der Gemeinde wird mit der Abwesenheit des jetzt eindeutig messianisch verstandenen[204] Bräutigams in der Zeit der Kirche zwischen „Himmelfahrt" und „Wiederkunft" begründet. In concreto dürfte an das wöchentliche Freitagsfasten gedacht sein (vgl. etwa Did 8, 1; Tertullian, De ieiun., 2, 3; 13, 1).[205]

Da die Erweiterung keine Spuren einer Auseinandersetzung der Gemeinde mit der jüdischen Umwelt zeigt – die Fastenpraxis trennt Christen und Juden ja gar nicht (vgl. Did 8, 1) –, ist es unnötig, in einem solchen Konflikt den Anlaß zur Bildung von Mk 2, 19b. 20 zu sehen.[206] Die Rechtfertigung einer Gemeinde-askese, die von der Praxis Jesu und seiner Jünger evident abweicht, reicht als Motivation völlig aus.[207] Die Gemeinde rettet ein Jesus-Wort[208] und grenzt es zugleich gegen das undialektische Mißverständnis eines spirituellen Enthusiasmus ab.[209]

---

[203] Die Deutung des Fastens auf eine Zeit des „experiencing sorrow" (LANE, C: Mark, 112; vgl. LOHMEYER, C: Mk, 60) ist zu allgemein und erklärt auch nicht den Kontrast zur „Zeit des Bräutigams". ROLOFF, Kerygma, 233 bezieht Mk 2, 19b. 20 auf die Gegenüberstellung der Freudenzeit der leiblichen Gegenwart Jesu und der Trauerzeit seiner Abwesenheit. Aber eine metaphorische Antwort auf eine präzise Frage ist nicht wahrscheinlich, sie wäre auch von Anfang an (vgl. Mk 2, 21f) mißverstanden worden; hingegen liegt in EvThom 27 tatsächlich ein metaphorisches Verständnis vor (vgl. ferner KLAUCK, Allegorie, 166). Nach ZIESLER, removal, 191–193 geht es Mk 2, 18–20 nicht chronologisch um den Bruch mit der eigenen Vergangenheit, „to justify the church's practice of fasting", sondern um „a concern to reject the Pharisaic tradition": „To lose the kingdom is also to lose the bridegroom, and to be in a situation where mourning is the correct response" (193) – ein komplizierter Gedanke ohne hinreichende Fundierung im Text, inspiriert durch das sekundär angehängt Doppelbildwort; vgl. aber KEE, question, 161; DERS., coat, 13f.

[204] Vgl. JEREMIAS, Art. νύμφη, 1098.

[205] Bei der Wendung „ἐν ἐκείνῃ τῇ ἡμέρᾳ ist nicht etwa nur an den Todestag Jesu zu denken, sondern am ehesten an dessen wöchentliches Begängnis. Zur Diskussion vgl. ausführlich KUHN, Sammlungen, 63–71; KUHN verwirft die Übertragung „in jener Zeit" und prüft folgende Möglichkeiten: 1) wöchentliches Freitagsfasten, 2) Passafasten entsprechend dem Brauch der Quartodezimaner, 3) Karsamstagsfasten, 4) Karfreitagsfasten. Ähnlich wie etwa HAENCHEN, C: Weg, 115; HIRSCH, Frühgeschichte I, 13; SCHWEIZER, C: Mk, 33 entscheidet er sich für das wöchentliche Freitagsfasten. BRAUMANN, Tag, 266f und EBELING, Fastenfrage, 393–395 denken daran, daß erst in den eschatologischen Wehen der Herr den Gläubigen entrissen sei, aber die Parusie ist weder als Zeit der Abwesenheit des Bräutigams charakterisiert noch Anlaß zum Fasten; vgl. H. CONZELMANN, Gegenwart und Zukunft in der synoptischen Tradition, in: ZThK 54 (1957) 277–296, hier: 291; GRÄSSER, Problem, 48; KLAUCK, Allegorie, 165; KUHN, Sammlungen, 63; ROLOFF, Kerygma, 225.

[206] Vgl. hingegen KUHN, Sammlungen, 70f.

[207] Vgl. auch PESCH, C: Mk I, 176.

[208] SCHÜRMANN, C: Lk I, 297.

[209] Vgl. SCHMITHALS, C: Mk I, 180.

3.2.3 Mk 2, 21f. 18a

Das Doppellogion bringt die christliche Neuheitserfahrung zum Ausdruck: der Einbruch des Eschaton – ungewalktes Tuch, neuer Wein – rückt das Judentum – altes Kleid, alte Schläuche – ins Obsolete.[210] Der Zusatz Mk 2, 22c geht hingegen von dem bereits eingetretenen Neuen aus, das seine ihm entsprechende Gestalt finden muß.[211]

Die redaktionelle Bearbeitung gibt schließlich der Szene durch die Exposition einen „Sitz im Leben Jesu" und ordnet sie im Rahmen der galiläischen Streitgespräche dem Konflikt Jesu mit dem Judentum zu; von daher fügt sich das als Kommentarwort angehängte Doppelbildwort in die redaktionelle Intention ein.

3.3 Historische Würdigung

Die überlieferungsgeschichtliche Analyse hat wahrscheinlich gemacht, daß Mk 2, 19b. 20 als vaticinium ex eventu auf den Tod Jesu zurückblickt und somit ekklesialen Ursprungs ist.[212] Kirchliches Interesse verrät auch Mk 2, 22c mit dem Hinweis auf die neuen Schläuche, der die Neuheitserfahrung der vorstehenden

---

[210] Vgl. dazu die eingehenden Untersuchungen bei HAHN, Bildworte, passim; KLAUCK, Allegorie, 171–174; M. G. STEINHAUSER, Neuer Wein braucht neue Schläuche. Zur Exegese von Mk 2,21f par, in: H. MERKLEIN u. J. LANGE (Hg.), Biblische Randbemerkungen. FS R. Schnackenburg, Würzburg ²1974, 113–123. Kritisch setzt sich KEE, coat mit dem Forschungsstand auseinander: nicht um die incompatibility des Alten mit dem Neuen gehe es (vgl. ebd., 14–17), sondern um „the danger of loss", vergleichbar Mt 25, 1–13; Mt 25, 14–30 / Lk 19, 11–27; Lk 14, 28–30. 31f (vgl. ebd., 17–21). Daß das Doppelbildwort ursprünglich eine solche oder ähnliche Bedeutung gehabt hat, ist nicht auszuschließen und der Gedanke KEES reizvoll, da die „Schonung des Alten" in Mk 2, 21f parr in der Tat auffällig ist. Das Doppellogion hätte dann als parable of repentance von „inappropriate action and thoughtlessness" gehandelt, aber der Vorschlag bleibt hypothetisch, und im Kontext geht es jedenfalls um die Absetzung des Novum Christianum vom Vetus Judaicum.

[211] Vgl. HAHN, Bildworte, 372f.

[212] Bestritten wird das von CREMER, Fastenansage, 5; MUDDIMAN, controversy, 169–200; REICKE, Fastenfrage, 322–324; SCHÄFER, fasten, 132–134. Richtig ist, daß von einem gewaltsamen Tod des „Bräutigams" nicht explizite die Rede ist, also keine Leidensweissagung im strengen Sinn vorliegt. Jedoch wird man gegen CREMER, Fastenansage, 5 und SCHÄFER, fasten, 133 die Konnotationen des Brachialen in ἀπαίρεσθαι nicht ganz negieren. Das Verbum kommt im Neuen Testament nur in der vorliegenden traditio triplex vor; der Akzent liegt sicher auf der „Entfernung" des Herrn, aber diese gibt Anlaß zum Fasten und ist damit tragisch gefärbt. Schließlich ist nicht glaubhaft zu machen, daß Jesus selbst öffentlich auf seinen Tod hingewiesen, sich gewissermaßen aus der „nachösterlichen" Perspektive betrachtet hat; vgl. dazu PESCH, C: Mk I, 175 A. 17 und prinzipiell H. SCHÜRMANN, Wie hat Jesus seinen Tod bestanden und verstanden? Eine methodenkritische Besinnung, in: P. HOFFMANN (Hg.), Orientierung an Jesus. Zur Theologie der Synoptiker. FS J. SCHMID, Freiburg i. Br. 1973, 325–363, hier: 351f.

Bildworte nicht mehr widerspiegelt. Da auch die redaktionellen Einträge nicht in historischer Absicht erfolgt sind, beschränkt sich die historische Rückfrage auf Mk 2,19b.20 und Mk 2,21.22a.b.

Hierbei erscheint es a priori als aussichtslos, nach dem historischen Ursprung des Doppelbildworts zu fragen, denn dieses ist derart allgemein gehalten – möglicherweise handelt es sich anfänglich einfachhin um profane Meschalim[213] –, daß sie zwar von Jesus verwendet sein können, sich aber weder zugunsten dieser Annahme noch gegen sie triftige Argumente beibringen lassen. Das hier zum Ausdruck kommende Neuheitsbewußtsein ist für Jesus durchaus anzunehmen[214], kann aber ebenso auf die sich aus dem Judentum lösende Gemeinde zurückgeführt werden.[215] Die „quality of freshness and of acute and sympathetic observation of Palestinian peasant life"[216] reicht als Authentizitätskriterium nicht aus. So bleibt nur ein „Non liquet".[217]

Hingegen läßt sich die Authentizität von Mk 2,18b.19a sichern:

1. Das dissimilarity-Kriterium[218] greift insofern, als sich eine Abgrenzung von der üblichen Fastenpraxis sowohl von den Gepflogenheiten der jüdischen Umwelt[219] als auch von denen der frühesten Kirche signifikant unterscheidet[220], auch wenn zu beachten ist, daß es dem Logion keineswegs um eine prinzipielle Ablehnung des Fastens überhaupt geht (s.u. IV:2.2). Es leidet keinen Zweifel, daß die junge Gemeinde eine Fastenpraxis kennt (vgl. z.B. Mt 6,16–18; Apg 13,2f; 14,23; Did 8,1), und Mk 2,19b.20 sucht diese – nicht ohne verlegene Umständlichkeit – christologisch zu begründen. Das Skandalon des Nicht-Fastens der Jünger vor Jesu Tod kann die Gemeinde

---

[213] So Bultmann, Geschichte, 102f, 107; s. auch u. III:3.2.1.

[214] Wenn das Novum nicht nur in der Abkehr von einer bestimmten jüdischen Observanz besteht, wird man es im radikalen Aufbruch der Gottesreich-Predigt sehen können, die mit allem Bestehenden bricht. Zum Neuheitsbewußtsein bei Jesus vgl. Grundmann, C: Mk, 88f; Hahn, Bildworte, 375; Steinhauser, Doppelbildworte, 63f; methodenkritisch auch Hahn, Überlegungen, 44–47.

[215] Vgl. Steinhauser, Doppelbildworte, 63f.

[216] Perrin, teaching, 81.

[217] So auch Beare, C: Matthew, 231; Marshall, C: Luke, 224; Schürmann, C: Lk I, 300; Steinhauser, Doppelbildworte, 64. Für ein Jesus-Logion halten den Kern von Mk 2,21f Ernst, C: Mk, 100; Gnilka, C: Mt I, 338; Grundmann, C: Mk, 88f; Hahn, Bildworte, 369; Jülicher, Gleichnisreden II, 199; Kee, coat, 17; Klauck, Allegorie, 172; Pesch, C: Mk I, 177; Schweizer, C: Mk, 32; Waibel, Auseinandersetzung, 78. Für eine Gemeindebildung plädiert insbesondere Bultmann, Geschichte, 107; vgl. auch Dibelius, Formgeschichte, 62.

[218] Muddiman, controversy, 1–10 sucht die Angemessenheit des criterion of dissimilarity gerade an Mk 2,18–22 zu erweisen.

[219] Zum Fasten im Judentum vgl. v.a. die luzide Analyse Muddimans, controversy, 19–34 mit dem forschungsgeschichtlichen Überblick ebd., 15–19; ferner Behm, Art. νῆστις, 928–932; H. Mantel, Art. „Fasten/Fasttage II", in: TRE XI (1983), 45–48 (Lit.); Strack-Billerbeck II, 241–244.

[220] Zur Wirkungsgeschichte von Mk 2,20 parr vgl. die extensive Studie Cremers, Fastenansage; zum Fasten im Frühchristentum vgl. Behm, Art. νῆστις, 932–935; S.G. Hall u. J.H. Crehan, Art. „Fasten/Fasttage III", in: TRE XI (1983), 48–59, hier: 49–55; Muddiman, controversy, 47–93.

mithin nicht ersonnen haben; ihre eigene, peinlich abweichende Praxis verbürgt die Historizität des Logions.[221]

2. Aber auch coherency ist zu konstatieren, da sich die geschilderte Situation mit dem deckt, was zum historisch gesicherten Bestand der Botschaft und des Wirkens Jesu gezählt werden muß: das auffällige Abweichen von der rigorosen Lebensweise des Täufers Johannes, namentlich die Sündermähler (vgl. Mt 11, 16–19 / Lk 7, 31–35) (s. o. II:3.3.4.2), und das eigentümliche, „hochzeitliche" Situationsbewußtsein Jesu, das den Fastenverzicht erklärt, zumal die Präponderanz der erfreuend-befreienden Botschaft (s. o. II:3.5).[222] Daß die Johannesjünger fasteten, ist auch nach Mt 11, 18 / Lk 7, 33 als wahrscheinlich anzunehmen (vgl. Lk 1, 15) und mit dem dominanten Bußcharakter der Predigt ihres Meisters gut zu vereinbaren.[223]

3. Ferner bietet der Passus einige original jesuanische Züge: das drastisch überbietende Paradox Fasten – Hochzeitsfeier und die merkwürdige indirekte Selbstprädikation des „Bräutigams" durch die Enthüllung der durch ihn geprägten Zeit (vgl. Mt 13, 16f / Lk 10, 23f).

4. Schließlich ist das zeitgeschichtlich-lokale Kolorit nicht zu übersehen, wenn die Johannesjünger absichtslos angeführt werden[224] und auf palästinisches Hochzeitsbrauchtum verwiesen wird.[225]

Die Feststellung der Authentizität gilt keineswegs nur für Mk 2, 19a.[226] Daß das Logion von der Anfrage Mk 2, 18b gar nicht abzulösen ist, ergibt sich schon aus seiner Form als Gegenfrage[227]; ohne Anlaß wäre es wohl auch kaum überlieferungsfähig gewesen. Schließlich ist kein Grund ersichtlich, warum eine spätere Zeit, der es doch um die antipharisäische Frontstellung ging (s. o.

---

[221] Vgl. auch KLAUCK, Allegorie, 164f; WAIBEL, Auseinandersetzung, 73f.

[222] Vgl. PESCH, C: Mk I, 174; WAIBEL, Auseinandersetzung, 72f. Der von PESCH, C: Mk I, 174 hergestellte Zusammenhang mit den Dämonenaustreibungen erscheint jedoch etwas gezwungen.

[223] Zur Interdependenz des Auftretens von Meister und Jüngern in der Antike vgl. DAUBE, responsibilities, passim.

[224] Vgl. WAIBEL, Auseinandersetzung, 72f.

[225] Das Bild Mk 2, 19a ist zwar allgemein gehalten, doch wirkt die semitisierende Wendung υἱοὶ τοῦ νυμφῶνος/ בְּנֵי הַחֻפָּה recht urtümlich; vgl. KLAUCK, Allegorie, 161; STRACK/BILLERBECK I, 500–518; zur Sprachgestalt – generisches υἱοί mit adnominalem Genitiv der Zugehörigkeit – vgl. BLASS/DEBRUNNER, § 162,6. Das Logion wird auch als authentisch angesehen von GARDNER, appraisal, 23–27; GNILKA, C: Mk I, 114; KLAUCK, Allegorie, 164–166; KÜMMEL, Verheißung, 70; PERRIN, teaching, 79f; PESCH, C: Mk I, 174; SCHWEIZER, C: Mk, 32; THISSEN, Erzählung, 239f; WAIBEL, Auseinandersetzung, 72–75. Anders etwa KEE, question, 167–172; SCHMITHALS, C: Mk I, 176–179; STEINHAUSER, Doppelbildworte, 54; ihre Bedenken hängen wesentlich von der Frage ab, ob die Ablehnung des Fastens für den historischen Jesus vorstellbar sei oder ob der Fastenstreit erst post Christum crucifixum denkbar sei, dazu s. u. IV:2.2.

[226] Gegen die Überlegung SCHÜRMANNS, C: Lk I, 297. Nach dem oben Dargelegten ist es freilich noch unangemessener, nur die Anfrage für authentisch zu halten (so aber KEE, question, 167–172).

[227] Vgl. GARDNER, appraisal, 23–26.

III:3.2.1; s. u. III:3.5), ein Fasten von durchaus unklassischen Antagonisten wie den Johannesjüngern hätte ersinnen sollen[228]; eine Situation, in der die Gemeinde ihr Nicht-Fasten zu begründen sucht, ist schlechterdings nicht belegbar.[229] Somit bietet die Szene ein schmales, aber solides Fundament für die historische Würdigung des Täuferkreises.

3.4. Historische Auswertung: Mk 2, 18b. 19a. 21. 22a. b

1. Mk 2, 18b bietet den ersten sicheren Beleg für die Existenz einer soziologisch umgrenzten Jüngerschar des Täufers Johannes. Da die μαθηταί des Johannes denen Jesu kontrastiert werden, geht es nicht an, sie mit dem Jüngerkreis im weiteren Sinne gleichzusetzen.[230] Außerdem ist eine auffällige Fastenpraxis doch wohl nur bei einer geschlossenen Formation, „a group independent of both the followers of Jesus and the Jewish parties, perhaps not inimically disposed towards Jesus but in any case separated by special problems and regulations"[231], denkbar, nicht bei verstreuten Individuen.

2. Aller Wahrscheinlichkeit nach besaß dieser Jüngerkreis eine zumindest äußere Ähnlichkeit mit der Jüngerschar Jesu, denn sonst hätte sich ein Vergleich dieser beiden Gruppen nicht angeboten. Es wurde auffällig, daß die Jünger Jesu in ihrer praxis pietatis von denen des Täufers abwichen, so daß auf eine übergeordnete Gleichheit, wenn nicht sogar auf eine ursprüngliche Einheit geschlossen werden kann.[232] Die unterschiedliche Haltung zur Fastenfrage, vielleicht auch zu Jesu Sündermählern (vgl. Mt 11, 16–19/Lk 7, 31–35), bot Anlaß zur Anfrage bei Jesus; von einem Konflikt zwischen

---

[228] „Die Johannesjünger werden blos von dritter Seite in die Debatte gezogen; eben deshalb und weil sich die Evangelien sonst wenig für sie interessieren, wird als feststehend anzuerkennen sein, dass Jesus das Gleichnis vom Bräutigam im Blick auf ihre religiösen Uebungen gesprochen hat" (JÜLICHER, Gleichnisreden II, 178f).

[229] Mit KLAUCK, Allegorie, 165 gegen ZIESLER, removal, 192f. Zu dem Bedenken BURKILLS, guests, 39f, die Frage fixiere sich auf die Fastenpraxis der Jünger Jesu, nicht aber auf die Jesu selbst, so daß Mk 2, 18b nicht in dessen Vita anzusiedeln sei, ist zu bemerken, daß es in der Antike pure Selbstverständlichkeit war, daß der Meister das Verhalten seiner Jünger verantwortete (vgl. TAYLOR, C: Mark, 208; WAIBEL, Auseinandersetzung, 73; allgemein DAUBE, responsibilities, passim).

[230] Gegen LANE, C: Mark, 108; ferner kann gegen SCHMIDT, Rahmen, 87 erst recht nicht behauptet werden, sowohl die Johannes- als auch die Jesus-Jünger seien im weiteren Sinn der breite Anhang der beiden Propheten; vgl. nur RENGSTORF, Art. μανθάνω, 444f.

[231] BAMMEL, Baptist, 98.

[232] Vgl. LOHMEYER, C: Mk, 59; ferner DERS., C: Mt, 174f; zur Fluktuation zwischen beiden Jüngerkreisen s. u. IV:3.1.

beiden Formationen kann hier schon deshalb keine Rede sein, weil die Anfrage gar nicht von den Johannesjüngern ausgeht.[233] Erst recht berichtet die älteste Überlieferung nichts über „harte Spannungen ... zwischen Johannes- und Christusjüngern".[234]

3. Jesus bekannte sich zu dem abweichenden Verhalten seiner Jünger und rechtfertigte es durch den Hinweis auf die mit ihm präsent gewordene Heilszeit. In dieser Reaktion artikuliert sich unpolemisch ein theologischer Bruch zu der nach außen „vergleichbaren" Gruppe der Johannesjünger: Jesus als eschatologischer „Bräutigam", als Garant der Gottesherrschaft, verweist den Täufer ins Vorfeld; dieser steht außerhalb der βασιλεία, ist bestenfalls „Freund des Bräutigams" (vgl. Joh 3, 29).[235] Entsprechend stehen die Jünger des Täufers für Jesus außerhalb des „Hochzeitssaales", sind von der Heilszeit noch nicht ergriffen, weil sie deren Präsenz in Jesus nicht erkannt oder anerkannt haben.[236] „The simile of the bridegroom and his wedding guests / friends affirms that Jesus' disciples have an eschatological opportunity which John's do not – the presence of one who brings to men something which John did not: Jesus brings to men a time of God's drawing near to men with salvation".[237] Daß Jesus das Nunc des Heils gerade in Ansehung des Täuferkreises formuliert, zeigt einmal mehr, daß seine ureigene βασιλεία-Botschaft in Fortentwicklung der Täuferpredigt entstanden ist (s. o. II:3.5). Die Schematisierung, die den Täufer und seinen Kreis in eher dunklen Farben sieht, bei Jesus aber das hellere Freudenmotiv betont, wird hier durch das Jesuswort bestätigt, obschon es diesem freilich keineswegs um Unterschiede im Stimmungsbild, der Charakterstruktur oder der Weltfreudigkeit geht, sondern um das theologische und indirekt bereits christologische Anliegen der Freude über den Anbruch der Heilszeit.[238]

4. Oben wurde ermittelt, daß Jesus wohl erst post mortem Ioannis öffentlich wirksam oder jedenfalls bekannt wurde (s. o. II:3.4.4). Daher läßt Mk 2, 18b. 19a darauf schließen, daß sich der Täuferkreis wohl nicht mit dem Tod des Meisters auflöste[239]; wenn diese Gruppe weiterhin ein Bußfasten übte, dürfte sie nach wie vor den kommenden Richtergott erwartet haben.[240] „But

---

[233] Daß die Fragesteller sich besonders aus den „disciples of John who were expected to maintain the discipline encouraged by their master" (LANE, C: Mark, 109), rekrutierten, ist pure Spekulation. Auch GNILKA, C: Mt I, 336 vermutet, die Johannesjünger seien die ursprünglichen Gesprächspartner; vgl. hiergegen PESCH, C: Mk I, 171 A. 2.

[234] MICHEL, Jüngerbezeichnung, 413; vgl. hiergegen ROLOFF, Kerygma, 226; SCHILLEBEECKX, Jesus, 180; SCHLATTER, C: Mt, 315.

[235] Ein Traditionszusammenhang soll durch dieses Zitat nicht behauptet werden.

[236] Wir setzen hier die unter IV:2.2 begründete Fastenmotivation des Täuferkreises voraus.

[237] GARDNER, appraisal, 23; vgl. ebd., 28f.

[238] Vgl. auch SCHNIEWIND, C: Mk, 64.

[239] Vgl. GOGUEL, seuil, 45; HUGHES, John, 213f; TAYLOR, C: Mark, 208.

[240] Zur Begründung s. u. IV:1.2.

the critical issue here is not if John's followers remained committed loyally to Johannite views after his death, but for how long this commitment lasted".[241]

5. Zur Phänomenologie des Täuferkreises ist der Umstand festzuhalten, daß er bestimmte Fastenübungen praktizierte. Über Modus und Motiv dieser Übungen läßt sich aus dem unmittelbaren Kontext keine Erkenntnis gewinnen, doch sind hier weiter ausgreifende Untersuchungen möglich (s. u. IV:2.2).

6. Schließlich ist zu konstatieren, daß das Kommentarwort, auch wenn man es als authentisches Herrenwort gelten läßt (s. o. III:3.3), keinen Ertrag für die historische Rückfrage nach dem Täuferkreis erbringt. So ist die Überlegung E. LOHMEYERS abzulehnen, nach der Jesus hier zwischen dem Alten des Judentums und dem Neuen der Täuferbewegung differenziere. Beiden stehe Jesus in Distanz gegenüber; dem Logion gehe es um die Unterscheidung gleichermaßen untauglicher Alternativen, keineswegs aber um die Entscheidung für das mit Jesus selbst Gekommene. So kritisiere Jesus die Vermittlungsbereitschaft des Täufertums.[242] LOHMEYER ist insofern beizupflichten, als das eschatologisch „Neue", das das „Alte" des jüdischen Herkommens sprengt, bereits mit dem Täufer Johannes begonnen hat (s. o. II:3.3.2; 3.3.5).[243] Dennoch wäre ein farbloses Urteil aus der Äquidistanz zwischen Alt und Neu nicht überlieferungsfähig gewesen; Jesu Neuheitsbewußtsein leidet keinen Zweifel.[244] Möglicherweise sind die Bildworte in der Tat, wie LOHMEYER vermutet, nicht zufällig an das Gespräch über das Fasten der Johannesjünger gebunden worden.[245] Aber das kommt nur insoweit in Frage, als die Überlieferung eine Erinnerung daran aufbewahrt haben mag, daß sich Jesu Neuheitsbewußtsein gerade in der Auseinandersetzung mit dem Täufer und seinem Jüngerkreis entzündet hat und die Jünger Jesu sich trotz aller Verwandtschaft gerade dem Täuferkeis gegenüber als καινοί empfinden mußten. Mehr als eine Hypothese ist dies freilich nicht.[246]

---

[241] HUGHES, John, 214.

[242] Vgl. C: Mk, 61f; DERS., C: Mt, 175.

[243] Dieser Umstand wird gerade bei der Auslegung von Mk 2,21f nicht selten übersehen.

[244] Man wird allerdings, wie LOHMEYER, C: Mk, 62 mit Recht betont, nicht von einer „Überwindung der jüdischen durch die christliche Religion" sprechen können. Insgesamt wird die Auslegung LOHMEYERS durch seine textkritisch unhaltbare, wohl durch sachliche Vorentscheidung motivierte Textrekonstruktion für Mk 2,21 beeinflußt.

[245] Ebd.. Vgl. auch ALBRIGHT/MANN, C: Matthew, 108f; GNILKA, C: Mk I, 112.

[246] Die ältere Exegese hat den Bildworten öfters eine Verteidigung der Johannesjünger durch Jesus entnommen. Nach SCHLATTER, C: Mt, 314f warnen die Bildworte die Johannesjünger vor der vorschnellen Aneignung der Freiheit der Jünger Jesu, diese indes vor einer Unterwerfung unter die Regeln des Johannes; der Anbruch des Neuen mit Jesus lasse keine Kompromisse zu. Zuerst ziele die Rede jedoch auf die Erhaltung des Alten: Jesus halte seine Hand schützend über die Täuferjünger (vgl. auch DERS., Johannes, 89). Eine solche „konservative" Fürsorge für das Überkommene ist aber mit der eschatologischen Hochstimmung Jesu schlechthin nicht zu vereinbaren; vgl. näher HAHN, Bildworte, 370; JÜLICHER, Gleichnisreden II, 197f (Lit.); KLO-

3.5 Redaktionsgeschichtliche Analyse: Der Täuferkreis in der vormarkinisch-markinischen Redaktion (Mk 2, 18–22)

Die ergänzte und in einen neuen Zusammenhang gestellte Überlieferung zeigt keinerlei besonderes Interesse am Kreis der Täuferjünger. Die Erweiterung um die Jünger der Pharisäer und um das Doppelbildwort zeigt, daß das Verhältnis zwischen Jesus- und Johannes-Jüngern zugunsten des Konflikts der christlichen Gemeinde mit dem Judentum in den Hintergrund rückt. Der Täuferkreis gehört bereits auf der Ebene der (vor)markinischen Sammlung historisch der Vergangenheit und heilsgeschichtlich dem „Alten" an[247]: er ist hierin den Pharisäern gleichzusetzen, wie die redaktionelle Exposition Mk 2, 18a unter Aufnahme der Ergänzung in Mk 2, 18b deutlich erkennen läßt. Wenn im Kommentarwort in der Tat „jetzt keine Brücke mehr zwischen den Johannesjüngern und den Jesusjüngern zu bestehen" scheint[248], so ist dies dem Desinteresse der Redaktion, die dieses Kommentarwort der Perikope angefügt hat, keineswegs aber einer polemischen Abgrenzung zuzuschreiben.[249] Wie die Pharisäer werden die Johannesjünger Anlaß zu einem Streitgespräch, ohne daß aktuelle Spannung oder polemische Intention erkennbar wird.[250] Daß die Gemeinde ihr Fasten gerade gegenüber dem Täuferkreis, der ja ebenfalls fastet, zu rechtfertigen sucht, ist nicht plausibel[251]; Überliefertes wird absichtslos mitgeteilt. So verschwindet der Jüngerkreis des Johannes gänzlich im Schatten des Neuen, das die Perikope beleuchtet und um das es der Redaktion im wesentlichen geht.

STERMANN, C: Lk, 74 (Lit.). RENGSTORF, C: Lk, 80 sieht im Gleichnispaar Jesus vom Täufer abgehoben, doch fragt es sich, ob das Anliegen der Bildworte nicht prinzipieller zu deuten ist.

[247] Den „shift of aeons" wird doch wohl kaum die nachösterliche Kirche gegen die „Baptist sect" behaupten: gegen KEE, question, 169. Zum Sitz im Leben der vormarkinischen Sammlung vgl. KUHN, Sammlungen, 81–85, der trotz THISSEN, Erzählung, 105–108 im ganzen doch überzeugender argumentiert als THISSEN, Erzählung, 186–191.

[248] WANKE, Bezugsworte, 88.

[249] Gegen WANKE, ebd..

[250] HAENCHEN, C: Weg, 116: „Dieser Konflikt gehört freilich für Mk längst der Vergangenheit an, und solche veralteten Fragen spielen sonst in der christlichen Tradition keine Rolle"; vgl. auch SINT, Eschatologie, 116.

[251] Gegen BULTMANN, Geschichte, 17; BURKILL, guests, 39f; GAECHTER, C: Mt, 299; GRÄSSER, Problem, 47; GRUNDMANN, C: Mk, 86. Vielmehr ist der Überlegung EBELINGS, Fastenfrage, 388 zuzustimmen: „Eine Verteidigung des eigenen Verhaltens gegenüber Angriffen von außerhalb, etwa von Seiten der Pharisäer oder Johannesjünger, kann nicht vorliegen: denn, wenn die Gemeinde selber die Fastensitte übt, so ist sie sich ja eins mit ihrem Gegner"; vgl. noch BRAUMANN, Tag, 265 A. 1: „Würde V. 19a einmal in die Auseinandersetzung der christlichen Gemeinde mit dem Täuferkreis gehört haben, so würde V. 19bf. kaum noch eine Gegenposition darstellen".

3.6 Redaktionsgeschichtliche Analyse: Der Täuferkreis in der matthäischen Redaktion (Mt 9, 14–17)

Die auffällige Einfügung der Johannesjünger in die matthäische Exposition der Fastenperikope (Mt 9, 14) lenkt die Aufmerksamkeit auf sich. Das Gespräch mutet so im Vergleich zu den Seitenreferenten eher als Parteienkontroverse an; durch die Tilgung der markinischen Situationsschilderung erhält das Problem einen prinzipiellen Charakter.[252] Dem ersten Evangelisten wird daher ein besonderes Interesse an den Täuferjüngern zugeschrieben: Sind polemische Intentionen zu vermuten, die auf eine für Mt aktuelle Abgrenzung vom Täuferkreis abzielen?[253] Soll vor allem der Zusammenschluß der Täuferjünger mit den Pharisäern kritisiert werden?[254] Oder birgt die matthäische Rahmenschilderung historische Reminiszenzen, indem sie die alte Erinnerung der palästinischen Gemeinde an den Fastendisput widerspiegelt?[255]

Die Änderung des Mt an der markinischen Exposition verliert manches von ihrer Brisanz, beachtet man das analoge – freilich weniger auffällige – Verfahren des dritten Evangelisten. Während Mk sich des unpersönlichen Plurals bedient, nennt der zweite Seitenreferent als Fragesteller „οἱ Φαρισαῖοι καὶ οἱ γραμματεῖς αὐτῶν" (Lk 5, 30; vgl. 5, 17. 21; 6, 2. 7).[256] Auch er also präzisiert die Darstellung seiner markinischen Vorlage, ohne daß die Auslegung dafür polemische oder historiographische Motive anzuführen bemüht ist. Ebenso bietet sich für die matthäische Variante eine stilistisch-kompositorische Absicht an. Jedenfalls sind auch die anderen Veränderungen, die Mt an dem Mk-Text vornimmt, so zu erklären. Mt tilgt die Exposition des Mk kaum wegen seiner Vertrautheit mit den täuferischen Ursprüngen des Christentums[257], sondern viel eher, weil der Wortlaut der Frage in Mt 9, 14b die Ausgangssituation hinreichend deutlich darstellt und eine Doppelung zu vermeiden ist. Aus diesem Grund streicht Mt auch den überzählig erscheinenden Satz Mk 2, 19b, trägt

---

[252] Die Periphrase „ἦσαν νηστεύοντες" (Mk 2, 18a) insinuiert hingegen Gleichzeitigkeit zum Mk 2, 13–17 geschilderten Zöllnermahl (vgl. Pesch, C: Mk I, 171f).

[253] So Lohmeyer, C: Mt, 174; vgl. Schweizer, C: Mt, 147; besonders weitgehend auch hier Jones, references, 300: „The specific ascription of this question to the disciples of John has long been recognized as a clue to the interest and problems of the author".

[254] So Lohmeyer, C: Mt, 174f.

[255] So Gnilka, C: Mt I, 336; 338; vgl. Bammel, Baptist, 99.

[256] Der pronominal eingesetzte Artikel οἱ in Lk 5, 33 hat demonstrative Funktion und weist, wie die Adversativpartikel anzeigt, auf das vorausgehende Gespräch zurück: „Die ,Pharisäer und die Schriftgelehrten' (diff Mk) kommen im gleichen Gesprächsgang mit einem neuen Einwand, in welchem es nicht mehr um das Essen und Trinken mit ,Sündern', sondern um dieses überhaupt geht" (Schürmann, C: Lk I, 294). Im Gegensatz hierzu schafft das demonstrative Pronominaladverb τότε bei Mt einen deutlichen Einschnitt: ein neuer Gesprächsgang beginnt, und in diesem sind nun die Johannesjünger – und sie allein – die Antagonisten.

[257] So aber Lohmeyer, C: Mt, 174.

doch die rhetorische Frage Jesu ihre Antwort evident in sich selbst (vgl. auch Lk 5, 34). Auch die Temporalkonstruktion „ἐν ἐκείνῃ τῇ ἡμέρᾳ" (Mk 2, 20) fällt einer Straffung zum Opfer. Die Umwandlung des νηστεύειν (Mk 2, 19 / Lk 5, 34) in πενθεῖν (Mt 9, 15) trägt einen generalisierenden Zug. Wohl um Korrektheit bemüht, ersetzt Mt das zweite Subjektglied des Fragesatzes „οἱ μαθηταὶ τῶν Φαρισαίων" durch „οἱ Φαρισαῖοι" schlechthin.[258] Der Schluß-satz verdeutlicht den Aspekt, den der Evangelist bei der Wiedergabe des zweiten Bildworts betont sehen will. Sieht man von dieser Akzentverschiebung ab, erfährt die markinische Vorlage also Straffung, Verallgemeinerung und Glät-tung, nirgends aber eine sachlich-theologische Modifizierung.[259] In diesen Rahmen stilistischer Veränderung scheint auch die Einführung der Johannes-jünger als Gesprächspartner zu gehören, zumal sich bei Mt ohnehin eine Tendenz zur Benennung konkreter „Gegenüber" beobachten läßt (vgl. Mt 3, 7 diff Lk 3, 7; Mt 16, 1 diff Lk 11, 16; Mt 22, 41 diff Mk 12, 35 / Lk 20, 41).

Auch seine Kompositionstechnik mag Mt zu der Einführung der Johannes-jünger veranlaßt haben. Während bei Mk die Sequenz der Ereignisse undeutlich bleibt, sucht Lk einen Zusammenhang zu stiften (s. u.); der zum Systematisieren neigende Mt hingegen weist die Fastenfrage den Johannesjüngern zu, so wie er in der vorangehenden Erzählung Mt 9, 11 die Streitfrage des Zöllnermahls, parallel durch „διὰ τί" (diff Mk 2, 16) eingeleitet, den Pharisäern (diff Mk 2, 16: οἱ γραμματεῖς τῶν Φαρισαίων) zuschreibt. Nimmt man noch die Perikope Mt 9, 1–8 hinzu, so ergibt sich eine klare Struktur:

Perikope		Gegner		Thema
Mt 9, 1–8:	Heilung eines Gelähmten	9, 3:	Schriftgelehrte	Sündenvergebung
Mt 9, 9–13:	Berufung des Matthäus und Zöllnermahl	9, 11:	Pharisäer	Mähler mit Sündern
Mt 9, 14–17:	Fastendisput	9, 14:	Johannesjünger	Fastenverzicht

Den paradigmatischen Anfragen wird also jeweils eine bestimmte Gegner-gruppe zugeordnet.[260]

So genügt die Heranziehung formal-darstellerischer Motive zur Erklärung der matthäischen Variante.[261] Die Annahme polemischer oder historiographi-scher Intentionen trägt zur Texterschließung nicht bei und wird durch keine

---

[258] Vgl. Gnilka, C: Mt I, 335.

[259] Mit Grundmann, C: Mt, 271f; Sand, C: Mt, 198 gegen Gnilka, C: Mt I, 335; Lohmeyer, C: Mt, 174f.

[260] Vgl. auch Steinhauser, Doppelbildworte, 46. Die Vorliebe des Mt zum Dreierschema in der Anordnung seines Stoffs demonstriert, allerdings ohne die hier herausgearbeitete Symmetrie zu berücksichtigen, P. Gaechter, Die literarische Kunst im Matthäus-Evangelium, Stuttgart o. J. (= SBS 7), 18–22.

[261] Gegen die Annahme einer Sondertradition wendet sich auch Klauck, Allegorie, 161.

Indizien in der Perikope selbst belegt.[262] Allerdings gibt die matthäische Bearbeitung der markinischen Vorlage durchaus Aufschluß über die *theologische*
Deutung des Täuferkreises im ersten Evangelium.

Zunächst fällt auf, daß die Jünger des Täufers – nicht anders als zuvor die
Schriftgelehrten und die Pharisäer – zum Streitgespräch mit Jesus auftreten.[263]
Dabei ist die Antithese auch sprachlich klar herausgearbeitet (diff Lk 5,33):
„ἡμεῖς καὶ οἱ Φαρισαῖοι" vs. „οἱ μαθηταί σου"; „νηστεύομεν [πολλά]" vs. „οὐ
νηστεύουσιν". Die Johannesjünger schließen sich also im Plural mit den
Pharisäern zu einer einheitlichen Front zusammen; beide Gruppen trifft die
Erwiderung Jesu gleichermaßen. Diese ungünstige Einordnung des Täuferkrei-
ses durch den Evangelisten steht in diametralem Gegensatz zu seiner Täuferin-
terpretation, nach der gerade Jesus und Johannes der Täufer in einer gemeinsamen Front gegen die Konstellation ihrer Gegner stehen. Zumal vor dem
Hintergrund von Mt 3,7 diff Lk 3,7; Mt 21,31f (vgl. Lk 7,29f) muß der
Zusammenschluß der Johannesjünger mit den Pharisäern überraschen (vgl.
noch Mt 21,23–27 parr). Pointiert gesagt: während der Täufer für Mt von
Anfang an ganz auf der Seite Jesu und der christlichen Gemeinde steht, bleibt der
Täuferkreis jedenfalls nach Mt 9,14–17 ganz im „alten Lager". Dieser Eindruck
bestätigt sich bei der Untersuchung der Bildworte.

Zwar verändert Mt seine Vorlage nicht wesentlich, doch steht für ihn die
Jetztzeit der Gemeinde, die das Fasten übt, deutlicher im Blickfeld. Die mißver-
ständliche Temporalkonstruktion „ἐν ἐκείνῃ τῇ ἡμέρᾳ" (Mk 2,20) kann getilgt
werden; vor allem richtet der hinzugefügte Schlußsatz das Augenmerk weniger
auf das Alte, das zerbricht, als vielmehr auf das Neue, das nach neuen Formen
sucht.[264] Diese heilsgeschichtliche Konzeption rechnet den Täuferkreis eindeutig zur Vergangenheit. Auch wenn das Christentum die Fastenpraxis wieder
aufnimmt (Mt 9,15: „τότε νηστεύσουσιν"), so kopiert es doch in keiner Weise
die asketischen Übungen der Johannesjünger, sondern kommemoriert den
Kreuzestod seines Herrn und erwartet, eschatologisch orientiert, seine Wiederkunft.[265] Das christliche Fasten steht also im Zeichen der Trauer um und der
Hoffnung auf den „Bräutigam" und wird gerade so von dem Fasten der
Pharisäer und Johannesjünger geschieden. Ist daher die Täuferdeutung des

---

[262] Vgl. auch SINT, Eschatologie, 116; WINK, John, 39.

[263] Dabei wenden sich nur die Täuferjünger direkt an Jesus; die Pharisäer beschweren sich bei den
Jüngern Jesu, werden aber von Jesus gehört, während die Schriftgelehrten nur „bei sich"
sprechen, obwohl sie von Jesus durchschaut werden. Deutet sich so von Mt 9,3 über Mt 9,11 bis
Mt 9,14 eine Steigerung der Konfrontation an oder umgekehrt eine je größere Nähe zu Jesus?
Die eher abnehmende Schärfe der Anfragen und Erwiderungen läßt an die zweite Möglichkeit
denken.

[264] Hierüber besteht – bei aller unterschiedlichen Akzentuierung – nahezu ein Konsens der
Ausleger; vgl. etwa GNILKA, C: Mt I,337; GRUNDMANN, C: Mt, 272f; SAND, C: Mt, 199;
SCHWEIZER, C: Mt, 147.

[265] Vgl. GNILKA, C: Mt I,336f; SAND, C: Mt, 199; SCHWEIZER, C: Mt, 147.

ersten Evangeliums durch die Prinzipien „Parallelisierung" und „Distanzierung" geprägt, so überwiegt bei seiner Täuferkreis-Deutung das Prinzip der Distanzierung bei weitem.[266]

3.7 Redaktionsgeschichtliche Analyse: Der Täuferkreis in der lukanischen Redaktion (Lk 5,33–39)

Im wesentlichen übernimmt Lk die markinische Vorlage, doch setzt er eigene kompositorische, stilistische und sachliche Akzente.[267] Die Debatte ist nun eingebunden in Jesu Mahlgespräche mit den Pharisäern und Schriftgelehrten (vgl. Lk 5,30; dazu auch 5,21; 6,2.7.11). Insofern der Vorwurf der Antagonisten nahtlos an die Sentenz Jesu anschließt[268], wird die Fastenfrage in lukanischer Perspektive zum Teilaspekt der übergeordneten Kontroverse. Dies impliziert, daß die Johannes- und Pharisäer-Jünger den Typus der ὑγιαίνοντες und δίκαιοι (vgl. Lk 5,31f) repräsentieren, die den Zöllnern und Sündern kontrastiert werden.[269] Die Gegenspieler weiten die Frage des Sündermahles (Lk 5,29–32) auf das grundsätzliche Problem der Nahrungsaskese aus. Die Johannesjünger nehmen nicht selbst am Streitgespräch teil (diff Mt 9,14), sondern werden nur zu dessen Anlaß; die direkte Konfrontation findet nicht statt.

Allerdings arbeitet Lk den Gegensatz zwischen den unterschiedlichen Verhaltensweisen recht deutlich heraus. Der Charakter des Streitgesprächs wird dadurch hervorgehoben, daß die Antagonisten anders als in der Vorlage Jesus keine Streitfrage vorlegen (vgl. aber Lk 5,30 [διὰ τί] diff Mk 2,16), sondern ihm das konträre Verhalten der Johannesjünger und Pharisäer affirmativ zum Vor-

---

[266] Gegen NEPPER-CHRISTENSEN, Taufe, 192; TRILLING, Täufertradition, 286; vgl. aber WINK, John, 39. Freilich impliziert die von Mt übernommene Rede auch, daß die Jünger Jesu, wenn sie fasten, wieder in die wartende Situation der Johannesjünger kommen (vgl. SCHLATTER, C: Mt, 313), so daß die Johannesjünger auch als Prototyp der Jünger Jesu verstanden werden können. Doch liegt auf dieser Parallele jedenfalls nicht das Augenmerk des Evangelisten; sie ist eher historisch als theologisch und zudem bereits durch Mk vorgegeben. Bei Mt ist die Prädominanz der neuen Fastenintention und wohl auch des neuen Fastentermins nicht zu übersehen (vgl. etwa GNILKA, C: Mt I, 337).

[267] Der Annahme einer nichtmarkinischen Tradition in Lk 5,33–39, wie sie von RIESNER, Lehrer, 446; SCHRAMM, Markus-Stoff, 105–111 vermutet wird, bedarf es, wie sich noch deutlicher zeigen wird, keineswegs; vgl. auch etwa FITZMYER, C: Luke I, 594f.

[268] Der pronominal gebrauchte Artikel mit Adversativpartikel weist auf Lk 5,30 zurück; „αὐτόν" setzt auch den anderen Kontrahenten als bekannt voraus und bindet nach Lk 5,31 zurück. Freilich läßt Lk Konsequenz vermissen, wenn er Lk 5,33 dann doch den gen. pl. von „Φαρισαῖοι" statt „ἡμῶν" o.ä. setzt.

[269] Hier schematisiert freilich eine spätere Sichtweise.

wurf machen.[270] Der Gegensatz wird verstärkt, indem Lk die religiösen Übungen der Johannesjünger ebenso deutlich ausmalt (Mk 2, 18: „νηστεύουσιν" vs. Lk 5, 33: „νηστεύουσιν πυκνὰ καὶ δεήσεις ποιοῦνται") wie das weltfreudige Gebaren der Jünger Jesu (Mk 2, 18: „οὐ νηστεύουσιν" vs. Lk 5, 33: „ἐσθίουσιν καὶ πίνουσιν").[271] Unverkennbar ist die Anspielung auf Lk 7, 31–35; doch wird dort das Verhalten der Meister, hier das Verhalten der Jünger verglichen. Im Unterschied zu Mt parallelisiert also Lk Täufer und Täuferjünger. Die lukanische Einfügung der δεήσεις[272] gemahnt an Lk 11, 1.[273] Vor allem aber sprengt die Interpretation des Lk die markinische Beschränkung auf die isolierte Frage des Fastens. Fasten und Beten (vgl. Mt 6, 5; Did 8, 1f)[274] sind partes pro toto: die gesamte Lebensweise der genannten Gemeinschaften unterscheidet sich prinzipiell (vgl. Lk 7, 31–35).[275] Doch findet sich keine polemische Spitze. Gegenüber den Seitenreferenten wird sogar die feste Verbindung der Johannesjünger mit den Pharisäern sprachlich aufgelöst (Lk 5, 33 diff Mk 2, 18 / Mt 9, 14).[276] Doch erlaubt auch der lukanische Kontext keineswegs die Meinung, der Evangelist lobe das „fleissige Beten und Fasten der Johannisjünger".[277]

Die Erwiderung Jesu ist durch die direkte Anrede „μὴ δύνασθε ... ποιῆσαι νηστεῦσαι" (Lk 5, 34) einerseits der Szenerie des Streitgesprächs angepaßt, andererseits aber wohl auch auf die Situation der lukanischen Gemeinde hin transparent gemacht[278]; der Gemeindebezug tritt auch in der gegenüber der Vorlage verdeutlichenden Zeitbestimmung „ἐν ἐκείναις ταῖς ἡμέραις" (Lk 5, 35) zutage.[279] Das Doppelbildwort wird von der direkten Entgegnung Jesu durch den Einschub erzählender Rede (Lk 5, 36a) abgesetzt und inhaltlich neu akzentuiert. Dabei richtet sich die Perspektive auf das Neue, das ἱμάτιον καινόν (Lk 5, 36 diff Mk 2, 21; vgl. Lk 5, 37 diff Mk 2, 22: ὁ οἶνος ὁ νέος), das bei Mk im Blickpunkt stehende zerbrechende Alte wird bei Lk eher geschont.[280] Bereits

---

270 Zahlreiche und z. T. gewichtige Handschriften bieten allerdings die Frageform; aufgrund der Bedeutung von 𝔓⁴, der Wahrscheinlichkeit des Paralleleinflusses von Mt 9, 14 und der lectio brevior geben wir der thetischen Form den Vorzug.

271 Hier mag freilich auch die Praxis der Gemeinde hineinspielen: sie fastet und betet.

272 Als Derivat von δέομαι bezeichnet δέησις im allgemeinen Bittgebete (vgl. Apg 4, 24–31; 1 Tim 2, 1); s. u. III:6.3.2.2.

273 „Such 'bridges' are familiar features of Luke's method of composition (cf. 4 : 13 and 22 : 3)" (KRAELING, John, 201 A. 16); vgl. aber auch MARSHALL, C: Luke, 222, der das Beten eher als Begleitelement des Fastens deutet.

274 Zur Verwirrung von D e ist Lk aber auch hier nicht konsequent, da er den Vorwurf „μαθηταί σου οὐδὲν τουτῶν ποιοῦσιν" denn doch nicht erheben läßt.

275 Vgl. ERNST, C: Lk, 199.

276 D sucht auch hier auszugleichen, 108 pc lassen die Pharisäer ganz beiseite.

277 SCHÜTZ, Johannes, 111 (ohne Hervorhebung).

278 Vgl. ERNST, C: Lk, 200.

279 Vgl. ebd..

280 Anders SCHÜRMANN, C: Lk I, 298: „das jüdische Wesen ist als ein altes zerrissenes Gewand deklariert – zu nichts mehr nütze"; freilich muß er ebd., 300 im Licht von Lk 5, 39 diesen „radikalen Aussagewillen" wieder einschränkend beurteilen (vgl. auch ebd., 293). Allerdings

hier scheint der dritte Evangelist eher am Nebeneinander als am Gegeneinander orientiert. Dennoch überrascht die Schlußsentenz, ein profaner Maschal ohne theologische Tiefe, den Lk hinzufügt. Möchte man ihn nicht einfachhin als unreflektierten Anschluß ad vocem οἶνος verstehen, so ist er entweder ironisch[281] oder ironisch[282] gemeint. Wahrscheinlich schließen sich beide Auffassungen nicht aus, und die Weinregel ist ein nicht ohne „wohlwollenden Humor"[283] formulierter, resignierender Erfahrungssatz über die Anhänger des hergebrachten jüdischen Brauchs.[284] Dem Abschnitt wird so freilich alles Barsche genommen.[285]

In bezug auf den Täuferkreis bleibt festzuhalten:

1. Zwar konstatiert Lk die unterschiedlichen Lebensweisen der Jünger Jesu und der dem Judentum zugeordneten Täuferjünger, aber eine gemeinsame Front der Johannesjünger mit den Pharisäern, gegen die die Jünger Jesu sich zu wehren haben, existiert für ihn nicht[286]; ihm geht es um die innerchristliche Fastendiskussion.

2. Die Askese des Täuferkreises deutet Lk vor dem Hintergrund der büßerischen Lebensweise des Johannes. Wie Jesus und der Täufer gänzlich unterschiedlich auftraten, so auch ihre Jüngerkreise, ein Umstand, den Lk ohne polemische Abgrenzung, aber auch ohne aktuelles Interesse registriert.[287]

3. Vor allem scheint Lk den Täuferkreis als etablierte religiöse Gemeinschaft zu verstehen.[288] Im Hintergrund steht nicht, daß er eine bestimmte asketische Übung pflegte, sondern daß er als „konfessionelle" Gruppe konstituiert war. Erst so wird auch die Brücke verständlich, die Lk 11,1 zu Johannes und seinen Jüngern schlägt.[289]

---

verliert das alte Kleid angesichts des neuen – Mk spricht lediglich vom „Flicken ungewalkten Tuchs" – seine Bedeutung. Das σχίσμα droht jetzt – und auch hier scheint wohl der Gemeindebezug durch – dem neuen Kleid!

[281] So etwa RENGSTORF, C: Lk, 80.

[282] So etwa MARSHALL, C: Luke, 228.

[283] Vgl. Zahn, C: Lk, 269.

[284] Ähnlich ERNST, C: Lk, 201; KLAUCK, Allegorie, 174; RENGSTORF, C: Lk, 80; SCHÜRMANN, C: Lk I, 300; STEINHAUSER, Doppelbildworte, 50f.

[285] Zur Diskussion über Lk 5,33–39 vgl. näher R.S. GOOD, Jesus, protagonist of the old, in Lk 5:33–39, in: NT 25 (1983) 19–36.

[286] Daß Jesus mit Lk 5,39 „seinen Jüngern verbot, die des Täufers deshalb gering zu schätzen, weil sie sich nicht mit ihnen vereinigten", wie SCHLATTER, C: Lk, 235f überlegt, ist freilich völlig ausgeschlossen.

[287] Vgl. auch SINT, Eschatologie, 116. Es ist an der in den Grundzügen eher irenisch gehaltenen Perikope nichts von den Abgrenzungsbemühungen festzustellen, die RENGSTORF, C: Lk, 80 sieht; insbesondere kann von einer Abgrenzung Jesu vom Täufer oder gar von der schlechthinnigen Überlegenheit Jesu gegenüber dem Täufer beim Vergleich der beiden Jüngerkreise geht, gar nicht die Rede sein!

[288] Vgl. FELDKÄMPER, Heilsmittler, 192f; RENGSTORF, C: Lk, 80.

[289] Vgl. hierzu auch RENGSTORF, C: Lk, 80f. EvThom 47 ist in unserem Zusammenhang irrelevant; vgl. zur Analyse HAHN, Bildworte, 365–367; STEINHAUSER, Doppelbildworte, 56–58.

3.8 Resümee

Die untersuchte Perikope stellt sich auf jeder der diachron eruierten Ebenen des Traditionsprozesses als aufschlußreich dar. Der historische Kern liegt in Mk 2,18b.19a: Johannes der Täufer hat einen relativ geschlossenen Kreis von Jüngern um sich geschart, der auch nach seinem Tod weiterbestanden haben dürfte. Dieser Jüngerkreis übte, darin anderen jüdischen Gruppierungen vergleichbar, die Praxis religiös motivierten Fastens. Jesus und sein Jüngerkreis, deren Nähe wie Distanz zu diesen Täuferjüngern so deutlich wird, hat diese Praxis unpolemisch und mit „präsentisch-eschatologischer" Begründung für die eigene Lebensweise abgelehnt. Bereits das vormarkinisch-markinische Traditionsstadium läßt kein Interesse an diesem Täuferjüngerkreis mehr erkennen; die Jünger des Johannes gehören einer heilsgeschichtlich überwundenen und historisch irrelevanten, fast vergessenen Epoche an. Mt und Lk setzen anders als in Mt 11,2–6/Lk 7,18–23 signifikante eigene Akzente. Freilich lassen sich auch hier weder für diesen noch für jenen historische Reminiszenzen oder aktuelle Intentionen polemischen oder missionarischen Charakters nachweisen. Die Johannesjünger sind vielmehr für den ersten Evangelisten eine innerjüdische Formation, an der retrospektiv, aber paradigmatisch die Christusferne der jüdischen Antagonisten demonstriert werden kann. Für den dritten Evangelisten stellen sie eine religiöse Gruppierung sui generis dar, die er prinzipiell von der Jesus nachfolgenden Gemeinde unterscheidet, jedoch nicht um einer polemischen Abgrenzung, sondern um einer heilsgeschichtlich ortenden Sicht willen, für die jene freilich bereits das Christentum vorausschatten.

4. Mk 6, 17–29 / Mt 14, 3–12

4.1 Überlieferungsgeschichtliche Analyse

Die Notiz vom Begräbnis des Leichnams des enthaupteten Täufers schließt bei Mk (Mk 6, 29) und Mt (Mt 14, 12) die Perikope „De morte Baptistae" ab und ist in deren Kontext (Mk 6, 17–29 / Mt 14, 3–12; vgl. Lk 3, 19f; Josephus, Ant., 18, 117f; Justin, Dial., 49, 4f) zu lesen.[290]

In einer an form- und motivkritischen Beobachtungen reichen Studie hat J. GNILKA (1973) eine Dekomposition des markinischen Textes vorgeschlagen, nach der der zweite Evangelist einen im Kern aus Mk 6, 17f. 27b und vielleicht Mk 6, 29[291] bestehenden knappen Märtyrerbericht nachträglich um eine folkloristischer Tradition entwachsene Erzählung vom Hofe des Herodes ergänzt habe.[292] Dieser Vorschlag vermag im ganzen nicht zu befriedigen.

In methodologischer Hinsicht ist zu bemängeln, daß die Dekomposition auf dem Postulat eines idealen Formtypus beruht, der konkrete Einzeltext kann durchaus einem komplexen Mischtypus angehören. Der Hinweis auf den sachlichen Bruch zwischen Mk 6, 18 und Mk 6, 19 reicht nicht aus, die Scheidung zu rechtfertigen, denn er erklärt sich aus dem hier vorgenommenen Perspektivenwechsel. Daß Mk 6, 27b im Gegensatz zum unmittelbaren Kontext der Tradition zuzuordnen ist, erscheint schon deshalb als wenig wahrscheinlich, weil in der Rekonstruktion GNILKAS Herodes Subjekt zu „ἀπεκεφάλισεν" ist, im markinischen Text jedoch der „σπεκουλάτωρ"; hier wird der Integrationsleistung des Mk eine Minimalanpassung zugetraut.

Im ganzen wirkt die Perikope durchaus einheitlich. Die von GNILKA postulierte Tradition ist durch die Figur der Herodias und das Gefängnis-Motiv mit der hypothetischen volkstümlichen Erzählung verbunden. Der Wandel im Verhalten des Landesherrn – zunächst Verfolger des Propheten (Mk 6, 17f),

---

[290] Zur literarischen Brücke Mk 6, 14–16 / Mt 14,1f (vgl. Lk 9, 7–9) s. o. II:3.4. Zur Voraussetzung der markinischen Priorität s. u. III:4.5.

[291] GNILKA, Martyrium, 86 argumentiert behutsamer, als ihm SCHENK, Gefangenschaft, 469 unterstellt.

[292] Martyrium, 85–87; vgl. DERS., C: Mk I, 245f.

dann dessen Gönner und Beschützer vor den Nachstellungen der Herodias (Mk 6,19f)[293] – zeugt nicht von einer sachlichen Spannung, denn bereits Mk 6,17 stellt mittels der kausalen Präposition διά Herodias als letztlich treibende Figur hin.[294] Am Rande sei vermerkt, daß auch das zwiespältige Verhalten des Pilatus im Prozeß Jesu noch nicht zu literarkritischen Überlegungen berechtigt. Auch den Kontrast zwischen dem fröhlichen Treiben am Hofe und dem dunklen Geschehen im Kerker wird man überlieferungsgeschichtlich nicht auswerten können.[295] Schon die historische Wirklichkeit erlaubt nicht, diesen Kontrast als auffällig zu empfinden: die Feste Machärus weist archäologisch nicht nur Reste von Zellen, sondern auch solche von Triklinien auf.[296] Außerdem kennzeichnet der Gegensatz gerade die von GNILKA postulierte folkloristische Tradition. Manches spricht dafür, daß der zweite Evangelist diese Diskrepanz mit darstellerischer Absicht seine Erzählung prägen läßt.[297]

Dennoch ist nicht ganz auszuschließen, daß Mk eine – allerdings nicht mehr zu eruierende – Vorlage benutzt haben kann. Der Verzicht auf das Praesens historicum, die Bevorzugung des gen. abs. und die Häufung von Hapax legomena Marci oder totius Novi Testamenti wie überhaupt ungewöhnlicher Vokabeln lassen den Text stilistisch auffällig erscheinen.[298] Möglicherweise erklären sich diese Besonderheiten des Stils aber aus der Besonderheit der Novelle, denn ein vergleichbarer Text findet sich bei Mk nicht. Der Verzicht auf das Praesens historicum etwa auf die Retrospektive, aus der der Bericht formuliert ist, zurückzuführen sein, und die Eigenart der Diktion verdankt sich wahrscheinlich der Eigenart des Geschilderten.

Vor allem aber weist die Perikope *durchgehend* Spuren redaktioneller Bearbeitung auf. An markinischen Vorzugsvokabeln und -wendungen sind festzustellen: κρατέω (Mk 6,17)[299], ἔλεγεν γάρ (Mk 6,18)[300], θέλω cum δύναμαι (Mk 6,19)[301], πολλά als Adverb (Mk 6,20)[302], τὸ κοράσιον (Mk 6,22.28 [bis])[303], zumal als Deminutiv[304], das partizipiale Epitheton ὁ βαπτίζων (Mk 6,24)[305],

---

[293] Vgl. DERS., Martyrium, 86.
[294] Die Einheitsübersetzung überträgt Mk 6,17b gar mit: „Schuld daran war Herodias …“.
[295] Anders GNILKA, Martyrium, 87.
[296] Vgl. ausführlich den Ausgrabungsbericht CORBO/LOFFREDA, scoperte; ferner B. SCHWANK, Neue Funde in Nabatäerstädten und ihre Bedeutung für die neutestamentliche Exegese, in: NTS 29 (1983) 429–435, hier: 434.
[297] Vgl. etwa ERNST, C: Mk, 184.
[298] Vgl. GRUNDMANN, C: Mk, 173; LOHMEYER, C: Mk, 118; de la POTTERIE, mors, 142f.
[299] Vgl. DSCHULNIGG, Sprache, 140.
[300] Vgl. ebd., 92.
[301] Vgl. ebd., 106.
[302] Vgl. ebd., 107f.
[303] Vgl. ebd., 111; SCHENK, Gefangenschaft, 466.
[304] Vgl. DSCHULNIGG, Sprache, 25f, 111, 141, 157; SCHENK, Gefangenschaft, 466.
[305] Vgl. DSCHULNIGG, Sprache, 97; PESCH, C: Mk I, 342 A. 20; SCHENK, Gefangenschaft, 468. „ὁ βαπτιστής" in Mk 6,25 mag von Mk 8,28 beeinflußt sein (vgl. SCHENK, Gefangenschaft, 468).

εὐθύς (Mk 6, 25. 27)[306], θέλω ἵνα (Mk 6, 25)[307], περίλυπος (Mk 6, 26)[308], φέρω im Sinne von „herantragen" (Mk 6, 27f).[309] Die Verwendung stammgleicher Komposita in Mk 6, 18:19. 22: 24: 25, die Stilisierung mit Präfix-Korrespondenz Mk 6, 17: 19. 20: 22. 27 (ter)[310] und die Betonung der Affektäußerungen[311] weisen ebenfalls auf die Hand des markinischen Redaktors hin.

Ferner ist die Perikope, wie Gnilka zum Teil selbst aufgewiesen hat[312], mannigfach mit dem Makrokontext verbunden. Die einzelnen Motive spiegeln bis in den Wortlaut hinein die Signa der Passio Christi[313]:

Gefangennahme	Mk 6, 17	Mk 14, 46 (vgl. Mk
	κρατέω	14, 1.44.49; 12, 12)
Fesselung	Mk 6, 17	Mk 15, 1
	δέω	
Furcht	Mk 6, 20	Mk 11, 18
	φοβέω	
Unterredung und Unruhe des Machthabers	Mk 6, 20	Mk 15, 2–5
Gunst des Machthabers, Anstiftung und Wunsch der Hinrichtung	Mk 6, 22–25	Mk 15, 6–11.14
Nachgiebigkeit des Machthabers	Mk 6, 26	Mk 15,10.14 f
Bestattung	Mk 6, 29	Mk 15, 43–46
	ἔρχομαι – τίθημι ἐν μνημείῳ	

Diese Korrelationen entstammen bewußt parallelisierender Redaktion, die in Mk 9, 11–13 diesen Zusammenhang explizite zum Ausdruck kommen läßt: das παραδοθῆναι des Johannes (Mk 1, 14) schattet das παραδοθῆναι des Menschensohnes (vgl. Mk 3, 19; 9, 31; 10, 33; 14, 10f. 21. 41f; 15, 1. 9) voraus.[314] Auch sonst sind typologische Bezüge in der als literarische Retardation zur Ausfüllung der durch die Jüngeraussendung (vgl. Mk 6, 6b–13) eingesetzten Erzählung[315] unverkennbar: so wird die Perikope im Gegensatz zwischen Prophet und König (vgl. 1 Kön 21, 17–29; 2 Chr 21, 12–15; MartJes 2, 14–16) und im bösen Einfluß der Gattin (vgl. z. B. 1 Kön 19, 1f) auf die Elija-Typologie transparent.[316]

---

[306] Vgl. Dschulnigg, Sprache, 84–86.
[307] Vgl. ebd., 161.
[308] Vgl. ebd., 196.
[309] Vgl. ebd., 136.
[310] Vgl. Schenk, Gefangenschaft, 470.
[311] Vgl. ebd., 469.
[312] Vgl. Martyrium, 80f.
[313] Vgl. dazu auch Schenk, Gefangenschaft, 469.
[314] Vgl. auch Grundmann, C: Mk, 172; ferner de la Potterie, mors, 150f; Schenk, Gefangenschaft, 469.
[315] Vgl. dazu Gnilka, C: Mk I, 252; Grundmann, C: Mk, 172f; Pesch, C: Mk I, 337.
[316] Vgl. Gnilka, Martyrium, 87–89; Marxsen, Evangelist, 22–24; Pesch, C: Mk I, 339. Schenk, Gefangenschaft, 470–473 meldet an der Auslegung Gnilkas und Peschs kaum überzeugende

In summa: es empfiehlt sich, auf Dekompositionen zu verzichten und die Novelle[317] in ihrer Ganzheit dem Redaktor zuzusprechen, der sie freilich unter Rückgriff auf traditionelle Motive – am ehesten „ bazaar rumours"[318] – gestaltet hat. Auf diese Weise wird den motivkritischen Beobachtungen[319] ebenso Rechnung getragen wie dem Nachweis einzelner Semitismen.[320] Angesichts der fehlenden kerygmatischen Prägung[321] und der eigenartigen Sprachgestalt ist eine Vorlage nicht ganz auszuschließen, aber sie wäre in jedem Fall nicht mehr präzise nachweisbar und vor allem stark redigiert.[322]

4.2 Beurteilung der These einer Täuferkreis-Tradition

Mit diesem Resultat ist prinzipiell auch schon die These abgewiesen, in Mk 6, 17–29 liege eine Tradition aus den Kreisen der Täuferjünger vom Martyrium ihres Meisters vor. Diese Annahme stützt sich im wesentlichen auf das Fehlen spezifisch christlicher, kerygmatischer Züge im Text, auf den auffallenden Wechsel der personae dramatis und auf die Schlußnotiz Mk 6, 29. „Le luxe des détails, l'ensemble du récit, où l'histoire du Baptiste est narrée pour elle-même, et surtout la finale, où les disciples de Jean sont à l'avant-plan pour l'épisode de la sépulture, s'accomoderaient bien d'une tradition de la secte baptiste".[323] Ähnlich urteilt ein bedeutender Teil der Forschung.[324] Jedoch bleibt im einzelnen festzuhalten:

Zweifel an. Prägt Mk 6, 16 auch tatsächlich das Legitimationsschema, so kann doch von einer Umkehrmöglichkeit, die Jesus (!) dem Herodes einräumt, auch nicht entfernt die Rede sein. Vielmehr wird eine sachgerechte Erschließung der Perikope den Umstand nicht fortdeuten können, daß sie keine Jesus- und nur indirekt eine Johannes-Erzählung ist, primär aber eine anekdotenhafte Schilderung von Hofränken.

[317] Zu dieser Formbestimmung vgl. GRUNDMANN, C: Mk, 173; LOHMEYER, C: Mk, 121.

[318] Vgl. WINK, John, 10f A. 3.

[319] Vgl. v. a. GNILKA, Martyrium, 87–89.

[320] Vgl. HOEHNER, Herod, 117f.

[321] Vgl. DIBELIUS, Überlieferung, 78.

[322] Eine spezielle Vorlage postulieren neben GNILKA etwa LANE, C: Mark, 215 und LOHMEYER, C: Mk, 117f.

[323] THOMAS, mouvement, 111.

[324] So mit unterschiedlichen Begründungen BULTMANN, Geschichte, 328f („vielleicht"); DERS., C: John, 5 A. 1; von DOBBELER, Gericht, v. a. 220–222; ERNST, C: Mk, 182f; FARMER, Art. John, 956f; GRUNDMANN, C: Mk, 174; HOEHNER, Herod, 117f; HUGHES, Disciples, 10f; DERS., John, 217 A. 3; KRAFT, Entstehung, 36f; LANE, C: Mark, 215; LINDESKOG, Johannes, 74; MANSON, John, 409 („the best guess"); PESCH, C: Mk I, 343; SAND, C: Mt, 303; SCHNIEWIND, C: Mk, 96; SCHWEIZER, C: Mk, 70 („möglicherweise"); STAUFFER, Jerusalem, 94 („vermutlich"); THOMAS, mouvement, 111; WINDISCH, Beiträge, 80.

1. Die oben dargelegten Kriterien (s. o. I:2.1.2) raten von der Annahme einer täuferischen Tradition ab. Die quellen- und traditionskritische Rückfrage führt zu keinem fest umrissenen, textimmanent eindeutig als täuferisch zu qualifizierenden Vorstellungsgefüge. Immerhin ist so nicht auszuschließen, daß wenigstens einzelne Elemente eine solche Herkunft aufweisen.

2. Doch sind auch bei einer Einzelanalyse keine täuferischen Spezifika erkennbar.[325] Vor allem steht der Meister, um den es einer täuferischen Passio Ioannis unbedingt gehen müßte, am Rande des Geschehens, Herodes und Herodias dagegen in dessen Mittelpunkt. Ein biographisches Interesse am Leben und Leiden des Propheten fehlt: „Sollte wirklich eine ausmalende Erzählung, die einigermaßen am Täufer interessiert wäre, von seinem Sterben nichts zu sagen wissen?"[326] Im Kontext ist es die δύναμις Jesu, die das Martyrium des Täufers nachträglich beleuchtet (vgl. Mk 6,14–16). Dem Corpus der Erzählung aber mangelt es an jeder Glorifizierung des Johannes; im Gegenteil, er fällt einer denkbar trivialen Intrige zum Opfer.[327]

3. Ferner ist für die am Vorläufer-Geschick interessierte und auf die Elija-Typologie hin transparente Erzählung ein spezifisch christliches Anliegen zu vermuten (s. o. III:4.1). Außerdem ist eine gemeinjüdische Volksmeinung über die göttliche Legitimation des gerechten Dulders bei Josephus (Ant., 18,116. 119) belegbar. Dem gesicherten christlichen und allgemein jüdischen Darstellungsinteresse ist aber der Vorzug vor einem lediglich postulierten Erzählanliegen eines Jüngerkreises bzw. einer hypothetischen Täufersekte zu geben.

4. Auch der Hinweis auf Mk 6, 29 vermag eine Täufertradition nicht zu belegen.[328] Die Bestattung des Märtyrers durch die Seinen ist ein gängiger Topos, dem oft genug auch historische Begebenheit zugrunde liegen wird (vgl. 1 Makk 9, 19; 13, 25–30; Mt 23, 29–32 / Lk 11, 47f; Mk 15, 42–47 / Mt 27, 57–61 / Lk 23, 50–56; Joh 19, 38–42; Apg 13, 29; EvPetr 3–5. 23f; Eusebius, Hist. Eccl., 2, 23, 18), und zumal ein formtypisches Motiv in Martyriumsberichten (vgl. ActPetr 40; PassPetrPaul 66). Das Motiv vom Täuferbegräbnis und -grab wirkt in der weiteren Johannestradition nachhaltig fort (s. u. III:5), ohne daß dafür eigens täuferische Tradentenkreise postuliert werden. Schließlich macht das Partizip „ἀκούσαντες" die Jünger keineswegs

---

[325] GNILKA, C: Mk I, 246: „Die isoliert überlieferte Geschichte ist weder als christliche noch als Überlieferung der Täuferjünger, sondern als im Volk umlaufende Geschichte anzusprechen".
[326] DIBELIUS, Überlieferung, 79; vgl. ebd., 78f.
[327] Richtig SCHWEIZER, C: Mk, 71: „Die Hinrichtung wird ohne Märtyrerglanz erzählt".
[328] Anders THOMAS, mouvement, 111; WINDISCH, Beiträge, 80.

für den Bericht verantwortlich[329]; eher wäre dies für die matthäische Parallele (Mt 14, 12: „καὶ ἐλθόντες ἀπήγγειλαν ..."") zu erwägen, doch hat diese eine rein literarische Brückenfunktion (s. u. III:4.5). Das Verbum ἀκούω ist derart allgemein, daß man es ebenso sinnvoll als Indiz für den Täuferkreis als Träger des Berichts verwerten kann wie Mk 6, 14 („ἤκουσεν") als Hinweis auf Herodes als Gewährsmann der Jesusüberlieferung. ἀκούω dient vielmehr darstellungstechnisch der Überleitung zu einer Szene, die – einem Epilog vergleichbar[330] – das Ende des Täufers nun doch mit einem kleinen Lichtschein umgibt.[331]

4.3 Historische Würdigung

Über die historische Wirklichkeit der markinischen Erzählung ist viel gestritten worden; meist ging es dabei um den Versuch einer Harmonisierung mit dem Josephus-Bericht (Ant., 18, 116–119).[332] Nicht alle Elemente der synoptischen Variante wird man unter Verweis auf topische Züge oder literarische Parallelen als ahistorisch abtun können. Die Diskussion hat zumindest ergeben, daß mancher orientalisch-märchenhaft anmutende Zug im Palästina des ersten Jahrhunderts jedenfalls möglich war[333]; jüngere topographische und archäologische Forschungen weisen in die gleiche Richtung[334]: das vom zweiten Evangelisten Geschilderte kann sich in Machärus zugetragen haben. Bewiesen ist damit freilich keines dieser Elemente, und sie bleiben wohl unbeweisbar. Als historisch gesichert kann demnach nur die Hinrichtung des Täufers auf Veranlassung des Herodes Antipas und vermutlich durch Enthauptung[335] sowie die Verbindung des Tetrarchen mit seiner Schwägerin Herodias (vgl. Josephus, Bell., 2, 182f; Ant., 18, 109–119) gelten; die Kritik des Propheten ist zumindest ein

---

[329] So als Überlegung bei Pesch, C: Mk I, 343.

[330] Vgl. Gnilka, C: Mk I, 247.

[331] Vgl. Lohmeyer, C: Mk, 121; Schweizer, C: Mk, 71. Gegen eine Täuferkreis-Tradition sprechen sich auch Gnilka, C: Mk I, 246 und Schmithals, C: Mk I, 316 aus.

[332] Vgl. etwa Lane, C: Mark, 215–217; Schütz, Johannes, 20–22; Scobie, John, 179–184; S. Sollertinsky, The death of St. John the Baptist, in: JThS 1 (1900) 507-528.

[333] Vgl. v. a. J. D. M. Derrett, Herod's oath and the Baptist's head, in: BZ 9 (1965) 49–59; 233–246; Hauck, C: Mk, 78f; Windisch, Beiträge, 73–81; äußerst skeptisch hat sich insbesondere Dibelius, Überlieferung, 77–80 geäußert, der sich „eher in den Palast eines Märchenkönigs als an den Hof des Antipas" (79) versetzt fühlte; ähnlich Goguel, seuil, 53f.

[334] Vgl. Corbo/Loffreda, scoperte, passim; F. Manns, Marc 6, 21–29 à la lumière du dernières fouilles du Machéronte, in: SBFLA 31 (1981) 287–290; A. Strobel, Die alte Straße am östlichen Gebirgsrand des Toten Meeres. Eine Streckenbeschreibung, in: ZDPV 97 (1981) 81–92.

[335] Vgl. dazu M. Greenberg, Art. „Crimes and punishments", in: IDB I (1962), 733–744, hier: 743.

sehr glaubwürdiger Zug, der die von Josephus betonten politischen Implikationen keineswegs ausschließt.[336]

Im hier verfolgten Zusammenhang ist die Schlußnotiz Mk 6, 29 von besonderer Relevanz. Es wird R. Pesch beizupflichten sein, wenn er sie als möglicherweise historisch qualifiziert.[337] Gewiß ist es kaum denkbar, daß die Johannesjünger den Leichnam ihres Meisters von Herodes erbaten[338], aber die Popularität der Täuferbewegung wird den Jüngern Sympathien am Hofe gesichert haben[339], und die Pietät gebot die Bestattung des Johannes, sofern sie möglich war[340]; auch die makkabäischen Heroen etwa (1 Makk 9, 19; 13, 25–30) oder Jakobus Justus (vgl. Eusebius, Hist. Eccl., 2, 23, 18) wurden durch die Ihren ehrenvoll beigesetzt. Andererseits ist nicht auszuschließen, daß die Parallele zur Bestattung Jesu im Rahmen des markinischen praecursor-passionis-Motivs inspirierend gewirkt hat.[341] Auch bot es sich an, der düsteren Erzählung einen etwas harmonischen Abschluß zu geben. So wird man beim Ignoramus bleiben. Allenfalls legt die Schlußnotiz nahe, daß der Jüngerkreis des Täufers sich nicht nach dessen Inhaftierung und Liquidierung aufgelöst hat. Das heißt auch, wie ja neben Mt 11, 11 / Lk 7, 28; Mk 11, 27–33 parr gerade Josephus belegt, daß Johannes nach seinem Scheitern nicht als Pseudoprophet wie andere Gescheiterte vor ihm (vgl. z. B. Josephus, Bell., 2, 261–263), sondern als zu Unrecht verfolgter und daher von Gott gerechtfertigter Prophet verstanden wurde.[342]

Seit dem vierten Jahrhundert ist die Verehrung des Täufergrabes im samaritanischen Sebaste bezeugt, die von den mohammedanischen Einwohnern bis in die Gegenwart gepflegt wird. Unter Julian Apostata (Reg.: 361–363) wurde dieses Grab geschändet (vgl. Rufin, Hist. Eccl., 11, 28; Theodoret, Hist. Eccl., 3, 7). In seiner Übersetzung des Onomastikon schreibt Hieronymus um 390 sub voce Sebaste: „ubi sancti Ioannis baptistae reliquiae conditae sunt" (ed. Klostermann, p. 155, 1. 20f); seine Vorlage weiß davon nichts, obschon Eusebius (ca. 260–339) in Caesarea nur unweit des Ortes lebte. Auch sonst nennt Hieronymus Sebaste als Stätte des Täufergrabes wie auch der Gräber des Elischa und des Obadja (Ep., 46, 12; 108, 13).

Diese Tradition wird später ausgestaltet. Sebaste, Gründung Herodes' des

---

[336] Die Entpolitisierung der Täufergestalt bei Blank, Jesus-Bild, 87 ist unangemessen; vgl. etwa Kraeling, John, 90f; Lang, Erwägungen, 460f. Vgl. zur historischen Würdigung im einzelnen die nüchterne Beurteilung durch Gnilka, C: Mk I, 251f und Pesch, C: Mk I, 343.

[337] C: Mk I, 343.

[338] So aber etwa Innitzer, Johannes, 366; Stauffer, Jerusalem, 98.

[339] Kopp, Stätten, 182 hält es für möglich, daß sich am Hof Freunde des Täuferkreises aufhielten.

[340] Vgl. J. Kollwitz, Art. „Bestattung", in: RAC II (1954), Sp. 194–219, hier: 198–200.

[341] „Since almost the same concatenation of words (ptōma ... kai ethēken auton en mnēmeio) occurs again in Mark only at 15 : 45–46 (the burial of Jesus), Mark may have intended that the death of the Baptist prophesy [sic] the death of Jesus" (Meier, John, 399 A. 57).

[342] Vgl. auch Becker, Gottesbild, 123f.

Großen (vgl. Josephus, Bell., 1, 403), wird zur Residenz seines Sohnes, in der der Täufer festgesetzt wird und das Martyrium erleidet.[343]

Wie diese legendarische Ausfaltung ist auch deren Grund aller Wahrscheinlichkeit nach ein Produkt frommer Phantasie.[344] Die Überlieferung über die Grabstätte ist eine Lokaltradition, für die kein historisch gesichertes Indiz spricht und die wohl auch erst durch die Exzesse der julianischen Reaktion überhaupt breitere Bekanntheit gewann.[345] Die frühesten Berichte wissen nichts von einer Grabesverehrung in Sebaste oder an einem anderen Ort, sei es durch die Christen oder die Täufergemeinde. Die Aitiologie einer Prophetengrab-Verehrung ist Mk 6, 29 schon deshalb nicht, weil gar kein konkreter Ort der Bestattung angegeben wird (anders 1 Makk 13, 30).[346] Die historische Würdigung der passio Baptistae wird sich also mit den oben konstatierten kargen Fakten begnügen müssen.

4.4 Redaktionsgeschichtliche Analyse: Der Täuferkreis in der markinischen Redaktion (Mk 6, 14–29)

Die überlieferungsgeschichtliche Analyse hat ergeben, daß in Mk 6, 17–29 kein Dokument und keine Saga des Täuferkreises vorliegt. Symptomatisch für die methodologische Unsicherheit der Täuferkreis-Forschung (s. o. I:2.1) ist es, wenn neben der Thesis, die Perikope stelle eine Täufertradition dar, die Erwägung tritt, der Perikope gehe es um eine polemische Auseinandersetzung mit dem Täuferkreis.[347] Keines der zu postulierenden Kriterien (s. o. I:2.1.3) trifft für die Legende auch nur in entferntem Sinne zu.[348] Mk hegt keinerlei aktuelles Interessse an den Jüngern, deren Erwähnung lediglich die grausige Szenerie friedvoll abrundet. Vor allem stellt er sie durchaus positiv dar: sie stehen auf der Seite des ungerecht Verfolgten und bilden den Kontrast zur blutigen Hofkabale.

---

[343] Vgl. näher KOPP, Stätten, 181f.
[344] Dagegen ist etwa STAUFFER, Jerusalem, 99 durchaus optimistisch.
[345] Vgl. KOPP, Stätten, 181–183.
[346] Gegen KRAFT, Entstehung, 36.
[347] So bei SCHMITHALS, C: Mk I, 316, der sich fragt, ob der Bericht „einem Täuferbild widerspricht, das in Kreisen der Jüngerschaft des Täufers lebendig ist und ihm eine höhere Würde zuspricht".
[348] Vgl. auch WINK, John, 11, 13.

4.5 Redaktionsgeschichtliche Analyse: Der Täuferkreis in der matthäischen Redaktion (Mt 14, 1–12)

Mt strafft und modifiziert die markinische Vorlage.[349] Im hier zu verfolgenden Zusammenhang ist die Änderung der Schlußnotiz bedeutsam, die nun endet: „καὶ ἐλθόντες ἀπήγγειλαν τῷ Ἰησοῦ" (Mt 14, 12). Diese Veränderung ist weder aktuell[350] noch polemisch[351] zu verstehen; sie hat eine rein literarische Funktion und ist Mk 6, 30 nachgebildet. Der erste Evangelist übersieht die markinische Retrospektive und schafft mit dem „Botenbericht" ein „artificial link" zum Jesus-Geschehen (vgl. Mt 14, 13): die Kunde der Johannesjünger wird Anlaß zur Retraite.[352] Zugleich werden die Täuferjünger samt ihrem Meister näher an Jesus gerückt, sie stehen nicht mehr abseits von ihm.

Auch Mt versteht die Johannesjünger als treue Gefolgsleute des leidenden Gerechten Johannes, ordnet sie aber anders als Mk zugleich Jesus zu. Damit ergibt sich im Makrokontext des ersten Evangeliums eine Dynamik wachsender Jesus-Nähe des Täuferkreises. Von der Distanz (Mt 9, 14 diff Mk 2, 18) gelangen die Täuferjünger über die unsichere Anfrage (Mt 11, 2f) bei ihrem letzten Auftritt schließlich zu Jesus (Mt 14, 12f).

Hinter dieser Darstellung mag sich die Erinnerung an spätere Übertritte von dieser zu jener Bewegung verbergen (s. u. IV:3.1).[353] Jedoch zeigt sich in der allzu selbstverständlichen Sequenz „With their old master dead, the disciples of the Baptist naturally turn to Jesus"[354] eher das Täuferkreis-Verständnis der späteren Legende[355] als historische Wahrscheinlichkeit. Wichtiger ist, daß der Täuferkreis im Rahmen des matthäischen Konzepts die Fronten wechselt. Steht er Mt 9, 14 in der gegnerischen Front und Mt 11, 2f „zwischen den Fronten", so ist er am Ende mit Jesus verbündet: „The disciples of John are Jesus' allies, Jesus' fate is tied up with John's, their enemies are the same".[356]

---

[349] Vgl. dazu im einzelnen MEIER, John, 399f; TRILLING, Täufertradition, 272–275.

[350] So mit Recht SAND, C: Mt, 303f: Mt berichtet unbefangen vom Täuferkreis, weil dieser für ihn kein aktuelles Problem mehr darstellt.

[351] Gegen JONES, references, 310f.

[352] Vgl. TAYLOR, C: Mark, 317; ähnlich HAENCHEN, C: Weg, 242; LOHMEYER, C: Mt, 233 A. 1; TRILLING, Täufertradition, 273f. Den Zusammenhang zwischen Mt 14, 12 und Mt 14, 13 bestreitet L. COPE, The death of John the Baptist in the Gospel of Matthew; or, the case of the confusing conjunction, in: CBQ 38 (1976) 515–519, hier: 517f, der das Partizip „ἀκούσας" auf Mt 14, 1f rückbeziehen möchte.

[353] Vgl. MEIER, John, 402 A. 63; NEPPER-CHRISTENSEN, Taufe, 204f A. 13.

[354] MEIER, John, 400.

[355] So v. a. das der Martyrium-Tradition des pseudonymen Täuferkreises, die wir unten III:5 beurteilen.

[356] WINK, John, 28; vgl. NEPPER-CHRISTENSEN, Taufe, 192.

4.6 Redaktionsgeschichtliche Analyse: Der Täuferkreis in der lukanischen Redaktion (Lk 9, 7–9)

Der dritte Evangelist hat Mk 6, 17–29 zwar in seiner Vorlage vorgefunden und gelesen[357], gibt den Passus aber in seiner Schrift nicht wieder. Vermutlich will er dem Vorläufer, dessen Parallelität zum Christus er bereits Lk 1f abgerundet dargestellt hat, kein derartiges Eigengewicht jenseits seines εὐαγγελίζεσθαι (vgl. Lk 3, 18) einräumen.[358] Deshalb beschränkt er sich auf die generalisierende Notiz Lk 3, 19f und hält so „die Bühne frei" für das zentrale Anliegen der Jesus-Geschichte.[359] Von Lk 9, 7–9 her gesehen, wird man für Lk kein aktuelles Interesse am Täuferkreis annehmen; doch lassen sich e silentio keine sicheren Erkenntnisse gewinnen.

4.7 Resümee

Die – für Mk 6, 17–29 insgesamt wohl noch mit der größten Plausibilität vertretene – Hypothese einer Tradition oder Quelle aus Kreisen der „Johannes-jünger" hält der überlieferungsgeschichtlichen und inhaltlichen Prüfung nicht stand. In historischer Betrachtung erweist sich die markinische Perikope als relativ unergiebig; sie belegt höchstens das Fortbestehen des Jüngerkreises nach dem Tode des Meisters. Eine Verehrung des Täufergrabes durch eine täuferische oder christliche Gemeinde ist für die Frühzeit nicht zu belegen. Weder Mk noch Mt oder gar Lk hegen aktuelles Interesse an den ihren Meister bestattenden Johannesjüngern. Nur beim ersten Evangelisten ist ein – allerdings beiläufiges – theologisches Anliegen zu vermuten: im Rahmen seines Gesamtkonzepts exemplifizieren die Täuferjünger eine Dynamik wachsender Jesus-Nähe. In summa besteht das Resultat der Untersuchung aber auch hier in der Falsifizierung weitläufig verbreiteter Forschungsmeinungen über den Täuferkreis, ist also erneut eher negativ als positiv.

---

[357] Vgl. DÖMER, Heil, 35; SCHÜRMANN, C: Lk I, 184.
[358] Vgl. DÖMER, Heil, 35.
[359] Vgl. ERNST, C: Lk, 146f.

5. Exkurs: Eine pseudonyme Johannes-Vita des Täuferkreises aus dem Syrien des fünften Jahrhunderts

Gegen Ende des fünften Jahrhunderts entstand eine höchstwahrscheinlich in Syrien zu lokalisierende Schrift „Κϑ. μαρτύριον ἤγουν ἡ γέννησις καὶ ἡ ἀποτομὴ τοῦ ἁγίου Ἰωάννου τοῦ προδρόμου καὶ βαπτιστοῦ"[360], die später in mehreren Rezensionen überarbeitet wurde.[361] Sie gibt eine an die evangelische Tradition angelehnte knappe Vita des Täufers von seiner Geburt an wieder und berücksichtigt besonders seine Passio und seine Bestattung. Von den Johannesjüngern ist mitunter die Rede (vgl. Mart., 4), vor allem bei der Schilderung ihrer Begegnung mit Johannes im Gefängnis zu Sebaste, der Residenzstadt des Herodes Antipas.[362] Hier hinterläßt der scheidende Meister den Seinen sein ethisch-geistliches Vermächtnis (vgl. Mart., 7). Nach der Hinrichtung des Täufers übergibt ein Teilnehmer des Festmahls sechs Johannesjüngern das Haupt des Propheten; diese bringen es nach Emesa. Die Legende schließt mit der Verfasserangabe: „Ταῦτα δὲ ἔγραψα ἐγὼ, ἀδελφοὶ, ἁμαρτωλὸς μαθητὴς ὑπάρχων Ἰωάννου, καὶ ἀκολουθήσας αὐτῷ καὶ διδαχθεὶς ὑπ' αὐτοῦ πιστεύειν ἐπὶ τὸν κ(ύριο)ν ἡμῶν Ἰ(ησοῦ)ν Χ(ριστὸ)ν τὸν ῥυόμενον ἡμᾶς ἀπὸ τῆς ὀργῆς τῆς ἐρχομένης" (Mart., 10). In der Handschrift R[363] gibt sich dieser Johannesjünger näherhin als der Evangelist Markus, „πρότερος μαθητής" des Täufers, aus (Mart., 10 sec. R; vgl. Mart., Inscriptio sec. R). Eine spätere Rezension führt sich auf den Johannesjünger Εὔριππος bzw. Ἀγρίππιος (Εὐρίππιος?) zurück.[364]

R. EISLER (1930) will diese Vita auf eine Quelle des Täuferkreises zurückführen.[365] Angesichts des durchgehend eindeutigen christlichen Bezugsfelds des

---

[360] Zum Handschriftenmaterial vgl. NAU, histoire, 521f; zur Charakterisierung der Schrift vgl. ebd., 522.

[361] Vgl. ebd., 523–525.

[362] Die Schrift vermengt hier die Residenzstadt des Antipas mit der Gründung seines Vaters Herodes Magnus; vgl. dazu A. SCHALIT, König Herodes. Der Mann und sein Werk, Berlin 1969 (= SJ 4), 174–176.

[363] Zur Charakterisierung vgl. NAU, histoire, 522.

[364] Vgl. ebd., 524.

[365] Vgl. Ἰησοῦς II, 75f A. 5.

Werkes ist diese Thesis jedoch absurd; sie wirkt auch nur aufgrund der nachgerade arglistigen Zitierweise EISLERS überhaupt als möglich.[366] Dennoch fragt sich, welches Interesse das syrische Christentum an der literarischen Fiktion hegen mochte, welche Funktion im besonderen dem Rekurs auf die Johannesjünger zukommt, welche historische Erinnerung die Legende inspiriert haben mag.

Nachdem bereits zuvor ein Kopf des Täufers Johannes von Jerusalem nach Konstantinopel transferiert und dort in einer seit 394 bezeugten Kirche reponiert worden war (vgl. Sozomenus, Hist. Eccl., 7, 21, 1) und man danach vielleicht in Sebaste ein weiteres Haupt des Johannes entdeckt hatte[367], wurde im Jahr 453 ein dritter Kopf in Emesa aufgefunden. Damit legt sich das Darstellungsinteresse der Täufervita nahe. Zwar mußte sie von Sebaste als letztem Aufenthaltsort des Johannes ausgehen, doch konnte sie für Emesa die Ehre der Ruhestätte des Täuferhauptes reklamieren. „Il semble donc qu'il ait voulu donner un certificat d'authenticité à la découverte du chef de saint Jean-Baptiste".[368] Daß hierfür die Johannesjünger die zuverlässigsten Gewährsleute sein mußten, verstand sich für die auch sonst an evangelische Motive anknüpfende Legende von selbst (vgl. Mk 6, 29 / Mt 14, 12). So fungieren die Täuferjünger und der ihnen beigesellte Tradent der Legende als Signa der Zuverlässigkeit der Überlieferung.

Zu beachten ist, daß diese Jünger nicht das Profil einer eigenen religiösen Formation besitzen; sie umgeben zwar ihren Meister, teilen aber mit ihm den Glauben „ἐπὶ τὸν κ(ύριο)ν ἡμῶν [!] Ἰ(ησοῦ)ν Χ(ριστὸ)ν" (Mart., 10). Alle, wiederum unter Einschluß des pseudonymen Verfassers, werden im unmittelbaren historischen Umfeld des Täufers angesiedelt; von einer Gemeinschaft der zweiten oder gar einer noch späteren Generation ist nicht die Rede.

Daher erlaubt sich die Schlußfolgerung, daß im Syrien des ausgehenden fünften Jahrhunderts, mindestens aber in der Region um Emesa, eine sich auf den Täufer Johannes berufende eigene religiöse Gruppierung neben der Kirche nicht bekannt war. Die völlige Identifizierung der Johannesjünger mit dem Christentum wäre sonst kaum möglich gewesen. Auch eine Erinnerung daran, daß eine solche eigenständige Formation von Täuferjüngern in Syrien je bestand, ist eher unwahrscheinlich, da die ganze Schrift keine Abgrenzung ver-

---

[366] So zitiert EISLER, ebd., 75f A. 5 (75) die Verfasserangabe „διδαχθεὶς ὑπ' αὐτοῦ πιστεύειν ἐπὶ τὸν ... [!] ῥυόμενον ἡμᾶς ἀπὸ τῆς ὀργῆς τῆς ἐρχομένης" und verdunkelt die pseudonyme Identität des „Johannesschülers Markos". Zum Beleg des christlichen Bezugsrahmens sei nur der erste Satz der Schrift angeführt: „Πληρωθέντων τῶν πεντακισχιλίων πεντακοσίων παρ' ἓξ μῆνας τοῦ κόσμου τῆς κτίσεως ἐτῶν, τίκτεται ὁ ἅγιος Ἰωάν(νης) ὁ βαπτιστής, ἐξ ἐπαγγελίας πν(εύματο)ς ἁγίου, πλήρωμα τοῦ νόμου καὶ τῶν προφητῶν, καὶ κήρυξ καὶ πρόδρομος τοῦ κ(υρίο)υ ἡμῶν Ἰησοῦ Χ(ριστο)ῦ τοῦ υἱοῦ τοῦ Θεοῦ"; größere Eindeutigkeit ist nicht zu verlangen!

[367] Vgl. KOPP, Stätten, 181.

[368] NAU, histoire, 522; ebenso KOPP, Stätten, 181.

sucht, sondern völlig unbefangen von einer Gruppe von Vorläufer-Jüngern ausgeht. Damit ist eine Vergleichsbasis für die Beurteilung der Geschichte des Täuferkreises im syrischen Raum gewonnen, dem im Rahmen der Geschichte des Täuferkreises überhaupt besondere Bedeutung zukommt.

6. Lk 11, 1

6.1 Überlieferungsgeschichtliche Analyse

6.1.1 Lk 11, 1a

Die knappe Exposition Lk 11, 1 diff Mt 6, 9 stammt entweder aus Q oder von Lk und ist in diesem Fall entweder redaktionell oder bereits Lk vorgegeben.

Die Entscheidung fällt für Lk 11, 1a nicht schwer, da dieser Halbvers 1) sprachlich, 2) kompositionstechnisch und 3) inhaltlich deutlich lukanisch geprägt ist.

Zu 1): Das periphrastische „καὶ ἐγένετο"[369], der substantivierte Infinitiv „ἐν τῷ εἶναι"[370], die coniugatio periphrastica[371], das adjektivierte Indefinitpronomen τις[372], das ὡς temporale[373] und die Konjunktion πρός c. acc. post verbum dicendi (diff Lk 11, 2a!)[374] sind profilierte Lukanismen; relative Präferenz genießen bei Lk das Substantiv ὁ τόπος[375], das Verbum παύομαι[376] und der absolute Gebrauch der Medialform.[377]

Zu 2): Es entspricht der lukanischen Kompositionstechnik, selbstgeschaffene Expositionen vor überlieferte Perikopen zu setzen (vgl. Lk 10, 1; 14, 1; 17, 5; 19, 11 u. ö.).[378]

Zu 3): Sachlich ist das lukanische Leitmotiv der das gesamte dritte Evangelium prägende Gedanke des Dominus orans (vgl. Lk 3, 21 diff Mk 1, 10; Lk 5, 16

---

[369] Vgl. Dömer, Heil, 31 A. 62; Jeremias, Sprache, 25f; Riesner, Lehrer, 445; Schramm, Markus-Stoff, 94f.

[370] Vgl. Dömer, Heil, 31 A. 62; Jeremias, Sprache, 195; Schramm, Markus-Stoff, 96.

[371] Vgl. Jeremias, Sprache, 42f.

[372] Vgl. Dömer, Heil, 31 A. 62; Jeremias, Sprache, 15.

[373] Vgl. Dömer, Heil, 31 A. 62; Jeremias, Sprache, 45.

[374] Vgl. Dömer, Heil, 31 A. 62; Jeremias, Sprache, 33.

[375] Vgl. Dömer, Heil, 31 A. 62: Mk: 9 / Mt: 9 / Lk + Apg: 18 + 16.

[376] Vgl. Jeremias, Sprache, 131.

[377] Vgl. ebd., 195; zur Diktion im ganzen auch Plummer, C: Luke, 293.

[378] Vgl. Bultmann, Geschichte, 359–361; Dibelius, Überlieferung, 43f A. 3; Ders., Formgeschichte, 161; Dömer, Heil, 31; Feldkämper, Heilsmittler, 179.

diff Mk 1, 45; Lk 6, 12 diff Mk 3, 13; Lk 9, 18 diff Mk 8, 27; Lk 9, 28f diff Mk 9, 2f).[379] Ferner ist die Situationsangabe denkbar unbestimmt.[380]

Insgesamt ist also zu konstatieren, daß Lk 11, 1a nach Gestalt und Gehalt deutlich auf den dritten Evangelisten zurückgeht.

6.1.2 Lk 11, 1b

Der zweite Halbvers erlaubt keine so klare Entscheidung. καθώς ist zwar lukanische Vorzugsvokabel, aber ebenso wie διδάσκω nicht sehr spezifisch.[381] Die Anrede „κύριε" hält F. HAHN mit derselben Entschiedenheit für redaktionell[382], mit der J. JEREMIAS sie als traditionell ansieht.[383] Wenn Lk in Lk 11, 1a „εἶπεν" mit einer Präpositionalwendung verbindet, wird er sie gleich in Lk 11, 2 mit einer Dativwendung verbinden? Andererseits ist εἶπεν δέ am Satzbeginn eine lukanisch bevorzugte Wendung.[384]

Führt so die Vokabel- und Stilstatistik nicht weiter, so schließt auch die lukanische Kompositionsmethode nicht aus, daß eine tradierte Szene am Beginn einer Q-Einheit mitgeteilt wird (vgl. Lk 10, 25–37; 12, 13–21; 13, 1–9).[385]

Als redaktionelle Intention scheint die Assimilation des Täuferkreises an die Jesus-Bewegung (vgl. Lk 5, 33) nach dem Prinzip der „überbietenden Parallelisierung" denkbar.[386] Aber eine „Überbietung" im strengen Sinn wird aus Lk 11, 1b nicht ersichtlich. Plausibler ist die Auffassung, der Halbvers wolle Johannes Jesus annähern[387], denn das dritte Evangelium stellt den Täufer auch sonst in Parallele zu und als Prototyp von Jesus dar.[388] Aber diese Parallelisierung ist gemeinhin christologisch, während in Lk 11, 1 ein Geschehen in den Jüngerkreisen im Blickpunkt steht. Außerdem ist das redaktionelle Motiv des Iesus orator als Prototyp seiner betenden Jünger im dritten Evangelium so bestimmend[389], daß es gerade im Einleitungsvers des Zentralabschnitts über das Beten völlig dysfunktional wäre, es durch das ebenfalls redaktionelle Nebenmotiv „Johannes, der Prototyp Jesu" zu verdunkeln. Nun rückt Lk Johannes- und Jesus-Kreis auch in Lk 5, 33–39 zusammen (s. o. III:3.7), aber es stellt sich die Frage,

---

[379] Vgl. auch ERNST, C: Lk, 368–371; FELDKÄMPER, Heilsmittler, passim.

[380] Vgl. GRUNDMANN, C: Lk, 229.

[381] καθώς – Mk: 8 / Mt: 3 / Lk + Apg: 17 + 11; vgl. DÖMER, Heil, 31 A. 62; διδάσκω: 17/14/17 + 16; vgl. ebd..

[382] Vgl. Hoheitstitel, 84f.

[383] Vgl. Sprache, 135f.

[384] Nach JEREMIAS, ebd., 33 außer Joh 12, 6 nur im lukanischen Doppelwerk und zwar 59mal, davon 13mal als redaktionelle Veränderung im Mk-Stoff.

[385] Vgl. BULTMANN, Geschichte, 359.

[386] Vgl. dazu FELDKÄMPER, Heilsmittler, 179f.

[387] So DÖMER, Heil, 31.

[388] ERNST, C: Lk, 148: „Der Täufer ist für Lk der Prototyp Jesu, angefangen bei der Ankündigung der Geburt bis hin zum gewaltsamen Tode".

[389] Vgl. FELDKÄMPER, Heilsmittler, 336–338 u. ö.; OTT, Gebet, 94–99.

ob diese Parallelisierung tatsächlich bewußte redaktionelle Gestaltung ist oder nicht eher absichtslose Mitteilung von Tradiertem. Gerade der Kontext von Lk 11, 1b legt nahe, daß der Evangelist bewußt das Motiv „Iesus orator" demonstriert, so daß vom Herrn die eigentliche Initiative zur Gebetsbitte ausgeht[390]; dann soll durch die redaktionelle Exposition aber möglicherweise gerade der folgende Halbvers „entschärft" werden, nach dem der Täufer den Anstoß zur Gebetsbitte gibt. Jedenfalls liegt ein sachlicher Bruch zwischen der Eingangsszene, in der das *Beten Jesu* geschildert wird und der Bitte des Jüngers, der in der Sicht des Lk dieser Szene beiwohnt, sich aber dann auffallenderweise nicht auf das Gebet des Herrn, sondern auf die *Gebetsschule des Täufers* bezieht. Näher läge wohl die Bitte: „δίδαξον ἡμᾶς προσεύχεσθαι, καθὼς σὺ προσεύχῃ"! Demnach bilden Lk 11, 1a und Lk 11, 1b keine sachliche Einheit, und ihre redaktionelle Einheitlichkeit erscheint zumindest als fragwürdig.

Daß Lk in Lk 5, 33 „δεήσεις" redaktionell einführt, ist kein plausibles Argument für den redaktionellen Charakter von Lk 11, 1b[391], denn gerade eine Tradition, wie sie für Lk 11, 1b postuliert werden mag, kann allererst den Anstoß zu der Einfügung in Lk 5, 33 gegeben haben. Ferner wird in Lk 5, 33 kontrastiert, was Lk 11, 1 assimiliert, so daß Lk insofern widersprüchlich vorgeht, als das Lk 5, 33–39 gegenüber den Johannesjüngern kritisch begründete „Nicht-Beten" der Jünger Jesu in Lk 11, 1b in Angleichung an eben diese Johannesjünger korrigiert wird. Auch der Hinweis auf die analoge Exposition Lk 17, 5 überzeugt nicht[392], denn das verbindende Tertium besteht lediglich in dem Motiv der Jüngerbitte, während die anderen anzuführenden Ähnlichkeiten denkbar allgemein bleiben.[393]

Ein triftiges, wenn auch nicht zwingendes Argument für die redaktionelle Einheitlichkeit von Lk 11, 1 ist die von L. FELDKÄMPER (1978) aufgewiesene konzentrische Struktur des Gesamtverses: *(S. Seite 178 oben).*

Bei näherer Betrachtung zeigt sich jedoch, daß die korrespondierenden Glieder sich zwar auf der Lexem-Ebene entsprechen (προσεύχομαι, λέγω, μαθηταί, διδάσκω), daß sie aber entweder syntagmatisch oder begrifflich differieren. So ist in b ein Jünger Sprecher, b′ leitet ein Herrenwort ein, c bezeichnet einen Jesus-Jünger als Subjekt der Satzeinleitung, c′ die Johannesjünger als Objekt in der direkten Rede, die mit d beginnt. Ferner gehört Lk 11, 2a wohl zum Q-Stoff (vgl. Mt 6, 9), so daß der Redaktor, wenn er bewußt einen konzentrischen Kreis geschaffen hat, in jedem Fall dazu auch Traditionsmaterial verwendete.[394]

---

[390] Vgl. FELDKÄMPER, Heilsmittler, 191f.

[391] Gegen DÖMER, Heil, 31.

[392] Gegen FELDKÄMPER, Heilsmittler, 179f.

[393] Zu Lk 17, 5 als redaktioneller Bildung vgl. ERNST, C: Lk, 480; GRUNDMANN, C: Lk, 332; einschränkend auch MARSHALL, C: Luke, 643.

[394] Zur konzentrischen Anordnung des Verses vgl. FELDKÄMPER, Heilsmittler, 178. Zu Lk 11, 2a als Q-Stoff vgl. DÖMER, Heil, 31.

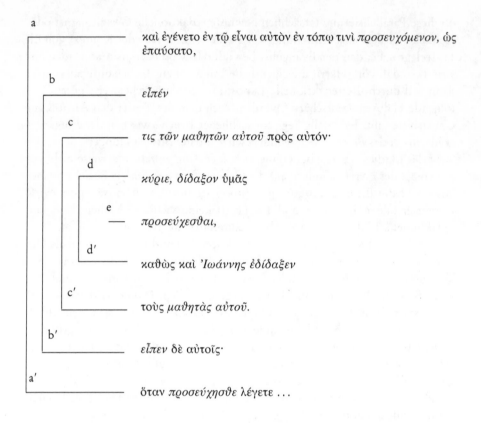

a   καὶ ἐγένετο ἐν τῷ εἶναι αὐτὸν ἐν τόπῳ τινὶ *προσευχόμενον*, ὡς ἐπαύσατο,

b   εἶπέν

c   τις τῶν μαθητῶν αὐτοῦ πρὸς αὐτόν·

d   κύριε, δίδαξον ὑμᾶς

e   *προσεύχεσθαι*,

d′   καθὼς καὶ Ἰωάννης ἐδίδαξεν

c′   τοὺς μαθητὰς αὐτοῦ.

b′   εἶπεν δὲ αὐτοῖς·

a′   ὅταν *προσεύχησθε* λέγετε …

Abschließend bleibt festzustellen, daß Lk 11, 1b nicht sicher der Tradition oder Redaktion zugeordnet werden kann. Möglicherweise hat Lk den Halbvers selbst formuliert; dies schließt aber keineswegs aus, daß er dabei auf traditionell vorgegebene Nachrichten zurückgegriffen hat. Daß das Motiv der Jüngerbitte mit dem Rekurs auf den Täufer den redaktionellen Zusammenhang sprengt, ist jedenfalls deutlich geworden: „the reference to John's disciples, which adds nothing to the scene, is hardly due to Luke".[395] Inwieweit diese sperrige Erwähnung des Täuferkreises historisch zuverlässig ist, ist jetzt zu untersuchen.[396]

---

[395] MARSHALL, C: Luke, 456.

[396] Die Ambivalenz des Verses führt zu einer relativen Unsicherheit der Forschung. Während Lk 11, 1a nahezu einhellig der lukanischen Redaktion zugewiesen wird, besteht für Lk 11, 1b kein Konsens. Für lukanische Redaktion plädieren etwa BULTMANN, Geschichte, 359; CONZELMANN, Mitte, 208f A. 1 (208); DIBELIUS, Formgeschichte, 161. Für eine Lk vorliegende Tradition sprechen sich aus RENGSTORF, Art. μανθάνω, 460 A. 264; DERS., C: Lk, 143f; RIESNER, Lehrer, 445f; SCHLATTER, C: Lk, 296; vgl. HAUCK, C: Lk, 149. LOISY, C: Luc, 314 sieht in der Stelle gar ein Produkt von Q. MARSHALL, C: Luke, 456 schwankt zwischen Red^{Lk}, S^{LK} und Q.

6.2 Historische Würdigung

Die historische Rückfrage kann von dem oben konstatierten sachlichen Hiat ausgehen (s. o. III:6.1.2). Der Mitteilung der Jüngerbitte liegt nicht nur keine erkennbare redaktionelle Intention zugrunde, sie sprengt auch den unmittelbaren Zusammenhang, namentlich verdrängt sie das für Lk zentrale Motiv des Iesus orator. Das Logion, „donnée d'une manière incidente"[397], verfolgt keinerlei christliches Interesse, zumal die auch Lk 5, 33 – dort aber eher im Kontrast zur Jesus-Bewegung – erwähnte Gebetspraxis der Johannesjünger nirgends detaillierter beschrieben wird.[398] „The request is necessarily good historical evidence, for later generations would scarcely have been inclined to suggest that the Lord's Prayer was given to assimilate Christian to Baptist piety"[399]; „le fait même de la demande adressée à Jésus est une donnée qui ne pouvait se déduire de la prière, et qu'un historien du Christ aurait eu plutôt la tentation d'omettre que de supposer"[400] (vgl. vielmehr Did 8, 2f). Es ist von daher plausibel, daß sich textgeschichtlich die Tendenz zur Tilgung der Erwähnung des Johannes bemerkbar macht (ℵ*; Tatian[401]).

Auch die innere Evidenz des Geschilderten verleiht ebenso wie dessen Konvergenz mit den Mitteilungen über die Frömmigkeitspraxis des Täufers und seines Jüngerkreises (vgl. Mt 11, 16–19/Lk 7, 31–35; Mk 1, 6//Mt 3, 4; Mk 2, 18–22 parr) Lk 11, 1 historische Glaubwürdigkeit. Von der pars maior der Forschung wird die Nachricht als im Kern historisch zuverlässig angesehen.[402]

---

[397] GOGUEL, seuil, 75.

[398] Vgl. DIBELIUS, Überlieferung, 43f; MARSHALL, C: Luke, 456.

[399] KRAELING, John, 78.

[400] LOISY, C: évangiles I, 599; vgl. SCOBIE, John, 133. Gegen BULTMANN, Geschichte, 359 ist daher festzuhalten, daß Lk die Einleitungsszene keineswegs aus dem Gebetstext entnommen hat.

[401] Vgl. BAMMEL, Baptist, 107 A. 5. Ganz deutlich wird die christliche Verlegenheit dann bei Tertullian, De orat., 1, 3: „Docuerat et Iohannes discipulos suos adorare; sed omnia Iohannis Christo praestruebantur, donec ipso aucto – sicut idem Iohannes praenuntiabat illum augeri oportere, se uero deminui – totum praeministri opus cum ipso spiritu transiret ad Dominum".

[402] So etwa BÖCHER, Art. Johannes, 177; CARMIGNAC, recherches, 18; DIBELIUS, Überlieferung, 43f; GOGUEL, seuil, 75; KRAELING, John, 78; LEANEY, text, 110; MARSHALL, C: Luke, 456; MONTEFIORE, God, 40; PLUMMER, C: Luke, 293; RENGSTORF, C: Lk, 143f; SCOBIE, John, 133. Auch H. GREEVEN, in: GREEVEN/HERRMANN, Art. εὔχομαι, 803 hält die Szene Lk 11, 1 für historisch, merkwürdigerweise aber „abgesehen vielleicht davon, daß hier gerade die Johannesjünger den Hintergrund abgeben"; vielmehr macht gerade dieses Kolorit die Notiz allererst glaubwürdig, während die biographische Malerei in Lk 11, 1a kaum ein sicheres Fundament darstellt! Für ahistorisch halten Lk 11, 1b BAMMEL, Erwägungen, 16; BULTMANN, Geschichte, 359; DÖMER, Heil, 31; HARNACK, Anhang, 699f; LOISY, C: Luc, 314f (anders DERS., C: évangiles I, 599!); OTT, Gebet, 93. Zurückhaltend ERNST, C: Lk, 358: „Es ist möglich, daß es ein vergleichbares ‚Täufergebet' gab, das die christliche Gemeinde zur Zeit der Abfassung des Lk-Ev noch kannte, aber über Vermutungen kommt man hier nicht hinaus"; vgl. auch SEEBERG, Vaterunser, 111. Diese Behutsamkeit empfiehlt sich in der Tat, doch dürfte zumindest das reine Faktum der täuferischen Gebetspraxis und ihres Einflusses auf das christliche Beten aus den angeführten Gründen durch Lk 11, 1 sicher belegt sein.

6.3 Historische Auswertung

6.3.1 Jesus, seine Jünger und die Gebetstradition des Täuferkreises

Lk 11, 1 bestätigt die aus der Perikope Mk 2, 18–22 gewonnenen historischen Einsichten (s. o. III:3.4). Es gab zur Zeit Jesu einen engeren Kreis von Jüngern, die sich um den Täufer Johannes gesammelt hatten und wohl auch nach dessen Tod auftraten. Die letztere Vermutung ergibt sich aus dem Umstand, daß Jesus wahrscheinlich erst nach dem Tod des Täufers öffentlich in Erscheinung trat (s. o. II:3.4.4), und wird durch den Aorist „ἐδίδαξεν" gestützt.[403]

Dem auszuwertenden Vers geht es um eine Assimilation zwischen diesen Jüngern und dem Anhang Jesu. Die Parallelisierung betrifft zunächst das προσεύχεσθαι; zugleich deuten sich aber zwei komplementäre Analogien an: wie Johannes lehrt (Lk 11, 1b α.β: διδάσκω) Jesus, und er übt diese Tätigkeit wie jener gegenüber seinen μαθηταί (Lk 11, 1a.b β) aus. Daraus folgt, daß sich beide Formationen soziologisch gleichen. Die Aufforderung „δίδαξον" ist innerhalb der Jesus-Tradition insofern ungewöhnlich, als sie die einzige Initiative zur Lehre ist, die nicht von Jesus selbst ausgeht.[404] Im Rahmen des antiken jüdischen Lehrbetriebs ist sie gängig (רבינו למדני) (vgl. b Ber 28b; b Hag 13a; b Tem 16a).[405]

Die explizite Parallelisierung zweier religiöser Formationen wirkt auffällig, wenn nicht beispiellos. Täuferkreis und Jesus-Bewegung werden immer wieder als vergleichbare, mithin benachbarte Gruppierungen behandelt. Da aber der historischen Wahrscheinlichkeit nach der Anschluß an die Gebetspraxis der Johannesjünger aus dem Kreis um Jesus angeregt wurde, ist darüber hinaus zu vermuten, daß dieser Kreis sich jenen verwandt fühlte oder – worauf insbesondere der komplexive Aorist „ἐδίδαξεν" hinweist – eine Erinnerung an die täuferische Gebetspraxis pflegte, die weder als religionsgeschichtliches Detailwissen noch als heilsgeschichtliche Reflexion, sondern nur als Erinnerung an eine gemeinsame Vergangenheit, an eine Ursprungsgeschichte bei dem διδάσκαλος Johannes begreifbar wird.[406] Lk 11, 1 läßt somit auf ein Kontinuum schließen, das die Gebetspraxis des Täuferkreises und der Jünger Jesu umfaßt. In Präzisierung einer Bemerkung L. FELDKÄMPERS[407] wird man daher feststellen können, daß sich die Jünger Jesu der Gebetstradition nicht nur ihres Volkes,

---

[403] Vgl. auch HUGHES, John, 213f.
[404] Vgl. auch FELDKÄMPER, Heilsmittler, 191f.
[405] Vgl. RENGSTORF, Art. διδάσκω, 140f; STRACK/BILLERBECK II, 186.
[406] Hier liegt das granum salis der überzogenen These LEANEYS, C: Luke, 67, der die Bitte formulierende Jünger sei „no doubt previously a disciple of John the Baptist" gewesen; ähnlich bereits INNITZER, Johannes, 387.
[407] Heilsmittler, 202f.

sondern gerade des Täuferkreises bewußt waren und sie pflegten. Die interessante Lesart „sicut et Johanes docuit nos discipulos suos" (Lk 11, 1 sec. D lat)[408] mit dem prädikativen Verständnis des Jüngerbegriffs hat insofern durchaus ihr geschichtliches Recht.

Andererseits wird die Bitte an Jesus erst dann plausibel, wenn es auch ein Bedürfnis nach Profilierung im eigenen Gemeinschaftsgebet gab. Denn diese eigene Gebetsweise kennzeichnet nicht nur den Meister, sondern auch die Gruppe seiner Jünger und konstituiert sie in gewissem Sinne. Lk 11, 1 ist also auch ein Zeugnis der „Emanzipation" der Jesus-Bewegung vom Täuferkreis, der Ablösung von der gemeinsamen Ursprungsgeschichte.

Hingegen kann kaum behauptet werden, daß das Beten des Täuferkreises zugleich implizite als unzulänglich zurückgewiesen wird[409]; dieser Zug ist höchstens ein notwendiges, aber völlig peripheres Nebenmotiv. Erst recht zeigt der Vers nicht die Spuren einer Auseinandersetzung zwischen Täuferkreis und Jesus-Bewegung. Wo dies behauptet wird, prägt eher forschungsgeschichtliches Herkommen als schlichtes Wahrnehmen des Textes die Hypothese, und entsprechend kompliziert muten die Begründungen an: „La secte [scil. chrétienne] veut que sa prière lui ait été prescrite par Jésus, comme les sectateurs de Jean-Baptiste en ont une qui a été ou est censée avoir été recommandée par leur maître".[410] Es ist aber schwerlich vorstellbar, daß sich Christen ausgerechnet auf den Täuferkreis als Vorbild ihres Betens bezogen hätten, wenn tatsächlich eine solche Rivalität im Hintergrund stand.

6.3.2 Herrengebet und Täuferkreis

6.3.2.1 Herrengebet und Täufergebet

Die Jüngerbitte zielt nicht auf eine Anleitung zum Gebet im allgemeinen Sinne, denn eine solche war für jeden, der durch die jüdische Gebetsschule gegangen war, gänzlich unnötig.[411] Für die Annahme, die Jünger hätten durch das von Jesus erbetene Gebet mit der jüdischen Gebetstradition brechen wollen, spricht weder der Inhalt noch die Form des Gemeinschaftsgebetes.[412] Da die kompara-

---

[408] Zit. nach Bammel, Baptist, 107 A. 5.
[409] Anders Feldkämper, Heilsmittler, 193.
[410] Loisy, C: Luc, 315, vgl. Montefiore, C: gospels II, 472; Steinhauser, Doppelbildworte, 171f; dagegen bereits Schlatter, C: Lk, 296.
[411] So war v. a. das Sch'mone Esre im Kern bereits zu neutestamentlicher Zeit bekannt; ebenso gehörte neben anderen Gebeten das Sch'ma zur täglichen Gepflogenheit des jüdischen Frommen (vgl. H. Greeven, in: Greeven/Herrmann, Art, εὔχομαι, 799–801). Möglicherweise denkt allerdings Lk an eine generelle Gebetsanleitung, wenn er die apophthegmatische Szene in den Eingang seiner an Heidenchristen gerichteten Gebetsdidache setzt (vgl. Jeremias, Vater-unser, 11).
[412] Vgl. auch Schlatter, C: Lk, 296.

tive Konjunktion καθώς primär modalen Charakter hat, bezieht sich die Bitte allerdings auf eine spezifische Gebetsweise oder – wie Mt 6,9/Lk 11,2 annehmen läßt – auf ein Gebetsformular.[413] In der Tat lag es nahe, daß die eschatologischen Bewegungen Johannes' des Täufers und Jesu nach „neuen Schläuchen für den neuen Wein" suchen mußten, um so das Bedürfnis, das neuartige eschatologische Bewußtsein vor Gott betend zum Ausdruck zu bringen, zu erfüllen.[414]

Abwegig ist der Gedanke J. K. ELLIOTTS (1973), Jesus lehre „his disciples the same prayer as John taught his followers"[415]; das Vater-unser sei deshalb von Johannes geschaffen und seinem Jüngerkreis übergeben worden. Schon die Prämisse, das Herrengebet sei gemeinjüdisch, ist unpräzise (s. u. III:6.3.2.3), die Vorstellung „Jesus at one stage in his ministry obviously identified himself with the Baptist's movement, and borrowed much of his teaching from John"[416] zumindest oberflächlich (s. o. II:3.5). Ist auch das Herrengebet noch mit der Täuferbotschaft zu vergleichen (s. u. III:6.3.2.2; 6.3.3.2), so bietet doch bereits der Text von Lk 11,1 keine Stütze für die Meinung, Jesus trage ein Täufergebet vor.[417]

6.3.2.2 Das Herrengebet in der täuferischen Tradition

Der Inhalt des Täufergebets läßt sich im allgemeinen Sinne erschließen. So läßt die historisch zuverlässige Einleitung zwei Schlußfolgerungen zu, die zunächst freilich nur als Arbeitshypothesen formuliert werden können. Erstens muß das Herrengebet sich dem Täufergebet, das ihm ja als Anlaß und Modell vorgegeben ist, als verwandt zeigen (III:6.3.2.2). Zweitens steht aber auch zu vermuten, daß Jesus, eben *selbst* auf ein Gebet angesprochen, nicht einfachhin ein zweites Täufergebet formuliert, sondern in Ansehung des Täuferkreises gerade seine ureigenen Anliegen zur Sprache bringt, damit zugleich die Mitte, aus der seine Gemeinschaft lebt (III:6.3.2.3).

Das Wenige, das sich mit hinreichender Wahrscheinlichkeit über das Täufergebet sagen läßt, bestätigt die erste Vermutung. Dabei läßt das unspezifische

---

[413] Vgl. ELLIOTT, Prayer, 215; ERNST, C: Lk, 358; GNILKA, C: Mt I,216; JEREMIAS, Gebet, 77; LOHMEYER, Urchristentum, 115f; RIESNER, Lehrer, 445f. RENGSTORF, C: Lk, 146 leitet aus der Tatsache, daß zwei Fassungen des Herrengebets kursierten, die matthäische für das jüdisch und die lukanische für das heidnisch geprägte Christentum, die Meinung ab, daß ein festes Modell nicht vorgegeben war. Abgesehen von der Frage einer wortwörtlichen Fixierung (vgl. dazu die treffenden Bemerkungen bei GELDENHUYS, C: Luke, 318) ist jedoch davon auszugehen, daß die Grundgedanken bindend waren. In jedem Fall war das Vater-unser ein „Mustergebet" mit „Modellcharakter" (vgl. ERNST, C: Lk, 358f; RIESNER, Lehrer, 446).

[414] Vgl. ERNST, C: Lk, 358.

[415] Prayer, 215.

[416] Ebd..

[417] Wenn 1 Kor 7,5 besondere Gebetsübungen in der Gemeinde voraussetzt, so erklärt sich dies hinreichend aus der Eigendynamik christlicher Spiritualität; ein Einfluß der Gebetspraxis des Täuferkreises auf die junge Kirche ist gegen DIBELIUS, Überlieferung, 142 A. 1 deshalb nicht zu behaupten.

Verbum προσεύχομαι (Lk 11, 1) noch keinen Rückschluß auf den Charakter des geforderten Gebets zu. Wenn aber Lk 5, 33 die Gebete des Täuferkreises – wohl in Vorbereitung auf Lk 11, 1 – als „δεήσεις" bezeichnet, so scheint sich angesichts des allgemeinen Sprachgebrauchs[418] ein gewisser Bittcharakter anzudeuten.[419] Dem entspricht die Tatsache, daß Jesus auf die Aufforderung des Jüngers hin in der Tat ein Bittgebet formuliert, und auf ein eben solches, von Johannes gelehrtes Gebet dürfte sich der Jünger auch beziehen.

Ferner darf als gewiß gelten, daß das Täufergebet näherhin ein eschatologisches Bittgebet war, denn es wird von dem zentralen Anliegen des Täufers getragen gewesen sein, mithin vom Gedanken des einbrechenden Gotteszornes. Auch hierin entspricht dem Täufergebet das Herrengebet, das zumal in seiner rekonstruierbaren Urfassung[420] formaliter und materialiter eindeutig eschatologisch ausgerichtet ist. Schon kompositorisch sind die theozentrischen Bitten durch ihre Anfangsstellung hervorgehoben. Die erste Bitte zielt auf die endzeitliche Offenbarung des souveränen Richtergottes.[421] Für die zweite Bitte ist diese Zielrichtung evident: Gott möge seine endzeitliche Königsherrschaft aufrichten.[422] Die zweite Einheit des Gebets nimmt primär den Menschen in den Blick, ist aber ebenso nur vor dem Hintergrund des Endzeitbewußtseins verständlich.

---

[418] H. GREEVEN, in: GREEVEN/HERRMANN, Art. εὔχομαι, 807 formuliert zurückhaltend: „προσ-ευχή bezeichnet das Gebet im umfassendsten Sinne; δέησις *kann* darüber hinaus noch die speziellere Bedeutung des Bittgebets haben, und in dieser Möglichkeit besteht die Sonderfarbe dieses Wortes"; vgl. auch DERS., Art. „δέομαι, δέησις, προσδέομαι", in: ThWNT II (1935), 39–42, hier: 40.

[419] Vgl. KRAELING, John, 79; SCOBIE, John, 134.

[420] Von dieser Urfassung, die wir mit GNILKA, C: Mt I, 229 u. ö. und JEREMIAS, Theologie, 191 sowie den meisten anderen Autoren rekonstruieren, ist im folgenden die Rede. Diese Fassung geht mit großer Wahrscheinlichkeit auf Jesus selbst zurück; zur Begründung vgl. GNILKA, C: Mt I, 229f. Während freilich dem positiven Aufweis der Authentie des Herrengebets zuzustimmen ist, muß der methodologischen Kritik GNILKAS am Unähnlichkeitskriterium widersprochen werden. Zuerst stellt GNILKA dieses Kriterium unvollständig dar („Das Unähnlichkeitskriterium, nach dem das nicht als authentisch jesuanisch gelten kann, was Parallelen im jüdischen Bereich besitzt, …"). Demgegenüber ist zu betonen, daß dieses konstruktive und eben nicht selektive Kriterium von Anfang an zur Sicherung eines Minimalbestands an authentischen Herrenworten gedient hat und keineswegs dem Aufweis nicht authentischen Jesus-Guts. In der Methodenreflexion wurde es frühzeitig durch das Kohärenzprinzip ergänzt, das die Kontinuität zwischen Jesus einerseits und dem Judentum und der – bei GNILKA nicht erwähnten – Urkirche andererseits berücksichtigt. In der vulgarisierenden Anwendung des Unähnlichkeitskriteriums mag es zu Einseitigkeiten gekommen sein; der Wert des Kriteriums wird dadurch nicht beeinträchtigt. Auch GNILKA vermag kein Sachargument gegen das Unähnlichkeitskriterium anzuführen, sondern fragt unvermittelt nach dessen antijudaistischen Voraussetzungen – eine auch forschungsgeschichtlich, das Unähnlichkeitskriterium wurde wesentlich durch R. BULTMANN und E. KÄSEMANN entwickelt, eher unglückliche Spekulation.

[421] GNILKA, C: Mt I, 218: „Die Bitte geht auf ein einmaliges (Aorist) in der Zukunft liegendes und für bald ersehntes Handeln Gottes, das passivisch umschrieben wird. Es ist die endgeschichtliche Offenbarung Gottes. Ein menschliches Mittun kommt nicht in den Blick. Gott wird nicht nur vor den Völkern sein Gottsein enthüllen, sondern vor allem auch Gericht halten und die endgültige Rettung bewirken" – dies ist – mit Ausnahme des Hauptakzents der Rettung (s. o. II:3.5.1) – täuferisches Gedankengut!

[422] Vgl. ebd., 219–222.

Die Brotbitte zeugt von der wartenden Haltung der „Armen", die die Sorge für das heute notwendige Brot ganz Gott anheimstellen, weil sie um das Nahen seiner Herrschaft wissen.[423] Die Bitte um die Sündenvergebung mit dem Hinweis auf die Vergebungsbereitschaft der Beter zielt auf das Endgericht[424], während die abschließende Bitte um Verschonung vor dem πειρασμός, der Gefahr endgültigen Heilsverlustes angesichts der kommenden Gottesherrschaft, bittet.[425] So orientiert sich das gesamte Gebet an den ἔσχατα.[426] Außerdem fällt die im Vergleich zu Paralleltexten überraschende Knappheit des Herrengebets auf, das sich angesichts der nahenden Gottesherrschaft auf das Wesentliche konzentriert, ein Zug, der bereits die täuferische Predigt auszeichnet.[427] Das Herrengebet bricht nicht mit der jüdischen Gebetstradition, zeigt aber deutlich ein eigenes, eschatologisch geprägtes Profil.[428]

So dürfte sich in summa das Täufergebet im Herrengebet widerspiegeln: ein konzentriert formuliertes Bittgebet einer jüdischen Jüngergemeinschaft mit theozentrischem Zug und strikt eschatologischer Orientierung.[429] Alle diese Elemente fügen sich exakt in das von der Täuferforschung erstellte Gesamtbild des Jordanpropheten ein. Prima facie ist also festzustellen: „if we set the Lord's Prayer against the background of John's proclamation, there is little in it that could not have been made the subject of petition in Baptist circles".[430]

6.3.2.3 Das Herrengebet als Ausdruck des Spezifikums Jesu gegenüber dem Täuferkreis

Wenn sich dagegen andere Züge des Herrengebets mit diesem Gesamtbild nicht nur nicht decken, sondern sogar kollidieren, so ist nach der zweiten Arbeitshypothese (s. o. III:6.3.2.2) anzunehmen, daß sich in ihnen das Spezifikum Jesu

---

[423] Vgl. näher ebd., 223f.
[424] Vgl. ebd., 225.
[425] Vgl. ebd., 226.
[426] Zum eschatologischen Charakter des Herrengebets vgl. auch BECKER, Gottesbild, 110; JEREMIAS, Theologie, 191–196.
[427] Man vergleiche etwa die erste und zweite Bitte mit den Entsprechungen im Qaddisch des Gottesdiensts, die Brotbitte mit der 9. Benediktion pal. Rez. des Sch‘mone Esre (vgl. KUHN, Achtzehngebet, 16f, 44) oder die 6. Benediktion pal. Rez. mit der Vergebungsbitte (vgl. ebd., 15, 44).
[428] So lassen sich zu jeder einzelnen Bitte jüdische Parallelen beibringen (vgl. STRACK/BILLERBECK I, 410–423; vereinzelt auch die Kommentare, v. a. GNILKA, C: Mt I, 212–231), aber diesen fehlt der dezidiert eschatologische Zug; GNILKA, C: Mt I, 224 sucht dies an dem Kontrast zwischen der Brotbitte Jesu und der 9. Benediktion des Sch‘mone Esre pal. Rez. zu verdeutlichen. Vgl. auch ebd., 230; JEREMIAS, Gebet, 77f.
[429] Unzulässig ist allerdings die gezwungene Auslegung KLEINS, Gestalt, 45f, nach der Jesus unter dem Einfluß des Täufers auf Ez 36, 23–31 zurückgreift, dieser Prophet prägt nach KLEIN auch die täuferischen Bußpredigten (vgl. Ez 36, 25–27), so daß Lk 11, 1 nichts anderes bezeugt, „als daß die beiden Gebete einer Wurzel entstammen" (46).
[430] KRAELING, John, 79; zu dem „little" wird allerdings gegen KRAFT, Entstehung, 39 die Bitte um das Kommen der βασιλεία gehören (s. o. II:3.5.2).

nicht nur gegenüber der jüdischen Umwelt im allgemeinen, sondern gerade gegenüber Johannes und seinem Jüngerkreis niederschlägt.

Dies gilt zuerst für die Gottesanrede. Es ist kaum ein krasserer Gegensatz denkbar als der zwischen dem in den Bildern von Axt, Sturmwind und Feuer dargestellten, zornig hereinbrechenden Richtergott der Täuferpredigt (vgl. Mk 1, 7f/Mt 3, 11f/Lk 3, 15–18) und dem kindlich-vertrauensvoll angesprochenen, für die Seinen sorgenden אבא des Herrengebets. Während Johannes das Theologumenon vom Vatersein Gottes explizite ad absurdum führt (Mt 3, 9/Lk 3, 8), bringt Jesus in der Abba-Anrede gerade sein ureigenes Gottesverhältnis zur Sprache.[431]

Auch der primär auf den Menschen bezogene zweite Teil des Vater-unser weist ein Gottesbild auf, das der Botschaft des Täufers fremd ist: der Gott des Herrengebets ist eine Heilsgestalt, die sich um das je nötige Brot der Menschen sorgt, die jenen die Vergebung schenkt, die anderen vergeben, und die vor der endzeitlichen Gefährdung bewahrt, statt sie herbeizuführen. Diese Aspekte lassen das Herrengebet in der Tat als „breuiarium totius Euangelii" (Tertullian, De orat., 1, 6) erscheinen.

Angesichts des historisch verbürgten konkreten Anlasses und der deutlichen Akzentuierung des Gebets ist anzunehmen, daß Jesus dieses Gottesbild in bewußter Abhebung von dem ganz anders gearteten des Täufers und seiner Jünger zum Ausdruck gebracht hat. Damit betont das Vater-unser auch das Spezifikum Jesu gegenüber Johannes und seinem Jüngerkreis.[432]

6.3.3 Das Täufergebet in der Textgeschichte und Textrekonstruktion

Über das oben Konstatierte hinaus lassen sich Erkenntnisse über den Inhalt des Täufergebets nicht mehr gewinnen. Es lag von daher nahe, daß frühere Zeiten diese Lücke mit frommer Phantasie auszufüllen suchten; so sind einige angebliche Gebete des Täuferkreises entstanden, die von einer vom Christentum völlig domestizierten Jüngergruppe ausgehen.[433] Spätere Zeiten halfen

---

[431] Freilich wendet sich der Täufer gegen die im Vater-Attribut zum Ausdruck kommende Heilsgewißheit des jüdischen Volkes, Jesu Gottesanrede dagegen bezeichnet die persönliche Beziehung Jesu zu seinem Gott (vgl. GNILKA, C: Mt I, 217); zur Abba-Anrede Jesu vgl. J. JEREMIAS, Abba, in: DERS., Abba. Studien zur neutestamentlichen Theologie und Zeitgeschichte, Göttingen 1966, 15–67; DERS., Theologie, 67–73.

[432] Zum Herrengebet vgl. die Untersuchungen von CARMIGNAC, recherches, v. a. 11–333; JEREMIAS, Vater-Unser, passim; KUHN, Achtzehngebet, 30–46.

[433] ZAHN, C: Lk, 442 A. 6 nennt sechs solcher späten, christlich geprägten Gebetsversionen. Drei der von ihm mitgeteilten Texte sind trinitarisch ausgerichtet und mit aller Wahrscheinlichkeit erst aufgrund von Lk 11, 1 entstanden. Exemplarisch sei die Übertragung des Textes einer syrischen Handschrift aus dem Jahre 899 (Brit. Mus. Add. 12138) genannt: „Das Gebet, welches Joh. seine Schüler lehrte: ,Vater, sei gnädig deinem Sohne; Sohn, sei gnädig deinem Geiste; heiliger Geist, mache mich weise durch Abba zur Wahrheit'. Andere sagen, daß es dieses sei:

sich hingegen angesichts des Mangels an tradiertem Text mit textkritischen Erwägungen.

In den Minuskel-Codices 162 und 700, bei Gregor von Nyssa und Maximus Confessor findet sich anstelle der Bitte um das Kommen der Gottesherrschaft im *lukanischen* Text (Lk 11, 2) – mit geringfügigen Abweichungen – die varia lectio: „ἐλθέτω τὸ πνεῦμά σου τὸ ἅγιον ἐφ' ἡμᾶς καὶ καθαρισάτω ἡμᾶς"[434]; bei Marcion (sec. Tertullian, Adv. Marc., 4, 26, 3f) ersetzt die Geistbitte die erste Bitte[435] (vgl. auch ActThom 27).

Diese Variante wird von einigen Forschern für die lectio probabilior gehalten[436], wobei dann zu fragen wäre, ob der dritte Evangelist sie vorgefunden[437] oder selbst gestaltet[438] hat. A. HARNACK (1904), der Protagonist dieser Theorie, ordnet diese Bitte dem Konflikt der jungen Kirche mit dem Täuferkreis zu, an dem der dritte Evangelist reges Interesse zeige, so „dass erst er dem Herrngebet durch Voranstellung der Bitte um den heiligen Geist den confessionellen Charakter gegenüber den Johannesjüngern gegeben hat".[439]

Die Abweichung einer lukanischen Lesart vom dominanten Mt-Text wirkt in der Tat auffällig; die lukanische Reichsbitte könnte sich, so gesehen, Paralleleinfluß verdanken.[440] Ferner kann auf das pneumatologische Interesse des dritten

---

,Heiliger Vater, heilige mich in deiner (durch deine) Wahrheit und laß mich erkennen die Herrlichkeit deiner Größe und sei gnädig deinem Sohne und erfülle mich mit deinem Geist, daß ich erleuchtet werde durch deine Erkenntnis". TISCHENDORF führt im Apparat zu Lk 11, 1 als Lesart syr^p in cod Assem II in lateinischer Übertragung an: „Dicunt hanc esse orationem, quam Iohannes docuit discipulos suos: Pater, ostende nobis gloriam tuam; fili, fac ut audiamus vocem tuam; spiritus, sanctifica corda nostra in aeternum. Amen".

[434] Die anderen Textzeugen bieten im wesentlichen nur eine andere Wortstellung (vgl. näher KLOSTERMANN, C: Lk, 124; PLUMMER, C: Luke, 295 A. 1).

[435] Der Tradent Tertullian folgt dem referierten Text: „Cui dicam ,pater'? ... A quo spiritum sanctum postulem? ... Eius regnum optabo uenire, quem numquam regem gloriae audiui ...?" Schließlich liest D an Stelle der ersten Bitte: „ἁγιασθήτω τὸ ὄνομά σου ἐφ' ἡμᾶς ['] ἐλθέτω ἡ βασιλεία ...", wobei die Interpunktion unsicher ist (vgl. FREUDENBERGER, Text, 421).

[436] So von BAMMEL, Erwägungen, 15f; DERS., Baptist, 107; FREUDENBERGER, Text, passim; GRÄSSER, Problem, 109–111; HARNACK, Anhang, 689–694; DERS., Sprüche, 47; KLOSTERMANN, C: Lk, 124; LEANEY, text, passim; LEANEY, C: Luke, 59–68; LOISY, C: Luc, 315f; OTT, Gebet, 112–119, 131; STREETER, gospels, 277; WEISS, C: Schriften, 450; auch GOGUEL, seuil, 196f sympathisiert mit dieser Lösung, hält aber die lukanische Lesart ebensowenig für historisch zuverlässig wie HARNACK. Weitere Literaturangaben bei OTT, Gebet, 113. Einen kritischen Überblick über die Diskussion gibt SCHNEIDER, Bitte, 345–359.

[437] So etwa FREUDENBERGER, Text, 429f.

[438] So etwa HARNACK, Anhang, 699.

[439] Ebd..

[440] So FREUDENBERGER, Text, 432; HARNACK, Anhang, 691; STREETER, gospels, 277. GOGUEL, seuil, 197 merkt an, „qu'il y ait, en faveur de cette manière de voir, un argument auquel il est impossible de refuser une certaine portée, c'est que, s'il n'est pas impossible de concevoir que, jusqu'à une époque assez basse, une leçon particulière se soit conservée, il est assez malaisé d'imaginer qu'un texte comme l'Oraison dominicale que son rôle dans la vie de l'Eglise devait tendre à fixer de bonne heure ait pu subir, à une date relativement tardive, une modification sensible".

Evangelisten verwiesen werden (vgl. Lk 11, 13!)[441]; nach HARNACK sucht die Geistbitte das Spezifikum der Jesus-Jünger gegenüber dem Täuferkreis zum Ausdruck zu bringen.[442]

Dennoch läßt sich die Variante textkritisch nicht halten. Das Zeugnis der Handschriften wirkt allzu gering[443], die Verschiedenheit der variae lectiones läßt an die textkritische „Hühnerhof"-Regel denken[444], und Verwandtschaft ist nicht auszuschließen.[445] Ferner lassen sich hinreichende Gründe für die Entstehung der Geistbitte aus der Reichsbitte anführen[446] (vgl. noch Did 8, 2[447]). So erweist sich die Theorie einer Ursprünglichkeit der Lesart als „extremely far-fetched".[448]

Unter Anerkennung des textgeschichtlich sekundären Charakters der Variante führt H. von SODEN (1904) die varia lectio auf die Täuferkreise zurück. Der Geist sei Gegenstand von Hoffnung und Predigt des Täufers, und aus seiner Jüngerschaft hätten die Christen die Geistbitte als Taufgebet übernommen.[449] Im Anschluß an SODEN sieht G. KLEIN (1906) den Einfluß eines Taufgebets des Täuferkreises wirksam, das seinerseits in Kontinuität zur Predigt Johannes' des Täufers stand, die sich an Ez 37, 14 orientiert habe.[450]

Im Gegenzug geht M. DIBELIUS (1911) von der Beobachtung aus, daß das

---

[441] Vgl. GRÄSSER, Problem, 110f; HARNACK, Anhang, 692; KLOSTERMANN, C: Lk, 124.

[442] Anhang, 699. Neuerdings hat FELDKÄMPER, Heilsmittler, 193–195, ohne sich die textkritische Entscheidung HARNACKS zu eigen zu machen, unter Berufung auf Lk 11, 5–13 in der Geistbitte das Spezifikum Jesu gegenüber den Johannesjüngern ausgedrückt gesehen.

[443] 700: e, XI., Qualitätskategorie III, London: Brit. Mus. (ALAND [1963], 98; vgl. ALAND / ALAND, Text, 145). 162: e, 1153, Rom: Bibl. Vatic. (ALAND [1963], 69); FREUDENBERGER, Text, 419 zu 700: „Diese Minuskel fällt durch ihre vielen Abweichungen vom Reichstext auf, die sie bald in die Nähe der Majuskeln B und D stellen, bald aber als völlig einzigartig ausweisen". Zur Bewertung der Kirchenväter-Zitate vgl. ALAND / ALAND, Text, 179–181; zur textkritischen Beurteilung von Lk 11, 2 im allgemeinen auch CARMIGNAC, recherches, 88–90.

[444] Vgl. ALAND / ALAND, Text, 297.

[445] Maximus Confessor hängt vielleicht von Gregor von Nyssa ab (vgl. DIBELIUS, Überlieferung, 43 A. 1; HARNACK, Anhang, 689f; von SODEN, Gestalt, 219).

[446] Möglicherweise hat Lk 11, 13 inspirierend gewirkt (vgl. FELDKÄMPER, Heilsmittler, 195). Späteren Zeiten schwand der Gedanke der Gottesherrschaft, während der Heilige Geist zunehmend in das Zentrum der theologischen Reflexion rückte; so mußte die Geistbitte dem Kappadozier Gregor von Nyssa als Wegbereiter des Constantinopolitanum I höchst willkommen sein. Marcion mag die Geistbitte als unjüdisch empfunden haben (vgl. FREUDENBERGER, Text, 427). RENGSTORF, C: Lk, 145 denkt eher an eine Benutzung des Vater-unser als Initiationsgebet über den Täufling, bei dem eine Geistbitte nahelag (vgl. MARSHALL, C: Luke, 458).

[447] Vgl. dazu FREUDENBERGER, Text, 424–426.

[448] SCOBIE, John, 134. Gegen die Annahme von Paralleleinfluß ist mit DIBELIUS, Überlieferung, 44 einzuwenden, daß bei Paralleleinfluß die Akkomodation des zusammenhängenden Textes Mt 6, 9f, nicht aber eine isolierte Assimilierung zu erwarten wäre. Vgl. im ganzen auch MARSHALL, C: Luke, 458; SCOBIE, John, 134 und mit weiteren Argumenten CARMIGNAC, recherches, 90f; SCHNEIDER, Bitte, 359–371.

[449] Vgl. Gestalt, 222f. DIBELIUS, Überlieferung, 43 A. 2 lehnt diese These mit dem – angesichts des tendenziösen Charakters der Notiz (s. u. III:7.2.2) unzureichenden – Hinweis auf Apg 19, 2 ab; vgl. auch OTT, Gebet, 114f; SCHNEIDER, Bitte, 362f.

[450] Vgl. Gestalt, 40–48.

πνεῦμα in der Auseinandersetzung zwischen Christen und Täuferkreis „eine Art Schibboleth" gebildet habe[451]: „die Einleitung, die Johannes erwähnte, konnte das christliche Beten und somit auch das christliche Gebet als vom Täuferkreis abhängig erscheinen lassen. Dieser Schein wurde abgewendet, wenn man im Gebet eine Bitte las, die spezifisch christlich, ganz und gar nicht täuferisch war. Also *ist das Eindringen der Bitte um den Geist auf den Gegensatz gegen die Johannesjünger zurückzuführen"*.[452]

Beide Varianten der Theorie vermögen nicht zu überzeugen. Gegen SODEN und KLEIN ist zu betonen, daß eine Affinität der Täuferpredigt oder der Theologie des Täuferkreises zur Pneumatologie trotz der interpretatio Christiana in Mk 1, 8 parr nicht belegt werden kann.[453] Gegen DIBELIUS ist darauf zu verweisen, daß die Geistbitte an sich nicht spezifisch christlich ist (vgl. z. B. Num 11, 29; Jes 32, 15; Ez 36, 25–27; 37, 14; 39, 29; Joël 3, 1f; Jub 1, 23; TestLev 18, 11; PsSal 18, 7; 1 QH 7, 6f[454]), die Verbindung der Textzeugen zum Täuferkreis ist durch nichts nahegelegt, und das Interesse am πνεῦμα ἅγιον in der alten Kirche läßt sich keineswegs allein durch den Rekurs auf eine Auseinandersetzung mit dem Täuferkreis erklären. Um etwa die pneumatologische Perspektive des Kappadoziers Gregor von Nyssa zu erklären, bedarf es in der Tat keiner bloß hypothetischen Kontroverse. Das textgeschichtliche Problem der sekundären Geistbitte in der lukanischen Version des Herrengebets ist also aus der exegetischen Diskussion der Täuferkreis-Kontroverse herauszuhalten.

6.3.4 Der Einfluß des Täufergebets auf die Gebetspraxis des Christentums

Wie die Fastenpraxis (s. u. IV:2.2) ist die Gebetsübung im Spätjudentum an sich so verbreitet, daß hier ein besonderer Einfluß des Täuferkreises auf das junge Christentum nicht a priori zu erwarten ist.[455] Jedoch erschließt sich der historischen Rückfrage (s. o. III:6.3.1) ein soziologisches und der theologischen Analyse (s. o. III:6.3.2.2) ein sachliches Kontinuum zwischen den Gebetsgepflogenheiten der Johannesjünger und denen des Kreises um Jesus. Jesus hat aber nicht nur in bewußter Anlehnung, sondern auch in gezielter Abgrenzung von Johannes dem Täufer gebetet. Insofern ist positive wie negative ein Einfluß

---

[451] Überlieferung, 43.

[452] Ebd., 44f.

[453] Vgl. dazu die meisten Mk-Kommentierungen und Täuferinterpretationen, z. B. ERNST, C: Mk, 37.

[454] Vgl. näher W. FOERSTER, Der Heilige Geist im Spätjudentum, in: NTS 8 (1961/62) 117–134; FREUDENBERGER, Text, 427–429.

[455] Einen Einfluß der Gebetspraxis des Täuferkreises auf die junge Kirche postulieren DIBELIUS, Überlieferung, 87, 96f; MEYER, Ursprung I, 90f; III, 248. Zur intensiveren Auseinandersetzung s. u. IV:2.2.

des Täuferkreises – genauer: des Täufers – auf das Christentum – genauer: über Jesus auf seine Jünger – gegeben. Darüber hinaus ist ein allgemeiner Einfluß der Johannesjünger auf die Gebetspraxis der jungen Kirche weder durch Lk 11, 1 belegt noch zur Erklärung frühchristlicher Gebetspraxis notwendig zu postulieren.

7. Apg 19, 1–7

7.1 Methodologische Vorüberlegungen

7.1.1 Der literarkritische Ausgangspunkt

War die Auswertung etwa durch Hugo GROTIUS (1679)[456] noch sehr behutsam, so gilt seit W. BALDENSPERGER (1898)[457] Apg 19, 1–7 im Verbund mit Apg 18, 24–28 als der sicherste äußere Beleg für die von Joh bekämpfte Täufersekte. Bei der folgenden Untersuchung dieser beiden Passus steht die Überlegung im Hintergrund, daß der Verfasser der Apg Quellen und Traditionen verarbeitet hat, daß solches Material jedoch wegen des Mangels an Vergleichstexten und formalen Kriterien nicht mehr deutlich und konsensfähig freizulegen ist.[458] Redaktionelle Gestaltung ist in der Einzelauslegung wahrscheinlich zu machen (s. u. III:7.2; 7.4), aber der gestaltete Überlieferungsstoff läßt sich so nicht profilieren. Mithin sind historische und redaktionsgeschichtliche Analyse auf die sachliche Prüfung der Aussagen des redigierten Endtextes verwiesen.

Apg 18, 24–28 und Apg 19, 1–7 sind prima facie durch kontextuelle Sequenz, redaktionelle Verknüpfung (vgl. Apg 19, 1), den Ort des Geschehens (vgl. Apg 18, 24; 19, 1), das Grundmotiv der Bekehrung und die Einzelmotive der Johannestaufe (vgl. Apg 18, 25; 19, 3) wie des Geistbesitzes (vgl. Apg 18, 25; 19, 2) miteinander verbunden. Angesichts der oben konstatierten Abhängigkeit von den Sachaussagen der Texte empfiehlt es sich daher, mit der Untersuchung von Apg 19, 1–7 zu beginnen, da diese Perikope – im Licht der synoptischen Täuferinterpretation gesehen – die eindeutigeren Daten bietet.[459]

---

[456] Vgl. C: Annotationes, 24, 636f.
[457] Vgl. Prolog, 93–99.
[458] Vgl. PESCH, C: Apg I, 45–51; VIELHAUER, Geschichte, 385–393.
[459] Der Blick auf die Forschungssituation (s. u. III:7.1.2) zeigt allerdings, daß die Verbindung dieser Einzeldaten für die Acta-Forschung ein schier unerschöpfliches Problem darstellt.

7.1.2 Das forschungsgeschichtliche Dilemma

Der knappe „Konversionsbericht" Apg 19, 1–7 ist mit Schwierigkeiten belastet wie kaum ein anderer neutestamentlicher Text. Die Acta-Forschung hat sich seit jeher intensiv mit der Erzählung auseinandergesetzt, dabei aber mehr Fragen aufgeworfen als gelöst. Bereits 1952 mußte E. Käsemann in einem forschungsgeschichtlichen Überblick „alle nur denkbaren Variationen historischer Naivität, Resignation und Konstruktion bis zur äußersten Problemlosigkeit auf der einen, der äußersten Willkür auf der andern Seite" konstatieren.[460] Allerdings vermochte auch er selbst nur eine weitere Variation vorzulegen, die nicht allseits befriedigen konnte und bei näherem Hinsehen nicht frei von Willkür zu sein scheint (s. u. III:7.1.3). Der Status quaestionis ist seitdem noch erheblich komplexer geworden.

Die Aporien sind zahlreich. Zunächst: wer „konvertiert"? Sind die ἄνδρες ursprünglich Johannesjünger? Wenn dem so ist, will der Redaktor dies auch zum Ausdruck bringen[461], oder sieht er sie eher als Christen, wie es die „klassische Hypothese" Käsemanns besagt?[462] Oder sind die μαθηταί vielmehr ursprünglich in der Tat Christen? Ist dies so, schlägt sich das beim Redaktor nieder[463], oder stellt er sie als Johannesjünger vor?[464] Oder sind die μαθηταί weder Johannesjünger noch Christen[465] oder gar „Johanneschristen"?[466] Handelt es sich um persönliche Jünger Jesu[467] oder um Adepten einer spätantiken Sekte?[468]

---

[460] Johannesjünger, 161.

[461] So Baldensperger, Prolog, 97–99; Böcher, Überlieferung, 48; Haacker, Fälle, 75f; Innitzer, Johannes, 210 u. ö.; Lichtenberger, Täufergemeinden, 50; Pesch, C: Apg II, 164–166; Preisker, Apollos, 302–304; Roloff, C: Apg, 281f; Schnackenburg; Evangelium, 24; Schneider, C: Apg II, 263 (widersprüchlich; s. folgende Anmerkung!); Scobie, John, 188; Thomas, mouvement, 98; Weiser, C: Apg II, 515f, 519; Wolter, Apollos, 73 u. ö..

[462] Mit Käsemann, Johannesjünger, 162f; Bacon, relation, 49; Barth, Sakrament, 170f; Cheyne, Art. John, 2504; Conzelmann, C: Apg, 119; Dodd, tradition, 300; Haenchen, C: Apg, 534; Hughes, Disciples, 43f; Ders., John, 215; Meyer, Ursprung III, 113f; Rudolph, Mandäer I, 77 A. 2; Schmithals, C: Apg, 174f; Schneider, C: Apg II, 263; Schweizer, Bekehrung, 247f; Ders., Art. πνεῦμα, 411; Sint, Eschatologie, 103–105; Wink, John, 84f.

[463] Aland, Vorgeschichte, 6f; Beyer, C: Apg, 116; Bruce, C: Acts, 385; Buzy, Jean-Baptiste, 364, 367–370; Kraeling, John, 208f A. 12; Michaelis, Johannes-Jünger, 727–729; Ders., Täufer, 139; Munck, C: Acts, 187; Teicher, sect, 146–148. Für Dibelius, Überlieferung, 88, 95 und MacGregor, problems, 360 sind die Männer frühere Johannesjünger, die aber mittlerweile zu Christen geworden sind.

[464] Goguel, seuil, 104: „C'étaient des chrétiens qui ignoraient le baptême. La chose a paru si extraordinaire au rédacteur des Actes qu'il en a fait des disciples de Jean-Baptiste"; ähnlich Filson, Geschichte, 259; Schille, C: Apg, 376.

[465] Smith, Apollos, 245 hält sie für Apollos-Schüler; Stählin, C: Apg, 252 siedelt sie im religionsgeschichtlichen Niemandsland an.

[466] Von „christgläubigen" Jüngern des Johannes spricht Rengstorf, Art. μανθάνω, 461, von „christlichen Johannesjüngern" Lohmeyer, Urchristentum, 26.

[467] So z. B. Michaelis, Johannes-Jünger, 728f, 735.

[468] So z. B. Bacon, relation, 49.

Gab es ein merkwürdig unprofiliertes Christentum ohne Taufe und Pneumatologie?[469] Wie ist es präzise zu beschreiben? Die vorgeschlagenen Konzepte sind zahlreich, nicht immer klar umrissen und nur selten miteinander zu vereinbaren.[470]

Wie überhaupt ist die historische Basis des Textes einzuschätzen? Handelt es sich um einen im wesentlichen zuverlässigen Bericht[471] oder um eine von Lk stark übermalte[472], gar ersonnene[473] Erzählung? Liegt eine verblassende Erinnerung an eine Gemeinschaft von Johannesjüngern vor[474], der erbauliche Bericht über ihre Auflösung in die christliche Kirche[475], oder setzt sich der Text polemisch mit der nach wie vor agierenden Täufersekte auseinander?[476]

Im einzelnen: Wie ist die auffällige Wendung „εἰς τὸ Ἰωάννου βάπτισμα" zu verstehen? Setzt sie eine Taufe auf den Namen des Johannes voraus?[477] Was genau ist mit dem Ἰωάννου βάπτισμα gemeint?[478] Wie ist es um die sonderbare Unkenntnis des heiligen Geistes bestellt? Wissen die ἄνδρες nichts von seiner Existenz[479], oder blieben ihnen lediglich die Erfüllung der

---

[469] Vgl. ALAND, Vorgeschichte, 6; MICHAELIS, Johannes-Jünger, 735. PREISKER, Apollos, 302–304 rekonstruiert aus Apg 18, 24–19, 7 ein Frühstadium der Urkirche, in der nicht der rituelle Taufakt, sondern allein der Geistbesitz entscheidend war.

[470] Unter unterschiedlichen Voraussetzungen und mit unterschiedlichen Begründungen und Präzisierungen sprechen im Anschluß an BAUR, Paulus I, 213 BEASLEY-MURRAY, Taufe, 151; BUZY, Jean-Baptiste, 364; DIBELIUS, Überlieferung, 90 u. ö.; HUGHES, John, 215; SINT, Eschatologie, 105f und zahlreiche andere von einem „Halbchristentum". ALAND, Taufe, 20f; DERS., Vorgeschichte, 6f; MICHAELIS, Johannes-Jünger, 735 denken an Christen im vorösterlichen Kerygma; BERNOULLI, Kultur, 158f plädiert für schismatische Urchristen, die dem Täufer in der Beibehaltung der alten „Nomenklatur" die Treue halten; LOISY, C: Actes, 717 sieht einen „christianisme inferieur et non apostolique" beschrieben, SCHILLE, C: Apg, 376 häretische, nicht an die lukanische Kirche angeschlossene Kreise, TEICHER, sect, 145–151 „Hebrew Christians converting to the Pauline conception of Jesus". Die Vorschläge sind beliebig vermehrbar; bereits BAUERNFEIND, C: Apg, 228f resigniert.

[471] ALAND, Taufe, 15–18; DERS., Vorgeschichte, 7, 10; BALDENSPERGER, Prolog, 93f; MICHAELIS, Johannes-Jünger, 727.

[472] BORNKAMM, Paulus, 95; HAENCHEN, C: Apg, 534; KÄSEMANN, Johannesjünger, 163 u. ö.; PESCH, C: Apg II, 166; WEISER, C: Apg II, 516.

[473] BRANDT, Baptismen, 81f; LOISY, C: Actes, 718f, 721; SCHMITHALS, C: Apg, 174f; neuerdings auch WOLTER, Apollos, 68; vgl. SCHILLE, Anfänge, 89f.

[474] GOGUEL, seuil, 104; KÄSEMANN, Johannesjünger, 163; WINK, John, 84f.

[475] DODD, tradition, 300; HUGHES, John, 215; MEYER, Ursprung III, 247.

[476] BÖCHER, Überlieferung, 48; HAENCHEN, C: Apg, 534; LICHTENBERGER, Täufergemeinden, 50f; RICHTER, Elias, 24; SCHNACKENBURG, Evangelium, 24; SINT, Eschatologie, 105; THYEN, Studien, 143 A. 1. Vgl. ROLOFF, C: Apg, 281: „Es ist nicht ausgeschlossen, daß dieses Gespräch als Vorbild und Muster für die Auseinandersetzung von christlichen Gemeinden mit Täuferjüngern überliefert worden ist"; vgl. ferner BARTH, Sakrament, 173.

[477] BERNOULLI, Kultur, 160; HAENCHEN, C: Apg, 530; KÄSEMANN, Johannesjünger, 159; LOISY, C: Actes, 720; SCHNEIDER, C: Apg II, 264; SINT, Eschatologie, 104.

[478] BEYER, C: Apg, 116: die zu Zeiten Jesu geübte Taufe; MICHAELIS, Johannes-Jünger, 731f: die persönliche Taufe durch den Täufer Johannes; TEICHER, sect, 150: eine historische Konzeption im lukanischen Verständnis der Zeit Jesu.

[479] So setzen es die meisten Ausleger und Übersetzer voraus, z. B. HAENCHEN, C: Apg, 530; LICHTENBERGER, Täufergemeinden, 50; PESCH, C: Apg II, 165; SCHNEIDER, C: Apg II, 264; WEISER, C: Apg II, 516.

Geistverheißung, die Präsenz und die Manifestationen des Geistes bislang verborgen?[480]

Vor allem: Welche Aussageabsicht verfolgt der Redaktor? Geht es ihm um die Überwindung der Sekten durch die Una Sancta Catholica[481] oder um die heilsgeschichtliche Kontinuität beim Übergang vom Judentum zum Christentum?[482] Oder sind die darstellungsleitenden Intentionen auf ganz anderem Gebiet zu suchen?[483]

Von Konfusion zeugt auch die theologische Bewertung der Perikope. Ist sie eine ideologische Bastion des Frühkatholizismus?[484] Oder vertritt sie – nicht eben „frühkatholisch" – den Protest gegen die „nach Gleichheit schreiende kultische Norm"?[485] Will sie gar die Johannestaufe kultisch rehabilitieren?[486]

Verwickelter werden die Fragen noch, zieht man zum Vergleich Apg 18, 24–28 hinzu. Handelt es sich dabei um eine Parallele[487], ein komplementäres Gegenstück[488], einen mit Absicht[489] oder beziehungslos[490] beigefügten Passus? Bilden beide Perikopen eine durch historischen Zusammenhang vorgegebene Einheit?[491] In welcher Beziehung stehen die ἄνδρες zu Apollos?[492] Ist Apollos Geistträger[493], und wie kann er es sein, ohne – wie die ἄνδρες – die christliche

---

[480] So oder ähnlich BAUERNFEIND, C: Apg, 229; BEYER, C: Apg, 116; CHEYNE, Art. John, 2504; HUGHES, Disciples, 40; JEREMIAS, Theologie, 86; LOHMEYER, Urchristentum, 26; ROLOFF, C: Apg, 282; SCHWEIZER, Art. πνεῦμα, 411 A. 528; STÄHLIN, C: Apg, 253; TEICHER, sect, 147; WOLTER, Apollos, 67.

[481] BAUERNFEIND, C: Apg, 229; BORNKAMM, Paulus, 95; HAENCHEN, C: Apg, 534; KÄSEMANN, Johannesjünger, 162–168; SCHILLE, C: Apg, 376; SCHULZ, Stunde, 269.

[482] ERNST, Lukas. Portrait, 53f; FLENDER, Heil, 114f; SCHWEIZER, Bekehrung, 252–254; WEISER, C: Apg II, 519.

[483] WOLTER, Apollos, passim deutet jetzt Apg 19, 1–7 von Apg 18, 24–28 her als Nachwehen der korinthischen Krise um Paulus und Apollos: Apg 19, 1–7 werfe ein Licht auf Apg 18, 24–28, in dem die Superiorität des Paulus über den alexandrinischen Missionar deutlich erkennbar würde.

[484] KÄSEMANN, Johannesjünger, 167f (gegen ihn FLENDER, Heil, 114f); SCHULZ, Stunde, 269; besonders kraß SCHILLE, C: Apg, 376, der mit sachfremden Ausdrücken wie „Inquisition", „Visitator", „kirchenrechtliche Grundforderung" die Grenze ahistorischen Unernstes erreicht.

[485] PREISKER, Apollos, 303f.

[486] BARTH, Sakrament, 173f in Fortsetzung der Auslegungstradition J. CALVINS.

[487] BAUERNFEIND, C: Apg, 228; LOISY, C: Actes, 713; MICHAELIS, Johannes-Jünger, 725, 727; SCHWEIZER, Bekehrung, 247, 252.

[488] KÄSEMANN, Johannesjünger, 167; PREISKER, Apollos, 303f; WOLTER, Apollos, 61f, 68.

[489] Nach KÄSEMANN, Johannesjünger, 167 stellt erst Lk durch eine communicatio idiomatum zwischen beiden Passus eine Beziehung her; vgl. auch PESCH, C: Apg II, 160.

[490] ROLOFF, C: Apg, 281; WEISER, C: Apg II, 519.

[491] BACON, relation, 49; BALDENSPERGER, Prolog, 96; LICHTENBERGER, Täufergemeinden, 49f; MEYER, Ursprung III, 114; MICHAELIS, Johannes-Jünger, 735f; SMITH, Apollos, 245f.

[492] Eine persönliche Beziehung nehmen BACON, relation, 49; BALDENSPERGER, Prolog, 97; BEYER, C: Apg, 116; BRUCE, C: Acts, 385 (als Überlegung); KOSMALA, Hebräer, 338; KRAFT, Entstehung, 42; LOISY, origines, 200 (als Möglichkeit); SMITH, Apollos, 245 an; hiergegen ausdrücklich BUZY, Jean-Baptiste, 368.

[493] ALAND, Vorgeschichte, 10; BAUERNFEIND, C: Apg, 229; BÖCHER, Art. Johannes, 175; GOGUEL, seuil, 99f A. 1; KÄSEMANN, Johannesjünger, 164; OEPKE, Art. ζέω, 878; PREISKER, Apollos, 301; WEISER, C: Apg II, 509.

Taufe empfangen zu haben?[494] Wird Apollos getauft, ohne daß dies berichtet wird?[495]

Zu dieser Ratlosigkeit der Acta-Forschung im allgemeinen treten noch die Selbstwidersprüche und logischen Brüche bei einzelnen Gelehrten (s. u. III:7.1.3).

7.1.3 Das methodologische Grundproblem

Wer einen Weg durch diesen Wald der Widersprüche bahnen will, wird vom Text selbst Wegweisung erwarten. Aber gerade in der schillernden Ambivalenz des Textes liegt das Fundament für die Aporien der Forschung. In seinem die Auslegung nachhaltig beeinflussenden Aufsatz „Die Johannesjünger in Ephesus" (1952) hat E. KÄSEMANN die Schwierigkeiten an der Hauptfrage „Wer konvertiert?" demonstriert.[496] Einerseits werden die ἄνδρες als μαθηταί und πιστεύσαντες, mithin als Christen, vorgestellt, andererseits haben sie nur die Johannestaufe empfangen und gelten so als Johannesjünger. Spricht gegen ihr Christsein die präbaptismale Belehrung und der Vollzug der Taufe selbst, so spricht gegen ihren Status als Johannesjünger die nur gegenüber Christen sinnvolle Frage nach dem Geistempfang. Daher besteht das auffälligste Merkmal des Textes darin, „daß seine Angaben uns keine klare Entscheidung darüber ermöglichen, ob es sich faktisch um Christen oder Johannesjünger gehandelt hat. Gleich gewichtige Gründe sprechen für das eine wie das andere".[497] „Die Absonderlichkeit der Schilderung greift bis in die Einzelformulierung hinein"[498]: Paulus fragt die Jünger, „woraufhin" sie getauft worden sind; diese erwidern nicht etwa: „auf den Namen des Johannes", sondern: „auf die Taufe des Johannes". Lk zeichnet sie also als mit der Johannestaufe getaufte Christen – eine contradictio in adiecto! Im luftleeren Raum bewegen sich die Jünger auch, wenn sie – im Gegensatz zu den Christen, Juden und Heiden ihrer Zeit – nicht einmal um die Existenz des Geistes wissen.[499] Unklar bleibt schließlich ebenso das Verhältnis dieser Männer zu Apollos und der ephesinischen Gemeinde.[500] So kann die knappe Perikope, „nur für sich selbst betrachtet, den Exegeten verzweifeln lassen, weil fast jeder Satz vor Schwierigkeiten stellt und das Ganze widerspruchsvoll und unglaubwürdig wirkt".[501] Der Exeget sieht sich mit der

---

[494] Vgl. z. B. WEISER, C: Apg II, 515.
[495] BUZY, Jean-Baptiste, 367; CHEYNE, Art. John, 2504; INNITZER, Johannes, 213; SCHUMACHER, Apollos, 14f; SMITH, Apollos, 245.
[496] Johannesjünger, 158–161.
[497] Ebd., 158.
[498] Ebd., 158f.
[499] Vgl. ebd., 159f.
[500] Vgl. ebd., 160.
[501] Ebd., 158.

Alternative konfrontiert: „Entweder kommt hier ein so seltsamer historischer Tatbestand zum Vorschein, daß wir von ihm her das unter uns gängige Bild urchristlicher Geschichte weitgehend zu korrigieren haben, oder die wirkliche Historie der Urchristenheit wird in unserm Text von Lukas bzw. seiner Tradition tendenziös übermalt".[502]

Bei näherem Hinsehen zeigt sich nun allerdings, daß die Verzweiflung des Auslegers möglicherweise weniger dem Text als dem „unter uns gängigen Bild urchristlicher Geschichte" anzulasten ist, näherhin der gängigen Hilfsannahme einer Gemeinde von Johannesjüngern, die KÄSEMANN im Erklärungsreservoir vorfindet, die ihm die sachgerechte Texterschließung hier aber nicht erleichtert, sondern blockiert. KÄSEMANN und mit ihm die Majorität der Ausleger verkennen zunächst nicht, daß im Text nirgends von Johannesjüngern die Rede ist; sie führen sie aber auf Umwegen dann doch ein. Dazu verführt eine Auslegungsgeschichte, die das „Wissen" um die Täufersekte stets für Erklärungszwecke parat hält und so die Exegese immer wieder in eine bestimmte Richtung drängt (s. o. I:2.1). Verzichtet man dagegen auf diese Hilfsannahme, so ergibt sich das Verständnis der Perikope nahezu von selbst, und es zeigt sich, daß es zu einem plausiblen Resultat führt, wenn man auf alle Prämissen verzichtet und den Text – auch und gerade in seinen scheinbaren Widersprüchen – wörtlich ernst nimmt.[503] Dabei darf der Perikope auch ein gewisser historischer Wert nicht a priori abgesprochen werden.

In Ansehung der hoffnungslos divergierenden Ergebnisse der nach einer Darstellungsintention suchenden Forschung (s. o. III:7.1.2) ist dies nicht nur der einfachste, sondern der einzige überhaupt gangbare Weg. Er ist aber auch sachlich gefordert. Denn gerade die singuläre Sperrigkeit der Perikope, die sich keinem redaktionellen Konzept einordnen lassen will, legt nahe, daß Lk, der Systematiker der Heilsgeschichte, hier überhaupt keinen glatten Sachverhalt konstruiert hat, sondern Traditionsstoff im lukanischen Gewand präsentiert. Es ist eine außerordentlich kühne und völlig unwahrscheinliche Hypothese, daß der sorgfältige Redaktor und Theologe der heilsgeschichtlichen Ordnung Lk ein Christentum ohne Geist, christliche Taufe und christliches Christus-Verständnis konstruiert habe, und es mutet sonderbar an, daß ein solcher Gedanke eine Mehrzahl der Forscher gewinnen konnte.[504] Wenn die Tendenz des Textes heillos unklar bleibt, so ist der nächstliegende Schluß, daß der Text gar nicht primär tendenziös ist. Jedenfalls liegt der Gedanke, das moderne Vorverständnis

---

[502] Ebd., 160.
[503] Gegen SCHILLE, C: Apg, 375f.
[504] Jüngst etwa behauptet noch WOLTER, Apollos, 68, Apg 19, 1–7 sei eine lukanische Konstruktion, die auf Lk 18, 24–28 hin komponiert sei. Aber das verbindende Tertium ist allein die Johannestaufe, und Lk hätte eben wohl kaum mit unerfindlichen Erfindungen, sondern mit Motiven gearbeitet, die seiner heilsgeschichtlichen Konzeption entsprachen. WOLTER, ebd., 70 muß es gar „zwischen den Zeilen" herauslesen, daß Apg 18, 25f mit Apg 19, 4 identisch sei; eine zielbewußte lukanische Komposition würde nicht in solcher Ambivalenz versinken!

von der urchristlichen Religionsgeschichte sei zu korrigieren, näher als die Meinung, der Chronist hätte eklatante Widersprüche in seinen Text eingebaut, um einer Darstellungsabsicht zu entsprechen, die niemand klar erkennt. Ein mitunter mißbrauchtes, in diesem Fall aber treffendes Argument lautet, der Redaktor stehe dem referierten Geschehen jedenfalls erheblich näher als ein noch so kühn spekulierender Moderner.[505] Die Anormalität des Geschilderten ist insofern gewissermaßen die Garantie der historischen Zuverlässigkeit der Schilderung.[506]

Als sein Grundproblem bezeichnet KÄSEMANN zu Recht, daß der Text für ihn keine Entscheidung darüber zuläßt, ob es sich bei den ἄνδρες um Johannesjünger oder um Christen handelt.[507] Seine Lösung, in der ihm die Majorität der Ausleger folgt, lautet: es handelt sich um Johannesjünger, die Lk von seinem ekklesiologischen Konzept her nur als Christen vorstellen kann.[508] Betrachtet man die Zahl der Nachfolger KÄSEMANNS, aber auch die luziden Analysen seiner Kritiker[509], so ist es überaus erstaunlich, daß niemals aufgefallen ist, daß diese Theorie auf einem recht schlichten Versehen beruht.

Der Ansatz KÄSEMANNS lautet: „Die Auslegung ist sich mit Recht darüber einig, daß solche absolut gebrauchten Prädikationen [scil.: μαθηταί, πιστεύσαντες] einzig zu Christen passen. *Doch steht dem entgegen, daß ‚auf die Taufe des Johannes Getaufte‘ als Täuferjünger gelten müssen*“.[510] Ganz ähnlich etwa C. H. H. SCOBIE (1964): „these people had been baptized into John's baptism, and therefore the *inescapable* conclusion is that they were members of the group of John's disciples“.[511] Hinter solchen Überlegungen steht folgender kategorischer Schluß:

Obersatz: Alle Johannesgetauften sind Täuferjünger.
Untersatz: Die ἄνδρες sind Johannesgetaufte.
Konklusison: Also sind die ἄνδρες Täuferjünger.

Der Syllogismus ist konsequent, aber im Obersatz und daher auch in der Konklusion unrichtig. Korrigiert man aber die Prämisse, ergibt sich ein Paralogismus:

Obersatz: Alle Täuferjünger sind Johannesgetaufte.
Untersatz: Die ἄνδρες sind Johannesgetaufte.
Konklusion: Also sind die ἄνδρες Täuferjünger.

Daß die der gängigen Schlußfigur zugrundeliegende Prämisse: „Alle Johannes-

---

[505] Vgl. bereits SCHUMACHER, Apollos, 40–42.
[506] Vgl. auch ALAND, Taufe, 15–18; DERS., Vorgeschichte, 11; BALDENSPERGER, Prolog, 93f.
[507] Vgl. Johannesjünger, 158.
[508] Vgl. ebd., 167.
[509] Unter ihnen ALAND, Vorgeschichte; SCHWEIZER, Bekehrung.
[510] Johannesjünger, 158 (Hervorhebung von K. B.).
[511] John, 188 (Hervorhebung von K. B.).

getauften sind Täuferjünger" niemals aufgefallen ist, ist einerseits der Selbstverständlichkeit zuzuschreiben, die das forschungsgeschichtliche Herkommen ihr verleiht, andererseits aber der dem Terminus „Täuferjünger" inhärierenden Ambivalenz (s. o. I:2.1.4). Danach beschreibt der Begriff zum einen den „Jünger" im engeren soziologischen Sinne, zum anderen aber auch den Anhänger im weiteren Sinne des λαός, um einen vom Text selbst (Apg 19, 4) verwendeten Ausdruck anzuführen. Verzichtet man auf die fehlerhafte oder zumindest völlig unklare Prämisse, so ergibt sich nach dem oben vorgeschlagenen induktiven Verfahren zwar kein glattes, wohl aber ein schlüssiges Bild.

7.2 Einzelanalyse

7.2.1 Apg 19, 1

Die Einleitung der Perikope ist redaktionell[512] und schaltet die korinthische Mission des Apollos parallel zur Hochland-Wanderung des Paulus. Ein historischer Zusammenhang der beiden sachlich verknüpften Perikopen ist mit Apg 19, 1 also nicht zu begründen. Die Angabe, daß sich die kleine Jüngerschar in Ephesus aufgehalten habe, ist nicht unbedingt anzufechten. Jedoch empfiehlt sich Zurückhaltung gegenüber dem eiligen Rückschluß auf das vierte Evangelium und dessen Johannes-Interpretation. Die These „Le fait que le quatrième évangile qui, en tout cas sous sa dernière forme, est en relation avec Ephèse, polémise contre les disciples de Jean constitue un argument très fort à l'appui de la présence possible de disciples de Jean-Baptiste à Ephèse"[513] scheitert an der Unsicherheit der traditionellen Lokalisierung von Joh[514], erst recht aber an der inhaltlichen Erschließung der Perikope.

Am Ort stößt der Apostel auf „τινας μαθητάς". Lk charakterisiert die ἄνδρες damit unzweideutig als Jesus-Anhänger oder – um einen nicht spezifisch lukanischen und noch zu präzisierenden Begriff zu benutzen – als Christen.[515] Das absolut gebrauchte Substantiv μαθηταί ist eine spezifische Prägung der Apg. Es spiegelt die Selbstbezeichnung des palästinischen Christentums

---

[512] Zur biblizistischen Einleitungswendung im lukanischen Sprachgebrauch vgl. JEREMIAS, Sprache, 25–27.

[513] GOGUEL, seuil, 104; zurückhaltender auch MacGREGOR, problems, 360 („at least suggestive").

[514] Vgl. etwa KÜMMEL, Einleitung, 211f; VIELHAUER, Geschichte, 460.

[515] Dem oben skizzierten, induktiven Verfahren entsprechend sollen hier zunächst nur die Daten gesammelt werden, ohne daß sie vorschnell miteinander ausgeglichen und für eine Gesamtwürdigung herangezogen werden. Eine solche kann erst im Anschluß an die Erhebung *aller* Charakteristika durch die Einzelauslegung erfolgen.

wider und verlor beim Übergang in den hellenistischen Raum seine Bedeutung.[516] Der Terminus kommt im Doppelwerk 65mal vor, davon 28mal in Apg. Meist bezieht sich der Begriff auf die Jünger Jesu im engeren Sinne, in Apg fast ausschließlich auf die Christen im allgemeinen.[517] Apg 11, 26 wird die Gleichsetzung der „Jünger" mit der neuen Glaubensgemeinschaft explizite vollzogen. Im engeren Kontext lassen Apg 18, 27; 19, 9 keinen Zweifel am Sinn des Begriffs in Apg 19, 1. Sind bei Lk oder einem anderen Evangelisten Jünger in einem anderen Sinne gemeint, so wird dies stets durch eine Genitiverweiterung kenntlich gemacht (vgl. z. B. Mt 22, 16). Dies gilt insbesondere für die Jünger des Johannes, die an keiner einzigen Stelle der urchristlichen Literatur einfachhin als μαθηταί bezeichnet werden (vgl. Mt 11, 2 / Lk 7, 18; Mk 2, 18 / Mt 9, 14 / Lk 5, 33; Mk 6, 29 / Mt 14, 12; Lk 11, 1; Joh 1, 35. 37; 3, 25; ferner Rec I, 54, 8; I, 60, 1; Ephraem, Ev. conc. exp., ed. MOESINGER, p. 288). Selbst wenn der absolute Gebrauch naheliegt, so etwa in Joh 1, 37, wo ein präzisierender Genitiv nach Joh 1, 35 überflüssig ist[518], findet sich das Possessivpronomen. Angesichts dieses festen Sprachgebrauchs und der heilsgeschichtlich-ekklesiologischen Sensibilität des Lk wirkt das Ausweichen auf eine narrative Funktion des μαθητής-Begriffs im Sinne der erlebten Rede ausgesprochen künstlich, zumal völlig unklar bleibt, wie Paulus die fremde Schar ohne weiteres für Christen halten konnte.[519] Es ist K. H. RENGSTORF beizupflichten: „Man wird am besten tun, die Nachrichten so hinzunehmen, wie sie dastehen".[520] Gerade unter Berücksichtigung des von ihm selbst eruierten begriffsgeschichtlichen Befunds[521] erscheint es dagegen unerklärlich, wie er fortfahren kann: „daß hier nämlich μαθηταί des Täufers gemeint sind".[522] Die Begriffsgeschichte, der Makrokontext und der direkte Kontext des Lexems lassen vielmehr keinen Zweifel daran, daß hier Jünger im gewohnten lukanischen Sinn, also – in einem noch zu präzisierenden Begriff – „Christen" gemeint sind.

Allenfalls läßt sich nach der Bedeutung des prädikativen Indefinitpronomens fragen.[523] Es wirkt verlegen, und die nachklappende Angabe Apg 19, 7 hätte an seiner Stelle sicher einen natürlicheren Platz gehabt. So ist ein gezielter Einsatz des Pronomens, das bei adjektivischem Gebrauch diminutiven Sinn haben kann (vgl. z. B. Röm 3, 8; 1 Kor 4, 18; 2 Kor 2, 5; Appian, Bell. civ., 3, 39), nicht ganz auszuschließen. Von daher könnte eine Abschwächung – „eine Art Jünger" o. ä. – vermutet werden. Aber selbst dann wäre an der prinzipiellen Einschätzung der

---

[516] Vgl. RENGSTORF, Art. μανθάνω, 462f.

[517] Vgl. näher die Konkordanz und Wortstatistiken ALANDS sub voce μαθητής.

[518] Die Einheitsübersetzung verzichtet prompt darauf, diese Nuance wiederzugeben.

[519] Gegen HAACKER, Fälle, 74–77; LICHTENBERGER, Täufergemeinden, 50 A. 58; ROLOFF, C: Apg, 281f; THOMAS, mouvement, 99f; mit Recht skeptisch HUGHES, Disciples, 42.

[520] Art. μανθάνω, 461.

[521] Vgl. ebd., 444f, 462f.

[522] Ebd., 461.

[523] Vgl. HUGHES, Disciples, 42f.

ἄνδρες als Jesus-Anhänger festzuhalten. Außerdem ist in Ansehung des gängigen Sprachgebrauchs viel eher anzunehmen, daß das Indefinitpronomen neutral ein nicht näher zu qualifizierendes Substantiv bezeichnet (vgl. z. B. Apg 12, 1; 17, 34; 18, 24) und die nur unscharf auf Lk überkommene oder nur unscharf von ihm wiedergegebene Tradition widerspiegelt.

7.2.2 Apg 19, 2

Die Annahme, bei den μαθηταί handele es sich um Jesus-Jünger, wird im folgenden dreifach bestätigt. Lk bezeichnet sie als Gläubige (vgl. Apg 19, 2), hält es für möglich, daß sie den heiligen Geist empfangen haben (vgl. Apg 19, 2), und setzt als selbstverständlich voraus, daß sie getauft sind (vgl. Apg 19, 3). Das Verbum πιστεύω in absoluter Verwendung bezeichnet – zumal in partizipialer Form – in der gemeinchristlichen Terminologie – die Jesus-Gläubigen (vgl. Apg 8, 12f; 15, 5; 18, 27; 19, 18; 21, 20. 25). Der ingressive Aorist hebt dabei den Aspekt der Bekehrung hervor (vgl. Apg 2, 44 v. l.; 4, 32; 2 Thess 1, 10; II Clem 2, 3). Insofern sich diese Bekehrung regelmäßig im Empfang der Taufe niederschlägt (vgl. Apg 8, 12; 16, 31–33; 18, 8), zielt die Frage des Apostels direkt auf die Taufe.[524]

Einigen Auslegern bereitet das unvermittelte Verhör Schwierigkeiten, doch ist die verdichtende Darstellung der Apg in Betracht zu ziehen. Auch wer den Bericht für prinzipiell historisch hält, wird ihn nicht historisierend als Protokoll von Wortgefechten mißdeuten.

Schwierig ist dagegen in der Tat die Erwiderung der Jünger. Bereits 𝔓[38.41] D* sy[hmg] sa lesen statt der Seinsaussage „λαμβάνουσίν τινες" und verstehen das Nomen als Akkusativ-Objekt, versuchen also wohl die allzu krasse Unkenntnis der Jünger zu verharmlosen.[525] In der Diskussion lassen sich zwei konträre Auslegungen von Apg 19, 2b unterscheiden:

1. Die Jünger wollen zum Ausdruck bringen, daß sie noch nichts von der Erfüllung der Geistverheißung oder von der Präsenz des heiligen Geistes oder von dessen erfahrbaren Manifestationen gehört haben.[526] Für diese Erklärung spricht, daß es kaum möglich erscheint, daß ein homo religiosus der Spätantike, sei er Heide, Jude oder Christ, keine Kenntnis über das πνεῦμα besaß. Außerdem legt Apg 19, 6 ja gerade Wert auf die Manifestationen des Geistes, die an den Jüngern offenbar werden. Schließlich illustriert

---

[524] Vgl. HAENCHEN, C: Apg, 530.
[525] Interessanterweise folgt noch INNITZER, Johannes, 211 der frommen Korrektur.
[526] So BARTH, Sakrament, 166; BAUERNFEIND, C: Apg, 229; BEYER, C: Apg, 116; CHEYNE, Art. John, 2504; JEREMIAS, Theologie, 86; LOHMEYER, Urchristentum, 26; ROLOFF, C: Apg, 282; SCHWEIZER, Art. πνεῦμα, 411 A. 528; STÄHLIN, C: Apg, 253; TEICHER, sect, 147; WOLTER, Apollos, 67.

Joh 7, 39 ein funktionales Verständnis des εἶναι-Prädikats (vgl. auch Mk 8, 1; Apg 7, 12; Hebr 8, 4).

2. Die Jünger befinden sich in Unkenntnis über die Existenz des heiligen Geistes.[527] Diese von den meisten Auslegern und Übersetzern vertretene Auffassung bietet den Vorteil, daß sie dem Wortlaut des Textes folgt. Auch scheint die starke Adversativpartikel ἀλλά ebenso wie die negative Konjunktion οὐδέ (ne … quidem)[528] einen diametralen Kontrast zur Frage des Paulus auszudrücken. Nur bleibt der reale Hintergrund dieser Unkenntnis rätselhaft.

Die Lösung kann von dem Epitheton „ἅγιον", das sowohl in der Frage als auch in der Erwiderung vorkommt, ausgehen.[529] Paulus fragt nicht in einem allgemeinen, religionsphänomenologischen Sinne nach dem πνεῦμα, wie er auch das πιστεύειν nicht unverbindlich „fundamentaltheologisch" versteht. Vielmehr zielt seine Frage auf den heiligen Geist als die der Gemeinde Christi geschenkte eschatologische Gabe. Das den πιστεύσαντες gegebene πνεῦμα ἅγιον kann nur der spezifisch lukanisch-christlich verstandene Geist sein, und die Antwort der Jünger bezieht sich auf eben diesen Geist. Insofern sich das πνεῦμα ἅγιον für Lk in besonderer Weise durch seine Manifestationen auszeichnet[530], treffen beide genannten Lösungsvorschläge einen Aspekt des sachgemäßen Verständnisses. Die Entgegnung ist – nach Maßgabe des Prädikats – „ontologisch" zu verstehen. Sie betrifft aber – wie gerade der Fortgang des Geschehens (vgl. Apg 19, 6) zeigt – den in seinen Manifestationen offenbar werdenden Geist im lukanisch-christlichen Sinne. Die Jünger kennen ihn nicht und haben ihn auch niemals erfahren, obwohl sie, wie in der Tat zu vermuten ist, ein diffuses pneumatologisches Vorwissen besitzen dürften. Die Adversativpartikel behält so ihr Recht, denn die Antwort ist strikt kontradiktorisch aufzufassen. So verbindet die hier vorgeschlagene Lösung die Vorzüge der genannten Alternativen, ohne deren Aporien zu teilen.

Eine Schwierigkeit kann allerdings darin gesehen werden, daß den Jüngern die Kenntnis des πνεῦμα auch im spezifisch christlichen Sinne deshalb unterstellt werden könnte, weil der Täufer – wenn auch nicht historisch, so doch nach dem lukanischen Konzept – eben diesen Geist gekannt und angekündigt hatte (vgl. Lk 1, 41; 3, 16. 22).[531] Dieser von KÄSEMANN erhobene Einwand[532] fällt aber mit der Prämisse, die Jünger seien historisch oder im lukanischen Verständnis Johannesjünger. So bleibt nur das Problem, daß die hier vorgeschlagene Lösung

---

[527] So etwa HAENCHEN, C: Apg, 530; LICHTENBERGER, Täufergemeinden, 50; PESCH, C: Apg II, 165 (die Antwort ist bewußt überspitzt); SCHNEIDER, C: Apg II, 264; WEISER, C: Apg, 516.
[528] Vgl. BAUER, 1172.
[529] Vgl. dazu auch BULTMANN, Theologie, 155–166; SCHWEIZER, Art. πνεῦμα, 401–413.
[530] Vgl. näher SCHWEIZER, Art. πνεῦμα, 404f.
[531] Vgl. dazu ERNST, C: Lk, 82f, 98f, 145f, 153f.
[532] Vgl. Johannesjünger, 160.

auf eine Jesus-Gefolgschaft, eine im weiteren Sinne christliche Gemeinschaft stößt, die „geistlos" ist. Diese – wohl auch für Lk unbequeme – Tatsache ist zwar in Apg nicht singulär (vgl. Apg 8, 16; 9, 17)[533], aber immerhin so auffällig, daß die Gesamtwürdigung der Jünger sie näher zu bedenken hat (s. u. III:7.3). Jedenfalls ist diese Schwierigkeit der Tradition oder der urchristlichen Erfahrung anzulasten, nicht der hier vertretenen Erklärung.

Insofern ἀκούω den Komplementärbegriff zu κηρύσσω darstellt, deutet die – ebenfalls im Aorist formulierte – Negation an, daß das Gläubigwerden der Jünger durch einen Mangel der Verkündigung gekennzeichnet war. Apg 19, 5 zeigt mit der Eingangswendung „ἀκούσαντες δέ" die Aufhebung dieses Mangels an. Sowohl beim Pfingstereignis (vgl. Apg 2, 33; ferner 2, 14. 22. 41) als auch bei späterem Geistempfang (vgl. Apg 10, 44) geht dem Geschehen ein „Hören" der christlichen Botschaft im allgemeinen und der Jesus-Verkündigung wie der Geistverheißung im besonderen voraus. Eine solche Pfingsterfahrung und die ihr entsprechende Botschaft ist den ephesischen Jüngern also unbekannt. „Ohrenzeugen" (vgl. Hebr 2, 3) des Pfingstkerygmas sind sie nicht geworden. Damit ist ein vorläufiger terminus ad quem für eine historische Würdigung der Jünger gewonnen.

7.2.3 Apg 19, 3

Wo Lk der „geistlosen" Anfangserfahrungen der Urgemeinde gedenkt, da ist bald von der Johannestaufe die Rede (vgl. Lk 3, 3; Apg 1, 5; 10, 37–48; 11, 15f). Von daher führt die Unkenntnis der Jünger folgerichtig (οὖν) zu der Frage nach der empfangenen Taufe. Dabei ist es aber keineswegs der Mangel an Geisterfahrung, der Paulus einen Defekt in der Taufe vermuten läßt. Schon die echte Entscheidungsfrage Apg 19, 2a[534] hält die Möglichkeit eines Gläubigwerdens und damit auch einer Taufe ohne Geistempfang offen. Eher scheint der Mangel des „Hörens", des Glaubens also, Zweifel an der empfangenen Taufe zu wecken (vgl. z. B. Apg 15, 7–9). Der Fortgang des Geschehens in Apg 19, 5f bestätigt dies: erst nachdem die Jünger die Lehre über Jesus „gehört" haben, lassen sie sich taufen und empfangen nach der Handauflegung des Paulus den Geist. Der korrekte Jesus-Glaube ist die Bedingung der Möglichkeit der korrekten Taufe, und nur diese kann mit dem Geistempfang verbunden sein.[535] Die zweite Frage zielt auf die Taufe, weil Paulus angesichts des Defekts der „gehörten" Verkündi-

---

[533] „Es kann Tage, in Ausnahmefällen sogar Wochen oder Jahre dauern, bis die Geistbegabung dem Glauben folgt, ohne daß deswegen die Glaubenden wieder zu Nichtgläubigen würden" (SCHWEIZER, Art. πνεῦμα, 410).

[534] εἰ in direkter Frage ist unklassisch neutrale Fragepartikel (vgl. BLASS/DEBRUNNER, § 440 A. 5).

[535] Zur Verbindung von Taufe und Geistempfang vgl. SCHWEIZER, Art. πνεῦμα, 410–412; WILKENS, Wassertaufe, passim.

gung die so unerhört ahnungslosen Jünger einzuordnen sucht. Der Apostel setzt als selbstverständlich voraus, daß die Befragten als πιστεύσαντες getauft worden sind. Wer aber einerseits getauft worden ist, daher als συμμαθητής anzusehen wäre, andererseits jedoch nicht einmal über das minimale Basiswissen des Christen verfügt, setzt sich weniger dem Verdacht aus, daß seine Taufe „nicht in Ordnung" ist[536], als vielmehr dem, einer obsoleten, durch „Geistlosigkeit" gekennzeichneten Epoche anzugehören, die von Apg in der Tat mit der Wendung „Ἰωάννου βάπτισμα" umschrieben wird (vgl. Apg 1, 5.22; 10, 37; 11, 16; 13, 23f). So stellt sich für den lukanischen Paulus das Problem der heilsgeschichtlichen Ära oder der theologischen Kategorie, der die Jünger zuzuordnen sind. Da freilich die Auswahl der möglichen Taufen so groß nicht ist, erhält er die erwartbare Antwort.

Problematisch ist der Wortlaut von Frage und Entgegnung. Gemeinhin neigt man der Ansicht E. HAENCHENS zu:

> „Das Natürliche wäre die Frage: εἰς τίνα. Aber es darf nicht sichtbar werden, daß hier eine Taufe auf einen andern als den Jesusnamen erfolgt ist. Darum die sonderbare Frage und die ebenso sonderbare Antwort ‚auf die Taufe des Johannes'. Selbstverständlich müßte sie eigentlich lauten ‚auf den Namen des Johannes'. Aber das kann Lukas nicht zugeben. Damit wäre der Täufer aus der ihm von der Kirche zugewiesenen Stellung verdrängt".[537]

Sieht man davon ab, daß HAENCHENS Rekonstruktion von Frage und Antwort die grammatische Kongruenz fehlt – ὄνομα verlangt das Neutrum, also „εἰς τί ...;" –, so ist sachlich zu bemängeln, daß in ihrem Hintergrund erneut die gar nicht weiter begründete Prämisse einer Täufersekte steht, die auf den Namen des Johannes getauft haben soll. Die Thesis eines βάπτισμα εἰς τὸ ὄνομα Ἰωάννου ist eine Spekulation von nahezu BALDENSPERGERSCHER Kühnheit: sie läßt sich an keiner ur- oder früh- oder außerchristlichen Quelle auch nur ansatzweise belegen, wird lediglich e contrario aus der Perikope herausgelesen, sucht mit Eifer im Hintergrund und übergeht dabei souverän den unmittelbaren Kontext. Sie traut Lk zu, die Antwort der Jünger theologisch gänzlich zu transformieren, nicht aber einen sprachlich korrekten Satz zu bilden, der diese Transformation zum Ausdruck bringt.

Bei der Deutung des Wortlauts ist davon auszugehen, daß für die Fixierung der Einzelformulierung der Redaktor verantwortlich ist. Die Gewundenheit zumindest der Antwort erscheint in der Tat sonderbar, wenn auch die Alterna-

---

[536] So aber HAENCHEN, C: Apg, 530.

[537] Ebd.; ebenso KÄSEMANN, Johannesjünger, 159; SCHNEIDER, C: Apg II, 264; SINT, Eschatologie, 104. Besonders weit geht BERNOULLI, Kultur, 160, der Lk zunächst unterstellt, von einer „Taufe auf Johannes" zu „fabeln", um ihm dann die nie erhobene Behauptung zu widerlegen! Einen anderen Weg beschreitet STÄHLIN, C: Apg, 253, der wohl doch allzu unbefangen die sprachliche Problematik von Apg 19, 3 darauf zurückführt, die Jünger hätten den Paulus offensichtlich mißverstanden.

tive durch Qualifizierungen wie „das Natürliche" und „selbstverständlich"[538] nicht hinreichend zu begründen ist. Sprachlich ist es nicht von vornherein auszuschließen, daß die Präposition εἰς instrumental gemeint sein kann, insofern sie das ἐν-instrumentale ersetzt, das seinerseits vielfach für den instrumentalen Dativ verwendet wird (vgl. z. B. Apg 7, 53).[539] Auch ein verblaßter lokaltemporaler Sinn ist denkbar: „in die Johannestaufe hinein getauft sein" bezeichnete dann die Zugehörigkeit zu einer bestimmten heilsgeschichtlichen Ära oder theologischen Kategorie (vgl. Apg 1, 5. 22; 10, 37; 11, 16; 13, 23f). Am nächsten liegt das finale Verständnis: „Woraufhin, wozu seid ihr getauft worden?"[540] Die Erwiderung: „[ἐβαπτίσθημεν] εἰς τὸ Ἰωάννου βάπτισμα" klingt weniger ungewohnt, wenn man bedenkt, daß βαπτίζω auch sonst die figura etymologica bevorzugt (vgl. Mt 20, 22 v.l.; Mk 10, 38. 39; Lk 7, 29; 12, 50; Apg 19, 4; EvEb sec. Epiphanium, Pan. haer., 30, 13, 6). Materialiter ergibt der Dialog so durchaus einen Sinn: er macht die Verlegenheit der richtungslosen Jünger auf drastische Weise deutlich. Die Pointe der lukanischen Darstellung liegt gerade darin, daß die Jünger keine passende Antwort zu geben vermögen, daß die Johannestaufe als Selbstzweck erscheint. Dementsprechend korrigiert Paulus die Jünger durch die konsequente Finalisierung der Johannestaufe, die er erstens als Bußtaufe beschreibt, zweitens durch einen ἵνα-Satz christologisch ausrichtet, drittens durch Voranstellung des betonten „εἰς τὸν ἐρχόμενον μετ᾽ αὐτόν" auf die heilsgeschichtliche Zukunft orientiert, viertens durch die explizite Identifizierung des genannten ἐρχόμενος mit Jesus in ihr Ziel führt. Durch die in der neutestamentlichen Koine nicht häufige Position der Präpositionalwendung vor der gliedsatzbestimmenden Konjunktion[541] erscheint „εἰς τὸν ἐρχόμενον μετ᾽ αὐτόν" – zumal mit der dem Schluß des Satzes angefügten Präzisierung – als deutlicher Kontrapunkt zu dem verlegen-richtungslosen „εἰς τὸ Ἰωάννου βάπτισμα" der Jünger. Von daher ist Apg 19, 3 nicht, wie es meistens geschieht, unmittelbar im Licht von Apg 19, 5, sondern in dem von Apg 19, 4 zu deuten. Möglicherweise hat der Redaktor Apg 19, 3 im Vorgriff auf Apg 19, 4 formuliert. Jedenfalls ist die verschachtelte Formulierung von Apg 19, 3 durch den Hiatus zwischen der Finalität des christlichen Glaubens (vgl. Apg 19, 4) und der christlichen Taufe (vgl. Apg 19, 5) einerseits und der Ungerichtetheit der Taufe der schwer einzuordnenden Jünger (vgl. Apg 19, 3) andererseits zu erklären. Die vom gängigen lukanischen Sprachgebrauch signifikant abweichende attributive Wortstellung des Eigennamens (vgl. Lk 7, 29; 20, 4; Apg 1, 22; 18, 25) verdeut-

---

[538] HAENCHEN, C: Apg, 530.
[539] Vgl. BLASS / DEBRUNNER, § 195; 206; 219. Umgekehrt ist für das Verbum βαπτίζω eine präpositionale Ergänzung durch ἐν c. dat. möglich (vgl. Apg 2, 38 v. l.; 10, 48).
[540] Vgl. A. OEPKE, Art. „εἰς", in: ThWNT II (1935), 418–432, hier: 426–428.
[541] Vgl. BLASS / DEBRUNNER, § 475.

licht diesen mangelnden Christus-Bezug der von den Jüngern genannten Taufe.[542]

Der Zentralbegriff des Verses wie der Perikope überhaupt ist τὸ Ἰωάννου βάπτισμα. Sofern man sich nicht damit begnügt, den Begriff einfachhin als Zeichen einer Johannesjüngerschaft zu erklären und auf jede Präzisierung zu verzichten[543], hält man diese „Johannestaufe" häufig für das Initiationssakrament der Täufersekte, für einen Ritus ohne Bezug zum historischen Täufer Johannes.[544] Orientiert man sich hingegen am Makrokontext, so gelangt man zu einem eindeutigen Resultat. Jede direkte wie indirekte Belegstelle für das βάπτισμα Ἰωάννου in Apg bezieht sich zweifelsfrei auf ein *geschichtliches Phänomen*, nämlich auf die zur Anfangszeit Jesu von Johannes dem Täufer gespendete Taufe: Apg 1, 5. 22; 10, 37; 11, 15f; 13, 24f.[545] Die Retrospektive wird dabei entweder ausdrücklich durch die Zeitbestimmung ἀρχή (Apg 1, 22; 10, 37; vgl. 11, 15f) oder durch die Kontrastierung mit der christlichen Taufe in der Relation Aorist – Futur (Apg 1, 5; 11, 16) oder durch das temporal vorordnende Verbum προκηρύσσω (Apg 13, 24) angezeigt. Der historische Bezug zur Vita Jesu, nicht aber ein aktueller Bezug zu einem für Apg zeitgenössischen Ritus steht in allen Belegstellen außer Frage.

Dieser Befund wird durch die Analyse des gemeinchristlichen Sprachgebrauchs bestätigt. Mt 3, 7 / Lk 3, 7; Mk 1, 4 / Lk 3, 3; Mk 11, 30 / Mt 21, 25 / Lk 20, 4; Lk 7, 29; Joh 1, 25–28. 33; 3, 23–26; EvNaz sec. Hieronymum, Adv. Pelag., 3, 2; EvEb sec. Epiphanium, Pan. haer., 30, 13, 4–8; 30, 14, 3; Justin, Dial., 88, 7 beziehen sich ausnahmslos auf die von dem historischen Täufer gespendete Taufe; ein Bezug zu einem nach diesen Anfängen liegenden Ritus ist nirgendwo festzustellen.

Während die Retrospektive für die Evangelienliteratur nicht verwundert, ist es doch auffällig, daß sie auch Apg prägt. Zwar geht es ihr stets um die Abgrenzung der Johannestaufe vom christlichen Sakrament nach dem Schema „einst – jetzt", „Wasser – Geist", aber von einer akuten Polemik kann nirgends die Rede sein. Die Abgrenzung, an der Apg liegt, ist nicht polemisch, sondern heilsgeschichtlich; sie trennt nicht das Christentum von einer konkurrierenden Sekte, sondern die heilsgeschichtliche Gegenwart von einem Datum der Anfangszeit.

Wenn sich demnach *alle* Belegstellen für das βάπτισμα Ἰωάννου auf die „einst" von dem Täufer Johannes gespendete Taufe beziehen, so ist jede

---

[542] Vgl. dazu auch MICHAELIS, Johannes-Jünger, 732; SCHMITHALS, C: Apg, 174.

[543] So HAENCHEN, C: Apg, 530; SCHNEIDER, C: Apg II, 264.

[544] So KRAELING, John, 208f A. 12: „the earliest form of Christian baptism, which did not itself confer the Spirit" (209); ähnlich TEICHER, sect, 150. DIBELIUS, Überlieferung, 96 A. 1 erwägt für Apg 18, 25 eine der Johannestaufe analoge „Waschungszeremonie eines anderen Kultus". SCHMITHALS, C: Apg, 174: die eigenartige Formulierung Apg 19, 3 „besagt, daß die Jünger nicht mehr durch Johannes selbst, wohl aber mit der von ihm geübten Bußtaufe getauft wurden".

[545] Apg 18, 24–19, 7 ist aus dieser Statistik ausgeklammert.

Auslegung von Apg 19, 3 gehalten, diesen Befund zu berücksichtigen. Dies gilt um so mehr, als mit Apg 19, 4 auch der Mikrokontext das geschichtliche Verständnis des Begriffs voraussetzt. Böte Lk an dieser Stelle – und in Apg 18, 25 – ein singulär abweichendes Verständnis der Johannestaufe, hätte er dies auch zum Ausdruck gebracht. Jeder Rekurs auf einen nirgendwo erwähnten Initiationsritus einer Täufersekte oder einen vom historischen Johannes abgelösten Ritus löst sich ohne Not vom Makro- wie Mikrokontext und bietet im Interesse einer zweifelhaften Prämisse eine explicatio obscuri per obscurius. Vielmehr ergibt sich: die Jünger beziehen sich auf die Taufe, die der historische Täufer spendete. Insofern die Frage des Paulus auch auf eine heilsgeschichtlich-theologische Einordnung der Jünger zielt, weist sie der Redaktor der mit der Chiffre „Johannestaufe" bezeichneten Anfangszeit zu.

7.2.4 Apg 19, 4

Die Bekehrung der Jünger durch Paulus, die zu ihrer Charakterisierung wesentlich beiträgt (s. o. III:7.2.3), wird in der Kommentierung gemeinhin etwas beiläufig als Präsentation des gängigen synoptischen Täuferbildes zur Kenntnis genommen.[546] Sie umfaßt drei Elemente:

1. Johannes hat eine Bußtaufe gespendet.
2. Er hat dem Volk gesagt, es solle an den ἐρχόμενος μετ᾽ αὐτόν glauben.
3. Dieser ist Jesus.

Zu 1): Die erste Mitteilung entspricht der synoptischen Täuferinterpretation (vgl. Mk 1, 4 / Lk 3, 3; Mt 3, 11; Apg 13, 24; Justin, Dial., 49, 3). Der Bußcharakter der Johannestaufe wird betont, damit die Jünger erkennen, daß erst die Umkehr zu Jesus die empfangene Taufe in ihr Ziel führt.

Zu 2): Auch die Ankündigung des Kommenden gehört zur gängigen Täuferinterpretation (vgl. Mk 1, 7 / Mt 3, 11 / Lk 3, 16; Joh 1, 15. 27. 30; ferner Mt 11, 3 / Lk 7, 19).[547] Was damals dem λαός verkündet wurde, das gilt auch für die ephesischen Jünger. Was der λαός hörte, sucht Paulus zu deuten, und eben diesem weiteren Hörerkreis des Täufers (vgl. Lk 1, 17. 77; 3, 7. 10; 7, 29f; 20, 6; Apg 13, 24; ferner Mk 11, 32 / Mt 21, 26; Josephus, Ant., 18, 117f) werden die Jünger zuzurechnen sein.[548] Schon dieser Hinweis auf den λαός hätte von der These „L'explication de Paul n'a de sens que si elle s'adresse à des disciples de

---

[546] Vgl. etwa HAENCHEN, C: Apg, 530.

[547] Da μετά c. acc. neutestamentlich fast immer temporale Bedeutung hat (vgl. BAUER, 1008f), ist der Zusammenhang – anders als beim mehrdeutigen ὀπίσω – hier fraglos chronologisch (s. u. II:2.2.2).

[548] Auch wenn für Lk der λαός theologische Dignität genießt (vgl. WEISER, C: Apg II, 514), setzt dies doch eine soziale Basis voraus, in der λαός und ὄχλος nicht zu unterscheiden sind.

Jean"[549] abhalten sollen. Die Finalisierung des Täufers (vgl. Joh 1, 7f. 31) und die chronologische Einordnung (vgl. Joh 1, 15. 30) gemahnen an die Täuferinterpretation des vierten Evangeliums. Mit dem Kommen ist nicht mehr wie beim historischen Täufer der eschatologische Einbruch des Feuerrichters gemeint[550], sondern das heilsgeschichtliche Kommen Jesu „im Anschluß an den Täufer", eine Relation, die Apg auch sonst herausstellt (vgl. Apg 1, 21f; 10, 37f; 13, 24; ferner Lk 3, 20). πιστεύειν ist hier als Annahne des Kerygmas von Jesus, dem von Gott auferweckten Messias (vgl. Apg 2, 22–36), also im prägnanten Sinn der christlichen Missionsterminologie zu verstehen.[551]

Zu 3): Die beiden ersten Hinweise sind eher paränetischer Natur: sie wollen an die Täuferpredigt erinnern. Neues wird den Jüngern erst im präzisierenden Nachsatz mitgeteilt. Auch wenn man die Formelhaftigkeit der Wendung in Rechnung stellt, legt der Tempus- und Moduswechsel es doch nahe, daß Paulus hier nicht mehr die Täuferpredigt referiert, sondern die entscheidende Interpretation gibt, die sich in dieser Eindeutigkeit beim Jordanpropheten auch in der synoptischen Tradition nicht findet (vgl. z. B. Mt 11, 3 / Lk 7, 19). Das „Hören" dieser Botschaft führt dann auch unverzüglich zur Taufe (vgl. Apg 19, 5).

Deshalb ist es nicht primär der Mangel an Geisterfahrung, der die Taufe notwendig macht, sondern gerade der Umstand, daß den Jüngern das Herzstück ihres Glaubens und damit auch ihrer Taufe verborgen geblieben ist (vgl. z. B. Apg 8, 12. 26–40; 16, 14f). Diese Annahme wird durch das „Seitenstück" Apg 18, 24–28 bestätigt: Apollos ist nicht nur einer, der – in einem eher anthropologischen Sinn – „ζέων τῷ πνεύματι" zu sprechen vermag, sondern lehrt eben „ἀκριβῶς τὰ περὶ τοῦ Ἰησοῦ" (vgl. Apg 18, 25) (s. u. III:8.2.2). Es ist demnach eher die Vertrautheit mit Jesus als der Empfang der Taufe, der den „geistlichen" Menschen auszeichnet (vgl. z. B. Apg 4, 10–12). Folgerichtig wird Apollos nicht getauft, und bei den Jüngern folgt nicht der Taufe qua Taufe, sondern der Handauflegung durch den Apostel der Empfang des Geistes.[552] Ohne die entscheidende Kenntnis Jesu wären weder Taufe noch Handauflegung und Geistempfang denkbar; das Tertium beider Perikopen liegt in dieser – hier vorhandenen, dort fehlenden – Jesus-Kenntnis. Allerdings ist die rechte Jesus-Kenntnis in der Regel mit dem Geistbesitz verbunden (vgl. v. a. 1 Kor 12, 3).[553]

---

[549] THOMAS, mouvement, 98.

[550] Gegen PARRATT, rebaptism, 182 A. 4, der ἐρχόμενος als „technical Messianic title" deutet, ist die präpositionale Wendung zu betonen, ohne daß auszuschließen ist, daß ein titulares Verständnis für den Leser „mitschwingen" mochte.

[551] Vgl. ausführlich BULTMANN, Art. πιστεύω, 209–215.

[552] Vgl. SCHWEIZER, Art. πνεῦμα, 410–412; ferner WILCKENS, Wassertaufe, passim.

[553] Hier liegt das Recht der Annahme, beide Perikopen seien durch die πνεῦμα-Vorstellung miteinander verbunden (vgl. DIBELIUS, Überlieferung, 95f; PREISKER, Apollos, passim). Mit Recht STÄHLIN, C: Apg, 253: „Wenn die Männer sich auf diese Auskunft hin zum zweitenmal, aber jetzt ‚auf den Namen des Herrn Jesus' taufen lassen, setzt das wohl auch eine Unterweisung über den Zusammenhang von Jesusglaube und Jesustaufe und Geistesgabe voraus".

Diese Unkenntnis Jesu muß allerdings noch präziser bestimmt werden. Es fällt auf, daß in Apg 19, 4. 5. Jesus ohne Christus-Prädikat und nur bei der Schilderung der Taufe Apg 19, 5 überhaupt mit einem Hoheitsprädikat genannt wird. Das hat die Textzeugen für Apg 19, 4 erheblich irritiert: D r lesen statt „Ἰησοῦν" „Χριστόν", 𝔐 „τὸν χριστὸν Ἰησοῦν", Ψ 945. 1175. 1739. 1891 pc gig syᵖ saᵐˢˢ „τὸν Ἰησοῦν Χριστόν". Wenn hier auch keine einheitliche Regel gilt, so bezeichnet das bloße nomen proprium im allgemeinen Jesus als bestimmte historische Gestalt, als den „irdischen Jesus", den seine Jünger kennen, den „Nazoräer", der vor den Juden als Messias zu erweisen ist.[554] πιστεύειν εἰς τὸν Ἰησοῦν kommt im lukanischen Sprachgebrauch nur hier vor (sonst nur Joh 12, 11).[555]

Dieser Jesus wird den Jüngern nicht vorgestellt. Auch wenn man die verdichtende Redeweise der Perikope in Rechnung stellt, fällt doch die Knappheit der eigentlich nur aus der Nennung des Eigennamens bestehenden Belehrung auf, die wohl die kürzeste Missionsrede der Apg darstellt (vgl. Apg 2, 14–36; 3, 12–26; 4, 8–12; 10, 34–43; 13, 16–41). Jesus wird mit dem Angekündigten identifiziert („τοῦτ' ἔστιν"), und die Jünger werden indirekt aufgefordert, an ihn zu glauben („εἰς τὸν Ἰησοῦν"). Ihre Bekehrung erfolgt prompt (vgl. Apg 19, 5: „ἀκούσαντες δὲ ..."). „Die Selbstverständlichkeit, mit der diese Jesusjünger, als sie durch Paulus von Ostern und Pfingsten, vom Geist und von der Taufe erfahren, sich taufen lassen, ist ein nicht zu übersehender Hinweis auf die immanente Logik einer organischen Entwicklung, die von der Nachfolge Jesu zum Geistbesitz und zur Taufe der Urgemeinde geführt hat".[556]

Somit haben diese Männer die Johannestaufe empfangen und die Täuferpredigt gehört; sie besitzen auch rudimentäre Kenntnisse über die Person Jesu. Ihnen fehlt jedoch die Verbindung zwischen diesen Elementen. Sie wissen um den „Kommenden" und um Jesus, aber nicht, daß Jesus dieser Kommende ist, an den sie zu glauben haben. Und weil das Bekenntnis zu Jesus als dem Herrn der Gemeinde und dem Christus geistgewirkt ist (vgl. v. a. Apg 2, 1–36; ferner 1 Kor 12, 3)[557], verwundert es nicht, daß diese Jünger den heiligen Geist nicht kennen (vgl. Apg 19, 2). Das Pfingstereignis führt zum Christus-Bekenntnis, aber diese Männer sind Repräsentanten einer Zeit, in der „der Herr Jesus bei uns ein- und ausging" (Apg 1, 21f), nicht aber Zeugen der Auferstehung und des Pfingstgeschehens. Der *irdische Jesus* ist ihnen als der *kerygmatische Christus* unbekannt, und deshalb müssen sie die Osterbotschaft (vgl. Apg 2, 22–36) noch hören und das Pfingstgeschehen gleichsam nachholen (vgl. Apg 19, 6).[558] Und erst so

---

[554] Vgl. FOERSTER, Art. Ἰησοῦς, 287–289.
[555] Vgl. BULTMANN, Art. πιστεύω, 211.
[556] MICHAELIS, Täufer, 139.
[557] Eine feste Reihenfolge von Geistempfang und Christus-Bekenntnis ergibt sich aus Apg allerdings nicht.
[558] Vgl. auch MICHAELIS, Johannes-Jünger, 735.

kommen sie, die doch bereits als „πιστεύσαντες" bezeichnet worden sind (Apg 19, 2), zum wirklichen Glauben: πιστεύσωσιν εἰς τὸν Ἰησοῦν (vgl. Apg 19, 4).

Eine vergleichbare Dichotomie zwischen Jesus-Kenntnis und Jesus-Bekenntnis läßt sich an anderen Passus der Apg feststellen. Einerseits verkündet etwa Petrus dem Kornelius, was alle über das irdische Geschick Jesu „wissen" („οἴδατε") (Apg 10, 37–39), dann setzt er andererseits mit der eigentlichen Christus-Botschaft ein (Apg 10, 40–43). Dies führt bei den „Hörenden" (ἀκούοντες) zu Geistempfang, Zungenrede und Gotteslob, dann zur Taufe (Apg 10, 44–48). Auch am Pfingsttag setzt Petrus mit dem allseits Gewußten ein („οἴδατε") (Apg 2, 22f) und geht dann zum christlichen Kerygma im eigentlichen Sinn über (Apg 2, 24–36); es folgen die ersten Bekehrungen (Apg 2, 37–42).[559] Das diametrale Gegenstück zu Apg 19, 1–7 liegt freilich in Apg 19, 13–16 vor. Die jüdischen Berufsexorzisten rufen zwar das „ὄνομα τοῦ κυρίου Ἰησοῦ" an (Apg 19, 13; vgl. Apg 19, 5) und kennen den von Paulus verkündigten Jesus (Apg 19, 13; vgl. Apg 19, 4), gehören aber eben doch nicht zu Jesus (Apg 19, 15; vgl. Apg 19, 2); folgerichtig bekommen sie statt mit dem heiligen Geist (vgl. Apg 19, 5) mit einem bösen Geist zu tun (Apg 19, 16), und statt mit Zungenrede und Prophetie (vgl. Apg 19, 6) endet ihr Auftritt mit der peinlichen Flucht (Apg 19, 16; vgl. ferner Mt 7, 22f / Lk 13, 25–27; Mk 9, 38–41 / Lk 9, 49f).

Im Gegensatz hierzu weisen die Jünger das „Wissen" über Jesus und die „Anfänge" auf. Nur muß diese Jesus-Kenntnis durch das Christus-Bekenntnis vollendet, durch die Taufe besiegelt und durch den Geistempfang ratifiziert werden. Was bei den Jüngern als πιστεύσαντες in nuce angelegt ist, findet durch die Christus-Verkündigung zu sich selbst.

7.2.5 Apg 19, 5–7

Nachdem der wesentliche Mangel der Verkündigung aufgehoben ist („ἀκούσαντες"), lassen sich die Jünger ohne Verzug taufen auf den Namen des jetzt als κύριος er- und bekannten Jesus (Apg 19, 5). Durch den Empfang des Geistes, der sich in Glossolalie und Prophetie manifestiert (Apg 19, 6), erweisen sie sich als vollendete Christen.[560] Man hat die Zahlenangabe in Apg 19, 7 als Anspielung auf die Zahl der Urapostel verstanden und sie als Allegorie deuten wollen.[561] Dagegen spricht die Partikel ὡσεί, die Lk zwar regelmäßig

---

[559] Anders beim äthiopischen Kämmerer in Apg 8, 26–40; ihm kann ein solches vorgängiges „Wissen" ja nicht unterstellt werden.

[560] Zur Frage des Geistempfangs vgl. näher SCHWEIZER, Art. πνεῦμα, 410–412; zu den ekstatischen Phänomenen vgl. ebd., 404–407.

[561] Vgl. WEIZSÄCKER, Zeitalter, 341.

vor Zahlenangaben setzt[562], aber eben nicht vor die Zahl der Apostel (vgl. z. B. Lk 6, 13; Apg 1, 26). Die Zwölfzahl ist wohl ohne hintergründige Absicht als runde Zahl gewählt (vgl. Mk 5, 25 parr; Apg 24, 11 u. ö.).[563]

7.3 Gesamtbeurteilung der ephesischen Jünger

Die abschließende Würdigung der ephesischen Jünger kann auf die zahlreichen, durch die Einzelauslegung gesicherten Daten zurückgreifen:

Verhältnis zu Johannes dem Täufer

Die ephesischen Jünger sind weder Jünger des Johannes im engeren Sinne des „narrower circle" (s. o. I:2.1.4) noch Adepten einer sich auf den Täufer berufenden Sekte. Sie sind jedoch von Johannes getauft worden und kennen den wesentlichen Gehalt seiner Predigt. Man wird sie dem sowohl von Lk (vgl. Lk 1, 17. 77; 3, 7. 10; 7, 29f; 20, 6; Apg 13, 24) als auch von den anderen Tradenten (vgl. Mk 11, 32 / Mt 11, 26; Josephus, Ant., 18, 117f) erwähnten „Volk" der „wider circles", also den weiten Kreisen der jüdischen Hörerschaft des Täufers zurechnen müssen.

Verhältnis zu Jesus

Gerade der dem Täufer verbundene λαός sympathisiert aber auch mit Jesus von Nazaret (vgl. Mt 21, 31f / Lk 7, 29f; Mk 11, 27–33 / Mt 21, 23–27 / Lk 20, 1–8) (s. o. II:3.3.3; 3.3.5). Solche Sympathie reicht bei den ephesischen Jüngern zu konkreter Anhängerschaft, wie der Chronist anzeigt, indem er die Männer prinzipiell als μαθηταί und πιστεύσαντες anerkennt, ihre Taufe als selbstverständlich voraussetzt und es für möglich hält, daß sie den heiligen Geist empfangen haben. Weil die Männer dem historischen Jesus verbunden sind, gelten sie im prägnanten Sinn als Jünger. Die „Missionspredigt" ist ebenso knapp wie die „Bekehrung" prompt. Tatsächlich ist das Christentum zu einem erheblichen Teil aus der früheren Täuferbewegung hervorgegangen (s. u. IV:3.1).

Verhältnis zum Christus-Glauben

Die Jesus-Nachfolge der ephesischen Jünger ist zunächst rudimentär, weil ihnen der Zugang zum spezifischen Bekenntnis der Urgemeinde, näherhin zum Oster- und Pfingstkerygma fehlt. Deshalb gebricht es auch ihrer Taufe am Wesenskern und können sie den heiligen Geist nicht empfangen haben. Sobald

---

[562] Vgl. HAENCHEN, C: Apg, 531.
[563] So auch HAENCHEN, C: Apg, 531; K. H. RENGSTORF, Art. „δώδεκα κτλ", in: ThWNT II (1935), 321–328, hier: 322; ROLOFF, C: Apg, 282f.

diesem Mangel durch die Verkündigung des Paulus abgeholfen ist, erlangen sie denn auch die „kirchliche Vollreife".[564]

Die eruierten Daten sind am Text zu verifizieren und in sich stimmig. Ihr historischer Hintergrund ist indes zugegebenermaßen schwieriger auszuloten, und die simple These einer missionierten Täufersekte hat vergleichsweise ein ideal einfaches religionsgeschichtliches Feld vor sich. „Fallait-il enseigner à des chrétiens, même à des chrétiens imparfaits, que Jésus était le Messie? N'était-ce pas là le premier article de la foi chrétienne et le fondement même de cette foi"?[565] Ist ein christus- und pneumaloses Christentum nicht eine contradictio in adiecto?[566] In der Tat mag man *dogmatisch* bezweifeln, ob solche Jünger als Christen zu betrachten sind. Diese Frage steht in sachlichem Zusammenhang mit dem wohl umstrittensten Problem protestantischer Bibeltheologie überhaupt: ob die Verkündigung Jesu von Nazaret als Bestandteil einer „neutestamentlichen Theologie", mithin bereits als „christlich" zu würdigen sei.[567] Etwas anderes ist das *exegetische* Urteil, daß Lk diese Jünger tatsächlich als μαϑηταί und πιστεύσαντες und mithin – in welchem Sinn auch immer – als Christen qualifiziert. Wenn aber Lk, der Systematiker der Heilsgeschichte, einen derart sperrigen Sachverhalt referiert, so sollte dieser *historisch* nicht bestritten werden. Das Verdikt „Das neue Testament kennt keine Halbchristen, es kennt aber Johannesjünger"[568] besagt schlechterdings nichts. Der historische Befund wird nicht unwahrscheinlicher dadurch, daß er sich dogmatischer Einschätzung und dem gängigen religionssoziologischen Vorverständnis entzieht.

F. Chr. BAUR (1866/67) hat für das Phänomen der ephesischen Jünger und vergleichbare Strömungen der spätantiken Religionsgeschichte den Terminus „Halbchristentum" geprägt.[569] Der von M. DIBELIUS (1911) verbreitete Begriff[570] hat weiten Anklang bis in die fremdsprachige Literatur gefunden.[571] Auch für die hier vorgeschlagene Beschreibung der Jünger könnte er ohne weiteres verwendet werden. Doch gerade so zeigt sich, daß ein Problem nicht

---

[564] Vgl. DIBELIUS, Überlieferung, 88f.

[565] THOMAS, mouvement, 99.

[566] KÄSEMANN, Johannesjünger, 159.

[567] Die Diskussion hat sich an den bekannten Einleitungssätzen zu BULTMANNS „Theologie des Neuen Testaments" ('1948) entzündet: *„Die Verkündigung Jesu* gehört zu den Voraussetzungen der Theologie des NT und ist nicht ein Teil dieser selbst. Denn die Theologie des NT besteht in der Entfaltung der Gedanken, in denen der christliche Glaube sich seines Gegenstandes, seines Grundes und seiner Konsequenzen versichert. Christliches Glauben aber gibt es erst, seit es ein christliches Kerygma gibt, d.h. ein Kerygma, das Jesus Christus als Gottes eschatologische Heilstat verkündigt, und zwar Jesus Christus, den Gekreuzigten und Auferstandenen" (Theologie, 1f). Den diametralen Gegensatz bezeichnet JEREMIAS, Theologie. Beide Protagonisten haben zahlreiche Nachfolger gefunden.

[568] BARTH, Sakrament, 170f.

[569] Paulus I, 213.

[570] Überlieferung, 89–97.

[571] Vgl. z.B. BUZY, Jean-Baptiste, 364f; LOISY, C: Actes, 718; ferner THOMAS, mouvement, 101.

dann als gelöst gelten kann, wenn es terminologisch umschrieben worden ist. Denn bei näherem Hinsehen wird deutlich, daß die Autoren unter „Halbchristentum" sehr verschiedene Phänomene fassen können.[572] Passender erscheint für die oben durchgeführte Bestimmung der von K. ALAND (1972) vorgeschlagene Terminus „Altchristen"[573]; jedoch ist auch er nicht unanfechtbar, da dem vorösterlichen Kerygma die Qualität des Christlichen abgesprochen werden kann (s. o.). Es bedarf in jedem Fall einer präzisierenden Beschreibung des hier gemeinten „Christentums".

Die ephesischen Jünger kennen den Iesus praedicator, nicht aber den Iesus praedicatus, das εὐαγγέλιον Ἰησοῦ Χριστοῦ (vgl. Mk 1, 1) im Sinne des gen. subiectivus, nicht aber im Sinne des gen. obiectivus. Sie sind „Jünger" geworden zwischen dem Empfang der Taufe des Johannes und der Oster- und Pfingstpredigt der Urgemeinde. Von daher handelt es sich bei diesen Jesus-Anhängern – jedenfalls im Kernbestand – um Urjünger, die sich, einst von der Täuferbewegung angezogen, dann Jesus angeschlossen haben; in welcher Form dies geschah, ist nicht mehr zu erkennen. Vor dem Oster- und Pfingstgeschehen haben sie den Kontakt zu der Jesus-Bewegung verloren. Möglicherweise handelt es sich um Diasporajuden, die sich nur zeitweilig in Palästina aufgehalten haben.[574]

Die Nähe dieser Urjünger Jesu zur Täuferbewegung illustriert die auch sonst zu konstatierende Ursprungseinheit von Johannes- und Jesus-Bewegung. Die Täuferbewegung zeigt sich als eines der ersten und fruchtbarsten Missionsfelder der jungen Kirche. Die Knappheit der Belehrung und die Promptheit der Bekehrung dieser ephesischen Jünger wird sich auch dadurch erklären, daß sie lediglich die Glaubensentwicklung ihrer συμμαθηταί nachzuvollziehen haben, gewissermaßen die Anfangserfahrungen der Urgemeinde für sich rekapitulieren (vgl. Apg 2, 1–41). Auch für die ephesischen Jünger gilt: „ἐπέπεσεν τὸ πνεῦμα τὸ ἅγιον ἐπ' αὐτοὺς ὥσπερ καὶ ἐφ' ἡμᾶς ἐν ἀρχῇ" (Apg 11, 15 i. V. m. 10, 44–47). Ist ihnen als erste ἀρχή die Johannestaufe auch bekannt (vgl. Apg 19, 3 i. V. m. 1, 22; 10, 37), so fehlt ihnen die zweite ἀρχή, das Pfingstgeschehen (vgl. Apg 19, 2 i. V. m. 11, 15; 15, 7f; 21, 16). Den täuferischen und vorösterlichen Anfängen der Kirche verbunden, sind diese Männer „heilsgeschichtli-

---

[572] DIBELIUS, Überlieferung, 90–97 versteht unter „Halbchristentum" ein synkretistisches Christentum, das vor allem aus der Täuferbewegung hervorgegangen sei, für das der Jesus-Glauben kennzeichnend sei, nicht aber die Taufe und der Geistbesitz. BUZY, Jean-Baptiste, 364f übernimmt „l'expression heureuse de Dibelius" (364), versteht aber unter den „Halbchristen" ehemalige Jordanpilger aus der Diaspora: „Elles adhéraient au Messie sans le connaître, à cause de Jean. Il leur restait de croire au Christ à cause de lui-même" (365). SINT, Eschatologie, 105f schließt sich der Erklärung DIBELIUS' an, obschon sie mit der von ihm selbst vorgelegten Hypothese einer konkurrierenden Täuferreligion (vgl. ebd., 104f) gar nicht zu vereinbaren ist.
[573] Vorgeschichte, 10f.
[574] So die Vermutung MICHAELIS', Johannes-Jünger, 735; vgl. DERS., Täufer, 139. ALAND, Vorgeschichte, 6f erwägt auch die Möglichkeit der Mission.

zurückgeblieben"; sie repräsentieren den Ursprung des Christentums, in dessen Fülle sie Paulus führt.[575]

Gegen diese Lösung läßt sich nicht einwenden, die Jünger hätten in den Jahrzehnten nach Jesu Tod doch auf Vollchristen treffen müssen, die sie über Ostern und Pfingsten belehrt hätten.[576] Im „sokratischen Irrtum" übersieht dieser Einwand, daß eine zweckfreie Mitteilung noch nicht zu überzeugtem Christsein führen muß. Es war missionarische Überzeugungsarbeit zu leisten, und hier setzte die Bemühung des Paulus an, der er – nach der Komposition von Apg 19 – Vorrang selbst noch vor der Judenmission (vgl. Apg 19, 8–10) gab.

Außerdem ist auch eine isolierte Existenz religiöser Konventikel in Ephesus historisch sehr wohl denkbar.[577] Es leidet keinen Zweifel, daß es außer dem von Apg glorifizierten „Hauptstrom der apostolischen Überlieferung" zahlreiche Nebenarme gegeben hat, deren diffuse christliche oder synkretistische Vorstellungen kaum noch zu systematisieren sind. Angesichts der Ursprungseinheit von Täufertum und Christentum (s. u. IV:3.1) ist es äußerst wahrscheinlich, daß die Quelle mancher dieser Strömungen in der palästinischen Täuferbewegung gelegen hat.[578] Grundsätzlich ist festzuhalten, daß es nicht nur solche Kreise gab, die ohne Kontakt zum historischen Jesus und seiner Bewegung ein verschwommenes Christus-Kerygma pflegten (vgl. Mt 7, 22f / Lk 13, 25–27; Mk 9, 38–41 / Lk 9, 49f; Apg 19, 13–16)[579], sondern eben auch solche, die sich am historischen Jesus und seiner Verkündigung orientierten, ohne Zugang zum österlichen Kerygma zu besitzen.[580]

---

[575] Die hier erarbeitete Lösung deckt sich in den wesentlichen Zügen mit den von MICHAELIS, Johannes-Jünger, v. a. 724–735 bereits 1927 und von ALAND, Vorgeschichte, 5–11 dann 1972 vorgeschlagenen Hypothesen; vgl. auch KUSS, Tauflehre, 103f; MANSON, John, 397 A. 1.

[576] So aber HAENCHEN, C: Apg, 531; LICHTENBERGER, Täufergemeinden, 49; MERKEL, Art. Ἀπολλῶς, 328; WEISER, C: Apg II, 506.

[577] Vgl. etwa ALAND, Vorgeschichte, 7.

[578] Vgl. allgemein etwa BEASLEY-MURRAY, Taufe, 148; KOSMALA, Hebräer, 106f.

[579] Vgl. dazu DIBELIUS, Überlieferung, 90–93.

[580] Etwas pointiert ließe sich also sagen, in den ephesischen Jüngern habe man sich eine Gruppe mit jenem theologischen Profil vorzustellen, das man gelegentlich – kaum mit Recht – für die Q-Gruppe postuliert hat. Jedenfalls illustriert die Perikope die historisch-geographischen Voraussetzungen, die die Fremdheit gegenüber dem Passions- und Osterkerygma allererst verständlich macht.

7.4 Redaktionsgeschichtliche Analyse

Nachdem das Grundproblem des Textes gelöst worden ist, erschließt sich auch das Hauptproblem, die Frage nach der Darstellungsabsicht, die Lk mit der kleinen Perikope verbindet. Auszugehen ist von der Einarbeitung überkommener Tradition durch Lk (s. o. III:7.1.1; 7.1.3), die seinen Intentionen insofern entgegenkommt, als er sie als „typisch für das Einmünden christlicher Nebenflüsse in den Hauptstrom, für die apostolische Legitimierung inoffiziellen Christentums"[581], empfindet. Den Oberlauf dieser Nebenflüsse kann er deshalb vernachlässigen, weil nur ihre Mündung in den Hauptstrom der Kirche für ihn von Interesse ist.[582] Doch illustriert er gleich in Apg 19, 11–16 das „Versickern" der Gegenströmung. So macht die ephesische Begebenheit das heilsgeschichtliche Anliegen der Apg transparent: von einem überwundenen Stadium werden die Urjünger auf den Stand der pfingstlichen Urgemeinde gebracht. Ihre durch die Berufung auf die Wassertaufe des Johannes markierte Ungleichzeitigkeit zur geisterfüllten Zeit der Kirche wird durch den „nachgeholten Anfang" aufgehoben.[583] Weil das apostolische Wirken Träger des heilsgeschichtlichen Hauptstroms ist, in den die Jünger „hineingeholt" werden, behält auch die These von der die Spaltungen überwindenden Una Sancta Apostolica ein gewisses Recht.[584] In jedem Fall aber geht es Apg 19, 1–7 um den Gedanken der heilsgeschichtlichen Kontinuität, nicht um den einer aktuellen Konkurrenz. Der Gedanke an eine Johannes-Sekte, näherhin an eine täuferpolemische Darstellungsabsicht, ist also auch für die redaktionelle Ebene auszuschließen.[585]

---

[581] DIBELIUS, Überlieferung, 95.
[582] Vgl. BAUERNFEIND, C: Apg, 228f.
[583] Daher empfiehlt sich die von SCHWEIZER, Bekehrung, v. a. 253f vorgestellte heilsgeschichtliche Deutung der Perikope; ähnlich ERNST, Lukas. Portrait, 53f; FLENDER, Heil, 114–116; WEISER, C: Apg II, 519.
[584] Das wird auch von SCHWEIZER, Bekehrung, 250 nicht bestritten.
[585] Vgl. auch WINK, John, 84–86.

8. Apg 18, 24–28

8.1 Methodologische Vorüberlegungen

8.1.1 Das forschungsgeschichtliche Dilemma

Apg 18, 24–28 liefert über den Missionar Apollos eine Anzahl biographischer, psychologischer und theologischer Daten, aber diese tragen zu seiner Einordnung wenig bei, sondern machen sie erst zum Problem. Die Grundfrage ist wie in Apg 19, 1–7 die nach dem religiösen Status des „Bekehrten". Zum einen wird er – in welchem Sinn auch immer – als Geistträger beschrieben, der über den Weg des Herrn unterrichtet ist und „ἀκριβῶς τὰ περὶ τοῦ Ἰησοῦ" zu lehren versteht (Apg 18, 25), zum anderen als Jude, der nur die Johannestaufe kennt und „ἀκριβέστερον" über den Weg bzw. Weg Gottes aufgeklärt werden muß (Apg 18, 24. 26). Die Deutungsvorschläge sind auch bei dieser zweiten Stütze der Theorie einer virulenten Täufersekte zahlreich. Ein unvollständiger Überblick ergibt allein an die fünfzehn verschiedene Lösungshypothesen.[586] Hinzu

---

[586] MERKEL, Art. Ἀπολλῶς, 328f; ROLOFF, C: Apg, 279; SCHWEIZER, Bekehrung, 251–254: *Jude, den Priszilla und Aquila zum Christus-Glauben bekehren, den Lk freilich schon als Christ vorstellt.* 2) HUNTER, Apollos, 149: Anhänger eines „*Messianism* without the belief that the Messiah had come". 3) BÖCHER, Lukas, 39f, 43; BROWN, scrolls, 207; DODD, tradition, 300; MEYER, Ursprung III, 112f: *Johannesjünger.* 4) SCHUMACHER, Apollos, 11f: *Schüler eines Johannesjüngers.* 5) BEASLEY-MURRAY, Taufe, 149; MACGREGOR, problems, 360; PREISKER, Apollos, 301: *ehemaliger Johannesjünger, der schon zu einem unvollständigen Jesus-Glauben vorgedrungen ist.* 6) KRAFT, Entstehung, 41f: *Täufer* im vorösterlichen Kerygma, vielleicht ehemaliger Johannesjünger. 7) STÄHLIN, C: Apg, 250: *von der Täuferbewegung inspirierter Judenchrist* mit Mängeln in der Tauflehre. 8) WEISER, C: Apg II, 506f, 510: *Judenchrist,* den Lk in die apostolische Tradition eingliedert. 9) THOMAS, mouvement, 101: *chrétien imparfait.* 10) DIBELIUS, Überlieferung, 88f, 93, 95–97: Vertreter eines *synkretistischen Halbchristentums.* 11) KUSS, Tauflehre, 103; MICHAELIS, Johannes-Jünger, 735f; SCHMITHALS, C: Apg, 172: Gläubiger im *vorösterlichen Kerygma.* 12) ALAND, Taufe, 19f; DERS., Vorgeschichte, 6; BRUCE, C: Acts, 381f; GOGUEL, seuil, 103; SMITH, Apollos, 245: *Christ mit mangelhafter Tauflehre.* 13) CONZELMANN, C: Apg, 118f; HAENCHEN, C: Apg, 533; KÄSEMANN, Johannesjünger, 163f; OLLROG, Paulus, 39f; PESCH, C: Apg II, 159f, 162f; RUDOLPH, Mandäer I, 77 A. 2; SCHILLE, C: Apg, 374f: *christlicher Pneumatiker,* den Lk als Christen im Vorstadium darstellt. 14) WOLTER, Apollos, 62–67: ein charismatischer Konkurrent des Paulus, den Lk auf das Stadium der Johannesjünger in Apg 19, 1–7 zurückstuft. 15) SCHNEIDER, C: Apg II, 259f: *vorpaulinischer*

kommt, daß sich im ersten Viertel dieses Jahrhunderts eine ganze religionsge-schichtliche Schule, angeführt von W. B. SMITH (1906 u. ö.)[587] und A. DREWS (1909 u. ö.)[588] an Apg 18, 25 heftete, um so den Glauben an einen vorchristlichen Jesus-Kult „zwar nicht zu wecken, aber doch, wo er vorhanden, außerordent-lich zu stärken".[589] Zwar war diese Theorie im Augenblick ihres Aufkommens bereits gescheitert[590], doch fand sie weite Verbreitung und macht in krausesten Vulgarisierungen bis in die Gegenwart die Runde.[591]

8.1.2 Die methodologischen Prinzipien

Die Prinzipien der Erschließung dieser Perikope wurden oben bereits aufge-zeigt (s. o. III:7.1.1; 7.1.3). Die Einzelangaben sind zunächst für sich – ohne vorschnellen Ausgleich und allzu eilige Auswertung – ernst zu nehmen. Wegen der Inkommensurabilität der Einzeldaten besteht auch hier kein Anlaß, die historischen Schwierigkeiten durch Rekurs auf redaktionelle Konstrukte auszu-räumen.[592] An der Darstellung des vorpaulinischen Christentums ist Lk desin-teressiert[593]; eine ephesische Lokal- oder „apollinische" Personaltradition ist denkbar.[594] Gegenüber Apg 19, 1–7 bietet die vorliegende Perikope den Vorteil, daß die historische Basis, wenn auch nur partikulär, an der paulinischen Korrespondenz (vgl. 1 Kor 1, 12; 3, 4–23; 4, 6; 16, 12. 19; ferner Röm 16, 3–5; vgl. noch 2 Tim 4, 19; Tit 3, 13) überprüft werden kann.[595]

Christ, der zum paulinischen Kerygma findet. HUGHES, Disciples, 32–38 bleibt in seiner Beurteilung insgesamt sehr unsicher und zurückhaltend.

[587] Darstellung und Literaturangaben bei SCHWEITZER, Geschichte, 476–486.

[588] Darstellung und Literaturangaben ebd., 486–498.

[589] Ebd., 480.

[590] Realistisch ebd., 533f: „Das Auftreten von Jüngern, die nur die Taufe des Johannes kennen, ist von jeher als auffällig empfunden worden, weil in der ersten Gemeinde die Johannestaufe durch das Auftreten der ekstatischen Phänomene, die als Erweis der Gegenwart des Geistes galten, von selbst zur christlichen Wasser-Geistestaufe wurde. Als Vertreter eines vorchristlichen Jesuskults können die in diesen Notizen [scil. Apg 18, 24–19, 7] erwähnten Persönlichkeiten aber in keinem Falle angeführt werden, da sie sich von vornherein zum historischen Jesus bekennen". Zur Auseinandersetzung mit SMITH vgl. auch GUÉNIN, conflit, 17–22.

[591] Einige Beispiele sind bei KÜNG, Christ, 169 angeführt.

[592] Vgl. auch GUÉNIN, conflit, 13–17.

[593] Vgl. WEISER, C: Apg II, 505; anders SCHILLE, C: Apg, 376.

[594] Vgl. ROLOFF, C: Apg, 278; WOLTER, Apollos, 62; prinzipiell auch ALAND, Taufe, 15–21.

[595] Vgl. dazu auch HUNTER, Apollos, 151–155; OLLROG, Paulus, 215–219; SCHMITHALS, C: Apg, 171.

8.2 Einzelanalyse

8.2.1 Apg 18,24

Die knappe Exposition der Perikope bietet in ungewöhnlicher Dichte neun Angaben zur Gestalt des „Konvertiten", die bereits auf ein massives Interesse an seiner Person schließen lassen. Nach Apg 18,24 ist er 1) Jude, heißt er 2) Apollos, stammt er 3) aus Alexandrien, ist er 4) redegewandt und 5) schriftkundig.

Zu 1): Schon die erste Angabe stellt vor Schwierigkeiten. Zwar bezeichnet das Nomen Ἰουδαῖος in Apg meistens die religiöse Zugehörigkeit oder dient gar der religiösen Disqualifizierung.[596] Es kann aber auch als religiös wertfreies Gentile verwendet werden (vgl. Apg 14,1; 16,1; 18,2; 21,39; 22,3). Apollos ist also entweder Jude oder Judenchrist.[597] Angesichts des gemeinsamen synagogalen Gottesdienstes (vgl. Apg 18,26) ist an eine exakte Scheidung hier wohl auch gar nicht zu denken. Immerhin fällt im Vergleich zum sonstigen Sprachgebrauch (vgl. Apg 10,45; 11,2; 14,1; 16,1) auf, daß der Missionar nicht als ἐκ περιτομῆς πιστός o. ä. charakterisiert wird.[598] Zwar muß der Begriff Ἰουδαῖος, für sich genommen, offenbleiben, er kann allein vom Mikrokontext her geklärt werden, aber e silentio ist möglicherweise zu folgern, daß Apollos noch nicht den μαθηταί, den πιστεύσαντες (vgl. Apg 19,1f) beigezählt werden kann.

Zu 2): An dem Eigennamen des Missionars ist trotz diverser variae lectiones nicht zu zweifeln.[599] Es handelt sich um den 1 Kor 1,12; 3,4.5.6.22; 4,6; 16,12 Genannten, auf den sich eine der korinthischen Parteien beruft (vgl. 1 Kor 1,12; 3,4), die in gewisser Spannung zu den Anhängern des Paulus steht (vgl. 1 Kor 1,12; 3,4f). Apollos hat nicht ohne Erfolg die paulinische Missionsgemeinde in Korinth ausgebaut (vgl. 1 Kor 3,6–15), wobei ihm sein rhetorisches Talent hilfreich gewesen sein dürfte (vgl. 1 Kor 2,1–9 i. V. m. Apg 18,24.28[600]). Zwar kommt Paulus mit dem Konkurrenten, der sich zur Zeit der Abfassung von 1 Kor mit ihm in Ephesus aufhält, prinzipiell aus (vgl. 1 Kor 3,5–9.22; 4,6;

---

[596] SCHWEIZER, Bekehrung, 251 zählt ein etwa 80faches Vorkommen in diesem Sinne; vgl. auch ROLOFF, C: Apg, 279.

[597] Das letztere vermutet PESCH, C: Apg II, 160; anders ROLOFF, C: Apg, 279.

[598] Hier liegt das granum salis der Argumentation SCHWEIZERS, Bekehrung, 251, der im Ausgang von dem Substantiv Apollos als rein jüdischen Missionar deutet.

[599] ℵ* 36. 453. 1175 pc bo lesen „Ἀπελλῆς"; D „Ἀπολλώνιος", also die Vollform. G. D. KILPATRICK, Apollos – Apelles, in: JBL 89 (1970) 77 sucht nachzuweisen, daß „Ἀπελλῆς" als lectio difficilior ursprünglich ist, die Lesart „Ἀπολλῶς" aber aus der sekundären Angleichung an 1 Kor zu erklären sei. Die Identität des jeweils Genannten und der in 1 Kor und der entsprechenden Apg-Lesart angeführte Eigenname stehen gleichwohl außer Frage.

[600] Es fällt in der Tat schwer, in der Relativierung rhetorischer Begabung und menschlicher Weisheit 1 Kor 2,1–9 keine Anspielung auf den so talentierten alexandrinischen Missionar zu sehen (vgl. auch HAENCHEN, C: Apg, 533).

16, 12), jedoch ist eine gewisse Reserve seiner Verkündigung gegenüber nicht zu übersehen (vgl. 1 Kor 3, 5–15; ferner 2, 1–9).

Zu 3): Der Aufschluß, den die alexandrinische Herkunft des Apollos gibt, ist gering, auch wenn sie immer wieder zu kühnen Spekulationen Anlaß gab.[601] Versuche, über Philo Alexandrinus das theologische Profil des Missionars zu bestimmen[602], sind aussichtslos.[603] Eine Christengemeinde ist in Ägypten erst um 120 n. Chr. nachweisbar.[604] Aber ohnehin bringen nur D (gig) die christliche Unterweisung des Apollos mit seiner Vaterstadt in Verbindung. Wenn auch die nähere Beziehung des Apollos zu der ägyptischen Metropole unklar bleibt, paßt doch das geistige Porträt des Missionars recht gut zu dem selbstbewußten theologischen Zentrum des hellenistischen Judentums.

Zu 4 u. 5): Apollos ist ein begabter Redner[605] und schriftkundig. Dies läßt vermuten, daß er als Meister des *christlichen* Schriftbeweises zu verstehen ist, der den auf Christus bezogenen tieferen Sinn der Heiligen Schrift zu erschließen vermag. So jedenfalls legt es das gewöhnliche lukanische Verständnis der Schriftkundigkeit nahe (vgl. Lk 24, 27. 32; Apg 8, 35; 17, 2 u. ö.).[606]

Allerdings ist im ganzen hinsichtlich Apg 18, 24 E. SCHWEIZER (1955) insofern beizupflichten, als nicht eindeutig geklärt wird, ob Apollos Christ ist. Für sich genommen, mag Apg 18, 24 in der Tat an einen jüdischen Wandermissionar denken lassen.[607] Jedoch beseitigt hier Apg 18, 25 jeden Zweifel. Selbst wenn man unter Mißachtung des üblichen lukanischen Sprachgebrauchs – in der Diktion SCHWEIZERS „unvoreingenommen"[608] – die ὁδός im jüdischen Sinn deutet, scheitert die Interpretation doch an der unzweideutigen Aussage: „ἐδίδασκεν ἀκριβῶς περὶ τοῦ Ἰησοῦ". Es ist kaum verständlich, wie SCHWEIZER gerade diese durch die Charakterisierung des Apollos als Geistträger noch unterstützte prägnante Bestimmung einfachhin ignorieren oder als lukanischen Einfall abtun kann. Ebenso künstlich wirkt es, Lk von sich aus die Erwähnung der Johannestaufe hinzufügen zu lassen, weil für ihn nur diese als Vorstufe zum Christentum in Frage gekommen sei.[609] So liegt der Vorzug der Theorie SCHWEIZERS gerade nicht darin, daß sie „mit den Gegebenheiten des Textes"

---

[601] Vgl. etwa HAENCHEN, C: Apg, 527 A. 9 gegen A. LOISY und Th. ZAHN.

[602] So etwa ARCHER, Apollos, passim.

[603] Das gilt ebenso für die von M. LUTHER aufgebrachte und bis in die Gegenwart nicht selten vertretene Meinung, Apollos sei der Verfasser von Hebr (vgl. dazu KÜMMEL, Einleitung, 354).

[604] Mit dem Papyrus Rylands 457 (vgl. G. DELLING, Art. „Alexandrien", in: BHH I [1962], Sp. 59f, hier: 60).

[605] Diese Bedeutung des Adjektivs λόγιος (vgl. etwa Philo, Post., 53) wird durch den Kontext Apg 18, 25. 27f und 1 Kor 2, 1–9; 3, 5 nahegelegt. KITTEL, Art. λέγω, 140 zieht die bei Philo und Josephus weitaus überwiegende Bedeutung „gelehrt" vor. Zu trennen sind beide Aspekte ohnehin nicht (vgl. CONZELMANN, C: Apg, 118).

[606] Vgl. HAENCHEN, C: Apg, 527; G. SCHRENK, Art. „γράφω κτλ", in: ThWNT I (1933), 742–773, hier: 758–760.

[607] Bekehrung, 251f.

[608] Ebd., 252.

[609] Vgl. ebd., 253.

auskommt.[610] Wie die Hypothese E. Käsemanns – die freilich in genau umgekehrtem Sinne Lk den Christen Apollos ins Judentum zurückstufen läßt[611] – muß sie von einem Redaktor ausgehen, der die Tradition mißversteht und relativ einfache Sachverhalte – Apollos ist Jude oder Christ – der „theologischen Klärung" wegen ins Unverständliche hinein katapultiert. Übrigens war Apollos im Urchristentum bis zur Spätzeit ein bekannter geistlicher Führer (vgl. noch Tit 3, 13). Es ist deshalb kaum vorstellbar, daß Lk mit seinem Traditionsstoff nach Belieben walten konnte.

8.2.2 Apg 18, 25

Nach Apg 18, 25 ist Apollos 1) unterwiesen im Weg des Herrn, er spricht 2) mit brennendem Geist und lehrt 3) genau τὰ περὶ τοῦ Ἰησοῦ, dabei kennt er 4) nur die Johannestaufe.

Zu 1): Nach Schweizer bezeichnet die Wendung ἡ ὁδὸς τοῦ κυρίου ursprünglich die synagogale Lehre des Apollos über den Heilsplan Gottes, mithin eine rein jüdische Mission.[612] Sieht man davon ab, daß Schweizer das genus verbi verwechselt[613], so wird er doch der gängigen Terminologie der Apg nicht gerecht, die das figural verstandene Nomen ὁδός stets auf die christliche Lehre oder Lebensweise bezieht (vgl. Apg 9, 2; 19, 9. 23; 22, 4; 24, 22)[614] und dabei durchaus Anspruch auf Ausschließlichkeit erhebt[615]: „The Christian rule of faith and practice was for the disciples 'the way' *par excellence* – the way of God leading to salvation. Thus the phrase 'the way' came to be employed by the men who 'walked therein' of themselves as a body".[616] Allerdings fällt auf, daß das Nomen in der Regel absolut verwendet wird, in Apg 18, 25 hingegen eine Erweiterung durch das Genitivattribut „τοῦ κυρίου" erfährt.[617] Der Titulus κύριος bezeichnet im lukanischen Sprachgebrauch häufig Jesus.[618] Angesichts der auf Apg 18, 25 rückbezogenen komparativischen Formulierung in Apg 18, 26 läßt sich jedoch auch an eine Entsprechung zu der ὁδὸς τοῦ θεοῦ denken; die Lesart in Apg 18, 26 ist allerdings

---

[610] Vgl. ebd..
[611] Vgl. Johannesjünger, 167.
[612] Vgl. Bekehrung, 251f; ähnlich Kraft, Entstehung, 41; Roloff, C: Apg, 279.
[613] κατηχημένος, part. perf. pass., statt aktivisch: „… er habe ‚den Weg des Herrn' unterrichtsmäßig dargelegt" (Bekehrung, 251; ähnlich ebd., 252).
[614] Nur Apg 13, 10 bezeichnet ὁδός die Heilswirksamkeit Gottes, ist hier aber pluralisch formuliert.
[615] Vgl. zur näheren Begründung Michaelis, Art. ὁδός, 93f.
[616] Smith, Apollos, 242.
[617] Michaelis, Art. ὁδός, 94f trennt die vorliegende Wendung allerdings allzu formalistisch gänzlich vom absoluten Gebrauch.
[618] Vgl. W. Foerster, in: G. Quell u. W. Foerster, Art. „κύριος κτλ", in: ThWNT III (1938), 1038–1098, hier: 1092; ferner Hughes, Disciples, 34.

unsicher.[619] An dem christlichen Sinn der Wendung ist in keinem Fall zu zweifeln.

Die Verbindung mit διδάσκω legt eine technische Verwendung von κατηχέω nahe (vgl. Lk 1, 4).[620] Ebenso läßt die parallele Formulierung in Apg 18, 26 ἐκτίθημι τὴν ὁδόν [τοῦ θεοῦ] an eine katechetische Unterrichtung – in welcher Form auch immer – denken (vgl. Did 6, 1; I Clem 18, 13). Da zudem das διδάσκειν durch den Gegenstand „τὰ περὶ τοῦ Ἰησοῦ" näher gekennzeichnet ist, dürfte das Attribut als gen. possessoris die christliche Bewegung als die dem Herrn gehörige beschreiben oder als gen. subiectivus die Wege des Herrn mit seinem Volk im Christusereignis anzeigen.[621] Jedenfalls ist Apollos – wie D (gig) sachlich mit Recht suggerieren[622] – mit der christlichen Botschaft vertraut gemacht worden.[623]

Zu 2): Die Angabe, Apollos habe im Geist brennend gesprochen, kann entweder anthropologisch – „c'était une âme ardente" – oder theologisch – „l'Esprit le rendait bouillannant"[624] – verstanden werden. Für die erste Möglichkeit spricht zunächst der schlichte Wortlaut, zumal das Epitheton ἅγιον fehlt (vgl. aber Apg 19, 2. 6). Die Beschreibung ist eingebettet in eine Charakterologie des Missionars und partizipial auf λαλέω bezogen. Ein anthropologisches Verständnis ist auch Lk 1, 17. 47. 80; Apg 6, 3. 10; 17, 16 vorauszusetzen.[625] Für die zweite Möglichkeit spricht der engere Kontext: die Beschreibung steht zwischen der Mitteilung über die Vertrautheit des Apollos mit dem Weg des Herrn und der über seine Lehre der „Jesus-Dinge", auf welche λαλέω entweder direkt transitiv oder indirekt sachlich bezogen ist. Das göttliche πνεῦμα und die παρρησία (vgl. Apg 18, 26) sind in Apg auch sonst miteinander verbunden (s. u. III:8.2.3), die χάρις des Missionars (vgl. Apg 18, 27) dürfte als pneumatische Gabe aufzufassen sein.[626] Auch die Bedeutung des Geistes in Apg 19, 2. 6 wie in Apg überhaupt legen eine theologische Deutung nahe. Die Zuordnung des Feuers zum Geist Gottes ist der synoptischen Tradition vertraut (vgl. z. B. Lk

---

[619] Wir entscheiden uns unten für diese lectio longior (s. u. III:8.2.3).

[620] Vgl. H. W. BEYER, Art. „κατηχέω", in: ThWNT III (1938), 638–640, hier: 640; WEISER, C: Apg II, 509.

[621] Vgl. dazu SCHNEIDER, C: Apg II, 260 A. 15.

[622] Zu λόγος im Sinne der christlichen Botschaft vgl. KITTEL, Art. λέγω, 115–117.

[623] So auch BEYER, C: Apg, 114; DIBELIUS, Überlieferung, 89 A. 2; HAENCHEN, C: Apg, 527 A. 7; HUGHES, Disciples, 34f; MACGREGOR, problems, 360; MICHAELIS, Johannes-Jünger, 723; PREISKER, Apollos, 301; SCHILLE, C: Apg, 374; SCHNEIDER, C: Apg II, 260; SCHUMACHER, Apollos, 8; SMITH, Apollos, 243; WEISER, C: Apg II, 509.

[624] GOGUEL, seuil, 99f A. 1.

[625] Für ein anthropologisches Verständnis der Partizipialkonstruktion entscheiden sich mit den meisten älteren Kommentatoren LOISY, C: Actes, 711f; ROLOFF, C: Apg, 279 (erst Lk deutet die Wendung theologisch); SCHUMACHER, Apollos, 8; ZAHN, C: Apg II, 668f; vgl. auch SCHWEIZER, Bekehrung, 252.

[626] Vgl. STÄHLIN, C: Apg, 251.

3, 16; Apg 2, 3f). Die Wendung „τῷ πνεύματι ζέοντες" trägt Röm 12, 11 eindeutig theologischen Sinn (vgl. 1 Thess 5, 19).[627]

Die Lösung umfaßt vermutlich beide Nuancen. Vom Wortlaut her wird Apollos als Redner mit glühendem Temperament beschrieben. Aber für die „pneumatologischen" Augen der frühesten Christenheit war das menschliche πνεῦμα vom göttlichen gar nicht pünktlich und genau zu unterscheiden (vgl. z. B. Apg 5, 32; Röm 8, 15 i. V. m. Gal 4, 6; Röm 8, 16. 26). So ist vom Kontext her anzunehmen, daß zumindest Lk die Charakterbeschreibung auch in theologischem Sinn versteht, Apollos mithin als Träger des göttlichen Geistes deutet.[628]

Zu 3): Die spekulativen Systeme, die sich an die Wendung „τὰ περὶ τοῦ Ἰησοῦ" hefteten (s. o. III:8.1.1), wären der Forschung erspart geblieben, hätte man diese Wendung konsequent im Zusammenhang mit dem Mikrokontext und den nächstliegenden Parallelen gesehen.

Dem gewöhnlichen Verständnis der Apg nach geschieht das διδάσκειν in stetem Rückgriff auf die jüdische Schriftüberlieferung; die klassische Form der Belehrung stellt der Schriftbeweis dar, daß Jesus der verheißene Messias sei[629]: „Man darf ... hier nicht meinen, es handle sich um die Mitteilung von Heilstatsachen; wohl geht es auch um sie, aber nicht im Sinne ihrer Mitteilung, sondern im Sinne ihrer Darbietung in einer Weise, daß nur die Möglichkeit bleibt, sie anzunehmen oder in Widerspruch mit der Schrift zu geraten".[630] Dazu paßt die Schriftkundigkeit des Missionars. So sagt die Angabe in Apg 18, 25 materialiter für Ephesus nichts anderes aus als Apg 18, 28 für Korinth.

Das iterative Imperfekt[631] läßt darauf schließen, daß Apollos seine Lehre nicht spontan, sondern gewohnheitsmäßig, also als regelrechter Missionar, vorträgt.[632] Bedeutungsvoll ist es, wenn diese Lehrtätigkeit mit dem Adverb ἀκριβῶς charakterisiert wird. Der Missionar kennt also den Gegenstand seiner Verkündigung nicht diffus vom Hörensagen[633], sondern präzise (vgl. Lk 1, 3!).

Der Gegenstand dieser Lehrtätigkeit – „τὰ περὶ τοῦ Ἰησοῦ" – bietet, vom synoptischen Sprachgebrauch her gesehen, an sich keine Schwierigkeiten. Er bezieht sich ausnahmslos auf die Gesamtheit dessen, was in der jeweiligen

---

[627] Für ein theologisches Verständnis der Partizipialkonstruktion plädieren ALAND, Vorgeschichte, 10; BAUERNFEIND, C: Apg, 229; GOGUEL, seuil, 99f A. 1; KÄSEMANN, Johannesjünger, 164; OEPKE, Art. ζέω, 878; PREISKER, Apollos, 301; WEISER, C: Apg II, 509.

[628] In diese Richtung weisen wohl auch die Vorschläge bei BEYER, C: Apg, 114; DIBELIUS, Überlieferung, 95; PESCH, C: Apg II, 161.

[629] Vgl. RENGSTORF, Art. διδάσκω, 148.

[630] Ebd., 148f.

[631] Vgl. BLASS/DEBRUNNER, §325; ferner HAENCHEN, C: Apg, 528 A. 3; ZAHN, C: Apg II, 668f.

[632] Übertrieben ist es jedoch, ihn deshalb schon als gewerbsmäßigen Lehrer aufzufassen (so aber KRAFT, Entstehung, 41f; ähnlich unter Hinweis auf die Schriftkundigkeit SCHILLE, C: Apg, 374).

[633] So etwa ZAHN, C: Apg II, 669.

geschichtlichen Situation über Jesus zu sagen ist: Mk 5, 27 sec. א* B C* Δ pc[634] bezieht er sich auf die galiläischen Wundertaten Jesu; Lk 24, 19 auf Jesu prophetisches Wirken und seine Passion; Lk 22, 37 sec. A Θ Ψ f¹³ 𝔐 lat sy^hmg[635] und Lk 24, 27 erschließen proleptisch bzw. retrospektiv die Ankündigung Jesu als Christus in den heiligen Schriften. In Apg schließlich bezieht sich die Wendung auf das paulinische Christus-Kerygma: Apg 23, 11; 28, 31 (vgl. auch Apg 19, 8).[636] Der Umstand, daß in Apg 18, 25 jedweder Hoheitstitel fehlt, ist angesichts der geprägten Wendung hier nicht überzubewerten, zumal Apg den Eigennamen mixte benutzt (vgl. Apg 8, 35; 28, 31).[637] Im Kontext der Schriftkundigkeit, der Kenntnis des Wegs des Herrn, der Geistbegabung, der Lehrtätigkeit des Missionars und des unmißverständlichen ἀκριβῶς wird man als „τὰ περὶ τοῦ Ἰησοῦ" wohl nur die der geschichtlichen Situation entsprechende Verkündigung Jesu als Christus verstehen können. So ist einmal mehr zu vermuten, daß Apg 18, 28 lediglich in concreto ausführt, was Apg 18, 25 allgemein beschreibt: daß Apollos verkündigt, „εἶναι τὸν χριστὸν Ἰησοῦν".[638]

Keineswegs deutet die Wendung hingegen an, die Verkündigung des Apollos beziehe sich insofern auf das vorösterliche Jesus-Kerygma, als der Missionar lediglich jüdischer „Jesus-Anhänger", nicht aber Christ gewesen sei: „La science d'Apollos n'allait pas plus loin. Il ne connaissait vraisemblablement rien du ministère du Sauveur, de sa passion, de sa mort et de sa résurrection; il ignorait jusqu' à l'institution du baptême chrétien"[639]; diese Thesis widerspricht direkt dem Text, der explizite eine „science plus loin" beschreibt.[640] Überhaupt wäre das Adverb ἀκριβῶς völlig fehl am Platz, wenn die Lehre des Apollos gerade das Wesentliche der Jesus-Verkündigung, nämlich die Christus-Würde, die Passion und Auferstehung des Herrn vermissen lassen würde.[641] Auch fragt sich, warum zu einer „Verkündigung" des irdischen Jesus eine katechetische Unterweisung vorausgesetzt werden sollte, der Verkündiger Geistträger sein müßte. Schließ-

---

[634] Ähnlich in der neuerdings von NESTLE / ALAND bevorzugten reinen Verbalkonstruktion sec. א^C A C² D L W Θ 0132^vid. 0134 f^l.13 𝔐 sy co.

[635] Die zu bevorzugende Lesart nach א B D L Q (T) W f¹ pc sy^h ist singularisch formuliert.

[636] Vgl. auch SMITH, Apollos, 243.

[637] Vgl. FOERSTER, Art. Ἰησοῦς, 289.

[638] Ein Wandel in der Anschauung des Apollos ist aus diesem Vers nicht herauszulesen: gegen WOLTER, Apollos, 64f.

[639] BUZY, Jean-Baptiste, 366.

[640] Eine ähnliche Auffassung wie BUZY vertreten FOERSTER, Art. Ἰησοῦς, 292; SCHNEIDER, C: Apg II, 261. Allzu sorglos argumentiert KRAFT, Entstehung, 41 mit willkürlich herangezogenen alttestamentlichen Passus: bei der „„Sache mit Jesus' ... kann es sich nur [!] um die Deutung der Geschichte Jesu als Erfüllung von Jes 53 gehandelt haben. Er [scil. Apollos] wußte aber ursprünglich nicht, daß Jesus der Christus ist, denn das konnte er Jes 53 nicht entnehmen [sic!]".

[641] Überaus gekünstelt wirkt der Versuch SCHWEIZERS, Bekehrung, 253 A. 22: ἀκριβέστερον sei ursprünglich eher wie ein Elativ zu verstehen gewesen, sei aber von Lk komparativisch mißverstanden worden, so daß er geschlossen habe, Apollos sei vorher ἀκριβῶς unterrichtet gewesen. Der Gelehrte traut hier den von ihm angeführten Forschern LAKE und WENDT eine tiefere Vertrautheit mit der Koine zu als Lk!

lich bedarf es zu einer Lehre über den irdischen Jesus, wenn diese überhaupt einen Sinn haben könnte[642], nicht gerade der παρρησία (vgl. Apg 18, 26). Umgekehrt besteht in Ansehung des sonstigen Sprachgebrauchs der Apg ebensowenig Anlaß, bei der Interpretation der Wendung von der historischen Gestalt Jesu abzusehen und sie mit der „mythischen Schule" auf einen vor- oder mit M. DIBELIUS (1911)[643] auf einen halbchristlichen Jesus-Kult zu beziehen. Der christliche Glaube des Apollos kann nach Apg 18, 25 keinen Zweifel leiden.[644]

Zu 4): Mit dieser Erkenntnis läßt sich bei dem gängigen Vorverständnis der Umstand nur schwer vereinbaren, daß Apollos nur die Johannestaufe kennt. So hat man häufig entweder die Tatsache seiner Jesus-Kenntnis[645] oder die seiner Johannestaufe[646] als Mißverständnis oder Fiktion des Lk abgetan.[647] Von den methodologischen Bedenken gegen einen solchen Umgang mit mißliebigen Stellen (s. o. III:7.1.3) abgesehen, vermißt man doch die Bedingung der Möglichkeit eines solchen Mißverständnisses; der Moderne wird sich kaum eine bessere Beurteilung des historisch Möglichen zutrauen als dem Zeitgenossen. Noch weniger ist ein Motiv für eine Fiktion denkbar. Daß Lk Apollos nur angesichts der nachfolgenden Perikope Apg 19, 1–7 in einer „communicatio idiomatum" zum Empfänger der Johannestaufe macht[648], ist eine Konstruktion von geringer Überzeugungskraft: warum sollte Lk zwei evident ungleiche Phänomene ad maiorem Unae Sanctae gloriam einander angleichen, wenn dasselbe Ziel, die Überwindung der verschiedenen Nebenströme des Urchristentums (vgl. Apg 19, 8–40), durch die einfache Wiedergabe des tatsächlich Geschehenen erreichbar gewesen wäre, ohne zu einer massiven Konfusion zu führen? Die Brüchigkeit der Hypothese einer Fiktion zeigt sich, wenn E. KÄSEMANN behauptet, Lk habe „offensichtlich nicht gewagt", „den Pneumatiker und bekannten Missionar wiedertaufen [!] zu lassen"; um aber einen Ansatzpunkt für den Unterricht des Ehepaars zu haben, habe er Apg 18, 25c fingiert.[649] Indes ist das „Wagnis" dem bekannten Missionar gegenüber so doch nicht geringer! Auch daß Lk sich, wie E. SCHWEIZER vermutet, das Vorstadium des Christentums, in dem Apollos gestanden habe, *nur* als Status der Johannestaufe hätte vorstellen können[650], dünkt angesichts der bunten Vielfalt solcher

---

[642] In Apg 19, 1–7 tragen die tatsächlich im vorösterlichen Kerygma befindlichen Jünger keine Lehre vor!

[643] Vgl. Überlieferung, 93.

[644] So auch ALAND, Vorgeschichte, 6; GOGUEL, seuil, 103; MICHAELIS, Johannes-Jünger, 723f.

[645] Z. B. OEPKE, Art. βάπτω, 541 A. 68; ROLOFF, C: Apg, 279; SCHWEIZER, Bekehrung, 252f.

[646] Z. B. OLLROG, Paulus, 39f; KÄSEMANN, Johannesjünger, 164, 167; LOISY, C: Actes, 712f; WOLTER, Apollos, 62.

[647] Hiergegen bereits mit Schärfe, aber sachlich zu Recht BALDENSPERGER, Prolog, 94.

[648] So HAENCHEN, C: Apg, 534; KÄSEMANN, Johannesjünger, 167; vgl. SCHWEIZER, Bekehrung, 253.

[649] Johannesjünger, 167; vgl. ebd., 164.

[650] Vgl. Bekehrung, 253.

„Vorstadien" auch bei Lk[651] unwahrscheinlich. So ist es zunächst auch hier geboten, dem Chronisten eine in den groben Zügen korrekte Wiedergabe des Geschehenen zuzutrauen. Wenn Apollos nur („μόνον") die Johannestaufe „kennt" („ἐπιστάμενος"), so heißt dies, daß er nur sie empfangen hat und nur um sie theologisch weiß.[652] Es wirkt gezwungen, wenn Lk unterstellt wird, er habe das Partizip „ἐπιστάμενος", ohnehin eine lukanische Vorzugsvokabel[653], nur deshalb gewählt, weil er nicht habe zugeben können, daß Apollos die Johannestaufe *empfangen* habe.[654] In diesem Fall hätte er die Einzelangabe eher ganz fortfallen lassen; was aber Lk für Jesus zugeben kann (vgl. Lk 3, 21f), wird ihm auch bei Apollos nicht peinlich sein.

Der Begriff βάπτισμα Ἰωάννου ist so zu verstehen wie in den anderen Belegstellen auch (s. o. III:7.2.3). Er bezeichnet mithin den historisch auf den Täufer Johannes zurückgehenden, von diesem selbst gespendeten eschatologischen Bußritus. Der Umstand, daß Apollos diese Taufe empfangen hat, läßt auch hier nicht darauf schließen, daß er Johannesjünger sei (s. o. III:7.1.3).[655] Der Erwähnung wert ist die Beobachtung, daß nicht erst der Empfang der christlichen Taufe zum Geistempfang disponiert. Nun ist deshalb zwar noch keineswegs zu folgern, bereits die Johannestaufe habe den Geist vermittelt[656]; im Verein mit der auch sonst zu konstatierenden Verbindung zwischen dem Empfang des πνεῦμα und der Annahme des christlichen Kerygmas (vgl. Apg 5, 30–32; ferner 2, 14–42; 4, 8–12. 30f; 10, 44; 11, 17 u. ö.; deutlich auch 1 Kor 12, 3) läßt sich aber Apollos doch als Beispiel dafür anführen, daß der christliche Glaube, verbunden mit der Johannestaufe, durchaus einen Geistträger kennzeichnen kann. Auf der anderen Seite ist der Nexus von christlicher Taufe und Geistempfang nicht immer so eng, wie meist vorausgesetzt wird.[657] Von hier fällt ein Licht auf die Frage, warum die ephesischen Jünger die christliche Taufe empfangen müssen, Apollos aber nicht (s. u. III:8.4).

In einer geistvollen Spekulation hat jüngst A. RADAELLI (1982) versucht, die Identität des Apollos mit Theopilus (vgl. Lk 1, 1–4; Apg 1, 1–3) nachzuwei-

---

[651] Vgl. dazu ausführlich DIBELIUS, Überlieferung, 90–98.

[652] Nicht auszuschließen ist allerdings, daß Apollos die selbst empfangene Taufe an andere weitergegeben hat, etwa im Anschluß an seine Missionspredigten (vgl. auch 1 Kor 1, 12–17). Doch bleibt dies unüberprüfbar. Woher KRAFT, Entstehung, 41 die Gewißheit nimmt, Apollos sei ein Täufer gewesen, bleibt unerfindlich!

[653] Vgl. WEISER, C: Apg II, 507.

[654] So DIBELIUS, Überlieferung, 96 A. 1; HAENCHEN, C: Apg, 534; WEISER, C: Apg II, 507; vgl. auch WOLTER, Apollos, 63.

[655] Merkwürdigerweise postulieren dies für Apg 18, 24–28 auch ungleich weniger Ausleger als für Apg 19, 1–7, obwohl das Grunddatum „Empfang der Johannestaufe" hier wie dort dasselbe ist. Für einen Johannesjünger halten Apollos ARCHER, Apollos, 303; BÖCHER, Überlieferung, 67 A. 114; MICHEL, Art. Johannes, 670; vgl. SINT, Eschatologie, 103f. MACGREGOR, problems, 360 hält den Missionar für einen ehemaligen „adherent of a Baptist group", der aber zwischenzeitlich ein – freilich unvollkommener – „Christian inquirer" geworden sei.

[656] Gegen KRAFT, Entstehung, 21–23.

[657] Vgl. näher, SCHWEIZER, Art. πνεῦμα, 410–412.

sen.[658] Das granum salis dieser kühnen Theorie liegt darin, daß Lk 1, 3 mit ἀκριβῶς, κατηχέω, γράφω – man könnte hinzufügen λόγος (Lk 1, 4) – Apg 18, 24f entspricht: „ἀκριβῶς", „κατηχημένος", „γραφαῖς", „λόγιος". Wenn aber Lk 1, 1–4 die Grundsätze eines christlichen Evangeliums beschreibt, dann ist es unmöglich, in dem durch eben diese Grundzüge charakterisierten Apollos etwas anderes als einen Christen zu sehen. Daran kann auch die gewiß erstaunliche Tatsache nichts ändern, daß er nur die Johannestaufe empfangen hat.

8.2.3 Apg 18, 26–28

Erst bei der Beschreibung des „Bekehrungsvorgangs" wird die Schilderung ungenau. Apollos beginnt, seine Botschaft freimütig in der Synagoge vorzutragen (παρρησιάζομαι). Die παρρησία ist in Apg ein eng mit dem christlichen Bekenntnis verknüpftes Charisma (vgl. z. B. Apg 4, 13) und wird mitunter als Gnadenwirkung des göttlichen Geistes verstanden (vgl. z. B. Apg 4, 8. 31).[659] Daß Apollos in der Synagoge zu predigen beginnt, kann keinen Zweifel an seinem Christentum wecken[660], sondern ist das übliche, auch von Paulus praktizierte Verfahren. So lehrt nach Apg 19, 8f der Apostel mit Freimut („ἐπαρρησιάζετο") in der Synagoge „[τὰ] περὶ τῆς βασιλείας τοῦ θεοῦ", stößt dabei freilich auf solche, die die ὁδός verspotten.

In der Synagoge trifft das Ehepaar Aquila und Priszilla auf den begabten Missionar. Möglicherweise wird man προσλαμβάνω, med. nicht nur mit „beiseite nehmen" (vgl. z. B. Mk 8, 32 / Mt 16, 22) übersetzen[661], sondern mit „in ihre Gemeinschaft aufnehmen" (vgl. z. B. 2 Makk 10, 15; Apg 28, 2; Phlm 17). Dabei könnte durchaus an die Gemeinschaft einer Hausgemeinde, wie das Ehepaar sie zu Ephesus leitete (vgl. 1 Kor 16, 19; ferner Apg 18, 2f; Röm 16, 3–5), zu denken sein.[662]

Wie nun Apollos der Weg Gottes[663] ἀκριβέστερον auseinandergesetzt worden ist, läßt sich dem Text schlechterdings nicht entnehmen. Apg 18, 28 läßt keine Rückschlüsse auf die „Bekehrung" zu, denn hier wird nur für die Gemeinde von Korinth ausgesagt, was Apg 18, 24f bereits für Ephesus mitteilt: „The statement in verse 28 can be paralleled from xviii 5, where no special emphasis is attached to the words, nor can they imply any change in the content

---

[658] Vangelo, 379–382.
[659] Vgl. H. SCHLIER, Art. „παρρησία, παρρησιάζομαι", in: ThWNT V (1954), 869–884, hier: 880f.
[660] Gegen SCHWEIZER, Bekehrung, 251.
[661] So aber BAUER, 1422.
[662] Vgl. dazu SCHNEIDER, C: Apg II, 261 A. 20.
[663] Die lectio longior scheint hier doch auch lectio probabilior zu sein; gegenüber den Varianten – D gig: „τὴν ὁδόν"; C 𝔐: „τὴν τοῦ θεοῦ ὁδόν"; 323. 945. 1739. 1891 pc: „τὸν λόγον τοῦ κυρίου"; E 36. 2495 al vg^cl sy^p: „τὴν ὁδὸν τοῦ κυρίου" – spricht dafür das Gewicht von 𝔓⁷⁴ ℵ A B 33. 614. 1175 al vg.

of Paul's [lege: Apollos'] preaching".[664] Eher läßt Apg 18, 25c vermuten, daß der alexandrinische Missionar in die spezifisch christliche Tauftheologie eingeführt worden ist[665], möglicherweise ermuntert wurde, die eigene Verkündigung durch die Spendung der Taufe zu vollenden (vgl. 1 Kor 1, 12–17).[666] Darüber hinaus wurde Apollos aber wohl von den Eheleuten in einem ganz allgemeinen Sinn in die Gemeinschaft des paulinischen Missionschristentums eingeführt, als dessen profilierte Vertreter Aquila und Priszilla aufzufassen sind (vgl. Apg 18, 2f; Röm 16, 3–5; 1 Kor 16, 19; noch 2 Tim 4, 19).[667] So wird aus dem freien Missionar ohne die Basis einer Gemeinde[668] ein Vertreter der – für Lk durch Paulus repräsentierten – Hauptströmung des Christentums. Außer der oben angeführten weiteren Deutung von προσλαμβάνω sprechen für diesen Vorschlag zwei gewichtige Gründe: 1) Die vorliegende Perikope ist die einzige der Paulus-Partie der Apg (Apg 13–28), in der nicht der Apostel, sondern ein völlig fremder Missionar im Mittelpunkt steht.[669] Dies erklärt sich am ehesten so, daß Lk Apollos in Ephesus in das offizielle, für ihn also paulinische Christentum eingeführt sieht. Deshalb sind auch Aquila und Priszilla (Apg 18, 26), die „Brüder" und die „Jünger" in Achaia (Apg 18, 27) Mitträger der Handlung.[670] 2) Der Abschluß der Perikope[671] berichtet, wie die Kontakte des Apollos zu den paulinischen Gemeinden vertieft werden: der Missionar zieht nach Korinth, einem Missionszentrum des Paulus, und erhält von der ephesischen Gemeinde, in die er jetzt also integriert ist, ein Empfehlungsschreiben mit auf den Weg[672], um auch dort aufgenommen (ἀποδέχομαι) zu werden. Er wird nunmehr den μαθηταί und πιστευκότες beigezählt, in deren Dienst er seine χάρις stellt; er steht den Ἰουδαῖοι gegenüber (vgl. aber Apg 18, 24!). Obschon er nichts anderes als zuvor in Ephesus unternimmt – kraftvoll, freimütig und schriftkundig spricht er über Jesus (vgl. Apg 18, 28) –, hat sich doch der *soziale* Rahmen geändert. Der „Bekehrungsvorgang" scheint deshalb nur sekundär theologischer Natur gewesen zu sein, primär aber sozial-ekklesialer Natur: aus dem „missionarischen Freibeuter" wird ein „organisierter Christ".[673]

1 Kor 16, 19 bestätigt, daß zwischen Aquila und Priszilla und der Gemeinde von Korinth Beziehungen bestanden; 1 Kor 1, 10–31; 3, 5–9; 16, 12 weisen auf

---

[664] SMITH, Apollos, 243.
[665] Vgl. auch MICHAELIS, Johannes-Jünger, 724; SCHNEIDER, C: Apg II, 260.
[666] So vermutet SMITH, Apollos, 244f.
[667] Gegen HAENCHEN, C: Apg, 533 und KÄSEMANN, Johannesjünger, 167 besteht keinerlei Grund, die werbende Tätigkeit des Ehepaars der lukanischen Redaktion zuzuschreiben.
[668] Vgl. STÄHLIN, C: Apg, 250.
[669] Vgl. BEYER, C: Apg, 114; MICHAELIS, Johannes-Jünger, 721f; WOLTER, Apollos, 59f, 61f.
[670] Vgl. auch WEISER, C: Apg II, 504.
[671] Der „westliche Text" ist sekundär: vgl. HAENCHEN, C: Apg, 529.
[672] Zur Praxis solcher Empfehlungsschreiben vgl. 2 Kor 3, 1f, aber auch die Gepflogenheit des Paulus selbst, v. a. Phlm.
[673] Vgl. auch HAENCHEN, C: Apg, 533; KÄSEMANN, Johannesjünger, 165–167; SCHNEIDER, C: Apg II, 260.

die Kontakte des ἀδελφός Apollos zur korinthischen Gemeinde hin, zeigen allerdings auch, daß Apg das Verhältnis zwischen dem Missionar und dem paulinischen Christentum wohl doch romantisch verklärt.[674]

Wenn Lk nicht erwähnt, daß Apollos auch die christliche Taufe empfangen hat, kann bei seiner sonstigen Tendenz[675] e silentio gefolgert werden, daß er von einem solchen Faktum nichts weiß.[676]

8.3 Gesamtbeurteilung des Missionars Apollos

Die Auslegung gelangt zu einem zwar nicht vollständigen, wohl aber schlüssigen Gesamtbild. Der Jude Apollos hat die Johannestaufe empfangen, einen dauerhaften Anschluß an die Jüngerschaft des Täufers aber nicht gewonnen. Auch zur Jesus-Bewegung hat er keine festen sozialen Beziehungen aufgenommen. Bei seiner Begegnung mit Aquila und Priszilla in Ephesus wird er deshalb auch nicht als μαθητής eingestuft, sondern allgemein als Ἰουδαῖος. Unter kognitivem Aspekt ist er aber mit der christlichen Botschaft in den wesentlichen Zügen vollkommen vertraut, und diese Botschaft verkündigt er in der Synagoge[677], wenn auch seine Tauflehre sich noch auf einer Vorstufe befindet.[678] Wie das österlich-pfingstliche Kerygma Apollos erreicht hat, ist nicht mehr festzustellen. Prinzipiell ist aber auf die historische Möglichkeit eines solchen „versprengten Christentums" ohne den Rückhalt einer Gemeinde und die plenitudo doctrinae zu verweisen.[679] Dem alexandrinischen Missionar fehlt also der soziale Bezug zu einer christlichen – das heißt für Ephesus: paulinischen – Gemeinde;

---

[674] 1 Kor 1f erweckt den Eindruck, daß der Missionar die neu erlernte Tauftheologie zwar genutzt hat, um die Gemeinde beträchtlich zu vermehren, sie damit aber zugleich erheblich verwirrt hat (vgl. v. a. 1 Kor 1, 13–17); vgl. dazu KRAFT, Entstehung, 42.

[675] Nur die sehr knappen Notizen Apg 13, 12; 18, 8a verbinden die Einzelbekehrung nicht explizite mit dem Empfang der Taufe (vgl. SCHWEIZER, Bekehrung, 253 A. 23).

[676] So auch SCHWEIZER, Bekehrung, 253. Vielleicht eher aus dogmatischer Besorgnis BUZY, Jean-Baptiste, 367: „Mais il est certain [!] qu' Apollos avait reçu le baptême chrétien"; ebenso die katholischen Exegeten INNITZER, Johannes, 213 und SCHUMACHER, Apollos, 14f; behutsamer auch CHEYNE, Art. John, 2504; HUNTER, Apollos, 148f; unschlüssig STÄHLIN, C: Apg, 250.

[677] MICHAELIS, Johannes-Jünger, 735f; DERS., Täufer, 139 vernachlässigt die gewichtigen Unterschiede in der Deskription der ephesischen Jünger einerseits und des alexandrinischen Missionars andererseits. Unberechtigt ist die Pauschalierung SCHNEIDERS, C: Apg II, 263: „Die Johannesjünger stehen auf demselben [!] unzulänglichen Wissensstand wie Apollos".

[678] So im wesentlichen auch ALAND, Vorgeschichte, 6f, 10f; GOGUEL, seuil, 103f; MANSON, John, 397 A. 1; STÄHLIN, C: Apg, 250.

[679] Gegen PESCH, C: Apg II, 161; WEISER, C: Apg II, 506. Vergleichbar ist hier etwa das Geschick des von Philippus zum Glauben geführten Äthiopiers (Apg 8, 26–40).

er war nach der Formulierung KÄSEMANNS ein urchristlicher Freibeuter.[680] In diesen Zusammenhang ist auch das Manko in der Tauflehre einzuordnen: Apollos kennt die christliche Taufe nicht und kann sie deshalb auch nicht als Initiationssakrament der Gemeinde würdigen, was sie aber – im Unterschied zur Johannestaufe – von ihren Anfängen an gewesen ist (s. u. IV:3.2). Diese und wahrscheinlich noch ähnliche Wissenslücken schließt die Belehrung durch das dem Paulus nahestehende Ehepaar. Vor allem aber wird Apollos von Aquila und Priszilla sowie den „Brüdern" überhaupt in die paulinisch geprägte Gemeinde von Ephesus integriert und später auch von den „Jüngern" in Korinth aufgenommen, wo er wohl eine rege christliche Tauftätigkeit beginnt. Wenn er selbst die christliche Taufe nicht empfängt, muß daraus geschlossen werden, daß in seinem Fall die Johannestaufe als hinreichend betrachtet wird. Dieser prima facie erstaunliche Sachverhalt wird verständlicher, wenn man bedenkt, daß ein Großteil der Altapostel aus der Täuferbewegung stammen dürfte, also die Johannestaufe empfangen hat, von einer christlichen Taufe der Apostel aber nirgendwo die Rede ist (s. u. IV:3.2.2). So ist auch Apollos Zeuge für die soziologische Kontinuität der Johannestaufe im frühesten Christentum.

8.4 Vergleich mit Apg 19, 1–7

Beim Vergleich der Apollos-Erzählung mit der von den ephesischen Jüngern stellt sich insbesondere das Problem, warum diese „wiedergetauft" werden, jener aber nicht. Die in verschiedenen Variationen oft wiederholte Hypothese H. PREISKERS (1931), Apollos sei bereits Geistträger (vgl. Apg 18,25), den Jüngern hingegen fehle der Geist noch (vgl. Apg 19,2), so daß sie der geistvermittelnden Taufe noch bedürfen[681], greift zu kurz. In ihrer sakramentspolemischen Orientierung[682] ist sie schlechterdings falsch, denn es wird bei Apollos ja nicht auf jedweden Taufritus verzichtet, sondern nur die einmal gespendete Johannestaufe in seinem Fall als hinreichend anerkannt. Aber der Geistbesitz wird bei Apollos nur als ein Nebenzug, eher als eine – freilich theologisch zu wertende – Charaktereigenschaft, erwähnt (s. o. III:8.2.2); bei den Jüngern erfolgt die Geistverleihung nicht durch die Taufe qua Taufe, sondern durch die postbaptismale Handauflegung. Außerdem ist der Nexus von Taufe und Geist-

---

[680] Johannesjünger, 165; in der Präzisierung dieser Wendung geht unsere Erklärung jedoch andere Wege als die KÄSEMANNS.

[681] PREISKER, Apollos, passim; ähnlich DIBELIUS, Überlieferung, 96; SCHWEIZER, Bekehrung, 253.

[682] Vgl. PREISKER, Apollos, 304.

empfang in Apg so eng nicht.[683] Der Einzelunterschied des Geistbesitzes ist vielmehr nur Element innerhalb einer übergeordneten Gesamtdifferenz zwischen Apollos und den Jüngern. Die je eigene Dynamik stellt sich schematisch folgendermaßen dar[684]:

Apg 18, 24–28: Apollos
Johannestaufe
korrekter Christus-Glaube + Geistbesitz / fehlende ekklesiale Bindung
Anerkennung der Johannestaufe („Wiedertaufe" unnötig)
Belehrung und soziale Eingliederung in die Gemeinde

Apg 19, 1–7: die ephesischen Jünger
Johannestaufe
mangelnder Christus-Glaube + „Geistlosigkeit" / ekklesiale Bindung
Anerkennung als μαθηταί
christliche Taufe, Handauflegung, Geistmitteilung

Von der Frage des Geistbesitzes ist also die des Kerygmas nicht zu trennen, und hier liegt der wesentliche Unterschied zwischen dem alexandrinischen Missionar und den ephesischen Jüngern: Apollos ist Christ, aber noch nicht integriert, die Jünger sind integriert, aber noch keine Christen.[685] Ist bei Apollos der Glaube in den wichtigsten Zügen vollständig, ein Umstand, der auf Geistbesitz schließen läßt, so fehlt ihm doch der Anschluß an eine Gemeinde. Genossen die Jünger vormals zwar Beziehungen zur Bewegung Jesu, so fehlt ihnen doch der christliche Glaube im eigentlichen Sinn, und deshalb können sie auch keine Geistträger sein; so bedürfen sie des christlichen Sakraments.[686]

---

[683] Zur Diastase von Wassertaufe und Geistempfang in Lk und Apg vgl. WILCKENS, Wassertaufe, passim.

[684] Die Ergebnisse der Einzelauslegung sind hier vorausgesetzt.

[685] Es ist also unangemessen, die Beziehungen zwischen Apollos und den Jüngern mit WOLTER, Apollos, 71 so zu beschreiben: „Über das beide miteinander verbindende Scharnier der Täuferschülerschaft schlägt das Geist- und Taufdefizit der Johannesjünger von Act 19, 1–7 auf den Johannesjünger Apollos zurück". Apg 18, 24–28 sagt keineswegs, daß Apollos ein Geistdefizit aufweise oder daß er Täuferschüler sei; letzteres wird auch von den Jüngern nicht behauptet! Das „verbindende Scharnier" ist zwar die Johannestaufe, aber bei diesen führt sie nicht zum christlichen Glauben, bei jenem nicht in die Gemeinschaft der Christen. Das je eigene Defizit ist also auf je eigene Weise aufzuheben!

[686] In eine ähnliche Richtung weist die von BEASLEY-MURRAY, Taufe, 151 vorgeschlagene Lösung.

8.5 Redaktionsgeschichtliche Analyse

Bei der abschließenden Frage, mit welcher Darstellungsabsicht Lk die ihm überkommene Tradition bietet, verschieben sich die Akzente gegenüber der redaktionsgeschichtlichen Analyse von Apg 19, 1–7 (s. o. III:7.4) nur unwesentlich. Auch in Apg 18, 24–28 zeigt Lk auf, wie ein urchristlicher Nebenfluß in den breiten Hauptstrom des apostolisch-offiziellen Christentums mündet. Auch hier ist das heilsgeschichtliche Anliegen von dem ekklesiologischen nicht zu trennen: die Una Sancta als Trägerin des heilsgeschichtlichen Fortgangs holt den abseits wirkenden Sondermissionar in ihre Reihen und überwindet so zugleich dessen heilsgeschichtlich obsoletes, verkürztes Taufwissen. Insofern Apollos aber keineswegs das Judentum repräsentiert (s. o. III:8.2.1), wird man aus der Perikope „den ungebrochenen Gang der Heilsgeschichte vom Judentum zum Christentum"[687] nicht herauslesen. Die Gewinnung des Abseitigen durch die Parteigänger des Paulus stellt den Auftakt zu dessen ephesischem Triumphzug dar, in der der Apostel immer fremdere Gegenspieler in stetig drastischer werdenden Auseinandersetzungen überwindet (vgl. Apg 19, 1–20, 1).[688]

---

[687] SCHWEIZER, Bekehrung, 253; vgl. WEISER, C: Apg II, 510.
[688] Vgl. E. HAENCHEN, Die Einzelgeschichte und der Zyklus. Eine methodologische Glosse zur Acta, in: H. BALTENSWEILER u. B. REICKE (Hg.), Neues Testament und Geschichte. Historisches Geschehen und Deutung im Neuen Testament. FS O. CULLMANN, Zürich/Tübingen 1972, 199–205, hier: 203f.

9. Joh 1, 35–51

9.1 Literarkritische Analyse

9.1.1 Die quellenkritische Problematik

Die literarkritische Beurteilung von Joh 1, 35–51 schwankt zwischen Extremen: zum einen wird die Perikope als einheitlich gestaltete redaktionelle Komposition gewürdigt, zum anderen wird sie in mehrere, jeweils verschiedenen diachronen Schichten zugehörige Bestandteile zergliedert.[689] In einer eingehenden Untersuchung hat F. HAHN (1974) die Erzählung auf gattungstypische und nicht formgebundene Überlieferungselemente untersucht und so ein recht heterogenes Material freigelegt.[690] Seine Analyse gelangt zu dem Resultat, Joh 1, 35–51 stelle eine ganz redaktionell geformte Komposition dar, in die allerdings vielfältiges Überlieferungsgut inkorporiert sei.[691] Die Erkenntnis der redaktionellen Prägung der Perikope mahnt zur Zurückhaltung gegenüber der unvermittelten Zuweisung zu einer vorjohanneischen Quellenschicht. Die Erkenntnis traditionellen „Urgesteins" läßt freilich den Einfluß einer Quelle – auch auf die gattungstypischen Bestandteile – zumindest nicht a priori ausschließen. Mit Nachdruck hat in der Täuferkreis-Forschung M. GOGUEL (1928) eine solche postuliert.[692] Seit der Joh-Kommentierung R. BULTMANNS (1941) wird hier immer wieder die Semeia-Quelle (SQ) vermutet[693], als deren Einführung der Marburger Exeget Joh 1, 35–51 bestimmt.[694]

Die vorliegende Untersuchung nimmt in der quellenkritischen Bewertung des vierten Evangeliums eine recht zurückhaltende Position ein, zählt aber Joh 2, 1–12* zum gesicherten Minimalbestand von SQ (s. u. V:5). Mit dieser Perikope ist Joh 1, 35–51, wie ausführlich dargetan werden soll (s. u. V:5.4.3.2), jedoch engstens verknüpft. Dies läßt einen gewissen Einfluß der SQ auf die Erzählung von der Berufung der Jünger für möglich halten. Tatsächlich legt dies

---

[689] Einen detaillierten Forschungsbericht bietet jetzt KUHN, Christologie, 1–68.

[690] Vgl. Jüngerberufung, 177–181 (gattungstypische Elemente), 181f (nicht formgebundener Traditionsstoff); die redaktionsgeschichtliche Prüfung legt HAHN, ebd., 182–189 vor.

[691] Ähnlich HAENCHEN, C: Joh, 176, 185; ebd., 183f äußert sich der posthum erschienene und nicht mehr ganz vereinheitlichte Kommentar allerdings anders.

[692] Seuil, 81, 249f.

[693] BULTMANN, C: Joh, 68, 75f, 78; ähnlich BECKER, Wunder, 135; DERS., C: Joh I, 100f, 114–116; GNILKA, C: Joh, 20; KUHN, Christologie, 160f u. ö.; SCHULZ, C: Joh, 40; vorsichtig auch NICOL, Sēmeia, 39f.

[694] C: Joh, 78.

auch der Inhalt nahe. Die Perikope verdankt ihren eigentümlichen Charakter vor allem dem Motiv des „wunderbaren Wissens" Jesu (vgl. Joh 1, 42. 47. 50). Gewiß ist die sehr fragwürdige Hypothese einer hellenistisch geprägten ϑεῖος ἀνήρ-Christologie der SQ von diesem Motiv fernzuhalten.[695] Es handelt sich hier aber um einen aretalogischen Sonderfall, der sich an alttestamentlich-jüdischen Vorbildern orientiert und auch der synoptischen Überlieferung vertraut ist; in die σημεῖον-Christologie der SQ fügt er sich passend ein. Der immer wieder beobachtete relative Mangel an johanneischen Stileigentümlichkeiten[696] rät ebenfalls zur Annahme vorjohanneischen Einflusses. So erscheint es als sachgerecht, die durchkomponierte Einheit zwar nicht als Quellenstück zu bestimmen, wohl aber für ihren Grundbestand nach Traditionsstoff und Sprachgestalt den Einfluß von SQ zu vermuten.

9.1.2 Die Isolation von Joh 1, 43

Keinen Ansatz bietet der Text hingegen für eine literarkritische Isolation von Joh 1, 43.[697] Diese Operation wird durch das Interesse am Lieblingsjünger motiviert und argumentiert weithin lediglich mit dem Idealtypus einer „logischen" Sequenz nach Streichung des Verses. Jedoch läßt sich ein Motiv für eine komplizierende Einfügung von Joh 1, 43 secunda manu nicht ausfindig machen, sofern man nicht annehmen will, durch die Einfügung des Verses werde die Zahl der berufenen Jünger auf fünf erhöht und Philippus (vgl. Joh 1, 37. 45) durch den Anonymus (vgl. Joh 1, 37) verdrängt, so daß der Redaktor hier also geflissentlich den Lieblingsjünger einführe.[698] Diese ganz künstliche Hypothese, die dem Redaktor zutraut, seinen wichtigsten Gewährsmann mit einer selbst vom aufmerksamen Leser kaum wahrzunehmenden Subtilität vorzustellen (vgl. vielmehr Joh 13, 23), fällt mit der Identifizierung des Anonymus als Lieblingsjünger (s. u. III:9.4.1). Die Annahme eines komplizierenden Umbaus durch einen Redaktor ist erheblich unökonomischer als die Vermutung eines mit Joh 1,43 neu ansetzenden Erzählstrangs. Wenn dieser Vers die Typik bricht,

---

[695] BULTMANN, C: Joh, 75 will dem Text gar eine „magische Anziehungskraft" Jesu – „Das Märchenmotiv des ‚Schwan, kleb an!' ist in eine höhere Sphäre übertragen" (ebd., 75 A. 1) –, die Allwissenheit des Offenbarers und die Erzwingbarkeit von Bekenntnis und Nachfolge entnehmen – ein gekünstelter Eintrag mythologischer Motive im Dienst der vorgefaßten ϑεῖος ἀνήρ-Hypothese! Zur Auseinandersetzung mit der ähnlich auch von BECKER, C: Joh I, 100 (vgl. DERS., Wunder, 141!) und SCHULZ, C: Joh, 42f vertretenen Hypothese vgl. HAHN, Jüngerberufung, 189 A. 73; HEEKERENS, Zeichen-Quelle, 41; NICOL, Sēmeia, 48–52, 66–68, 92–94 und die sehr grundsätzlichen Überlegungen BITTNERS, Zeichen, 9–13.

[696] Vgl. etwa BULTMANN, C: Joh, 68 A. 7; 78 A. 3; NICOL, Sēmeia, 25, 39.

[697] Gegen BECKER, C: Joh I, 100; KUHN, Christologie, 124–130; LANGBRANDTNER, Gott, 69f und die Überlegungen bei BULTMANN, C: Joh, 68 A. 5; SCHNACKENBURG, C: Joh I, 312f.

[698] So KUHN, Christologie, 127–129; LANGBRANDTNER, Gott, 70; THYEN, Literatur (1977), 248f.

so ist dies durch die Verarbeitung disparaten Traditionsmaterials hinreichend zu begründen. Auch „πρῶτον" (Joh 1, 41) läßt sich ohne ästhetisierendes Parallelschema zwanglos deuten (s. u. III:9.4.2).[699]

9.2 Kontext- und Strukturanalyse

Joh 1, 35–51 ist formal und sachlich eng mit der übergeordneten Komposition Joh 1, 19–2, 12 verknüpft. Die Darstellungsabsicht dieser Einheit wird durch den Eingang Joh 1, 19a und den Zielpunkt Joh 2, 11 deutlich demonstriert. Die Einheitlichkeit des zwischen diesen Polen liegenden Abschnitts wird formal durch das Tagesschema (Joh 1, 29. 35. 43; 2, 1) und sachlich durch die Offenbarungs- und Zeugnisthematik sowie die vielfältige Auflistung von Hoheitsprädikationen oder -umschreibungen (Joh 1, 26f. 29f. 34. 36. 41. 45. 49)[700] hergestellt. Joh 1, 35–51 wird durch den christologischen Titulus „ὁ ἀμνὸς τοῦ θεοῦ" (Joh 1, 36) auf das Täuferzeugnis Joh 1, 29–34 rückbezogen und verweist mit dem Schlußsatz (Joh 1, 51) bereits auf das erste Kana-Zeichen Joh 2, 1–12.[701]

Die Erzählung von der Berufung der ersten Jünger[702] ist ihrerseits durch die chronologischen Angaben in Joh 1, 35. 43 zweigeteilt. Beide Abschnitte erzählen je zwei Begebenheiten: A. I. Joh 1, 35–40: Zwei Jünger des Johannes finden durch das Zeugnis ihres Meisters zum Christus. II. Joh 1, 41f: Andreas führt Petrus zu Jesus. B. I. Joh 1, 43f: Jesus ruft Philippus in die Nachfolge. II. Joh 1, 44–51: Philippus führt Natanaël zu Jesus, der sich offenbart.[703]

Die nähere Betrachtung dieser durchaus unterschiedlichen Eintritte in die Nachfolge[704] zeigt, daß es der Erzählung keineswegs um das Zeugnis des Täufers Johannes allein geht. Dieses bildet nur den Auftakt und führt über zu dem Zeugnis der Jünger, schließlich zur Selbstoffenbarung Jesu.

---

[699] Vgl. auch HAHN, Jüngerberufung, 176–178; SCHULZ, Nachfolgen, 98f; SCHULZ, C: Joh, 40.

[700] Vgl. MORRIS, C: John, 171f.

[701] Vgl. dazu auch HAHN, Jüngerberufung, 172–174.

[702] Wir übernehmen diesen eingebürgerten Arbeitstitel, obwohl nur Joh 1, 43 eine Berufungserzählung im strikten formkritischen Sinn darstellt.

[703] Vgl. zu diesen beiden Doppelsträngen auch BROWN, C: John I, 84f; HAHN, Jüngerberufung, 174f.

[704] HAHN, Jüngerberufung, 182: „Seine [scil.: des Evangelisten] Intention ist eine vierfache: er will die Berufung durch das Zeugnis Johannes des Täufers mit der Berufung durch Jesu eigenes Wort parallelisieren; er will sodann hervorheben, daß die neugewonnenen Jünger ihrerseits durch ihr messianisches Bekenntnis wiederum Menschen in die Nachfolge rufen; weiter liegt ihm daran zu zeigen, daß auch die indirekte Berufung zur Begegnung mit Jesus führt; und schließlich bemüht er sich, einen ganzen Katalog christlicher Hoheitstitel in diese Berufungserzählung aufzunehmen".

9.3 Analyse der narrativen Funktionsebenen

9.3.1 Textanalytischer Überblick

Die semantische Analyse trifft in der ganzen Perikope auf eine Reihe von Verben, die die einfachen Grundmuster der Nachfolgeentscheidung jedes „Jüngers" markieren[705]:

Vers	Verbum	Logisches Subjekt	(→ logisches Objekt)
35			
36	ἐμβλέψας	Johannes	(→ Jesus)
	ἴδε	(Johannesjünger)	(→ Jesus)
37	ἤκουσαν	Johannesjünger	(→ Johannes)
	ἠκολούθησαν	Johannesjünger	(→ Jesus)
38	θεασάμενος	Jesus	(→ Johannesjünger)
	ἀκολουθοῦντας	Johannesjünger	(→ Jesus)
	ζητεῖτε	Johannesjünger	
	μένεις	Jesus	
39	ἔρχεσθε	Johannesjünger	
	ὄψεσθε	Johannesjünger	
	ἦλθαν	Johannesjünger	
	εἶδαν	Johannesjünger	
	μένει	Jesus	
	ἔμειναν	Johannesjünger	
40	ἀκουσάντων	Johannesjünger	(→ Johannes)
	ἀκολουθησάντων	Johannesjünger	(→ Jesus)
41	εὑρίσκει	Andreas	(→ Petrus)
	εὑρήκαμεν	Johannesjünger	(→ Jesus)
42	ἐμβλέψας	Jesus	(→ Petrus)
43	εὑρίσκει	Jesus	(→ Philippus)
	ἀκολούθει	Philippus	(→ Jesus)
44			
45	εὑρίσκει	Philippus	(→ Natanaël)
	εὑρήκαμεν	Johannesjünger?	(→ Jesus)
46	ἔρχου	Natanaël	
	ἴδε	Natanaël	(→ Jesus)
47	εἶδεν	Jesus	(→ Natanaël)
	ἐρχόμενον	Natanaël	
48	γινώσκεις	Jesus	(→ Natanaël)
	εἶδον	Jesus	(→ Natanaël)
49			
50	εἶδον	Jesus	(→ Natanaël)
	ὄψῃ	Natanaël	
51	ὄψεσθε	Johannesjünger?	

---

[705] Berücksichtigt werden hier nur solche Verben, die im Text mehrfach vorkommen und die sich in ihrem Bedeutungsgehalt korrelativ bzw. komplementär verhalten.

Die zentralen Verben der Perikope sind also ebenso einfach wie abgründig: sehen (13mal) und hören (2mal), suchen (1mal) und finden (5mal), kommen (4mal), nachfolgen (4mal) und bleiben (3mal). Blickt man auf die Verteilung dieser Verben auf die logischen Subjekte und Objekte, so zeigt sich folgende Grunddynamik:

Johannes und die Jünger „schauen" auf Jesus; die Jünger „hören" auf Johannes und „suchen" und „finden" Jesus, „finden" aber auch einander. Sie „folgen" Jesus und „bleiben" bei ihm. Auf der anderen Seite „sieht" Jesus die Seinen, „findet" sie und „bleibt" bei ihnen.

Die in Joh 1,35–51 bevorzugten Verben sind ausnahmslos polyvalent, sie besitzen eine Tiefenschärfe, die die Erzählung auf verschiedenen Ebenen lesbar erscheinen lassen. Eine sachgerechte Texterschließung hat die möglichen Erzählebenen genauer zu differenzieren, wobei in der Interaktion zwischen Johannes, Jesus und den Jüngern den letzteren entscheidende Bedeutung zukommt.[706] Wir halten die folgende Einteilung für hilfreich:

kerygmatische Erzählebene
= Verkündigung in Form von Geschichtsdarstellung

    paränetisch
    Die Jünger sind Identifikationsgestalten für die johanneischen Leser

    missionarisch
    Die Jünger sind Repräsentanten der zu gewinnenden Nicht-Christen

historische Erzählebene
= Geschichtsdarstellung im Dienst der Verkündigung

    real
    Die Jünger sind die konkreten Gestalten, als die sie geschildert werden

    prototypisch
    Die Jünger sind in verdichtender Rede Repräsentanten der Täuferbewegung

Unter „historisch" ist hier lediglich der Erzählanspruch, nicht dessen im einzelnen zu überprüfende Einlösung zu verstehen. Diese narrativen Funk-

---

[706] Für die hermeneutische Grundlegung der folgenden Differenzierung vgl. H.-J. KLAUCK, Die erzählerische Rolle der Jünger im Markusevangelium. Eine narrative Analyse, in: NT 24 (1982) 1–26. Die spezifisch johanneische Erzählweise folgt allerdings anderen Gesetzen als die des zweiten Evangelisten, so daß die hier vorgelegte Unterscheidung von der für Mk zu treffenden abweicht.

tionsebenen, die sich freilich überlagern können, sind in der Diskussion auch tatsächlich vorgeschlagen worden.

9.3.2 Die kerygmatische Erzählebene

Die semantische Analyse (s. o. III:9.3.1) deutet auf das Übergewicht der kerygmatischen Erzählfunktion hin, da die Verben ohne Ausnahme auf die Situation des Lesers – sei er bereits „Jünger" oder soll er es allererst noch werden – hin transparent sind. In diese Richtung weisen auch folgende Beobachtungen am Text: Die Perikope ist durch allgemeingültige Fragen geprägt, die sich primär als Fragen des Lesers (Joh 1, 38b. 46) oder an den Leser (Joh 1, 38a[707]) erweisen. Ferner kennzeichnen die Perikope einladende Imperative (ἔρχομαι, ἀκολουθέω) und futurische Verheißungen (ὁράω) (Joh 1, 39. 43. 46. 50. 51). Das praes. historicum wird signifikant für die allgemeingültigen Aussagen eingesetzt, während die eher singulären Ereignisse der Vergangenheit im Imperfekt und Aorist stehen.[708] Das Leitwort dieser dem Gegenwartsappell dienenden narrativen Ebene ist die verheißungsvolle Einladung: „ἔρχεσθε καὶ ὄψεσθε" (Joh 1, 39).

Insgesamt läßt sich der Text so durchaus paränetisch verstehen. Die werbende Aufforderung zu „kommen", um zu „finden", zu „sehen" und zu „bleiben", mag aber nicht nur für den christlichen Leser, sondern gerade auch für den außenstehenden von Bedeutung sein.[709] A priori liegt es also nahe, auch nach der missionarischen Textfunktion zu fragen, und hier kommen angesichts der logischen Subjekte und Objekte der semantischen Analyse (s. o. III:9.3.1) primär – noch näher zu qualifizierende – „Johannesjünger" in Betracht.

9.3.3 Die historische Erzählebene

Im ganzen beherrscht also die kerygmatische Textfunktion die Perikope. Sie bezieht sich auf die gegenwärtige Entscheidungssituation des christlichen oder nicht-christlichen Lesers und nicht auf die historische Situation des Täufers, Jesu und der Täuferjünger. Doch sind in der Erzählung Nebenstränge zu erkennen, deren Bedeutung nicht generalisierbar ist, da sie sich primär auf singuläre, der Vergangenheit zuzuordnende Vorkommnisse beziehen. In Joh 1, 35. 41. 44–50 wird die historische Erzählebene berührt. Der Täufer Johannes, der Johannesjünger Andreas und sein „Kephas – Petrus" genannter Bruder

---

[707] Es handelt sich bei dieser Frage um das erste Wort des johanneischen Jesus überhaupt.

[708] Vgl. allgemein BLASS/DEBRUNNER, § 321.

[709] Ganz anders Joh 15, 1–8 mit der Betonung des „Bleibens" für solche Leser, die sich bereits zur Nachfolge entschieden haben!

Simon, Sohn des Johannes, der wie diese beiden aus Betsaida stammende Philippus, schließlich wohl auch Natanaël sind unverwechselbare, nicht auszutauschende Einzelgestalten. Die Nennung konkreter Namen und Umstände läßt die Transparenz auf den Leser zurücktreten und stellt die Schilderung – freilich paradigmatischer – Einzelschicksale in den Mittelpunkt. Auch dieser Strang mag werbenden Charakter haben, aber geworben wird hier mit dem gedeuteten Beispiel, und dieses gehört zur realen Erzähllebene.

Ob schließlich die einzelnen Jünger prototypisch als partes pro toto für die Täuferbewegung überhaupt oder für den Jüngerkreis des Täufers oder für eine Täufergemeinde stehen, kann textimmanent nicht geklärt werden, sondern ist nur im exegetischen und historischen Vergleich zu erschließen (s. u. V:5).

9.4 Einzelanalyse

9.4.1 Joh 1, 35–40

Den Beginn der Einheit (Joh 1, 35f) bildet im Anschluß an Joh 1, 19–28. 29–34 einmal mehr das Täuferzeugnis, das nunmehr auf seine Folgen hin betrachtet wird. Dabei setzt Joh 1, 35 als selbstverständlich voraus, daß sich um den Täufer Jünger gesammelt haben. Bei dem Bekenntnis des Vortags sah Johannes „Ἰησοῦν ἐρχόμενον πρὸς αὐτόν" (Joh 1, 29). Hinter dieser Wendung steht, wie der Kontext (Joh 1, 32f), aber auch die synoptischen Berichte (vgl. Mk 1, 9–11 / Mt 3, 13–17 / Lk 3, 21f)[710] eindeutig zeigen, das Kommen Jesu zur Taufe. Wesentlich ist der Perikope aber nur das Zeugnis des Täufers für den Täufling, das „Lamm Gottes" (Joh 1, 36; vgl. 1, 29), also für den durch seinen Tod die Sünden des Volkes stellvertretend sühnenden Messias.[711] Die Prädikation „Lamm Gottes" ist so außergewöhnlich, daß es kaum ein Zufall sein dürfte, wenn der vierte Evangelist sie gerade dem Täufer Johannes in den Mund legt. Dem historischen Täufer ging es zentral um die Sündenvergebung: in Jesus findet seine Verkündigung ihr Ziel.[712] Da die Adressaten dieser Rede zwei Johannesjünger sind, kann eine missionarische Funktion des Hoheitstitels erwogen werden.

---

[710] Es ist HAENCHEN, C: Joh, 174 beizupflichten, „daß man die Erzählungen des einen Evangeliums nicht wie selbstverständlich in die eines andern eintragen darf", doch heißt dies nicht, daß die synoptischen Berichte nicht als *Hintergrund* von Joh herangezogen werden dürfen.

[711] Zur Erklärung der Prädikation vgl. SCHNACKENBURG, C: Joh I, 285–288, der sowohl auf das Motiv des Passahlammes als auch auf das des leidenden Gottesknechts verweist. Gegen DODD, tradition, 270f ist zu betonen, daß das Theologumenon erst christlicher Reflexion entstammen kann und sich in das historische Gesamtbild des Täufers Johannes kaum einfügen läßt.

[712] Vgl. BULTMANN, C: Joh, 66–68.

Joh 1, 37 unterstreicht, daß die Johannesjünger Jesus auf dieses Wort des Täufers hin folgen.[713] Das die ganze Einheit prägende Verbum ἀκολουθέω (vgl. Joh 1, 37. 38. 40. 43) ist in typisch johanneischer Homonymie zunächst als reales Nachgehen zu verstehen, dann aber auch als Nachfolge im tieferen Sinne, als „Konversion" vom Täufer zu Jesus.[714] Dem entspricht die Anrede als ῥαββί bzw. διδάσκαλος (Joh 1, 38).[715]

Das folgende hintergründige Zwiegespräch (Joh 1, 38f) treibt nicht nur die Handlung voran, sondern verfolgt ein aktuelles kerygmatisches Anliegen. Die existentielle Dynamik Suche[716] – Einladung – Verheißung des Findens sollte nicht konkret „gefüllt" werden. Die Frage der Jünger dürfte mit der Bitte um Schrift-auslegung kaum zu tun haben.[717] Es ist daher auch eine eo ipso unbelegbare Mutmaßung, wenn man behauptet, daß die Johannesjünger „die messianisch ‚angewandte' Schriftlektüre stärker betrieben haben, als unsere Texte bezeu-gen".[718] Angesichts der Vorliebe des vierten Evangelisten für Symbolstrukturen im allgemeinen und der Tiefendimension des vorliegenden Passus im besonderen, sollte es trotz des taxierenden ὡς[719] nicht ausgeschlossen werden, daß die Zeitangabe in Joh 1, 39c eine Tiefenschärfe aufweist, und hier kommt zuerst der Erfüllungsgedanke in Betracht[720]: mit dem Übergang vom Jüngerkreis des Johannes in die Nachfolge Jesu erfüllt sich die Suche der beiden Männer.[721]

Joh 1, 40 wirkt mit der angehängten Präzisierung und der umständlichen Wiederholung[722] auffällig „nachklappend". Dies erklärt sich aus dem Wechsel der narrativen Funktionsebene: der im Praeteritum gefaßte Vers dient der Vorstellung einer konkreten historischen Gestalt. „The theme of 'testimony' is interwoven with another: that of the adhesion of certain persons to Jesus as

---

[713] Von daher kann nicht gesagt werden, der Bericht solle den Eindruck wecken, „daß die beiden Suchenden durch Jesus selbst gewonnen werden und Johannes nur den Vermittler spielte": gegen SCHNACKENBURG, C: Joh I, 309.

[714] „This last phrase, although in the dramatic situation it has the perfectly simple and appropriate meaning that they accompanied Jesus to his lodging, can hardly have been used without at least an oblique reference to the pregnant sense which that expression bore in the language of the primitive Church: they became adherents of Jesus" (DODD, tradition, 277; ähnlich BROWN, C: John I, 78f; BULTMANN, C: Joh, 69 A. 5; HAHN, Jüngerberufung, 183; MORRIS, C: John, 156f; SCHNACKENBURG, C: Joh I, 308).

[715] Vgl. näher BROWN, C: John I, 74f; WINK, John, 91: „The language of discipleship adorns the section: 'rabbi', 'come', 'they followed Jesus', 'they stayed … with him'".

[716] Zur Tiefendimension der Frage „τί ζητεῖτε;" vgl. BROWN, C: John I, 78; die Einheitsübersetzung bietet völlig verflachend: „Was wollt ihr?".

[717] So aber SCHNACKENBURG, C: Joh I, 308f; dagegen auch BECKER, C: Joh I, 102; HAHN, Jüngerbe-rufung, 184 A. 46.

[718] SCHNACKENBURG, C: Joh I, 308.

[719] Joh leitet alle Zeitangaben mit ὡς ein (vgl. HAENCHEN, C: Joh, 175).

[720] Vgl. allgemein F. HAUCK, Art. „δέκα", in: ThWNT II (1935), 35f.

[721] Ähnlich BULTMANN, C: Joh, 70; SCHULZ, C: Joh, 41; anders DIBELIUS, Überlieferung, 106 A. 2; HAHN, Jüngerberufung, 184 A. 48; SCHNACKENBURG, C: Joh I, 309; plausibel HAENCHEN, C: Joh, 175: „Die Zeitangabe … markiert das Ende des Abschnitts, nicht des Besuchs".

[722] „ἀκολουθησάντων αὐτῷ" dürfte sich dem sachlichen Zusammenhang nach auf die Jesus-Nachfolge (vgl. Joh 1, 39) beziehen, obwohl der syntaktische Bezug eher auf Johannes weist.

disciples".[723] Paradigmatisch wird an Personen, die beim Leser als bekannt vorausgesetzt werden[724], illustriert, wie die – für den Leser nur noch indirekt zu treffende[725] – Entscheidung zur Nachfolge in die Lebensgemeinschaft mit Jesus geführt hat und führen wird.

Die jetzt vorliegende Textgestalt handelt in Joh 1, 35–40 von Andreas und einem anderen, namentlich nicht genannten Jünger. Die Tatsache, daß nur einer der Jünger mit Namen vorgestellt wird, läßt auf Traditionsvorgabe schließen, denn eine tendenziöse Traditionsprägung durch den Evangelisten ließe ein konsequenteres Vorgehen erwarten. Es ist nicht einzusehen, welche Absicht der Redaktor mit der Einsetzung eines bestimmten Namens oder der Verdrängung eines anderen, von der Tradition gebotenen Namens verfolgen könnte.[726] Eine gewisse Bevorzugung des Andreas und des Philippus in der kleinasiatischen Tradition des zweiten Jahrhunderts, wie sie sich bei Papias (sec. Eusebium, Hist. Eccl., 3, 39, 3f) und Polykrates (sec. Eusebium, Hist. Eccl., 5, 24, 2) widerspiegele[727], reicht zur Erklärung möglicher Hintergründe selbst dann nicht aus, wenn man – ohne Grund – an der kleinasiatischen Herkunft des vierten Evangeliums festzuhalten gewillt ist[728], denn die Belege sind denkbar schwach.[729] So wird man die Nennung der Jünger Andreas, Simon und Philippus im Zusammenhang mit der verbreiteten Tradition sehen, die Simon und Andreas im engeren Kreis um Jesus ansiedelt und ihnen in relativer Nähe Philippus beigesellt.

Die Versuche, den Anonymus zu identifizieren, sind ebenso zahlreich wie aussichtslos. Genannt werden vor allem 1) Johannes Zebedaei, 2) der Lieblingsjünger und 3) Philippus:

Zu 1): Die traditionelle Exegese hat in dem ungenannten Jünger den Zebedaiden Johannes gesehen[730] und diesen meist mit dem sich bescheiden zurückhaltenden Evangelisten identifiziert.[731] Aus „πρῶτον" bzw. „πρῶτος"[732] wie

---

[723] DODD, tradition, 302.

[724] Vgl. SCHNACKENBURG, C: Joh I, 309.

[725] Vgl. HAHN, Jüngerberufung, 190.

[726] Vgl. auch BULTMANN, C: Joh, 69 A. 1.

[727] So DODD, tradition, 304f, 308f, 310; ähnlich BARRETT, C: John, 183 (vorsichtig); HAHN, Jüngerberufung, 182 A. 39.

[728] Wir plädieren unten (s. u. V:5) für eine syrische Herkunft der Schrift.

[729] Die Präzedenz des Andreas in der Liste der Herrenjünger bei Papias muß keineswegs auf „a certain priority of esteem" (DODD, tradition, 305) schließen lassen, sondern kann Reflex der Erstberufungstradition sein. So wird man auch nicht aus Gal 2, 9 die Priorität des Jakobus in Ephesus erschließen können. Wie schwierig es ist, mit der Präzedenz in Apostelkatalogen zu argumentieren, zeigt vor allem EvEb sec. Epiphanium, Pan. haer., 30, 13, 2f! Das Polykrates-Zeugnis belegt lediglich die ohnehin selbstverständliche Priorität des Herrenjüngers unter den „μεγάλα στοιχεῖα" der Provinz.

[730] So etwa noch BERNARD, C: John I, 53; GOGUEL, seuil, 81; INNITZER, Johannes, 272; STRATHMANN, C: Joh, 52.

[731] So INNITZER, Johannes, 272; STRATHMANN, C: Joh, 52; als Überlegung noch bei BROWN, essays, 134; vgl. BULTMANN, C: Joh, 76 m. A. 6; ROBINSON, baptism, 190.

[732] Die Textkritik entscheidet unten (s. u. III:9.4.2) zugunsten der ersten Lesart.

„ἴδιον" in Joh 1, 41 spreche, daß auch der δεύτερος μαθητής seinen Bruder zu Jesus geführt habe, also Johannes den Jakobus, so daß auch hier der gewohnte Viererkreis im Hintergrund stehe.[733] Doch πρῶτον läßt sich ohne Rekurs auf ein zweites Paar problemlos erklären (s. u. III:9.4.2) und das Adjektiv ἴδιος ersetzt in der Koine oft lediglich das Possessivpronomen.[734] Sachlich spielen die Zebedaiden im vierten Evangelium, vom Nachtragskapitel abgesehen, keine Rolle.[735] Schließlich ist kein Grund dafür erkennbar, warum der Evangelist den Jakobus gewissermaßen in einer Arkandisziplin verborgen halten sollte. Genauso unmotiviert scheint es, wenn er den Johannes Zebedaei nicht namentlich nennt, es sei denn, man identifiziere diesen mit dem Evangelisten, wofür sich der Forschung jedoch kein Anhalt bietet.

Zu 2): Sofern die vorkritische Auslegung den Lieblingsjünger einfachhin mit dem Zebedaiden Johannes gleichsetzte[736], sah sie bereits in Joh 1, 38f dessen Berufung geschildert.[737] Zahlreiche neuere Vorschläge weisen – freilich unter anderen Voraussetzungen – ebenfalls auf diese Gestalt.[738] Dafür werden folgende Argumente angeführt:

a) Joh 1, 43 sei sekundär eingetragen, da die Redaktion auf diese Weise in dem Anonymus den Lieblingsjünger als einen der Erstberufenen einführen konnte.[739]

b) Auch der Lieblingsjünger werde Joh 18, 15; 20, 2–8 als ἄλλος μαθητής beschrieben.[740]

c) Der Lieblingsjünger werde im vierten Evangelium dem Petrus übergeordnet; dies spiegele sich auch in Joh 1, 41 wider.[741]

d) Joh 13, 23 lehne sich sprachlich an Joh 1, 40 an.[742]

e) Joh 21, 20 lehne sich sprachlich an Joh 1, 38 an.[743]

Dagegen ist einzuwenden:

Zu a): Das Ziel, den Lieblingsjünger einzuführen, hätte der Redaktor anders

---

[733] Vgl. STRATHMANN, C: Joh, 52.

[734] Vgl. BLASS / DEBRUNNER, § 286.

[735] Vgl. BULTMANN, C: Joh, 70 A. 8.

[736] So noch BERNARD, C: John I, xxxiv–xxxvii.

[737] Zur neueren Forschungsgeschichte zum Themenkreis „Lieblingsjünger" vgl. THYEN, Literatur (1977), 213–261.

[738] So BROWN, essays, 134 (als Überlegung); DERS., C: John I, 73; CULLMANN, Kreis, 75f; HAHN, Jüngerberufung, 184–187; A. KRAGERUD, Der Lieblingsjünger im Johannesevangelium. Ein exegetischer Versuch, Oslo 1959, 12f, 19–21; KUHN, Christologie, 124–130; LANGBRANDTNER, Gott, 70; RUCKSTUHL, Jünger, 164; SCHNACKENBURG, C: Joh I, 310 (als Überlegung: „möglich, aber nicht beweisbar"); SCHNELLE, Christologie, 29f; THYEN, Literatur (1977), 248f.

[739] Vgl. LANGBRANDTNER, Gott, 70; KUHN, Christologie, 127f.

[740] Vgl. CULLMANN, Kreis, 75; RUCKSTUHL, Jünger, 164; SCHNACKENBURG, C: Joh I, 310.

[741] Vgl. CULLMANN, Kreis, 75f; HAHN, Jüngerberufung, 185: „Petrus kommt demnach nicht nur als zweiter zum Osterglauben (20, 3–8), er ist schon zu Beginn erst nach dem Lieblingsjünger in die Nachfolge Jesu eingetreten".

[742] Vgl. KUHN, Christologie, 128.

[743] Vgl. BROWN, C: John I, 73; KUHN, Christologie, 129; ferner BARRETT, C: John, 180.

als durch eine „Selbstentfremdung" des Philippus mittels eines komplizierenden Eingriffs erreichen können. Dieses Ziel wird außerdem nicht einmal erreicht, denn die repräsentative Gestalt des Lieblingsjüngers wird mit einem – sekundär „gewonnenen" – Anonymus identifiziert, dessen „Einführung" überhaupt nicht auffällt und der als dramatis persona völlig im Hintergrund steht. Vielmehr dient offensichtlich erst Joh 13,23 dieser Einführung, und sie wird hier explizite durchgeführt.

Zu b): Während der Lieblingsjünger zwar anonym bleibt, sich aber als ἄλλος μαθητής und vor allem durch sein Auftreten deutlich profiliert, ist der gar nicht ausdrücklich genannte Johannesjünger in Joh 1,40 völlig profillos, bleibt sachlich wie theologisch irrelevant.[744]

Zu c): Eine Inferiorisierung des Simon Petrus ist aus Joh 1,41f auch nicht ansatzweise herauszulesen: Jesus kündigt Simon mit dem Amtstitel eine bevorzugte Stellung an, während der hypothetische Lieblingsjünger namenlos im Hintergrund bleibt.

Zu d): Eine gewisse, eher entfernte Anlehnung von Joh 13,23 an Joh 1,40 erklärt sich durch dieselbe narrative Funktion beider Verse. Die asyndetische Koordinierung ist durch die Vorstellung einer bisher nicht benannten Gestalt bedingt. Mit ähnlicher sprachlicher Argumentation könnte man übrigens für Nikodemus (vgl. Joh 3,1) als den Anonymus plädieren. Schließlich ist in Joh 1,40 gar nicht von dem postulierten Lieblingsjünger, sondern von Andreas die Rede.

Zu e): Auch der Bezug des aus dem Nachtragskapitel stammenden Verses Joh 21,20 zu Joh 1,38 ist nach Vokabular (στρέφω – ἐπιστρέφω; θεάομαι – βλέπω), Subjekten, Objekten und Sache schlechterdings artifiziell hergestellt.[745]

So scheitert auch die Identifizierung des Innominatus mit dem Lieblingsjünger.

Zu 3): Der Versuch, in Philippus den Anonymus zu sehen[746], beruht auf der literarkritischen Tilgung von Joh 1,43, die aber nicht zu halten ist (s.o. III:9.1.2). Unter Einbeziehung dieses Verses ist behauptet worden, dieser wiederhole lediglich das in Joh 1,35–40 Geschilderte, um einen Anschlußpunkt für die zweite Kettenreaktion zu gewinnen.[747] Aber Joh 1,43 bezeichnet eine ganz andere Situation als Joh 1,39f. Vor allem aber ist nicht ersichtlich, warum Philippus nicht schon in Joh 1,40 genannt worden ist (vgl. Joh 1,44).[748] Schließlich kann man auch gar nicht vom Idealtypus einer Kettenreaktion ausgehen (s.o. III:9.1.2).

---

[744] Vgl. auch LORENZEN, Lieblingsjünger, 45.

[745] Vgl. auch ebd., 45f A. 35.

[746] Vgl. BOISMARD, traditions, 39–42; ferner HEEKERENS, Zeichen-Quelle, 102; SCHNACKENBURG, C: Joh I, 310, 312f.

[747] Vgl. DIBELIUS, Überlieferung, 107f.

[748] Daß der Evangelist Grund hatte, die Priorität des Petrus vor Natanaël zu wahren (vgl. DIBELIUS, Überlieferung, 107f), ist eine gezwungene Spekulation.

So bleibt in summa nur die Entscheidung zum Ignoramus. Der Evangelist ist nicht bereit oder in der Lage, die Identität des zweiten Jüngers preiszugeben. „The argument that anonymous characters in the story may be identified with one another and with the author is a very odd one".[749] So ist über den zweiten Jünger am Ende nur das eine bekannt, daß er dem Jüngerkreis des Täufers Johannes angehört, und eben dies scheint der Darstellung von Bedeutung zu sein. Nicht nur um das Geschick bekannter Einzelpersonen geht es ihr, sondern auch um das der Johannesjünger als solchen.

9.4.2 Joh 1, 41f

Daß die Johannesjünger ganz in die Christus-Nachfolge eingetreten sind, zeigt das Bekenntnis des Andreas gegenüber Petrus Joh 1, 41. „πρῶτον"[750] kann adverbial, aber auch als prädikatives Adjektiv verstanden werden. In jedem Fall scheint sich, ohne daß deshalb über einen δεύτερος μαθητής zu spekulieren wäre, das Prae des Petrus anzudeuten, das für das vierte Evangelium auch sonst eine gewisse Bedeutung hat (vgl. Joh 20, 2–8; 21, 7f). Ein solches Verständnis wird durch die deutliche Bestallung in Joh 1, 42, die zudem auffällig von der christologischen Sinnspitze der Perikope abweicht, bestätigt.[751]

9.4.3 Joh 1, 43f. 45–51

Gegenüber den detaillierten Angaben zur Person des Simon wirkt Joh 1, 43 sehr allgemein, so daß hier wieder das kerygmatische Gegenwartsinteresse überwiegen dürfte. Doch zeigt Joh 1, 44, wie sich dieses aktuelle Anliegen an eine bestimmte historische Gestalt heften kann. Einen vermittelten Nachfolgeruf – die gängige Erfahrung des Lesers – schildert die Natanaël-Erzählung Joh 1, 45–51, die einerseits wiederum paradigmatische Momente (vgl. Joh 1, 45f. 49) aufweist, andererseits aber als Personallegende einer unverwechselbaren Einzelgestalt zuzuordnen ist (vgl. Joh 1, 47–50). Die Erzählung erscheint allzu kon-

---

[749] Dodd, tradition, 304 A. 1.
[750] ℵ* L Wˢ 𝔐 lesen „πρῶτος"; b e j rˡ syˢ „πρωΐ"; „πρῶτον" ist mit 𝔓⁶⁶·⁷⁵ ℵ² A B Θ Ψ 083 fˡ·¹³ 892 *al* lat syᵖ·ʰ; Epiph jedoch bestbezeugte Lesart; zur Diskussion vgl. Brown, C: John I, 75f; Schnackenburg, C: Joh I, 310.
[751] Das Futurum hat hier wohl präsentisch-konstitutive Bedeutung: die erste Aussage Jesu über Simon beleuchtet in der verdichtenden Redeweise des vierten Evangeliums dessen Wesen; vgl. Brown, C: John I, 80; Hahn, Jüngerberufung, 185; hingegen deuten Bultmann, C: Joh, 71 A. 2; Schnackenburg, C: Joh I, 311 das Wort als Prophezeiung. Der Evangelist greift jedenfalls auf eine von den Synoptikern ihm bekannte Tradition zurück (vgl. Mt 16, 17f; ferner Mk 3, 16/Mt 10, 2/Lk 6, 14), die er jedoch selbständig verarbeitet (vgl. Dodd, tradition, 306–309; Hahn, Jüngerberufung, 179; Schnackenburg, C: Joh I, 311).

kret, als daß in Natanaël eine Identifikationsfigur für den Leser gesehen werden könnte.[752] Der Jünger wird sonst nur noch Joh 21, 2 genannt; als sein Heimatort wird Kana angegeben. Alle Versuche, ihn näher zu identifizieren – man denkt an den unbenannten Emmausjünger (Epiphanius, Pan. haer., 23, 6, 5), die Apostel Bartholomäus[753] und Simon den Zeloten[754], an Matthäus oder gar Dositheus Samaritanus[755] – sind müßig (vgl. Augustinus, Tract. in Ioh., 7, 17).[756] Die skeptische Frage des Natanaël birgt mit dem für das vierte Evangelium ungewöhnlichen Hinweis auf den Sohn Josefs aus Nazaret wahrscheinlich Traditionsgut[757] und mag sich der Kontroverse mit dem Judentum verdanken.[758] Jesus scheint sich mit dem Hinweis auf den Feigenbaum auf das Schriftstudium des Suchers zu beziehen[759], der mit seinem messianischen Bekenntnis schließlich zu Jesus findet, so daß ihm und darüber hinaus allen Suchenden die Verheißung von Joh 1, 51 gilt: das Wahrnehmen der Einheit zwischen Vater und Sohn im Wirken des Menschensohns ist das Ziel der Nachfolge.[760]

Für die hier zu untersuchende Frage ist es von Bedeutung, daß weder Simon noch Philippus und Natanaël direkt als Johannesjünger vorgestellt werden.[761] Als verbindendes Tertium zwischen Andreas und Simon wird vielmehr die Verwandtschaft (vgl. Joh 1, 40f), als das zwischen diesen beiden und Philippus der gemeinsame Heimatort (vgl. Joh 1, 44) genannt. Im Hintergrund steht jedoch, daß die Galiläer Simon und Philippus – nach Joh 21, 2 stammt auch Natanaël aus Galiläa – sich am Ostufer des Jordans aufhalten (vgl. Joh 1, 28). Dieser Umstand erklärt sich am ehesten durch ihre gemeinsame Zugehörigkeit zum Jüngerkreis des Täufers Johannes. Außerdem werden Andreas und Simon einerseits (vgl. Joh 1, 41), Philippus und Natanaël andererseits (vgl. Joh 1, 45) demselben theologischen Umfeld zugewiesen; auch das pluralische „εὑρήκαμεν" (Joh 1, 41. 45) deutet möglicherweise auf eine solche Gemeinschaft der „Suchenden". Schließlich ist der unmittelbare Kontext Joh 2, 1–12 in Rechnung zu stellen (s. u. V:5.4.3.2). So scheint die Perikope vorauszusetzen, daß zumal

---

[752] So auch BROWN, C: John I, 82; HAHN, Jüngerberufung, 181 A. 35; anders BULTMANN, C: Joh, 73 A. 8, der „wenigstens im Sinne des Evglisten" Natanaël für eine Idealgestalt hält.

[753] So die mittelalterliche Tradition (vgl. näher SCHNACKENBURG, C: Joh I, 313).

[754] So die griechische liturgische Tradition (vgl. näher SCHNACKENBURG, C: Joh I, 313).

[755] Zu solchen Spekulationen vgl. BULTMANN, C: Joh, 72 A. 6.

[756] Vgl. SCHNACKENBURG, C: Joh I, 313.

[757] Vgl. HAHN, Jüngerberufung, 181; SCHNACKENBURG, C: Joh I, 313.

[758] Vgl. DODD, tradition, 311.

[759] Zur Begründung vgl. BULTMANN, C: Joh, 73 A. 8; SCHNACKENBURG, C: Joh I, 315f; SCHULZ, C: Joh, 42; vom Kontext her kann man zusätzlich auf Joh 1, 45 verweisen. Anders BECKER, C: Joh I, 104; BROWN, C: John I, 83; HAHN, Jüngerberufung, 188f.

[760] „Das Ganze ist ein bildhafter Ausdruck dafür geworden, daß Jesus während seines Erdenlebens in beständiger Verbindung mit dem Vater steht" (HAENCHEN, C: Joh, 182); vgl. näher BECKER, C: Joh I, 104f; BROWN, C: John I, 88–91; SCHNACKENBURG, C: Joh I, 318–321; SCHULZ, C: Joh, 43f.

[761] Nur Andreas und der Innominatus werden expresse als Jünger des Täufers Johannes genannt; in der Auslegung wird das mitunter übersehen (vgl. z. B. GOGUEL, seuil, 81).

Simon, vermutlich auch Philippus und Natanaël ebenfalls zum Jüngerkreis des Johannes gehören. Die historische Tradition bleibt im vierten Evangelium oft hintergründig, auch die Taufe Jesu wird mehr vorausgesetzt als beschrieben (vgl. Joh 1, 29–34). Die einzelnen Johannesjünger sind der Leserschaft des Evangeliums wohl auch bereits bekannt. Das Wesentliche ist nicht, was sie waren, sondern was sie geworden sind: Jünger Christi.

9.5 Analyse der historischen Tradition

9.5.1 Methodologische Vorüberlegungen

Die historische Rückfrage an einen johanneischen Text stellen heißt, dem Evangelisten Unrecht tun. Denn an der historischen Basis seiner primär auf die Gemeinde und ihr zeitgenössisches Umfeld gerichteten Gegenwartsbotschaft (s. o. III:9.3) liegt ihm denkbar wenig. So sind die für das historische Interesse relevanten Daten – Personen-, Orts- und Zeitangaben – wie die logische Verknüpfung des geschilderten Geschehens, wenn sie überhaupt hervortreten, „mit virtuoser Leichtigkeit abgetane Nebensache"[762]. „Even if historical information underlies John's account, it has been reorganized under theological orientation. In i 35–51 ... John presents a conspectus of Christian vocation".[763] Jeder Versuch einer historischen Auswertung muß diese konsequente kerygmatische Ausrichtung der Berufungserzählung berücksichtigen. Von einer unmittelbaren historischen Auswertung wird man sich daher nichts erhoffen.[764] Auf der anderen Seite gehört es geradezu zur Eigenart des vierten Evangeliums, daß Historisches zwar nicht explizite mitgeteilt, gleichwohl aber vorausgesetzt wird. Auch in Joh 1, 35–51 mögen so „im halbdunklen Hintergrunde" „einige Tatsachen der Geschichte"[765] erkennbar sein. Solche Tatsachen wird man vor allem in den zur historisch-realen Erzählebene gehörenden Passagen der Perikope (s. o. III:9.3) suchen.

---

[762] DIBELIUS, Überlieferung, 100.
[763] BROWN, C: John I, 77.
[764] So sind selbst DODD, tradition, 302f und STRATHMANN, C: Joh, 54f außergewöhnlich zurückhaltend; vgl. auch BECKER, C: Joh I, 103; HAHN, Jüngerberufung, 181f.
[765] DIBELIUS, Überlieferung, 99.

9.5.2 Historische Rekonstruktion

Die Erkenntnis des traditionellen Charakters einer Angabe ist gewiß nicht mit dem Erweis ihrer historischen Zuverlässigkeit zu verwechseln, doch wirken einige der traditionellen Mitteilungen derart untendenziös, daß ihre Historizität anzunehmen ist. So besteht kein erkennbarer Grund, die Namen der Jünger oder Betsaida als Herkunftsort des Andreas, Simon und Philippus oder die verwandtschaftlichen Beziehungen zwischen Simon und Andreas oder das Patronym des Simon anzuzweifeln.[766]

Insbesondere ist nicht anzunehmen, daß die Zugehörigkeit der fünf Männer zum Jüngerkreis des Täufers Johannes diesen erst im Lauf der Überlieferung zugewachsen ist. Gerade in Joh werden die Johannesjünger skeptisch beurteilt (vgl. Joh 3, 22–4, 3). Daß die wichtigsten galiläischen Jünger Jesu einst zu ihnen gehört haben, ist ein „unerfindlicher Zug", zumal wenn man bedenkt, daß sich das vierte Evangelium in Abwehrstellung gegenüber zeitgenössischen „Johannesjüngern" befindet (s. u. V:5).[767] Die Erzählung setzt geradezu als Bedingung ihrer Möglichkeit voraus, daß der Weg in die Jesus-Gemeinschaft für einen Teil der ersten Jünger über den Jüngerkreis des Täufers geführt hat. Insofern steht hinter Joh 1, 35–51 die historisch zuverlässige Tradition, daß zu den frühesten Jüngern Jesu ehemalige Täuferjünger gehört haben.[768]

Allerdings ist die verdichtende, prototypische Redeweise der Perikope in Rechnung zu stellen (s. o. III:9.3). Was Joh 3, 30 als geschichtliches Gesetz formuliert und Joh 2, 1–12 in ein Bild faßt (s. u. V:5.4.3.2), wird in Joh 1, 35–51 an konkreten historischen Beispielen illustriert. So repräsentieren die fünf „Erstberufenen" – auch Joh 1, 42 setzt ein „wesentliches" Geschehen an den Anfang, um es im johanneischen Licht zu beleuchten – die Konversionsdynamik von der Täufer- zur Jesusbewegung.[769] Es wird zu zeigen sein, daß die Perikope sich dabei konkret auf die Ursprünge des johanneischen Kreises bezieht (s. u. V:5.4.3.3).

---

[766] Zur historischen Beurteilung der Ortsangabe vgl. GOGUEL, seuil, 249; SCHNACKENBURG, C: Joh I, 313.

[767] Hiergegen läßt sich nicht einwenden, daß gerade die Absicht, solche zur Jesus-Nachfolge zu gewinnen, die Fiktion einer ehemaligen Zugehörigkeit von Jesus-Jüngern zum Jüngerkreis des Täufers motiviert haben könnte. Denn in diesem Fall hätte der Redaktor wohl kaum ausgerechnet die wichtigsten und bekanntesten dieser Jünger in den Täuferkreis „reprojiziert"; als Identifikationsgestalten für die Textadressaten kamen diese jedenfalls nicht in Frage.

[768] Vgl. BARRETT, C: John, 179; BROWN, C: John I, 77f; BULTMANN, C: Joh, 76; GOGUEL, seuil, 81, 247–249; MORRIS, C: John, 237; SCHULZ, C: Joh, 41; WINK, John, 91. Allzu zurückhaltend beschränkt sich DIBELIUS, Überlieferung, 108 auf „die enge ursprüngliche Verbindung von johanneischer und christlicher Bewegung", während HAHN, Jüngerberufung durchweg in unnötiger Indifferenz verharrt.

[769] Für die in der Perikope einzeln genannten Männer wird man eine Zugehörigkeit zum engeren Jüngerkreis des Täufers annehmen (s. o.); sie können gleichwohl die Täuferbewegung insgesamt „in nuce" darstellen. Ob die Genannten in der Tat die erstberufenen Jünger waren, läßt sich kaum eruieren.

So sehr sich das vierte Evangelium bemüht, Jesus in Distanz zum Täufer zu halten (vgl. Joh 1, 29–34), so unvermeidlich ist doch der Rückschluß von dem Mitgeteilten auf einen tatsächlichen Kontakt (vgl. Joh 1, 29. 33. 36). Deshalb wird man behutsam mit M. GOGUEL formulieren können: „Il semble … que nous puissions considérer, sinon comme certain, du moins comme très probable que, derrière le récit que le quatrième évangéliste donne de la vocation des premiers disciples de Jésus, il y a une tradition d'après laquelle Jésus n'aurait pas seulement fait une rapide apparition en Pérée mais y aurait séjourné auprès de Jean-Baptiste et aurait été en relations avec le cercle de ses disciples".[770] Eine Zugehörigkeit Jesu zu dem „narrower circle" des Täufers läßt sich so jedoch nicht begründen (s. o. II:2.1.2.2). Jedoch hat Jesus der weiteren Täuferbewegung angehört (s. o. II:3) und mag seine frühesten Anhänger aus deren profiliertester Schicht gewonnen haben.[771]

Diese Resultate sind im Vergleich mit der frühchristlichen Überlieferung im allgemeinen abzusichern. Dabei kann allerdings die prima facie als Parallele erscheinende Berufungserzählung Mk 1, 16–20 / Mt 4, 18–22 / Lk 5, 1–11 nur sehr begrenzt in Betracht kommen. Zwar schließt Joh 1, 35–51 die synoptische Berufungstradition nicht grundsätzlich aus[772], doch liegt jeder Harmonisierungsversuch[773] praeter rem, weil in *beiden* Berichten die Einzelmitteilungen gänzlich kerygmatisch überformt sind und nur die prinzipielle Dynamik historisch gewürdigt werden kann. Die Perikopen zielen jeweils auf ein völlig anderes Geschehen: geht es bei den Synoptikern um die Herauslösung der Berufenen aus ihrem *sozialen* Bezugsfeld durch den *souveränen Nachfolge-Ruf,* so liegt es Joh vor allem an der *vermittelten Berufung,* in der sich die Berufenen aus ihrer *religiös-theologischen* Umwelt lösen müssen.[774]

Immerhin zeigt der Vergleich mit der frühchristlichen Tradition, daß es in der Tat sehr wahrscheinlich ist, daß Johannesjünger zu Jesus übertraten, während andere beim Täufer blieben.[775] Bereits Paulus bringt Kephas in Verbindung mit dem Taufsakrament (vgl. 1 Kor 1, 12–17). Vor allem aber Apg sieht ihn als Inaugurator bei der Einführung der Taufe – das heißt konkret: der Johannes-

---

[770] Seuil, 249.

[771] Mit Recht GOGUEL, seuil, 81: „Il est … tout naturel que, quand est né en lui le sentiment d'une œuvre particulière, différente de celle du Baptiste qu'il avait à accomplir, ce soit parmi les disciples de Jean qu'il ait rencontré ses premiers partisans".

[772] Vgl. SCHNACKENBURG, C: Joh I, 306f; anders BULTMANN, C: Joh, 76.

[773] Die traditionelle Harmonisierungstendenz zeigt sich bei MORRIS, C: John, 155; TILLMANN, C: Joh, 78.

[774] Die nicht selten vorgetragene These, Joh 1, 35–51 sei die johanneische Version von Mt 11, 2–6 / Lk 7, 18–23 entbehrt jeder Grundlage; vgl. HAHN, Jüngerberufung, 179 A. 26; SCHNACKENBURG, C: Joh, 307.

[775] Möglicherweise ist von einer Kerngruppe von fünf Jüngern auszugehen, denn eine solche wird – allerdings unter Nennung verschiedener Namen – auch sonst vorausgesetzt. Mk 1, 16–20; 2, 13–17 / Mt 4, 18–22; 9, 9–13 heben ebenfalls die Berufung von fünf Jüngern außerhalb der Apostelkataloge hervor, und auch die rabbinische Überlieferung kennt diese Fünfzahl der Jesus-Jünger; vgl. DODD, tradition, 303f; MAIER, Jesus, 232–235.

taufe (s. u. IV:3.2.2) – in die junge judenchristliche Gemeinde (vgl. Apg 2, 14–41) und in das Heidenchristentum (vgl. Apg 10, 1–11, 18). Es ist Petrus, der Apg 1, 22; 10, 37; 11, 16 auf den Täufer Johannes verweist, und Apg 1, 21f setzt deutlich eine „Anfangszeit" bei Johannes voraus, die der lukanische Petrus selbst erlebt hat. Diese Aussage, die sich mit dem lukanischen Bericht von den Anfängen des Jüngerkreises gar nicht deckt (vgl. Lk 5, 1–11), hat die historische Wahrscheinlichkeit für sich.[776]

9.5.3 Eingrenzung des historischen Befunds

Von der hier gewonnenen Basis aus lassen sich einige in der Literatur öfters vorgenommene Versuche einer historischen Überbeanspruchung von Joh 1, 35–51 abwehren.

Ein Zusammenhang zwischen dem Lieblingsjünger und dem Täuferkreis läßt sich mit Joh 1, 35–51, der einzigen Belegstelle dieser Hypothese, nicht begründen. Es besteht von dieser Perikope her auch kein Anlaß zu der Annahme, der vierte Evangelist selbst sei aus der Täuferbewegung hervorgegangen.[777] Der Erzählung ist ferner nicht zu entnehmen, die Jünger hätten sich Jesus erst nach einem Bruch mit dem Täufer angeschlossen, der Bericht biete im Sinne der Konflikttheorie (s. o. II:2.1) den Auszug des Täuferjüngers Jesus mit seinem Anhang aus dem Täuferkreis.[778] Über Natanaël läßt sich nach Joh 1, 45–51 nur vermuten, daß er ein den Lesern des Joh bekannter ehemaliger Johannesjünger und früher Anhänger Jesu gewesen ist. Daß es sich bei ihm um einen hervorragenden Johannesjünger handelt, „auf den sich der spätere Täuferkreis als auf eine Autorität berief" und den erst der Evangelist verchristlicht habe[779], ist eine haltlose Spekulation, die einen beliebigen Umgang des Evangelisten mit fester Tradition – hier der des „späteren Täuferkreises" – voraussetzt.

---

[776] Vgl. Brown, C: John I, 77; allgemein auch Pesch, Simon, 14f.

[777] So aber etwa Bultmann, C: Joh, 76.

[778] So als Vermutung ebd.; vgl. auch Grundmann, Verkündigung, 294; ferner Becker, Johannes, 13f; Goguel, seuil, 78–95, 246–250; ders., Jésus, 210–212; Hollenbach, conversion, 203–207; Linnemann, Jesus, 223–231; Rudolph, Baptisten, 11, 19; Scobie, John, 154–156; Stauffer, Theologie, 9f.

[779] So als Überlegung Dibelius, Überlieferung, 108 A. 1.

9.6 Analyse der Textfunktion und der Textadressaten

Die Einzelauslegung hat gezeigt, daß Joh 1, 35–51 unter Aufnahme traditioneller und zum Teil historischer Motive dem aktuellen Kerygma zu dienen sucht. Dabei zielt der Skopus der Darstellung auf das Motiv der indirekten Berufung. Der Evangelist will der Situation seiner Leser Rechnung tragen, für die die vermittelte Nachfolge die unmittelbare Lebensgemeinschaft mit Jesus ersetzt hat.[780] Insofern so die bleibenden Ursprünge der eigenen Glaubensexistenz vergegenwärtigt werden, verfolgt die Perikope ein paränetisches Anliegen und ist in den Binnenraum der johanneischen Gemeinde gestellt (s. o. III:9.3.2). Die Einzelerschließung hat keinen Anhaltspunkt für die These ergeben, der Text verfolge ein apologetisch-polemisches Darstellungsinteresse, und es ist rätselhaft, wie man überhaupt auf den Gedanken kommen konnte, die Zuführung von Johannesjüngern in die Jesus-Gemeinschaft könne „Ausdruck der frühchristlichen Täuferpolemik"[781] sein. Dem rein konstruktiven Text geht es an keiner Stelle um die „Abwehr täuferischer Einwände"[782]; er setzt sich weder argumentativ noch pejorativ mit dem Täufer Johannes, dessen Jüngern oder deren Lehren, Bräuchen oder auch nur zu vermutenden Argumenten auseinander. Er erhebt keine Geltungsansprüche, die sich nur als Reaktion innerhalb einer Kontroverse erklären lassen.[783]

Dennoch läßt eine ausschließlich die paränetische Textfunktion betonende Auslegung des kerygmatischen Gehalts der Perikope einen „überschüssigen" Rest offen. Bereits die erste Analyse der narrativen Funktionsebenen hat ergeben, daß der Text sich werbend an nicht-christliche Adressaten wendet (s. o. III:9.3.2). Die Einzelexegese erlaubt die eingehendere Charakterisierung dieser Gruppierung. Sie steht einerseits außerhalb der Gemeinde, pflegt aber andererseits gewisse Kontakte zu ihr, steht „zögernd" an ihrem Rand, ohne doch schon zu ihr zu gehören. Dafür spricht, daß die Berufenen als Suchende und Fragende außerhalb des Jesus-Kreises dargestellt werden (vgl. v. a. Joh 1, 38. 46). Ihnen wird das „Finden" verheißen (vgl. Joh 1, 41. 45. 50f); schließlich werden sie direkt zum Kommen und Sehen eingeladen (vgl. Joh 1, 39. 46). Obschon das Verbum μένω mehrmals im Text vorkommt (Joh 1, 38. 39 [bis]), fehlt doch der spezifisch johanneische *Begriff* des Bleibens (vgl. Joh 6, 56; 15, 4–7; 1 Joh

---

[780] Vgl. HAHN, Jüngerberufung, 190.

[781] HAENCHEN, C: Joh, 185.

[782] Gegen STRATHMANN, C: Joh, 55.

[783] Gegen BALDENSPERGER, Prolog, 67; DIBELIUS, Überlieferung, 109; WINK, John, 91, der allerdings ein unangemessenes Verständnis von Apologetik und Polemik erkennen läßt: „these 'calling' stories can be seen to serve polemical-apologetical interests, if we may assume that the response of the first disciples is intended as an example to other Baptists to do likewise"; hier wird Polemik und Mission verwechselt (s. u. I:2.1.4).

2, 27).[784] Werbende Züge mögen schließlich auch in den variierenden christologischen Hoheitstiteln und -umschreibungen (Joh 1, 36. 41. 45. 49) und in dem epideiktischen Charakter von Joh 1, 48[785] zu vermuten sein. So ist das oben zur „indirekten Berufung" Konstatierte in concreto auf den missionarischen Appell an Nicht-Christen anzuwenden.

Um einen Zugang zur umworbenen Gruppierung zu finden, ist zunächst die gemeinsame Verständigungsbasis zwischen dem Text und dem Adressatenkreis zu ermitteln. Wenn die Perikope mit dem Täuferzeugnis argumentieren kann (vgl. Joh 1, 35f, so gilt den Adressaten der Täufer als Autorität. Ferner verbindet Text und Adressaten das Interesse an den „Schriften" (vgl. Joh 1, 45. 48b), an der Messianologie im weitesten Sinne (vgl. Joh 1, 36. 41. 45f. 49), wohl auch an der Thematik „Sündenvergebung" (vgl. Joh 1, 36; ferner Joh 1, 29). Von daher bietet sich als Bezugsgruppe zunächst das Judentum an, denn die vier genannten Anliegen verbinden prinzipiell Christliches und Jüdisches. Auch dem Judentum bzw. einzelnen Schichten des Judentums galt die Gestalt des Täufers als bedeutungsvoll (s. o. II:3.3.1; 3.3.3; 3.3.5; s. u. III:11), und in der Tat werden sowohl der Täufer (vgl. Joh 1, 19–34; 5, 33–35) als auch die „Schriften" (vgl. Joh 5, 39. 46f) zum Zeugnis gegenüber den Juden aufgerufen. Doch fehlt der Perikope die die Polemik des vierten Evangeliums gegen seine jüdische Umwelt kennzeichnende Schärfe völlig. Zur Zeit der Abfassung von Joh bzw. SQ dürfte die Ausstrahlungskraft des Täufers in der Breite der jüdischen Welt bereits geschwunden sein. Nur noch solche Kreise waren mit dem „Ipse dixit" des Täufers zu überzeugen, die bewußt sein Erbe wahrten. Da die Perikope explizite von μαθηταὶ Ἰωάννου spricht, sind die Textadressaten in solchen jüdischen Kreisen zu sehen.

Gegen die Identifizierung dieser Formationen mit einer in der Tradition des historischen Jüngerkreises stehenden Gemeinschaft ist einzuwenden, daß eine solche aller Wahrscheinlichkeit nach eine feste Personaltradition gepflegt hätte. Dann wäre aber ein missionarisches Werben mit einem diametral entgegengesetzten Täuferbild schlechthin dysfunktional, weil der angesprochene Tradentenkreis es ohne weiteres durch den Verweis auf seine Traditionskontinuität hätte falsifizieren können. Missionarisches Werben appelliert an ein gemeinsames Tertium oder versucht, diffuse Vorstellungen in seinem Sinn zu klären. Außerdem wäre bei der Kontinuität eines Jüngerkreises eine Messiaserwartung, wie sie für Joh 1, 35–51 vorauszusetzen ist, nicht anzunehmen, da der Täufer selbst keine messianische Botschaft verkündigt, sondern Jahwe als den „kommenden" Richtergott angekündigt hatte (s. u. IV:1.2). Daß dieser aber mit Jesus

---

[784] Vgl. näher F. HAUCK, Art. „μένω κτλ", in: ThWNT IV (1942), 578–593, hier: 580f. Deutet Joh 1, 39 mit der rätselhaften Erwähnung des Bleibens bis zur zehnten Stunde die begrenzten Kontakte der Textadressaten zur Gemeinde an?

[785] Der Zusammenhang zwischen Aretalogie und Missionskerygma ist unten (s. u. V:5) aufzuzeigen.

– oder dem Täufer Johannes – identifiziert worden wäre, ist kein erwartbarer Entwicklungsprozeß, sondern setzt die interpretatio Christiana et christologica voraus. So wird man die Textadressaten von Joh 1, 35–51 eher in der Tradition der weiteren Täuferbewegung sehen.

Nähere Aufschlüsse über die umworbenen Formationen lassen sich aus der Perikope textimmanent nicht mehr gewinnen. Hier sind die übrigen Täuferpassus des vierten Evangeliums zum Vergleich heranzuziehen (s. u. V:5).

10. Joh 3, 22–4, 3

10.1 Literarkritische Analyse

10.1.1 Die quellenkritische Problematik

Joh 3, 22–30; 4, 1–3 weist im wesentlichen stilistisch und sachlich auf die Prägung durch den Evangelisten. Darüber besteht ein vergleichsweise breiter Forschungskonsens.[786] Lediglich J. BECKER (1985) ordnet Joh 3, 22–30 SQ zu, die nur in Joh 3, 22 vom Evangelisten eingeleitet werde. Doch seine eigenwillige Rekonstruktion der Quelle findet mit Recht keine Zustimmung[787]; der Abschnitt bietet keine formalen Anhaltspunkte für die Zuweisung, und das Postulat thematischer Schwerpunkte für SQ ist arbiträr. Vor allem das Täufer-Thema ist keineswegs ein Spezifikum von SQ. Schließlich wird sich in der weiteren Untersuchung zeigen, daß zwar Joh 1, 35–51 den Täuferkreis in einer für SQ anzunehmenden Weise behandelt, Joh 3, 22–4, 3 aber mit seiner „Täuferpolemik" ganz dem Konzept des Evangelisten entspricht (s. u. V:5).

Im Rahmen der Täuferkreis-Forschung hat M. GOGUEL (1928) im vorliegenden Passus eine Quelle ausfindig machen wollen[788] und sich dafür auf die Widersprüche Joh 3, 26; 4, 1 vs. 3, 32 und Joh 3, 22; 4, 1 vs. 4, 2 berufen.[789] Diese Quelle stamme vermutlich aus Täuferkreisen, da Änon bei Salim präziser lokalisiert werde als die Taufstätte Jesu.[790] Nun ist Joh 3, 32 eine prinzipielle christologische Reflexion des Evangelisten, und für die Erklärung des in der Tat sperrigen Verses Joh 4, 2 bedarf es keines quellenkritischen

---

[786] Zu Joh 3, 22–30 vgl. BARRETT, C: John, 219; BULTMANN, C: Joh, 121f; CAMBE, Jésus, passim; MORRIS, C: John, 236 u. ö.; SCHNACKENBURG, C: Joh I, 448; SCHULZ, C: Joh, 64f. Zu Joh 4, 1–3 vgl. BULTMANN, C: Joh, 127; CAMBE, Jésus, passim; MORRIS, C: John, 251–253; SCHNACKENBURG, C: Joh I, 457f; SCHULZ, C: Joh, 73.

[787] Vgl. nur die sehr zurückhaltenden Bemerkungen des ansonsten der SQ-Theorie verpflichteten VIELHAUERS, Geschichte, 424f zum Problem der Rekonstruktion. Zu BECKER vgl. C: Joh I, 152–155. Zu dem in dieser Untersuchung vertretenen Rekonstruktionsansatz s. u. V:5.

[788] Vgl. seuil, 86–91; ähnlich MacGREGOR, problems, 359f.

[789] Vgl. GOGUEL, seuil, 87.

[790] Vgl. ebd., 87, 91.

Postulats (s. u. III:10.3.9). Die Ortsangabe dürfte traditionell sein (s. u. III:10.3.2), reicht aber ebensowenig zur Begründung einer Quellenvorlage.

Der im hier zu untersuchenden Zusammenhang zentrale Vers Joh 3, 25 ist nach R. BULTMANN möglicherweise ein in das literarische Gebilde inkorporiertes Quellenstück, für das als Fortsetzung Joh 3, 27 und eventuell Joh 3, 29a zu postulieren seien. Diese apophthegmatische Szene stamme aus täuferischer Tradition.[791] BULTMANN scheint selbst zu sehen, daß diese kriterienlos nur auf der sachlichen Fremdheit von Joh 3, 25 aufgebaute Quellenkritik nicht sehr solide fundiert ist[792], und die Einzelerschließung zeigt, daß der Rekurs auf eine Vorlage auch für diesen Vers unnötig ist (s. u. III:10.3.4). Vor allem ist es völlig unzulässig, von einer solchen Minimalrekonstruktion zu behaupten, sie stamme womöglich aus Streitgesprächen täuferischer Tradition, die der Evangelist, wie sich bereits im Prolog zeige, auch sonst einzuarbeiten pflege.[793] Überhaupt ist ein solches redaktionelles Verfahren a priori unwahrscheinlich (s. o. I:2.1.2).

So empfiehlt es sich, auf jedes Quellenpostulat zu verzichten, ohne damit auszuschließen, daß – dann im einzelnen auszuweisendes – Traditionsmaterial aufgenommen worden ist.[794] Unbedingten Vorrang hat auch in Joh 3, 22–4, 3 das kerygmatische Gegenwartsinteresse (s. o. III:9.3).

10.1.2 Die Isolation von Joh 3, 31–36

Zwischen Joh 3, 22–30 und Joh 4, 1–3 wirkt die christologische Meditation Joh 3, 31–36 fremd, weil sie sich nicht an das Täuferzeugnis fügt, sondern die μαρτυρία des Sohnes illustriert (vgl. Joh 3, 23f), dem unmittelbaren Kontext widerspricht (vgl. Joh 3, 32b vs. 3, 26) und überhaupt einer ganz anderen Sprachebene angehört, die den narrativen Zusammenhang unterbricht. Lediglich Joh 3, 31 schließt locker an Joh 3, 27 an.[795] Deshalb neigt die jüngere Exegese dazu, den Abschnitt literarkritisch zu tilgen. Die situationslose kerygmatische Einheit wird dann an Joh 3, 21 gefügt.[796] R. SCHNACKENBURG plaziert sie zwischen das Ende des Gesprächs mit Nikodemus Joh 3, 12 und den Beginn der monologischen Homologie Joh 3, 13, zu der sie ursprünglich gehöre. Erst die Schüler-Redaktion habe die christologische Meditation des Evangelisten aus

---

[791] Vgl. C: Joh, 122f.
[792] Er formuliert außerordentlich behutsam.
[793] Vgl. C: Joh, 123 m. A. 3f.
[794] Allerdings ist die Minimalzergliederung LINNEMANNS, Jesus, 220–227, v. a. 223f – in Joh 3, 26 ist der zweite Relativsatz redaktionell, der Rest Traditionsstoff – eine Überstrapazierung traditionskritischer Verfahren; überhaupt wird hier die Textanalyse in kriterienloser Beliebigkeit dem Dienst an der vorgefaßten historischen Meinung unterworfen (s. o. II:2.1.3.2).
[795] Daß der Abschnitt nicht mehr als Täuferrede stilisiert ist, sollte nicht bezweifelt werden (vgl. bereits LAGRANGE, C: Jean, 96; ferner GOGUEL, seuil, 88; MORRIS, C: John, 242f; TROCMÉ, Jean-Baptiste, 142).
[796] Vgl. etwa BULTMANN, C: Joh, 92 u. ö.; SCHULZ, C: Joh, 66.

ihrem natürlichen Kontext gelöst, den Monolog wohl ad voces ἐπουράνια (Joh 3, 12) – ἀναβαίνω εἰς τὸν οὐρανόν (Joh 3, 13) wiederhergestellt und das isolierte Mittelstück mit Joh 3, 30 verbunden, weil sie den demütigen Sprecher dieser Sentenz mit dem „ὢν ἐκ τῆς γῆς" identifiziere.[797] Im Anschluß an J. A. Sint[798] wäre dann zu überlegen, ob die Schule mit der Anknüpfung an Joh 3, 27 das Wirken des Täufers nicht kritisch oder polemisch zu kommentieren suche.[799]

Unter allen Versuchen wirkt die Dekomposition Schnackenburgs noch am natürlichsten. Dennoch befriedigt auch sie nicht, weil es schwerfällt, der redigierenden Schule einerseits ein derart krasses Mißverständnis des von ihr redigierten Textes, vor allem von Joh 3, 31 i. V. m. Joh 3, 30, andererseits derart beliebige Umstellungen des Textes zuzutrauen. Ökonomischer ist es jedenfalls, den Passus an seiner vorfindlichen Position zu belassen. Es entspricht ganz dem johanneischen Stil, stillschweigend den christlichen Prediger an die Stelle des Vorläufers treten zu lassen (vgl. auch Joh 1, 15–18).[800] Nach J. Becker erweist sich Joh 3, 31–36 „als ein vornehmlich vom Nikodemusgespräch, jedoch auch als Erklärung der in 3, 28–30 enthaltenen Christologie bestimmter zusammenfassender Abschlußkommentar".[801] In die gleiche Richtung weisen auch andere Untersuchungen[802], und H. Zimmermann (1976) hat die theologischen Zusammenhänge überzeugend aufgewiesen.[803] Sicher ist der Gedankengang nicht im modernen Sinne stringent[804], aber man wird von der oft eigenartig kreisenden Darstellungsdynamik des vierten Evangeliums auch eine solche logische Sequenz gar nicht erwarten.[805] Da die Einzelauslegung (s. u. III:10.3.7) zudem Joh 3, 31 als Brückenvers verstehen läßt, empfiehlt es sich, einem Verzicht auf jedwede Dekomposition als sparsamster Hypothese den Vorzug zu geben.[806]

[797] C: Joh I, 374–377; vgl. auch ders., Die „situationsgelösten" Redestücke in Joh 3, in: ZNW 49 (1958) 88–99.
[798] Vgl. Eschatologie, 134; ferner Trocmé, Jean-Baptiste, 142, der allerdings von einer Einheit von Joh 3, 27–36 ausgeht.
[799] Damit wäre jedenfalls dem Postulat Beckers, C: Joh I, 130 Rechnung getragen, eine Dekompositionstheorie müsse die jetzige Plazierung des Abschnitts erklären.
[800] Vgl. Haenchen, C: Joh, 230; Strathmann, C: Joh, 78f; zwischen dem johanneischen Christus und dem christlichen Prediger ist dabei nicht mehr reinlich zu scheiden (vgl. Brown, C: John I, 159f).
[801] C: Joh I, 130.
[802] Brown, C: John I, 159f; Dodd, interpretation, 308–311; Morris, C: John, 242f; Wilson, integrity, 36f.
[803] Vgl. Die christliche Taufe nach Joh 3. Ein Beitrag zur Logoschristologie des vierten Evangeliums, in: Cath 30 (1976) 81–93, hier: 84–88, 91–93.
[804] Wilson, integrity, 37f sucht mit sehr allgemeinen Entsprechungen in Joh 3, 1–21. 25–36 eine parallele Struktur aufzuweisen.
[805] Vgl. grundsätzlich die treffenden Ausführungen bei H. Barth u. O. H. Steck, Exegese des Alten Testaments. Leitfaden der Methodik, Neukirchen-Vluyn ⁹1980, 34f.
[806] Ähnlich Barrett, C: John, 219; Becker, C: Joh I, 130; Brown, C: John I, 159f; Dodd, interpretation, 308–311; Haenchen, C: Joh, 230; Morris, C: John, 242f; Trocmé, Jean-Baptiste, 142.

10.2 Kontext- und Strukturanalyse

Joh 3, 22–4, 3 ist nach hinten durch das in Jerusalem geführte Nikodemus-Gespräch (Joh 3, 1–13 mit Nachtrag Joh 3, 14–21), nach vorn durch das in Samaria stattfindende Gespräch am Jakobsbrunnen (Joh 4, 4–42) abzugrenzen. Die Reisenotizen Joh 3, 22; 4, 3 als formale Schranken des Abschnitts dienen der szenischen Überleitung.[807]

Inhaltlich bezieht sich der Passus auf das Verhältnis zwischen den Täufern Jesus und Johannes, das in der Rahmenerzählung Joh 3, 22–26; 4, 1–3 beschrieben und in dem dritten Täuferzeugnis Joh 3, 27–30 gedeutet, in der christologischen Reflexion Joh 3, 31–36 verallgemeinert und vertieft wird. Joh 3, 30 bildet die Klimax der Perikope.

10.3 Einzelanalyse

10.3.1 Joh 3, 22

Nach dem Aufenthalt in Jerusalem weilt Jesus, wie das Verbum διατρίβω und das iterative Imperfektum („ἐβάπτιζεν") anzeigen, eine Zeitlang taufend in Judäa. Die vage Ortsangabe (vgl. aber Joh 3, 23!) setzt die Reisenotizen Joh 2, 13. 23 (vgl. Joh 3, 1) ohne eigentlich topographisches Interesse fort[808]; Tradition wird nicht vorliegen.[809] Im Vorgriff auf die Crux Joh 4, 1f ist es nicht ohne Bedeutung festzustellen, daß „μετ' αὐτῶν" nur dem Verbum διατρίβω zugeordnet ist, die Taufaussage jedoch singularisch formuliert wird. Angesichts der fehlenden Numerus-Kongruenz in „ἦλθεν"[810] wird man diese Beobachtung aber nicht zu sehr betonen.

---

[807] Es ist nicht ganz einsichtig, wie Joh 4, 1–3 die Perikope vom Gespräch am Jakobsbrunnen einleiten soll, wie meist vorausgesetzt wird (vgl. z. B. SCHULZ, C: Joh, 73). Allerdings ist bei Überleitungen stets die Möglichkeit einer doppelten Zuordnung gegeben.

[808] Vgl. BECKER, C: Joh I, 152.

[809] Vgl. BULTMANN, C: Joh, 122.

[810] Vgl. allgemein BLASS/DEBRUNNER, §§ 133–135, v. a. § 135,1: zu erwarten wäre, streng genommen, daß das nachgestellte Prädikat pluralisch formuliert würde.

10.3.2 Joh 3, 23

Wie Jesus tauft auch Johannes. In beiden Fällen ist das verbum βαπτίζω gewählt, und jeder Differenzierung[811] wird durch das koordinierende καί adverbiale die Grundlage entzogen. Nach Auskunft des Textes hat Jesus demnach die Johannestaufe gespendet.

Beide Taufstätten liegen relativ weit voneinander entfernt, wenn man Änon bei Salim in Samaria lokalisieren muß. Die genaue Lage des Ortes ist umstritten.[812] Den am besten begründeten Vorschlag hat M.-É. BOISMARD (1973) vorgelegt; er weist auf den Wadi Farah in Zentralsamarien[813]; diese Lösung hat in der topographischen Forschung weithin Anklang gefunden.[814]

Joh 3, 23 erweckt mit seiner sehr konkreten Ortsangabe den Eindruck, untendenziös überkommene Tradition mitzuteilen[815], zumal eine vollkommen selbständige Tauftätigkeit des Johannes im Rahmen des vierten Evangeliums durchaus fremd wirkt.[816] Jedoch hält N. KRIEGER (1954) den Ort Änon bei Salim ebenso wie das transjordanische Betanien (vgl. Joh 1, 28) für fiktiv. Die topographische Angabe verfolge ein tieferes christologisches Interesse. Der Täufer taufe deshalb außerhalb Judäas, der Stätte der Verherrlichung, an den „Quellen" (Αἰνών, hebr. עַיִן, aram. עֵינָן), nahe des „Heils" (Σαλείμ, hebr. שָׁלֵם).[817] Andere begnügen sich mit allgemeinen Hinweisen auf eine symbolische Bedeutung.[818] Die hier einseitig gehandhabte etymologische Methodik ist, selbst wenn man die kühne Erschließung der Toponomastik akzeptiert, nicht weiterführend, denn ein tieferer etymologischer Sinn eines Ortsnamens läßt keineswegs auf den fiktiven Charakter dieses Ortes oder auf bestimmte Absichten bei der Wiedergabe seines Namens schließen.[819] Auch bliebe das Motiv einer solchen Fiktion unklar.[820] Wäre der Ortsnamen seiner allegorischen Bedeutung

---

[811] Vgl. die Versuche bei PESCH, Initiation, 93; SCHNACKENBURG, C: Joh I, 449; STRATHMANN, C: Joh, 76.

[812] Zur Diskussion vgl. BARRETT, C: John, 220; BOISMARD, Aenon, 218f; BROWN, C: John I, 151.

[813] Vgl. Aenon, passim.

[814] Vgl. etwa NODET, Jésus, 328 A. 6; SCOBIE, John, 163f; zur Diskussion BARRETT, C: John, 220; BOISMARD, Aenon, 218f; BROWN, C: John I, 151.

[815] Vgl. BROWN, C: John I, 155; DODD, tradition, 249; JEREMIAS, Theologie, 53; LINNEMANN, Jesus, 223.

[816] Vgl. BARRETT, C: John, 220; SCHNACKENBURG, C: Joh I, 451; vgl. auch die Beobachtung bei Morris, C: John, 237: „The tense of the last two verbs is continuous and we might give the force of it as 'they kept coming and being baptized'".

[817] Vgl. Fiktive Orte der Johannes-Taufe, in: ZNW 45 (1954) 121–123.

[818] Vgl. etwa BULTMANN, C: Joh, 125 A. 5: die Ortsangabe ist real, aber der Evangelist mag sie allegorisch verstanden wissen wollen.

[819] So wird niemand den Ort Betlehem bereits deshalb für „imaginär" halten, weil er ausgezeichnet zur neutestamentlichen Christologie paßt!

[820] Vgl. auch BECKER, C: Joh I, 153.

wegen erfunden worden, so könnte man übrigens erst recht einen allegorischen Namen für den Taufort Jesu (vgl. Joh 3, 22) erwarten.[821]

Eine andere Erklärung der Taufstätte hat K. KUNDSIN (1925) vorgeschlagen: es handele sich hier um „ein Zentrum, wenn nicht gar ... *das* Zentrum" des zur Zeit des Evangelisten virulenten palästinischen Täufertums, und dieser Umstand lasse den Evangelisten den Ort erwähnen.[822] Ähnlich äußern sich J. BEKKER[823], J. GNILKA[824] und S. SCHULZ.[825] In der von uns empfohlenen Terminologie dominierte in Joh 3, 23 also die historisch-prototypische Sprachebene (s. o. III:9.3).[826]

Jedoch überwiegt im Abschnitt Joh 3, 22–30; 4, 1–3 mit Ausnahme von Joh 3, 30 die reale Sprachebene; gerade Joh 3, 22.24 illustrieren das deutlich. Außerdem ist in Joh 3, 25 von den Jüngern des Johannes die Rede, in Joh 3, 23 aber gerade nicht. Daß der Täufer Johannes als corporate personality für die „Johannesjünger" steht, ist angesichts der Gesamttendenz des vierten Evangeliums, die den Täufer von seinen Jüngern trennt (s. u. V:5), äußerst unwahrscheinlich. Vor allem ist zu fragen, welche Absicht die Nennung des Ortsnamens verfolgen könnte; ein historiographisches Interesse ist ebenso auszuschließen wie das Anliegen einer absichtslos-freundlichen Berücksichtigung der „Konkurrenz". Der vierte Evangelist, der so peinlich darauf bedacht ist, Johannes von seinen Jüngern bzw. der sich auf ihn berufenden „Sekte" zu trennen und auf die Seite Christi zu ziehen, dürfte auch wohl nichts weniger ersonnen haben, als daß der Heros eponymus der konkurrierenden Täufergemeinde bereits in deren Wirkungszentrum tätig gewesen ist. Diese Überlegung allein erledigt die Hypothese KUNDSINS.[827] Schließlich darf nicht übersehen werden, daß das vierte Evangelium einen reisenden Täufer beschreibt (vgl. Joh 1, 28).[828] Als Zentrum der Täuferkreise kommt Änon bei Salim nicht in Frage; Joh 3, 23 ist überkommene, absichtslos mitgeteilte und so vermutlich historische Tradition.[829]

---

[821] Vgl. BROWN, C: John I, 151; BULTMANN, C: Joh, 124 A. 5.

[822] Überlieferungsstoffe, 26.

[823] C: Joh I, 153.

[824] C: Joh, 31.

[825] Art. „Aenon", in: BHH I (1962), Sp. 96.

[826] Vgl. auch die Vermutungen bei KRAELING, John, 194 A. 9; SCHNACKENBURG, C: Joh I, 451.

[827] Es wäre, um einen etwas überspitzten Vergleich anzustellen, für die gegenreformatorische Kontroverstheologie eine ungeschickte Taktik gewesen, den Nachweis zu führen, daß bereits Petrus in Genf wirksam war!

[828] Vgl. dazu auch GOGUEL, seuil, 83.

[829] Vgl. auch BARRETT, C: John, 220; DODD, tradition, 236; zur Auseinandersetzung mit KUNDSIN GOGUEL, seuil, 83–85.

10.3.3 Joh 3,24

Die Nachricht von Joh 3,24 wirkt zunächst überflüssig, denn wenn Johannes zu Änon tauft (vgl. Joh 3,23), erscheint die Annahme, er sei bereits im Gefängnis, nicht naheliegend. Die zudem kausal („γάρ") angeschlossene Notiz bemüht sich offensichtlich, Licht auf eine jenseits des johanneischen Stoffes kursierende Tradition zu werfen, und die Annahme liegt nahe, daß es sich hierbei um die synoptische Tradition handelt (vgl. Mk 1,14/Mt 4,12; Mk 6,17f/Mt 14,3f/Lk 3,19f). Dabei geht es weniger um eine direkte Korrektur[830] als um eine Harmonisierung[831], die eine Kenntnis der Täuferhistorie beim Leser voraussetzt: von Gefangennahme und Tod des Johannes ist im folgenden nicht mehr die Rede. Diese – vielleicht nachjohanneische[832] – Notiz schafft den Hintergrund für die Mitteilung über das gleichzeitige Taufen Jesu und Johannes'.[833]

E. TROCMÉ (1980) sieht in Joh 3,24 ein apologetisches Interesse: „Pour se distancer ainsi de la tradition synoptique, l'évangéliste a sans doute un motif apologétique assez pressant que l'apparition au verset suivant des disciples de Jean permet de préciser: l'Eglise baptiste devait décrire Jésus comme un successeur infidèle de son maître".[834] Methodologisch hat sich bereits gezeigt, daß die Behauptung und a fortiori die inhaltliche Rekonstruktion täuferischer Argumente niemals „sans aucun doute" erfolgt (s. o. I:2.1.3). Das Recht zur Annahme einer apologetisch-polemischen Darstellungsabsicht hängt wesentlich von der Frage ab, ob das simultane Taufen Jesu und Johannes' der historischen Überlieferung entstammt oder redaktionelles Interpretament ist (s. u. III:10.4). In jedem Fall liegt der Gedanke eines Ausgleichs mit der bekannten synoptischen Tradition näher als der eines Seitenhiebs gegen eine unbekannte täuferische Argumentation.

10.3.4 Joh 3,25

Joh 3,25 dürfte zu den dunkelsten Passus der johanneischen Literatur überhaupt gehören. Für ein sachgerechtes Verständnis der Beziehungen zwischen dem Täuferkreis, Jesus und der Jesus-Gemeinde ist er von zentraler Bedeutung. Seit M. GOGUEL (1928)[835] ist er immer wieder als Schlüssel zu diesem Problemkreis herangezogen worden, zuletzt von E. TROCMÉ (1980): „Nous touchons ici

---

[830] So aber SCHULZ, C: Joh, 65; STRATHMANN, C: Joh, 76.
[831] Vgl. BULTMANN, C: Joh, 124 A. 7; HAENCHEN, C: Joh, 231.
[832] BULTMANN, C: Joh, 124 A. 7 und SCHULZ, C: Joh, 65 halten den Vers für eine Glosse; nötig ist diese Auffassung nicht, da sich aber auch im nachjohanneischen Joh 4,2 die Tendenz zum „synoptischen Ausgleich" zeigt (s. u. III:10.3.9), kann sie zumindest erwogen werden.
[833] Vgl. BARRETT, C: John, 221.
[834] Jean-Baptiste, 141.
[835] Vgl. seuil, v. a. 86–95.

à la racine de la polémique menée par l'auteur du IVe Evangile contre les Baptistes".[836]

Die erste Schwierigkeit ist textkritischer Art. Die Lesart „μετὰ ᾽Ιουδαίου" befriedigt nicht, weil der genannte Jude im folgenden keine Bedeutung mehr hat und der Evangelist sich eher mit einem Konflikt zwischen Johannesjüngern und Jesus bzw. Jesus-Jüngern beschäftigt. Außerdem kommt die singularische Fassung des Nomens außer in Joh 4, 9; 18, 35[837] im vierten Evangelium nicht mehr vor. 𝔓[66] ℵ* Θ *f*[1.13] 565 *al* latt sy^c sa^{mss} bo; Or lesen den Plural. So gewichtig gerade die erstgenannten Textzeugen sind, so schwer wiegen doch die Gegenzeugen 𝔓[75] A B L, die zudem die lectio difficilior bieten. Eine textgeschichtlich sekundäre Angleichung an die gebräuchliche Pluralform ist wahrscheinlicher als das umgekehrte Verfahren. Sachlich ist kaum anzunehmen, daß der Evangelist bei einem Streit zwischen den Johannesjüngern und den – von ihm in seiner gesamten Schrift mit schneidender Schärfe bekämpften[838] – ᾽Ιουδαῖοι die ersteren als Initiatoren der Auseinandersetzung hervorgehoben hätte.[839] Inhaltlich plausibler erscheint die Konjektur O. HOLTZMANNS (1887) „τῶν ᾽Ιησοῦ"[840], mit der E. HAENCHEN sympathisiert.[841] Im Gefolge BENTLEYS und SEMLERS[842] hat W. BALDENSPERGER (1898) „τοῦ ᾽Ιησοῦ" konjiziert[843]; diese Lösung wird auch von J. BECKER vertreten.[844] Zahlreiche Exegeten schwanken zwischen diesen Vorschlägen.[845] Die Konjekturen lösen zwar Verständnisschwierigkeiten, sie werfen aber zugleich neue auf. Die von ihnen vorausgesetzte direkte Kontroverse zwischen den Johannesjüngern und Jesus bzw. den Jesus-Jüngern ist nicht nur nirgends nachweisbar (s. o. II:2.1), sie ist bei der vom Evangelisten vorgegebenen Topographie – Jesus tauft in Judäa, Johannes in Samaria – auch kaum möglich.[846] Vor allem ist es aber textkritisches Axiom, die Konjektur nur als ultima ratio einzusetzen. Der Hauptzweig der Textzeugen hat „μετὰ ᾽Ιουδαίου" einen Sinn abgewinnen können, und es ist die primäre Aufgabe des Auslegers, nach diesem Sinn ohne vorgefaßte Theorie über die Beziehungen zwischen Jesus und dem Täuferkreis zu fragen.

Eine plausible Antwort dürfte lauten: Jesus und Johannes taufen gleichzeitig (Joh 3, 22f), also („οὖν") entsteht ein Streit mit einem Juden (Joh 3, 25), der zu

---

[836] Jean-Baptiste, 142.
[837] Übersehen von BECKER, C: Joh I, 153.
[838] Vgl. etwa BROWN, C: John I, LXX–LXXV.
[839] Anders BOISMARD, traditions, 25.
[840] C: Joh, 210.
[841] Vgl. C: Joh, 231.
[842] Vgl. GOGUEL, seuil, 89 A. 4.
[843] Vgl. Prolog, 66 A. 1.
[844] Vgl. C: Joh I, 153.
[845] So MacGREGOR, problems, 360; SCHNELLE, Christologie, 198; SCOBIE, John, 154. GOGUEL, seuil, 89f tendiert zwar zur Konjektur BALDENSPERGERS, entscheidet sich dann aber für eine redaktionsgeschichtliche Option.
[846] Vgl. SCHNACKENBURG, C: Joh I, 451f.

der Beschwerde der Johannesjünger „πάντες ἔρχονται πρὸς αὐτόν" führt (Joh 3, 26), auf die hin Johannes erneut Zeugnis für Jesus ablegt (Joh 3, 27–30). Demnach ist der Jude, der sich auf die von Jesus gespendete Taufe beruft oder sie empfangen hat, Gegner im Streit und Gegenstand der Beschwerde, weil er die Taufe Jesu der des Johannes vorzieht. Es ist allerdings auch denkbar, daß der Streit tatsächlich „περὶ καθαρισμοῦ" geführt wird, also um die jüdischen Reinigungsbräuche überhaupt kreist (vgl. Joh 2, 6): der Jude würde dann gegenüber den Johannesjüngern ad hominem mit dem größeren Zulauf des Volkes zu Jesus argumentieren.[847] Diese Deutung ist vergleichsweise problemlos; textkritische Operationen erübrigen sich.[848]

Im einzelnen ist zu konstatieren, daß der Streit von den Johannesjüngern ausgeht: ἐϰ c.gen. bezeichnet den Urheber.[849] ἡ ζήτησις als nomen actionis bezieht sich auf ein Streitgespräch oder Wortgefecht.[850] Gegenstand dieses Disputs ist entweder 1) das jüdische rituelle Reinigungsbrauchtum oder 2) die Taufe, die Johannes und Jesus spenden.

Zu 1): Im vierten Evangelium kommt ὁ καθαρισμός nur noch in Joh 2, 6 vor und meint hier den jüdischen Reinigungsritus; dem entspricht der überwiegende neutestamentliche Sprachgebrauch.[851] Außerdem läßt die ausdrückliche Kennzeichnung des Antagonisten als Ἰουδαῖος an einen Disput über jüdische Gepflogenheiten denken, zumal im johanneischen Gebrauch des Gentiliziums die religiöse Eigenart des so Bezeichneten stets mitschwingt.[852]

Zu 2): Die Nomina ὁ βαπτισμός und τὸ βάπτισμα kommen in Joh ebensowenig vor wie das Cognomen ὁ βαπτιστής. Für den Evangelisten ist aber das Thema der Reinheit und der Reinigung, in dem sublim auch sein Taufverständnis zur Sprache kommen dürfte, von zentraler Bedeutung (vgl. Joh 13, 10f; 15, 3; ferner Joh 3, 1–13; vgl. auch 1 Joh 1, 7. 9). Der urchristlichen Terminologie ist der Begriff ὁ καθαρισμός für die Taufe vertraut (vgl. Hebr 1, 3; 2 Petr 1, 9; ferner 2 Kor 7, 1 u. ö.).[853] Der Mikrokontext läßt die zweite Lösung bevorzugen,

---

[847] Vgl. etwa MORRIS, C: John, 239 A. 101.

[848] Zu der hier vertretenen textkritischen Bewertung von Joh 3, 25 vgl. auch BARRETT, C: John, 221; BAUER, C: Joh, 62; BROWN, C: John I, 152; DODD, tradition, 280 A. 2; METZGER, 205; TROCMÉ, Jean-Baptiste, 141.

[849] Vgl. BAUER, 465f; BLASS / DEBRUNNER, § 164,2 m. A. 6.

[850] Vgl. H. GREEVEN, Art. „ζητέω κτλ", in: ThWNT II (1935), 894–898, hier: 896.

[851] Vgl. F. HAUCK, in: MEYER / HAUCK, Art. καθαρός, 427–433.

[852] Vgl. W. GUTBROD, in: G. von RAD, K. G. KUHN u. W. GUTBROD, Art. „Ἰσραήλ κτλ", in: ThWNT III (1938), 356–394, hier: 379. Für diese Lösung optieren BARRETT, C: John, 221; HAENCHEN, C: Joh, 231; eine Verbindung zur heterodoxen jüdischen Sektenwelt sieht MORRIS, C: John, 238. Gegen BÖCHER, Art. Johannes, 177 ist dem Vers deshalb freilich noch nicht zu entnehmen, der Täufer habe seinen Schülern „offensichtlich bestimmte Ordnungen für levitische Reinigungen" auferlegt.

[853] Vgl. F. HAUCK, in: MEYER / HAUCK, Art. καθαρός, 433; SCHNACKENBURG, C: Joh I, 452. Für diese Lösung plädieren BECKER, C: Joh I, 154; BULTMANN, C: Joh, 125; SCHNACKENBURG, C: Joh I, 452; SCHULZ, C: Joh, 65; STRATHMANN, C: Joh, 76f. Unentschieden bleibt BROWN, C: John I, 151f.

ohne daß hier Sicherheit zu gewinnen wäre; auch Details über die Auseinandersetzung sind nicht mehr erkennbar.[854] Aber das Wortgefecht ist für den Evangelisten ohnehin nur die Leiter, die er von sich wirft, sobald er die Höhe christologischer Reflexion, eine weitere μαρτυρία des Johannes (Joh 3, 27–30), erreicht hat. Auf den aktuellen Anlaß nimmt diese keinen Bezug.

Daher empfiehlt es sich, den vieldiskutierten Vers nicht überzubewerten. Für den Evangelisten hat er eine darstellungstechnische Funktion, indem er den Hintergrund für die Anfrage der Johannesjünger schafft, die zum Täuferzeugnis als dem Kern der Erzählung führt. Im Verein mit Joh 3, 26 dient der Vers der narrativen Illustration der christologischen Aussage Joh 3, 30.[855] Daß der Evangelist hier Johannes den Täufer und seine Jünger als der Welt des Judentums verhaftet darstellen wolle[856], ist eine Überinterpretation.

10.3.5 Joh 3, 26

Joh 3, 26 verrät deutlich die redaktionellen Darstellungsinteressen. Der Vers schlägt eine Brücke zu Joh 1, 29–34 und greift mit μαρτυρέω das zentrale Schlagwort der johanneischen Täuferinterpretation auf, deutet aber mit „μετὰ σοῦ" wieder den historischen Hintergrund der Taufe Jesu an. Mehr wird man in diese Präpositionalwendung allerdings nicht hineinlesen dürfen[857], da μετά c.gen. durchaus einen vorübergehenden Aufenthalt bezeichnen kann (vgl. z. B. Joh 9, 40; 12, 17; 20, 24. 26).[858]

Die Beschwerde der Johannesjünger[859] hebt nicht – wie die synoptische Reflexion – auf einen Vergleich zwischen den beiden Taufen ab (vgl. Apg 1, 5 u. ö.), sondern auf den zwischen den beiden Täufern, näherhin auf den Umstand, daß auch Jesus tauft („οὗτος βαπτίζει"), und auf dessen – hyperbolisch beschriebenen (vgl. dagegen Mk 1, 5 / Mt 3, 5; ferner Lk 3, 7) – größeren Tauferfolg („πάντες ἔρχονται πρὸς αὐτόν"). Aus der Erwiderung (Joh 3, 27–30) wird eindeutig, daß damit die Klage über die abnehmende eigene Publikumswirksamkeit verbunden ist. Somit beschreibt Joh 3, 26–30; 4, 1 dieselbe „Dynamik der Abwanderung" wie Joh 1, 35–51, doch ist dort von Jüngern im engeren Sinn die Rede; in Joh 3, 26–30; 4, 1 geht es um die breitere

---

[854] SCHNACKENBURG, C: Joh I, 452 entnimmt dem Text mehr, als seine schmale Basis gestattet.

[855] Der Feststellung DODDS, tradition, 280 „The curious thing is that it leads to nothing" ist darum nur sehr bedingt zuzustimmen.

[856] So BARRETT, C: John, 221.

[857] Gegen MORRIS, C: John, 239.

[858] Vgl. BAUER, 1006.

[859] Die Sprecher sind wohl die Johannesjünger, obwohl „ἦλθον" an sich auch den unpersönlichen Plural bezeichnen kann, wie BARRETT, C: John, 221 zeigt. Der Bezug zum Geschehen am Jordan (vgl. Joh 1, 29–34: „ᾧ σὺ μεμαρτύρηκας") und Joh 3, 28 lassen aber an die Jünger denken. Näherhin sind hier – anders als in Joh 4, 1 – die Jünger im engeren soziologischen Sinn gemeint, darauf lassen Tatsache und Anliegen der Anfrage an den „ῥαββί" schließen.

Volksbewegung. Die Jünger stellen die Frage um Joh 3, 27–30 willen. Man darf also weder historisierend fragen, warum sie die bisherigen Zeugnisse ihres Meisters nicht begriffen haben[860], noch psychologisierend auf ihre „Scheelsucht" oder ähnliches verweisen.[861] Aufgrund der intratextuell-narrativen Funktion der Beschwerde verbietet es sich schließlich vor allem, die Frage als Anzeichen kommender Rivalität zwischen den Jüngerkreisen Jesu und Johannes' zu werten[862] oder ihr gleich eine täuferpolemische Stoßrichtung zuzuschreiben.[863]

10.3.6 Joh 3, 27–30

Als kerygmatisches Herzstück der Perikope folgt die dritte μαρτυρία des Johannes (vgl. Joh 1, 19–28. 29–34). Dieser Passus ist im Zusammenhang mit den sachlich verwandten Täuferabschnitten des vierten Evangeliums zu untersuchen (s. u. V:5). Vorweg ist jedoch festzustellen, daß der Eindruck entsteht, Joh 3, 27–30 wende sich gegen eine aktuell grassierende Fehlinterpretation des Johannes und suche ihr das eigene Täuferbild entgegenzusetzen, indem es Johannes teils negativ (Joh 3, 27f), teils funktionalisierend (Joh 3, 29), teils kontradiktorisch (Joh 3, 30; vgl. Joh 3, 27. 31), teils komparativ (Joh 3, 28b) deutet.[864] Gegen welche Täuferinterpretation oder gegen welche diese vertretende Formation sich der Passus näherhin wendet, ist den isolierten Versen Joh 3, 27–30 nicht zu entnehmen und muß daher im weiteren Zusammenhang untersucht werden (s. u. V:5). Immerhin ist nicht zu übersehen, daß der Kontext die μαθηταὶ Ἰωάννου als Adressaten nennt, die in Joh 3, 28 auch selbst als Zeugen aufgerufen werden.

10.3.7 Joh 3, 31–36

Aus der christologischen Reflexion Joh 3, 31–36 ist für das Täuferthema nur der Eingangsvers von Interesse, denn in Ansehung von Joh 3, 27 (vgl. Joh 5, 33–35)

---

[860] So aber STRATHMANN, C: Joh, 77.
[861] Vgl. etwa BARRETT, C: John, 222; SCHNACKENBURG, C: Joh I, 452; STRATHMANN, C: Joh, 77; hiergegen mit Recht BULTMANN, C: Joh, 125.
[862] So aber STRATHMANN, C: Joh, 77.
[863] So aber BULTMANN, C: Joh, 125. BECKER, C: Joh I, 154 sieht im Hintergrund des Verses die Frage: „Geht es bei Jesus und dem Täufer um Konkurrenz oder löst der eine den anderen legitimerweise ab?"; diese Frage sei auf die Situation der Gemeinde hin transparent, die ihre eigene Legitimität zu begründen suche. Aber gerade der synoptische Nachfolge-Gedanke wird hier doch dadurch verdrängt, daß das gleichzeitige Taufen eine Ebene der Vergleichbarkeit und damit auch der Konkurrenz schafft!
[864] Vgl. näher BULTMANN, C: Joh, 122f; GNILKA, C: Joh, 30f; RICHTER, Elias, 30f; van ROYEN, Jezus, 85; SCHNELLE, Christologie, 198f; WILSON, integrity, 38–40.

wird man in dem „ὢν ἐκ τῆς γῆς" gerade Johannes sehen: er ist irdisch und redet irdisch, Jesus stammt „von oben" und steht so „über allem", Johannes eingeschlossen. Freilich leitet der Evangelist mit diesem Gedanken bereits zu einer prinzipielleren Meditation über, die mit Joh 3, 32 dann gänzlich den Zusammenhang mit dem Geschehen um den Täufer und seine Jünger verliert (vgl. Joh 3, 32 i. V. m. 3, 26).

10.3.8 Joh 4, 1. 3

Die folgenden Verse dienen der Überleitung zur Perikope vom Gespräch am Jakobsbrunnen (Joh 4, 4–26). Die Reisenotiz ist denkbar generell und der Anlaß – Jesus[865] erkennt, daß die Pharisäer (vgl. Joh 1, 24) von seinem größeren Erfolg hören – nicht deutlich, sollte daher auch nicht mit Spekulationen über einen Pharisäerstreit[866] überinterpretiert werden. Relevant ist allerdings, daß nicht die „Eifersucht" der Johannesjünger oder gar ihres ganz zu Jesus gehörenden Meisters, sondern der Argwohn der Pharisäer Jesus zur Retraite veranlaßt.[867] In Joh 4, 1 wird μαθηταί anders als in Joh 4, 2 im weiteren soziologischen Sinn verstanden; dies entspricht johanneischem (vgl. Joh 6, 60f. 66; 7, 3; 8, 31; 9, 27) wie überhaupt späterem kirchlichen Sprachgebrauch.[868]

Während der im Aorist formulierte Hauptsatz („ἔγνω" – „ἀφῆκεν" – „ἀπῆλθεν") und der ebenfalls den Aorist verwendende erste ὅτι-Satz („ὅτι ἤκουσαν") nur auf der realen Sprachebene verstanden werden können, mag man in dem präsentisch formulierten zweiten ὅτι-Satz („ὅτι . . . μαθητὰς ποιεῖ καὶ βαπτίζει") aktuelle Züge vermuten, zumal man diese auch für den unmittelbaren Kontext aufweisen kann (s. o. III:10.3.6). Außerdem ist hier die Dignität der Johannestaufe als Initiationsritus vorausgesetzt, eine nicht beim historischen Jesus oder Johannes, sondern erst in der christlichen Gemeinde mögliche Prämisse.[869] Narrativ wird das heilsgeschichtliche Gesetz Joh 3, 30 illustriert: Jesus ist der erfolgreiche Täufer, dem sich auch in der Jetztzeit neue μαθηταί anschließen sollen.

10.3.9 Joh 4, 2

Die Parenthese verrät auch für den literarkritisch zurückhaltenden Ausleger deutlich die Herkunft aus nachjohanneischer Redaktion. Dafür spricht formali-

---

[865] Zur Textkritik vgl. BARRETT, C: John, 230.
[866] So BROWN, C: John I, 165.
[867] Vgl. HAENCHEN, C: Joh, 237.
[868] Vgl. RENGSTORF, Art. μανθάνω, 462f; SCHNACKENBURG, C: Joh I, 458 A. 1.
[869] Vgl. auch SCHNELLE, Christologie, 199f.

ter 1) das johanneische Hapax legomenon καίτοιγε, 2) der Tempusbruch bei unmittelbar benachbarten Verben und gleichem Stamm βαπτίζω, 3) die syntaktische Verschachtelung der Parenthese in einem ohnehin doppelt subordinierten Gliedsatz, 4) die semantische Veränderung bei den unmittelbar benachbarten Nomina μαθηταί (NB: οἱ μαθηταὶ αὐτοῦ ἐβάπτιζον πλείονας μαθητάς!), 5) wohl auch das artikellose Ἰησοῦς in unmittelbarer Nachbarschaft des mit dem Artikel versehenen nomen proprium.[870] Materialiter spricht für die literarkritische Isolierung der Parenthese der direkte inhaltliche Bruch und das deutlich erkennbare Korrekturinteresse: „it is difficult to believe that any writer would have made a statement and contradicted it in the same breath, to the hopeless ruin of his sentence".[871] Daß diese Korrektur nicht an Joh 3, 22 angefügt wurde, erklärt sich aus dem abschließend-resümierenden Charakter von Joh 4, 1.[872]

Die Notiz präzisiert, die Taufe, von der in Joh 3, 22; 4, 1 die Rede sei, sei eine Delegationstaufe (vgl. Apg 10, 48; 1 Kor 1, 14–17; Tertullian, De bapt., 11, 1f).[873] In Anlehnung an das forschungsgeschichtliche Herkommen ist auch dieser Zusatz als Täuferpolemik interpretiert worden: „Perhaps the final redactor was afraid that the sectarians of John the Baptist would use Jesus' baptizing as an argument that he was only an imitator of John the Baptist".[874] Genauso freilich hat man bereits die Mitteilung, Jesus habe getauft, als Polemik gegen den Täuferkreis verstanden: erst so könne sich Jesus im Vergleich als überlegen erweisen (s. u. III:10.4). Die Behauptung, Jesus habe nicht getauft, läßt sich ohne Umweg über die Polemik-Hypothese dadurch erklären, daß sich hier entweder das hoheitschristologische Verständnis der Redaktion niederschlägt – der Herr der Gemeinde kann nicht getauft haben – oder deren wirkliches oder vermeintliches historisches Wissen oder das Bemühen um Ausgleich mit der synoptischen Tradition. In letzterem Fall mag Joh 3, 24 im gleichen Zuge wie Joh 4, 2 dem Evangelium inkorporiert worden sein.

---

[870] SCHNACKENBURG, C: Joh, 458 A. 2 überlegt, ob der artikellose Eigenname überhaupt als Stilmerkmal der nachjohanneischen Redaktion aufzufassen sei.

[871] DODD, tradition, 285.

[872] Dies klärt das Bedenken BULTMANNS, C: Joh, 128 A. 4. Die Zuordnung von Joh 4, 2 zur nachjohanneischen Redaktion ist eine der wenigen literarkritischen Hypothesen zu Joh, die nahezu zur opinio communis gereift sind; vgl. BARRETT, C: John, 230 (als Vermutung); BECKER, C: Joh I, 166; BROWN, C: John I, 164; BULTMANN, C: Joh, 128 A. 4; DODD, tradition, 285; GRUNDMANN, Verkündigung, 305 A. 48; HAENCHEN, C: Joh, 238; SCHNACKENBURG, C: Joh I, 458; SCHULZ, C: Joh, 73.

[873] Vgl. dazu ALAND, Vorgeschichte, 11f; ENSLIN, John, 8.

[874] BROWN, C: John I, 164.

10.4 Analyse der historischen Tradition

Die prinzipiellen Überlegungen zur historischen Auswertung des vierten Evangeliums (s. o. III:9.5.1) gelten a fortiori für den ganz redaktionell geprägten Passus Joh 3, 22–4, 3.

Da für die topographische Angabe von Änon bei Salim als Taufstätte des Johannes kein Darstellungsinteresse erkennbar oder auch nur denkbar ist, wird man sie für historisch zuverlässig halten und von einer Wirksamkeit des Täufers in Samaria ausgehen (s. u. V:5).[875]

Erheblich schwieriger ist die Frage zu beantworten, ob Jesus tatsächlich getauft hat. Jede Antwort wird hier zu einem gewissen Teil arbiträr bleiben. Es sind ebenso triftige Gründe dafür anzuführen, daß die Synoptiker eine solche Tatsache verschweigen wollten[876], wie dafür, daß sie eine christologisch motivierte Fiktion des vierten Evangeliums ist.[877] Gewiß stammen die ersten Jünger Jesu weithin aus der Täuferbewegung (s. o. III:9.5.2; s. u. IV:3.1), und die unvermittelte Einführung der Johannestaufe als christliches Initiationssakrament (s. u. IV:3.2.2) ließe sich eher verständlich machen, wenn bereits Jesus getauft hätte. Außerdem scheint der „Iesus baptizans" ein unerfindlicher Zug des im ganzen so auf die Hoheit des Christus bedachten vierten Evangeliums zu sein. Aber andererseits sucht Joh das Prae des Täufers überhaupt zu schmälern (vgl. Joh 1, 15. 27. 30), die Synchronizität der Taufen ist die Bedingung der Möglichkeit für die Konkurrenz und damit für den Triumph Jesu (vgl. Joh 3, 26; 4, 1)[878] und das Zeugnis des Täufers (vgl. Joh 3, 27–30).[879] Wenn Jesus selbst getauft hätte, wäre zu erwarten, daß das junge Christentum sich dies aitiologisch zunutze gemacht hätte; statt dessen beruft es sich auf einen nachösterlichen Taufbefehl (Mt 28, 19; vgl. Mk 16, 16).[880] Eine Jüngerschaft Jesu beim Täufer ist definitiv auszuschließen (s. o. II), er wirkte von Anfang an selbständig, und der Verzicht auf den Taufritus des Johannes entsprach nicht nur seiner Botschaft von der Gottesherrschaft[881], sondern wurde durch sie sogar erforderlich (s. u. IV:3.2.2). In der Aussendungsrede an die Jünger, die gerade das Wirken Jesu widerspiegelt (vgl. Mk 6, 7–13 parr), fehlt jeder Hinweis auf Taufspendung.[882]

---

[875] So auch DODD, tradition, 236; GOGUEL, seuil, 83–85; HUGHES, Disciples, 176–178; LINNEMANN, Jesus, 226; vgl. BOISMARD, Aenon, passim.

[876] Vgl. etwa ALAND, Vorgeschichte, 12.

[877] Ausführlich behandelt das Pro und Contra MARSH, origin, 109–126.

[878] Vgl. BALDENSPERGER, Prolog, 69; BARTH, Zeit, 42f; BULTMANN, C: Joh, 122; LOHFINK, Ursprung, 35f; RICHTER, Elias, 30f; van ROYEN, Jezus, 85; SCHNELLE, Christologie, 198f; hiergegen nicht überzeugend SCOBIE, John, 153.

[879] „By placing them momentarily side by side the Evangelist shows how the full sunshine has hidden the glow of the moon" (WINK, John, 94).

[880] Vgl. dazu MARSH, origin, 115–117.

[881] Gegen MARSH, origin, 125f.

[882] Vgl. dazu LOHFINK, Ursprung, 36; NEPPER-CHRISTENSEN, Taufe, 197.

Also kann man eine Taufpraxis Jesu nur in einer „apokryphen" Anfangszeit ansetzen; er hätte dann die Johannestaufe – nicht etwa eine Art „Zwischentaufe"[883] oder gar das christliche Sakrament – gespendet. Aber Joh 4,1 setzt die Taufe als Initiationsritus, also als Gemeindesakrament, voraus, und ein solches Verständnis ist für die „Anfangszeit" schlechterdings auszuschließen. So spricht in toto mehr gegen als für eine Taufpraxis Jesu, und die Frage entscheidet sich mit der redaktionsgeschichtlichen Untersuchung, die ein johanneisches Darstellungsinteresse an der Simultaneität der Taufen nachweisen kann.[884]

10.5 Redaktionsgeschichtliche Analyse

Als Hauptproblem stellt sich der redaktionsgeschichtlichen Analyse die Frage, welche Intention der Redaktor mit der Schilderung einer gleichzeitigen Tauftätigkeit Jesu und des Täufers verbindet. Möglicherweise läßt sich dieses Problem von der Beobachtung her entschlüsseln, daß der vierte Evangelist Redepassagen mitunter durch „acted parables" zu illustrieren pflegt. So entspricht der Rede über das Himmelsbrot (Joh 6,22–59) die wunderbare Brotvermehrung (Joh 6,1–15), der Selbstprädikation Jesu als Auferstehung und Leben (Joh 11,25) die Auferweckung des Lazarus (Joh 11,28–44) usf..[885] Auch wenn es sich bei der Tauftätigkeit Jesu nicht um ein Wunder handelt, mag sie doch als „acted parable" das Nikodemus-Gespräch (Joh 3,1–13) beleuchten, zumal Joh 3,31–36 die christologische Reflexion Joh 3,14–21 fortsetzt.

Um diesen Gedanken zu präzisieren, kann auf die Beobachtungen M. CAMBES (1978) verwiesen werden. Er bezieht die Taufnotiz auf die Kontrastierung von Wasser- und Geisttaufe in Joh 3,5. Dieser entspreche aber der faktische

---

[883] So etwa PESCH, Initiation, 93; SCHNACKENBURG, C: Joh I, 449; STRATHMANN, C: Joh, 76.

[884] Eine täuferische Wirksamkeit Jesu halten zahlreiche Forscher für historisch verbürgt: ALAND, Vorgeschichte, 6, 11f; BARTH, Sakrament, 393 u.ö.; BEASLEY-MURRAY, Taufe, 99f; BECKER, Johannes, 13f; DERS., C: Joh I, 152f; BERNARD, C: John I, 128; BROWN, C: John I, 155; GOGUEL, seuil, 91f, 101 u.ö.; HOLLENBACH, conversion, 204–207; INNITZER, Johannes, 216; JEREMIAS, Theologie, 52f; LICHTENBERGER, Täufergemeinden, 52; LINNEMANN, Jesus, 226 u.ö.; MARSH, origin, 118–126; MEYER, aims, 122f; MICHEL, Art. Johannes, 670; PESCH, Initiation, 93; SCHLATTER, Johannes, 155; SCHNEIDER, Jesus, 530; STAUFFER, Theologie, 9f; DERS., Gestalt, 57. Unter unterschiedlichen Voraussetzungen und mit unterschiedlichen Begründungen kommen folgende Forscher zu der von dieser Untersuchung vertretenen Auffassung: BARTH, Zeit, 42f; DIBELIUS, Überlieferung, 111f; ENSLIN, John, 8; HUGHES, Disciples, 137–141; KRAELING, John, 174; LOHFINK, Ursprung, 35f; MEYER, Ursprung I, 92, 324; NEPPER-CHRISTENSEN, Taufe, 197; OEPKE, Art. βάπτω, 536; van ROYEN, Jezus, 84f; SCHNELLE, Christologie, 199f; WINDISCH, Taufe, 79.

[885] Vgl. allgemein VIELHAUER, Geschichte, 432f.

Kontrast zwischen täuferischer und christlicher Wassertaufe gar nicht. Die „activité baptismale simultanée" ist dann als *une médiation* entre ce qui est contraire au niveau d'un discernement fondamental et ce qui est en continuité au niveau de la pratique"[886] zu verstehen. Unten wird sich zeigen, daß gerade die Wassertaufe ein Streitpunkt zwischen johanneischem Kreis und der Täufergemeinde war und daß diese ihren Heros eponymus als Elias baptizans verehrte (s. u. V:5). Dies fügt sich zu dem von CAMBE vermuteten Skopus der Darstellung. Die von Jesus gespendete Taufe spiegelt insofern „l'ordre des choses ecclésial" wider; sie ist die christliche Wassertaufe *als* Geisttaufe „avec prédominance du second terme".[887] Wenn auch die theologische Interpretation durch den Evangelisten die historische Basis des Gedeuteten nicht ausschließen muß, so spricht doch nach Abwägung der Argumente (s. o. III:10.4) mehr gegen als für die Annahme, daß Jesus je getauft hat. Daher hat der kommentierende Glossator in Joh 4, 2 in der Tat der Historie wieder zu ihrem Recht verholfen.[888]

In summa hat sich Joh 3, 22–4, 3 als literarisches Gebilde des Evangelisten erwiesen, dessen Täuferinterpretation den gesamten Passus prägt. Im Zusammenhang mit dieser Interpretation werden auch die darstellungsleitenden Tendenzen näher untersucht werden müssen (s. u. V:5). Arbeitshypothetisch läßt sich von der vorgelegten Einzelanalyse her ein Vorverständnis formulieren, nach dem sich Joh mit einer sich auf den Täufer Johannes berufenden Formation des Judentums auseinanderzusetzen hat. Es ist nicht gelungen, diese Formation näher einzugrenzen oder zu beschreiben. Anlaß zur Kontroverse bietet die Deutung der Gestalt des Täufers und wohl auch die Frage nach der Taufe des Johannes. Die Taktik des Evangelisten beruft sich auf das „Ipse dixit" des Johannes, interpretiert diesen negativ, funktionalisierend, kontradiktorisch und komparativ in seinem Verhältnis zu Jesus; sie zielt auf das Wachstum der christlichen Gemeinde und den Schwund ihrer täuferischen Antagonisten (vgl. Joh 3, 30).

---

[886] Jésus, 100; vgl. ebd., passim.
[887] Vgl. ebd., 102.
[888] Vgl. DIBELIUS, Überlieferung, 111.

11. Josephus, Ant., 18, 116–119

11.1 Der Belegtext

11.1.1 Inhalt und Zusammenhang

Für die ältere Exegese war Flavius Josephus ein Hauptzeuge für die Existenz und das Wesen des Täuferkreises, sieht man noch von den auch hier abwegigen Spekulationen R. EISLERS (1929/30) ab, Josephus habe aus Täuferquellen geschöpft oder sei gar selbst ein Johannesjünger gewesen.[889] Nachdem das Thema mit den großen Täufermonographien in der ersten Hälfte dieses Jahrhunderts ausdiskutiert schien, ist es neuerdings von H. LICHTENBERGER (1987) wieder in die Debatte gebracht worden: Ant., 18, 116–119 wende sich polemisch gegen die messianische Verehrung des Täufers in Kreisen römischer Johannesjünger.[890]

Der jüdische Historiker berichtet im Zusammenhang der Schilderung des Kriegs zwischen Herodes Antipas, dem Tetrarchen von Galiläa und Peräa (Reg.: 4 v. Chr.–39 n. Chr.), und dem Nabatäerkönig Aretas IV. (Reg.: 9 v. Chr.–39 n. Chr.) von einem Ἰωάννης ὁ ἐπικαλούμενος βαπτιστής, den Antipas auf der Feste Machaerus habe hinrichten lassen, weil er dessen Einfluß auf die Volksmassen fürchtete. Diese Bluttat sei nach Meinung der Juden Ursache eines göttlichen Strafgerichts, das in Gestalt der vernichtenden Niederlage des herodianischen Heeres im Feldzug gegen die Nabatäer (36 n. Chr.) über den Tetrarchen gekommen sei (vgl. Ant., 18, 109–119).[891]

Vom Wirken dieses ἀγαθὸς ἀνήρ heißt es näherhin: „τοῖς Ἰουδαίοις κελεύοντα ἀρετὴν ἐπασκοῦσιν καὶ τὰ πρὸς ἀλλήλους δικαιοσύνῃ καὶ πρὸς τὸν θεὸν εὐσεβείᾳ χρωμένοις βαπτισμῷ συνιέναι· οὕτω γὰρ δὴ καὶ τὴν βάπτισιν ἀποδεκτὴν αὐτῷ φανεῖσθαι μὴ ἐπί τινων ἁμαρτάδων παραιτήσει χρωμένων, ἀλλ᾽ ἐφ᾽ ἁγνείᾳ τοῦ σώματος, ἅτε δὴ καὶ τῆς ψυχῆς δικαιοσύνῃ προεκκεκαθαρμένης" (Ant. 18, 117).

---

[889] Vgl. Ἰησοῦς I, 118, 120 A. 1, 170; immerhin kann sich der Gelehrte auf frühe Forschungsmeinungen berufen.

[890] Vgl. Täufergemeinden, 45f.

[891] Zum historischen Zusammenhang vgl. SCHÜRER, Geschichte I, 436–446.

11.1.2 Tendenz und Historizität

Die für den jüdischen Historiker signifikanten darstellungsleitenden Interessen durchziehen gerade die Nachricht über den Täufer Johannes: seine Neigung, die Juden gegenüber der römischen Hegemonialmacht zu verteidigen[892], jüdischer Eigenart entsprechende Entwicklungen der hellenistischen Vorstellungswelt angepaßt darzustellen[893], spezifisch religiöse Phänomene auf eine eher philosophische Ebene zu transponieren[894], aber auch sein Bestreben, in Form historischer Darstellung das eigene Geschick zu reflektieren.[895] Aber diese Leitlinien der Darstellung berauben sie keineswegs ihrer historischen Relevanz. Trägt man ihnen nämlich Rechnung, so ergibt sich, daß sich die Mitteilung der Ant. mit den evangelischen Nachrichten durchaus vereinbaren läßt. Denn sucht Josephus auch religiöse Persönlichkeiten von allen politischen Assoziationen zu lösen, so erklärt doch nur die Endzeit-Predigt, nicht aber harmlose Tugendlehre, den begeisterten Zustrom der Menge, den Josephus ja bestätigt (Ant., 18, 118; vgl. Mt 11, 7–9 par; Mk 1, 5 par; Mk 11, 27–33 parr), und die nervöse Reaktion des Tetrarchen. Insofern die Trias der ἀρετή, δικαιοσύνη und εὐσέβεια bei Josephus den Platz der jüdischen „Tugend" der μετάνοια halten mag, scheint auch in Ant. die Bußpredigt des Täufers durch.[896] Wenn die Taufe hier eher als Beiwerk erscheint und keine Sünden nachzulassen vermag, sondern mehr den Charakter einer äußeren Reinigung trägt, die freilich in bezug zur inneren Lauterkeit stehe, so schließt sich Josephus der allgemeinen Auffassung der Spätantike an. Er kann durchaus von sakralen Bädern sprechen, erfreuen sich diese doch verbreiteter Wertschätzung, muß ihnen aber den verdächtigen magischen Charakter nehmen. Das dem Johannes eigene Taufverständnis zielte aber auf das von dem Historiker verschwiegene eschatologische Gericht; in der Ideenassoziation der „Sündenvergebung" und in dem Cognomen des Johannes klingt dieses täuferische Verständnis freilich auch bei Josephus noch an.[897] Schließlich ist auch die Notiz über Festnahme und Hinrichtung des Täufers

---

892 Hier konkret durch die völlige Entpolitisierung des tugendhaft-frommen Gottesmannes Johannes, die jede – politisch suspekte – Endzeitbegeisterung verdeckt.

893 Die eschatologischen Motive, die radikalen Forderungen und das charakteristische Taufverständnis des Jordanpropheten verblassen völlig.

894 Aus dem homo religiosus wird der Moralprediger, aus der Bußtaufe eine vergeistigte Symbolhandlung.

895 Die Gestalt des Täufers Johannes ist dem Josephus, dem ehemaligen Jünger des Banus (vgl. Vita, 11f), nicht gleichgültig, obwohl die völlige Parallelisierung der beiden „Täufer" bei KRAFT, Entstehung, 4f durch die Quellen nicht gedeckt wird. SCHLATTER, Johannes, 63 und im Anschluß an ihn SCHÜTZ, Johannes, 18 weisen darauf hin, daß sich im vorliegenden Passus auch der Pharisäer in Josephus zu Wort melden könnte, der zur Bußforderung und -taufe des Propheten Johannes keinen Zugang zu finden vermag.

896 Vgl. THOMAS, mouvement, 81.

897 Vgl. LANG, Erwägungen, 460; SCHLATTER, Johannes, 63; THOMAS, mouvement, 81–83; THYEN, Studien, 132 A. 1.

nicht gänzlich unvereinbar mit der synoptischen Darstellung, mag sie auch die Geschehnisse unter anderen – wohl realistischeren – Gesichtspunkten sehen als die Erzählung Mk 6, 17–29.

So wird man in toto die Bemerkungen der Ant. über die Gestalt und die Wirkung des Täufers nicht einfachhin als „falsch"[898] abtun; sie stehen auch nicht „ohne mögliche Harmonie"[899] gegen die neutestamentliche Überlieferung, sondern als Oberakkord mit hellenistischer Klangfarbe ergänzend neben ihr. Der Bericht des Josephus ist freilich eine durch die „spezielle Abart des josephinischen Judentums"[900] geprägte Darstellung sui generis, nämlich „a one-sided account"[901] eines hellenistischen Juden mit profanhistorischem Interesse und einer in der imperial-römischen Kultur verwurzelten Leserschaft.[902]

Die Täufernotiz der Ant. hat damit keinen geringeren Anspruch auf historische Würdigung als die biblischen Nachrichten.[903] Sie stammt von einem Verfasser, der nur kurze Zeit nach dem Auftreten des Täufers und noch unter der Herrschaft des Antipas in Jerusalem geboren wurde und so in seiner Jugend möglicherweise Ohrenzeuge jener Erzählungen über den volkstümlichen Jordanpropheten war, die noch nach seinem Tode seine Zeitgenossen beschäftigten. Das Fortleben des Johannes im Gedächtnis des Volkes (vgl. Ant., 18, 116. 119) illustriert seine außergewöhnliche Ausstrahlung, und die Täufernotiz des Josephus stellt den wichtigsten außerneutestamentlichen Hinweis auf die Breite und die Intensität der Taufbewegung des Johannes im jüdischen Volk dar.

11.2 Die Wendung „βαπτισμῷ συνιέναι" (Ant., 18, 117)

11.2.1 Der Status quaestionis

Steht also der Quellenwert der Ant. für die Beurteilung der Täuferbewegung insgesamt außer Frage, so dient der Täuferpassus des Josephus doch auch als Beleg für die Hypothese einer Täufersekte im engeren Sinne. Die Bemerkung,

---

[898] RUDOLPH, Mandäer I, 74.
[899] SCHLATTER, Johannes, 61.
[900] Ebd., 58.
[901] SCOBIE, John, 19.
[902] Zu Ant., 18, 116–119 vgl. insgesamt DIBELIUS, Überlieferung, 123–129; GOGUEL, seuil, 15–20; LANG, Erwägungen, 460f; NODET, Jésus, 322–326; SCHLATTER, Johannes, 56–65; SCHÜTZ, Johannes, 13–27; THOMAS, mouvement, 78–85.
[903] SCHÜTZ, Johannes, 16–18 versucht aufzuweisen, daß Josephus Zugang zu christlichen Quellen, womöglich zum markinischen Täuferbericht (vgl. Mk 6, 20), hatte, sie aber nicht verwendete; anders mit Recht LICHTENBERGER, Täufergemeinden, 45.

Johannes habe die Juden aufgefordert (κελεύω), „βαπτισμῷ συνιέναι" (Ant., 18, 117), wird häufig, in der älteren Exegese fast durchgehend, in dem Sinne gedeutet, daß die Taufe als Mittel dargestellt werde, die Täuflinge zu einer Gemeinde zusammenzuschließen. So überträgt M. GOGUEL (1928) die Wendung, „comme on le fait d'ordinaire", mit „s'unir par un baptême" und sieht in ihr den Gedanken, „que le rite baptismal a le caractère d'un rite d'initiation"[904]: „L'expression 's'unir par un baptême' ... est déjà caractéristique parce qu'elle implique l'idée d'une communauté ou d'un groupe, sans dire d'ailleurs sur quels principes, sur quelles idées, sur quelles conceptions ou sur quels buts ce groupe repose".[905] Bereits E. MEYER (1924) hat bei Josephus Andeutungen dafür gefunden, Johannes habe „eine religiöse Gemeinschaft gegründet ..., einen Orden, ähnlich den Essenern und Therapeuten".[906] G. H. C. MacGREGOR (1934/35) behauptet unvermittelt: „The phrase βαπτισμῷ συνιέναι evidently [!] implies not merely 'to come together to receive baptism,' but rather 'to come together into a community by baptism.' The idea is suggested of a 'Baptist group.' John's baptism is a rite of initiation into his new sect"[907], und R. SCHÜTZ (1967) bezieht das Verb συνιέναι auf die Konstituierung einer „esoterischen Täufergemeinschaft"[908]. Zahlreiche Exegeten deuten die Wendung ähnlich[909] oder setzen eine solche Deutung der Wendung stillschweigend voraus.[910] Zuletzt hat É. NODET (1985) die Übersetzung „se joindre au baptême" vorgeschlagen, dabei aber offengelassen, ob sich das Nomen auf „le baptême, comme acte momentané," oder „le baptisme, comme mouvement ou groupe", bezieht.[911]

Schließt man sich der beschriebenen Interpretation der Infinitivkonstruktion an, so bietet Ant., 18, 117 einen wichtigen Beleg für die Absicht des Johannes, eine religiöse Gemeinschaft im engeren Sinne zu stiften. Zumindest wäre sein Wirken von Josephus so gedeutet worden, und da der jüdische Historiker im ganzen ein zuverlässiger Gewährsmann ist (s. o. III:11.1.2) und zudem die Erwähnung eines seinen Lesern eo ipso politisch verdächtigen concursus seinen Darstellungstendenzen evident zuwiderläuft, käme seiner Aussage starkes Gewicht zu. Das Schweigen der evangelischen Berichte könnte dann durchaus als

---

[904] Seuil, 16 A. 1.
[905] Ebd., 19; vgl. ebd., 20.
[906] Ursprung I, 90.
[907] Problems, 356.
[908] Johannes, 24: „Neben der esoterischen Täufergemeinschaft (βαπτισμῷ [sic] συνιέναι) strömten andere zusammen, die nicht zur Johannesjünger-Gruppe gehörten (καὶ τῶν ἄλλων συστρεφομένων)".
[909] So etwa GUY, prophecy, 49; HAUSRATH, Zeitgeschichte, 365 („Denn was der Täufer beabsichtigte, war nichts Anderes als die Gründung einer messianischen Gemeinde. Daß es sich um Bildung einer *Gemeinschaft*, um einen eigentlichen *Taufbund* handelte, sagt Josephus ausdrücklich"); LOHMEYER, Urchristentum, 31f, 53, 111, 113, 166f u. ö.; MARSH, origin, 64; vgl. auch HUGHES, Disciples, 48f.
[910] Vgl. etwa HÖLSCHER, Urgemeinde, 19; RENGSTORF, C: Lk, 80f.
[911] Jésus, 323, 325; vgl. ebd., 329 A. 8.

apologetisches Ver-schweigen gedeutet werden, lag es doch nicht im Interesse der jungen Kirche, den von der eigenen Tradition so sehr geschätzten „Vorläufer" als „Häresiarchen" darzustellen und der konkurrierenden Täufergemeinde Raum zur Würdigung im allgemeinen und zum Aufweis „edler Wurzeln" im besonderen zu geben.

Da das skizzierte Problem für die Entstehungsgeschichte des Täuferkreises von entscheidender Bedeutung ist, bedarf es genauerer Untersuchung. Dabei wird die Wendung „βαπτισμῷ συνιέναι" auf ihren sprachlichen Gehalt (s. u. III:11.2.2.1), auf ihren unmittelbaren und weiteren Kontext (s. u. III:11.2.2.2) und auf ihre historische Plausibilität (s. u. III:11.2.2.3) zu prüfen und in ihrem Bedeutungsgehalt positiv zu bestimmen (s. u. III:11.2.2.4) sein.

11.2.2 Die Bedeutung der Wendung

11.2.2.1 Der sprachliche Gehalt

σύνειμι als Kompositum von εἶμι, hap. leg. im Neuen Testament, ersetzt Lk 8, 4 das markinische συνάγω (Mk 4, 1 / Mt 13, 2). Das seltene Verbum wird von א* 1424 *pc* durch σύνειμι, Derivat von εἰμί, von D *f*[13] *pc* sinnentsprechend durch συνέρχομαι ersetzt. Das Verbum hat hier eindeutig die Konnotationen eines rein lokalen Zusammentreffens; es steht ohne präpositionale oder dativische Erweiterung.[912]

In der Diskussion wird darauf verwiesen, daß die Übertragung von συνιέναι mit „zusammenkommen" (vgl. z. B. Josephus, Bell., 1, 491; 3, 87; 4, 592; Ant., 6, 83) Lokalpräpositionen verlange.[913] Nun kann der Dativ statt als Instrumentalis als dativus causae[914] oder limitationis[915] verstanden werden. Hierfür spricht die Analogie „μάχῃ συνιέναι"[916] (vgl. auch Mk 14, 53 v. l.; Josephus, Bell., 2, 411; Did 14, 2). Doch ist einzuräumen, daß die Infinitivkonstruktion unter sprachlichem Aspekt ambivalent ist.

11.2.2.2 Der Kontext

Dagegen führt der engere Kontext des Passus und der weitere der josephischen Geschichtsschreibung eindeutig zu einer Verwerfung einer auf eine Sektengründung abhebenden Bedeutung der Wendung. Bereits der folgende Begründungssatz („ὅὕτω γὰρ δὴ καὶ ...") bietet keinen Anhalt für die Annahme eines

---

[912] Die Einheitsübersetzung bezieht die Präpositionalwendung mit dem distributiven κατά fälschlich statt auf das zweite auf das erste Glied des gen. abs..
[913] Vgl. GOGUEL, seuil, 16 A. 1; LOHMEYER, Urchristentum, 31f A. 3.
[914] So BRANDT, Baptismen, 81: „behufs einer Taufe"; vgl. BLASS/DEBRUNNER, § 196.
[915] Vgl. BLASS/DEBRUNNER, § 197.
[916] Vgl. BRANDT, Baptismen, 81.

gemeinschaftsstiftenden Charakters der Johannestaufe.[917] Ferner ist der daran anschließende gen. abs. „τῶν ἄλλων συστρεφομένων" (Ant., 18, 118) keineswegs als Gegensatz zu „βαπτισμῷ συνιέναι" aufzufassen[918], sondern vielmehr als dessen Parallele. Das logische Subjekt sind im ersten Fall οἱ Ἰουδαῖοι, die zu einem Verhalten – sich der Tugend zu widmen, gegeneinander Gerechtigkeit und gegen Gott Frömmigkeit zu üben – aufgefordert werden. Daraufhin strömen – im zweiten Fall – die Menschen (ἄλλοι[919]) zusammen, so daß Herodes den πιθανὸς αὐτοῦ τοῖς ἀνθρώποις zu fürchten beginnt. Von Bundesbrüdern ist weder in diesem noch in jenem Fall die Rede, und das Verbum συστρέφω bezeichnet passivisch eindeutig ein lokales Zusammenkommen (vgl. z. B. Josephus, Bell., 3, 302).[920] Es ist außerdem hervorzuheben, daß sich der Täufer mit seiner Botschaft an die Juden insgesamt wendet (vgl. Ant., 18, 117), daß er großen Einfluß auf die Menschen im allgemeinen hat (vgl. Ant., 18, 118) und daß wiederum die Juden überhaupt in der Niederlage des Herodes eine Strafe für die Ermordung des Täufers sehen (vgl. Ant., 18, 119); esoterische Zirkel werden an keiner Stelle erwähnt.

E. LOHMEYER lehnt die Übertragung „sich versammeln, um die Taufe zu empfangen" ihrer zu banalen Bedeutung wegen ab[921], übersieht dabei aber, daß das ganze Täuferbild des Josephus „mit seiner welken Mattigkeit"[922] keine sonderliche Tiefe erreicht[923], während die sehr konkrete Erwähnung eines Zusammenschlusses im Rahmen der dem Täufer zugeschriebenen Allerweltspredigt fremd wirken muß. Denn es kann wohl kaum supponiert werden, die Reinigung des Körpers nach fromm-tugendhaften Akten stelle ein hinreichendes Motiv zu der Bildung einer esoterischen religiösen Gemeinschaft dar.

Schließlich steht die Übertragung „sich zusammenschließen" nicht im Einklang mit der Gepflogenheit des Josephus, Zusammenrottungen, die stets den Argwohn des römischen Lesers wecken mußten, möglichst schweigend zu umgehen. GOGUELS Einwand, die „force même des choses" veranlasse den Historiker zu seiner Mitteilung[924], vermag nicht zu überzeugen, wenn auf der anderen Seite diese „force" ihn nicht davon abhält, die Gestalt des Täufers überhaupt nach seinen eigenen Maßstäben zu messen (s. o. III:11.1.2). Wenn der jüdische Historiker übrigens von den αἱρετισταί seines Volkes handeln will,

---

[917] Vgl. SCHLATTER, Johannes, 62 A. 18.

[918] Gegen SCHÜTZ, Johannes, 24. Man achte nur auf die verwendeten logischen Partikel und Konjunktionen!

[919] Diese ἄλλοι sind nicht als Täufergemeinde zu verstehen; ἄλλος ersetzt hier lediglich das Indefinitpronomen (vgl. BAUER, 79).

[920] Vgl. BAUER, 1574.

[921] Vgl. Urchristentum, 31 A. 3.

[922] SCHLATTER, Johannes, 64.

[923] An anderer Stelle vermißt freilich auch LOHMEYER die „scharfen Konturen" (Urchristentum, 108) und lastet Josephus eine „verblaßte" Darstellung der Täuferbotschaft (vgl. ebd., 113) und eine „verflachende Sprache" (vgl. ebd., 54f) an.

[924] Vgl. seuil, 16 A. 1 (gegen DIBELIUS, Überlieferung, 125 A. 1).

kann er durchaus ausführlich werden (vgl. Bell., 2, 119–166); auf versteckte Formeln muß er nicht zurückgreifen.

11.2.2.3 Die historische Plausibilität

Die Untersuchung des Ursprungs des Täuferkreises bei dem Täufer Johannes ergibt, daß die Botschaft des Jordanpropheten die Gründung einer Gemeinde eigener Art ausschloß und die von ihm gespendete Taufe kein Initiationsritus war (s. u. IV:1.3). Schließlich ist eine Täufersekte im Palästina der bei Josephus beschriebenen Zeit nicht zu belegen.

11.2.2.4 Der Bedeutungsgehalt

Nach der Abweisung des auf eine Gemeindegründung abhebenden Verständnisses der Wendung bleibt positiv nach ihrem Sinn zu fragen. Die Präposition συν- modifiziert das Verb εἰμι dahingehend, daß es den gemeinschaftlichen Charakter des Zugs zu Johannes dem Täufer hervorhebt. Der Weg in die Wüste war aus reisetechnischen Gründen gruppenweise anzutreten und nicht von Einzelpilgern. Der Dativ βαπτισμῷ läßt sich am ehesten als dat. causae oder limitationis verstehen. Die hier vertretene Deutung scheitert also keineswegs daran, daß sie behauptet, „que Jean ait réuni tous ses disciples pour les baptiser en une seule fois".[925] Daher bedeutet die umstrittene Wendung lediglich „venir en foule à son baptême"[926] „and means only that the people were invited to come as a people must, in numbers rather than each one separately".[927]

11.3 Der polemische Charakter des Täuferpassus und die Herkunft des Gerüchts

Gegen die Hypothese H. LICHTENBERGERS (1987) besteht nicht der geringste Anlaß, Ant., 18, 116–119 als kritische Stellungnahme des Josephus gegenüber den Täuferjüngern seiner Zeit zu betrachten, näherhin als „implizite Polemik gegen eine besondere Verehrung des Täufers".[928] Diese Hypothese illustriert

---

[925] GOGUEL, seuil, 16 A. 1 (gegen BRANDT, Baptismen, 81, dem diese kuriose Ansicht aber kaum unterstellt werden kann).
[926] THOMAS, mouvement, 79.
[927] KRAELING, John, 119; vgl. insgesamt auch BRANDT, Baptismen, 81f; DIBELIUS, Überlieferung, 125 A. 1.
[928] Täufergemeinden, 46; vgl. ebd., 43–47.

deutlich die oft zu beobachtende methodologische Disziplinlosigkeit der Täuferkreis-Forschung (s. o. I:2.1).

Eine völlig neutrale Mitteilung und sogar dezidiert positive Stellungnahme zum Täufer wird durch die Projektion ins Gegenteil als Ausdruck polemischer Auseinandersetzung qualifiziert. Dabei wird gegen jedes um Logik bemühte Denken sogar unterstellt, die Charakterisierung des Täufers als ἀγαθὸς ἀνήρ trage „einen ausgesprochen [!] polemischen Ton" und diene der „Herabsetzung des Johannes".[929] Der Kontext, der den begeisterten Zustrom des Volkes zum Täufer und sein Fortleben im Gedächtnis des Judentums schildert und in geradezu wärmstem Tonfall von ihm handelt, wird souverän übergangen. Statt dessen wird diffus ohne die Angabe – geschweige denn die detaillierte Prüfung – einzelner Textbelege auf „die Abgrenzungen und Konflikte in den Evangelien"[930] verwiesen und eine messianische Erhöhung des Jordanpropheten „in Analogie und Konkurrenz zu Jesus"[931] postuliert; die religionssoziologischen Möglichkeitsbedingungen eines solchen Postulats werden nicht erwogen (s. u. V:5.3). Wohl aber wird von dieser unsicheren Basis aus der Schluß auf eine „römische Täuferdiaspora" gewagt.[932] Diese wird ohne weiteres in den Zusammenhang mit dem vielfältigen mouvement baptiste der Spätantike gebracht[933], ohne daß deutlich würde, worin dieser Zusammenhang pünktlich und genau besteht.

Setzte man ad hominem die Richtigkeit einer polemischen Textfunktion voraus, so wäre selbst dann nicht einzusehen, warum die Polemik sich statt gegen ein belegbares Täuferbild einer nachgewiesenen christlichen Gemeinde in Rom gegen ein bislang nicht belegtes Täuferbild einer bislang historisch nicht nachgewiesenen römischen Täufergemeinde richten sollte. Insgesamt stellt die Theorie LICHTENBERGERS – darin den Arbeiten J. R. BOWENS (1912)[934] und J. L. JONES' (1959)[935] vergleichbar – die allzu unkritische Ausdehnung der BALDENSPERGERSCHEN Hypothesen auf ein – mit Recht – noch nicht begangenes Feld möglicher Täuferpolemik dar.

Schließlich besteht auch kein Anlaß, für das expresse den Juden zugeschriebene Gerücht über das Strafgericht gegen Antipas (vgl. Ant., 18, 119) den isolierten Zirkel von „Täuferjüngern" verantwortlich zu machen.[936] Daß diese Kunde vor allem in den Kreisen der früheren Täuferbewegung kolportiert wurde[937], liegt indes wohl nahe.

---

[929] Ebd., 45.
[930] Ebd..
[931] Ebd..
[932] Vgl. ebd., 47.
[933] Vgl. ebd., 46f.
[934] Vgl. John, passim.
[935] Vgl. references, passim.
[936] Mit HUGHES, Disciples, 47f gegen RENGSTORF, Art. μανθάνω, 461; STAUFFER, Jerusalem, 99f.
[937] Vgl. KRAELING, John, 161.

11.4 Resümee

Ant., 18, 116–119 ist als einzige von der christlichen Täuferinterpretation unabhängige antike Darstellung der Gestalt und des Wirkens des Täufers Johannes von einem kaum zu überschätzenden Wert. Einerseits bestätigt der Passus die neutestamentlichen Täufer*berichte*, andererseits falsifiziert er die historische Basis der neutestamentlichen Täufer-*Theologumena*, insbesondere das Vorläufer-Modell. Johannes wird als eine vom Christentum und dessen Stifter völlig unabhängige Gestalt präsentiert. In seiner jüdischen Umwelt vermag er eine starke Umkehr- und Taufbewegung auszulösen und zu lenken, bis der Machthaber ihn aus politischen Motiven beseitigen läßt, doch bleibt der Täufer der Nachwelt in Erinnerung. Findet so die Rekonstruktion der Geschichte der Täuferbewegung einen wichtigen historischen Hintergrund, so sind doch Rückschlüsse auf die Entwicklung einer Täufergemeinde im engeren Sinne nicht möglich. Josephus kann nicht als Zeuge für die Existenz und das Wesen des Täuferkreises in Anspruch genommen werden. Noch weniger erlaubt es sich, ihn in das hypothetische Konstrukt einer polemischen Auseinandersetzung mit einer universalen Täuferdiaspora einzubeziehen.

12. Die pseudoklementinische Literatur

12.1 Literarkritische Grundlegung

12.1.1 Literarkritik der Hauptrezensionen und der Grundschrift der Pseudoklementinen

Die in der ersten Hälfte dieses Jahrhunderts mit den Untersuchungen von H. WAITZ (1904)[938], C. SCHMIDT (1929)[939], O. CULLMANN (1930)[940], B. REHM (1938)[941] und H. J. SCHOEPS (1949)[942] energisch vorangetriebene literarkritische Diskussion der pseudoklementinischen Romanliteratur hat mit der einschlägigen Studie G. STRECKERS (1958)[943] einen letzten Höhepunkt erreicht[944] und befindet sich zur Zeit in einer Stagnationsphase, an deren Ende möglicherweise der Verzicht auf die Eruierung von Filialquellen überhaupt und die Beschränkung auf die traditionsgeschichtliche Rückfrage steht.[945] Immerhin konnten bisher konvergierende Resultate zwar nicht über den Umfang und die genauere theologische Prägung, wohl aber über die Existenz und approximativ auch über die Abfassungsverhältnisse der Schriften bis zur zweiten literarischen Schicht erzielt werden. Die pseudoklementinischen Homilien (Abk. im folgenden: Hom) und Rekognitionen (Abk. im folgenden: Rec) werden dabei übereinstimmend als die beiden Hauptrezensionen einer Grundschrift (Abk. im folgenden: GS) bestimmt, die in Syrien lokalisiert[946] und in die erste Hälfte des dritten

---

[938] Pseudoklementinen.

[939] Studien.

[940] Problème.

[941] Entstehung.

[942] Theologie; vgl. DERS., Pseudoklementinen (1958); Judenchristentum (1959).

[943] Judenchristentum; vgl. DERS., Nachtrag (1964).

[944] Einen forschungsgeschichtlichen Überblick bieten JONES, Pseudo-Clementines, 8–33; STREKKER, Judenchristentum, 1–34; DERS., Einleitung, 442f; WEHNERT, Literarkritik, 270–282.

[945] In diese Richtung weist die Untersuchung LÜDEMANNS, Paulus, v. a. 230; vgl. auch WEHNERT, Literarkritik, v. a. 300f. Bereits REHM, Entstehung, 125 hat sich skeptisch über die Möglichkeiten der Literarkritik an den Pseudoklementinen geäußert; in einem resignierenden Kommentar zur Forschungsgeschichte hat selbst ein so entschiedener Literarkritiker wie SCHOEPS die Ablösung der Quellenscheidung „durch stoffgeschichtliche Analysen" postuliert (Judenchristentum, 73). Einen – gewiß tastenden – Versuch hat hier schon THOMAS, Ébionites, 279–287 unternommen.

[946] Vgl. CULLMANN, problème, 157; IRMSCHER, Pseudo-Clementinen, 374; REHM, Entstehung, 156;

Jahrhunderts datiert[947] wird. Näherhin wird man die Bardesanes-Schrift „Περὶ Εἱμαρμένης" als terminus post quem (vgl. Rec IX, 19–29) und erst die Abfassung von Hom als terminus ad quem bestimmen und so mit dem breiten Zeitraum von 220 bis 300 vorliebnehmen.[948] Syrischen Ursprung verraten auch Hom[949] und Rec.[950] Sie werden von allen Forschern in das vierte Jahrhundert datiert; für Hom kommt dabei eine vornizäanische Abfassungszeit in Betracht.[951] Da Ephraem Syrus in seinem Diatessaron-Kommentar Rec wohl voraussetzt (s. u. III:13.6), wird man als terminus ad quem dessen Entstehungsdatum um 370[952] nennen. Fraglich ist, ob Rec direkt nur auf GS zurückgegriffen hat[953] oder, wie die Benutzungstheorie annimmt[954], daneben noch Hom verwendet hat. Umstritten ist auch die Herkunft der dezidiert judenchristlichen Elemente, näherhin die Frage, ob diese sekundär interpoliert sind[955] oder sich quellenkritisch erklären lassen.[956]

12.1.2 Literarkritik der pseudoklementinischen Filialquellen

Die Forschungssituation bei dem Problem der Quellen von GS ist – wie einer der entschiedensten Verfechter der GS-Quellenkritik rückblickend einräumt[957] –

STRECKER, Judenchristentum, 260; DERS., Einleitung, 440f. WAITZ, Pseudoklementinen, 367f bleibt unsicher.

[947] Vgl. CULLMANN, problème, 157; IRMSCHER, Pseudo-Clementinen, 374; REHM, Entstehung, 156; SCHMIDT, Studien, 293, 302; SCHOEPS, Theologie, 38f; STRECKER, Einleitung, 441; WAITZ, Pseudoklementinen, 366f.

[948] So STRECKER, Judenchristentum, 260–267 (vgl. aber 288); DERS., Einleitung, 446.

[949] Vgl. CULLMANN, problème, 159–161; STRECKER, Judenchristentum, 268; DERS., Einleitung, 441; WAITZ, Pseudoklementinen, 369f; sehr allgemein spricht REHM, Entstehung, 160 von einer Abfassung im „Osten".

[950] Vgl. CULLMANN, problème, 164; REHM, Entstehung, 163; STRECKER, Judenchristentum, 270; DERS., Einleitung, 441; in Anlehnung an REHM denkt STRECKER auch an Palästina, doch dürfte das dafür von REHM vorgebrachte Argument – κόνναρος (vgl. Rec II, 9, 9) sei eine alexandrinische Spezialität – von äußerst geringer Überzeugungskraft sein. WAITZ, Pseudoklementinen, 372 bescheidet sich mit der Annahme einer „morgenländischen" Herkunft.

[951] Die Ansetzung der beiden Rezensionen im vierten Jahrhundert ist sententia communis; allgemein werden Rec später als Hom datiert. Als terminus ad quem von Hom nennen CULLMANN, problème, 159–161 und STRECKER, Judenchristentum, 268; DERS., Einleitung, 441 das Konzilsjahr 325; anders SCHOEPS, Theologie, 39; WAITZ, Pseudoklementinen, 369f. IRMSCHER, Pseudo-Clementinen, 374 nimmt mit 381 das Constantinopolitanum als terminus ad quem.

[952] Vgl. MURRAY, Art. Ephraem, 755f.

[953] So etwa CULLMANN, problème, v. a. 159–164; SCHOEPS, Theologie, v. a. 39f; STRECKER, Judenchristentum, v. a. 268–270; DERS., Einleitung, 441; WAITZ, Pseudoklementinen, v. a. 370f.

[954] So mit der älteren Pseudoklementinen-Kritik IRMSCHER, Pseudo-Clementinen, 374; REHM, Entstehung, 161–163. WEHNERT, Literarkritik, 276, 301 hält die Benutzungstheorie für eine nach wie vor gegebene Möglichkeit.

[955] So IRMSCHER, Pseudo-Clementinen, 374; REHM, Entstehung, 160f.

[956] So SCHOEPS, Theologie, 44; STRECKER, Judenchristentum, v. a. 255–259; DERS., Einleitung, 443.

[957] SCHOEPS, Judenchristentum, 72f.

„verzweifelt ungünstig", wenn nicht „nachgerade hoffnungslos".[958] Bereits 1908 hat J. Chapman[959], energisch dann 1932 E. Schwartz[960] die Möglichkeit der Quellenrekonstruktion überhaupt in Frage gestellt. Sieht man noch von dem die Forschungssituation lange belastenden Mangel an kritischen Quelleneditionen[961] und Auxiliarien[962] ab, so erscheint es von vornherein als aporetisch, konsensfähige Quellen einer hypothetisch rekonstruierten Quelle (GS) oder gar die Quellen solcher Filialquellen in der vierten literarischen Schicht[963] zu ermitteln. An die Stelle formalisierbarer Verfahren trat weithin persönliche Imagination des Auslegers oder bestenfalls vermutete Tendenz.[964] Im Zusammenhang der hier primär relevanten Passus Rec I, 54; 60 erschwert sich die Forschungslage noch dadurch, daß Rec statt im griechischen Original nur in der lateinischen Transposition des Rufin (um 406) überkommen sind, mit der ein, wenn nicht „liederliches unzuverlässiges Machwerk"[965], so doch vom Übersetzer geprägtes und modifiziertes Dokument secunda manu vorliegt, das der literarkritischen Analyse einen denkbar ungünstigen Ansatz bietet. Textkritisch können Hom ι-ιδ, 12; Rec I–IV, 1, 4 allerdings durch Hom^{syr}; Rec^{syr} ergänzt werden.[966] Insbesondere ist das seit H. Dodwell (1689) erhobene Postulat einer GS-Quellenschrift Κηρύγματα Πέτρου (Abk. im folgenden: KΠ), das von H. Waitz, C. Schmidt und O. Cullmann umfassend präzisiert, von H. J. Schoeps entschieden erweitert und von G. Strecker behutsam fundiert worden ist[967], zur Zeit völlig fraglich, auch wenn es mitunter wiederholt wird.[968] Zweifel an der Hypothese der KΠ sind freilich bereits früh angemeldet worden[969], und sie hat sich niemals ganz durchsetzen können.[970] Die methodologische Reflexion der jüngsten Forschung[971] hat die Begründungsbasis dieses Quellenpostulats erschüttert, und seine drei Hauptstützen sind durch J. Chap-

---

[958] Ebd., 73.

[959] Vgl. date, 147–149.

[960] Vgl. Beobachtungen, 188 u. ö..

[961] In GCS erschienen Hom ed. B. Rehm 1953 und Rec ed. B. Rehm 1965; vgl. auch W. Schneemelcher, Problem, 236.

[962] Erst G. Strecker legte 1982 privatim eine Konkordanz zu den Pseudoklementinen vor (vgl. Wehnert, Literarkritik, 286 A. 168), die 1986 im ersten Teil in GCS erschien.

[963] So die von Schneemelcher, Problem, 236 mit Recht vindizierten Versuche Schoeps', Theologie, 366–456 (vgl. auch ders., Pseudoklementinen, 6f, 13–15 u. ö.).

[964] Vgl. Powell, Art. Clemens, 118.

[965] Schwartz, Beobachtungen, 154.

[966] Zur Textgeschichte vgl. Frankenberg, Textausgabe: Hom^{syr}; Rec^{syr}, VII–XXII; Irmscher, Pseudo-Clementinen, 374f; die syrische Übersetzung liegt in einer Handschrift aus Edessa (411) vor.

[967] Zur Forschungsgeschichte vgl. Wehnert, Literarkritik, 277f.

[968] So bei Bammel, Baptist, 117; Hughes, Disciples, 58f; Köster, Einführung, 646f; Lindemann, Paulus, 104–108.

[969] So von Chapman, date, 147–149; Schwartz, Beobachtungen, 188.

[970] Vgl. Irmscher, Pseudo-Clementinen, 373; Powell, Art. Clemens, 118.

[971] Vgl. generell Lüdemann, Paulus, 229f; Schoeps, Judenchristentum, 72f; Wehnert, Literarkritik, 282–291.

MAN, G. STRECKER selbst und neuerdings J. WEHNERT zum Einsturz gebracht worden. Seit CHAPMAN kann der τόμοι-Index der hypothetischen ΚΠ in Rec III, 75 nicht mehr als reales Inhaltsverzeichnis verstanden werden, sein romanhaft-fiktiver Charakter ist erwiesen.[972] G. STRECKER hat eingeräumt, ΚΠ nicht stilkritisch nachweisen zu können[973], und J. WEHNERT hat durch sprachliche Detailanalysen belegt, daß die beiden Einleitungsschreiben zu Hom, die Epistula Petri und die Contestatio[974], erst auf den Homilisten zurückgehen.[975] Der bisher in toto als Quellenmaterial behandelte Stoff ist demnach vorerst nur traditionsgeschichtlich zu analysieren, bis eine nach konsensfähiger Rekonstruktion von GS vorzunehmende sprachliche Untersuchung möglicherweise die formale Individualität eigenständiger literarischer Einheiten freilegt.

Salvo meliore iudicio wird man zur Zeit dem Postulat einer zweiten judenchristlichen GS-Quelle, den Ἀναβαϑμοὶ Ἰακώβου (Abk. im folgenden: AI), weniger skeptisch gegenüberstehen.[976] Diese Quelle steht in literarischem Zusammenhang zu der von Epiphanius, Pan. haer., 30, 16, 6–9 erwähnten Schrift. G. STRECKER präzisiert die Beschreibung dieses Zusammenhangs, indem er Rec I, 33–44, 2; 53, 4b–71 als von GS verarbeitetes Quellenmaterial ausscheidet, als Quelle AJ II von der bei Epiphanius genannten Schrift AJ I abhebt und beide auf einen gemeinsamen Archetyp AJ zurückführt.[977] Verfasser sei ein in der Gegend von Pella zu vermutender judenchristlicher Literat in der zweiten Hälfte des zweiten Jahrhunderts.[978] Diese Hypothese ist aus der Perspektive der die quellenkritischen Aporien reflektierenden und konsequent traditionsgeschichtlichen Analyse G. LÜDEMANNS (1983) weitenteils bestätigt worden.[979] Unter Isolierung redaktioneller Bestandteile weist er Rec I, 33–71 einer STRECKERS AJ entsprechenden R I-Quelle zu, deren profilierte Tradition die bei Epiphanius belegte Schrift, STRECKERS AJ I, beeinflußt hat.[980] Er datiert sie mit dem terminus a quo des Hadrian-Edikts von 135 n. Chr. (vgl. Rec I, 39, 3) auf die Zeit vor der Abfassung der Ἀναβαϑμοὶ Ἰακώβου des Epiphanius bzw. der GS und lokalisiert sie ebenfalls im transjordanischen Pella.[981] Eine Entscheidung darüber, ob GS oder erst Rec die R I-Quelle verarbeitet hat, trifft er nicht.

---

[972] Vgl. date, 147f; ebenso REHM, Entstehung, 162; SCHOEPS, Judenchristentum, 73; SCHWARTZ, Beobachtungen, 181; STRECKER, Judenchristentum, 129f u. ö.; WEHNERT, Literarkritik, 286f.

[973] Vgl. Judenchristentum, 220.

[974] Vgl. dazu ebd., 137–145.

[975] Vgl. Literarkritik, 288–300; vgl. auch LÜDEMANN, Paulus, 229f. Zur Diskussion STRECKER, Einleitung, 444.

[976] Forschungsübersichten bei JONES, Pseudo-Clementines, 24–27; WEHNERT, Literarkritik, 279. Vertreter dieser Hypothese sind K. R. KÖSTLIN (1849); G. UHLHORN (1854); W. BOUSSET (1905) und v. a. G. STRECKER, Judenchristentum, 221–254.

[977] Vgl. Judenchristentum, v. a. 251–254; DERS., Einleitung, 443f.

[978] Vgl. STRECKER, Judenchristentum, 253f.

[979] Vgl. Paulus, 228–257.

[980] Vgl. ebd., 237–243.

[981] Vgl. ebd., 242f.

Die AI-Hypothese kann auf einen eigenartig profilierten Überlieferungsstoff verweisen[982] und findet weithin Zustimmung.[983] Ohne daß eine präzise literarische Zuweisung erfolgen kann, wird man sie vorbehaltlich weiterer, sprachkritischer Untersuchungen vorläufig als sachgerechten Ausgangspunkt der Untersuchung beurteilen.

12.1.3 Literarkritische Analyse: Rec I, 54; 60

Als Bestandteil von AI wären die Passus Rec I, 54; 60, Hauptbeleg für die Existenz einer Täufergemeinde, dem judenchristlichen Quellenmaterial zuzuweisen und könnten bis ins zweite Jahrhundert zurückverfolgt werden. Tatsächlich wird eine solche Zuordnung in der Regel vorgeschlagen oder zumindest vorausgesetzt.[984] Damit läge der historischen Rekonstruktion eine relativ solide Basis vor.[985]

Die Prüfung dieser literarkritischen Hypothese kann nach Ausscheidung von Rec I, 44, 3–53, 4a[986] von der Gliederung in die sachlich geschlossenen Einheiten A. Rec I, 33–43: Abriß der Heilsgeschichte; B. Rec I, 44; 53: Entschluß der Apostel zum Disput mit den Juden; C. Rec I, 54: Aufzählung der jüdischen Sekten; D. Rec I, 55–65: Disput der Apostel mit Repräsentanten der jüdischen Sekten ausgehen.[987] Zwischen den Einheiten A und D bestehen mannigfache inhaltliche Bezüge: die Verheißung des Propheten durch Mose (Rec I, 36f; 43: 56f); die Ablösung des Opfers durch die Taufe (Rec I, 36f: 64); die Zerstörung des Tempels (Rec I, 37: 64f); die Parallele der Wunder des Mose und Jesu (Rec I, 41: 57f); die Ablösung der ungläubigen Juden durch die Heiden (Rec I, 42: 64). Secunda facie erweisen sich diese Bezüge jedoch als ausgesprochen künstlich. Materialiter reproduziert D lediglich die in C und A vorgegebenen Grundthemen. Auf sekundäre Verknüpfung läßt dabei insbesondere die Kombination der

---

[982] Vgl. MARTYN, Recognitions, 268–272.

[983] Neben den oben genannten Autoren etwa KLIJN/REININK, evidence, 31 u. ö.; LINDEMANN, Paulus, 108f; MARTYN, Recognitions, 270–272.

[984] Vgl. KLIJN/REININK, evidence, 31 u. ö.; LINDEMANN, Paulus, 108f; MARTYN, Recognitions, 270; STRECKER, Judenchristentum, 237–239, 241–243 (vgl. 221–254).

[985] SCHOEPS, Theologie, 384–405; DERS., Pseudoklementinen, 6; DERS., Judenchristentum, 76 weist Rec I, 54–60 gar einer Filialquelle von KΠ, den ebionitischen Acta Apostolorum, zu, die in tendenziöser Umgestaltung historisches Material bergen könne (vgl. näher DERS., Pseudoklementinen, 8–10). Abgesehen von den prinzipiellen literarkritischen Bedenken gegen das Verfahren SCHOEPS' (s. o. III:12.1.2), ist dessen konkrete Anwendung weithin phantastisch; vgl. die Rezension SCHNEEMELCHERS, Problem, 236; ferner WEHNERT, Literarkritik, 281f. THOMAS, mouvement, 119–123 glaubt, Rec I, 54; 60 ein älteres Dokument entnehmen zu können, dessen Ebionitismus noch nicht vom Elchasaismus gefärbt sei, so daß es Anfang des zweiten oder sogar Ende des ersten Jahrhunderts entstanden sein müsse.

[986] Vgl. dazu LÜDEMANN, Paulus, 237 A. 35; MARTYN, Recognitions, 269f; STRECKER, Judenchristentum, 41f, 236; WAITZ, Pseudoklementinen, 92f.

[987] Vgl. LÜDEMANN, Paulus, 238.

fünf Sekten(vgl. Rec I, 54) mit den zwölf Aposteln (vgl. Rec I, 40–44) schließen. Der sehr „gebogene", stilisierte Gesprächsverlauf erweckt Zweifel an einer ursprünglich einheitlichen Gestaltung von Rec I, 33–65. Die fünf Sektenrepräsentanten tragen im wesentlichen ihre dem Katalog Rec I, 54 entnommenen „perfiden" Anschauungen vor (Rec I, 55, 3; 56, 1; 57, 1; 58, 1; 59, 1; 60, 1f; 61, 1f; 62, 1f); die Substanz der „orthodoxen" Antwort entstammt dem heilsgeschichtlichen Überblick (vgl. Rec I, 55, 4; 56, 2f; 57, 2–5; 58, 2f; 59, 2f; 60, 3f; 61, 3; 62, 3–7). Da das Zahlenverhältnis zwischen den Sprechergruppen unausgewogen ist, antworten die Zebedäus-Söhne als Paar (Rec I, 57, 2–5) dem Samaraeus, Jakobus Alphäi und Lebbäus sprechen im Anschluß an Bartholomäus (Rec I, 59, 4–7), Barnabas im Anschluß an Simon Chananaeus (Rec I, 60, 5–7). Die drei übrigen Apostel disputieren mit dem Hohenpriester (Rec I, 55, 3f; 61, 1–3; 62, 1–7); dabei bildet die erste Diskussionsrunde den Auftakt des Disputs, die beiden letzten Wortgefechte markieren dessen Ende. Daß die sechs Sondergespräche ad hoc zusammengestellt worden sind, legt ihr Inhalt – im wesentlichen Gemeinplätze (vgl. Rec I, 55, 3f; 59, 4–6; 59, 7; 60, 5–7; 61, 3) – nahe. Außerdem sind gerade der komplementäre Diskussionsgegner Kaiphas und der Kryptochrist Gamaliel (vgl. Rec I, 65, 2) redaktionell wohl im Hinblick auf Rec I, 66, 2–71 eingeführt.[988] Schließlich wirkt Rec I, 66, 1 wie ein redaktioneller Brückenvers, der zu der mit dem Szenenwechsel Rec I, 66, 2 ansetzenden neuen Einheit überleiten soll. In summa läßt sich so zwar nicht mit zwingenden, wohl aber mit triftigen Argumenten für den redaktionellen Charakter von Rec I, 55, 1–66, 1 plädieren.[989]

Der Abschnitt ist dann ad hoc geschaffen worden, um das in A und C vorgegebene Traditionsmaterial miteinander zu verbinden. Ob die Redaktion auf den GS-Kompilator oder den Rekognitionisten zurückgeht, ist nach den dargelegten Prämissen (s. o. III:12.1.2) auch hier nicht auszumachen. Epiphanius, Pan. haer., 30, 16, 6–9 erwähnt den in Rec I, 33–71 zentralen Sektendisput überhaupt nicht. Kann man voraussetzen, daß er sich der GS bedient hat[990], so hat er möglicherweise Rec I, 33–43 (vgl. z. B. Pan. haer., 30, 33, 3) und Rec I, 54 (vgl. Pan. haer., 14, 2, 1) gelesen, nicht aber den Sektendisput, so daß man mit der gebotenen Zurückhaltung eher geneigt ist, Rec I, 55–65 auf den Rekognitionisten zurückzuführen, zumal die Täuferpassus von Hom die Rec I, 60 gebotene Johannes-Interpretation in keiner Weise widerspiegeln, auch wenn dies naheliegen würde (vgl. Hom β, 23f). Also wird der Abschnitt dem Zölesyrien des nachnizäanischen vierten Jahrhunderts entstammen; er ist damit relativ spät zu datieren und kann keineswegs mit AI im transjordanischen Pella lokalisiert werden.

Wenn Rec I, 54 und Rec I, 33–43 erst durch den Rekognitionisten verknüpft

---

[988] Vgl. ebd., 240.
[989] Vgl. ebd., 237–240.
[990] Vgl. dazu STRECKER, Judenchristentum, 265.

worden sind, fand er sie in GS unverbunden vor oder nahm Rec I, 54 aus anderer Überlieferung.[991] In der Tat weist manches darauf hin, daß diese Passus keine ursprüngliche Einheit bilden. Rec I, 54 hat für Rec I, 33–43 keinen narrativen Wert, und Rec I, 55, 1 schließt sich an Rec I, 44, 1f ohne weiteres an. Rec I, 53, 5 ist eine sachlich gezwungene Überleitung: der Entschluß zum „arguere Iudaeos de multis" (Rec I, 53, 4) hat mit der Spaltung des Volkes „in multas partes" (Rec I, 53, 5) trotz des verbindenden „etenim" nichts zu tun. Rec I, 53, 5 nennt den Täufer diff Rec I, 54, 7f mit Cognomen und setzt den Anfang der Spaltungen diff Rec I, 54, 2 („initio Iohannis iam *paene* temporibus sumpto"[992]) directe bei Johannes an. Rec I, 54, 1.9 bilden einen Rahmen, der den Einschub der Liste etwas gewollt begründet. Die Rede vom „ortus Christi" (Rec I, 54, 1) und der „fides Christi" (Rec I, 54, 9) wirkt im Vergleich mit den verhüllten christologischen Aussagen in Rec I, 33–43 unvermittelt konkret (vgl. Rec I, 39–42). Formkritisch hebt sich die lehrhafte Auflistung ohnehin von der unterhaltend-erbauenden Erzählung des Kontexts ab.

So dürfte der Sektenkatalog ursprünglich isoliert tradiert worden sein. Weist er einerseits auf die Häresienliste des Ephraem, Ev. conc. exp., ed. MOESINGER, p. 287f (s. u. III:13.6), so setzt er andererseits selbst keinen überkommenen jüdischen oder frühchristlichen Häresienkatalog voraus.[993] Auch unter Absehung von quellenkritischen Postulaten leidet es keinen Zweifel, daß sich Rec I, 60 sekundär auf Rec I, 54 zurückbezieht, den Katalog dramatisiert, generalisiert und biblizistisch absichert (s. u. III:12.3.1.4). Rec I, 54 und Rec I, 60 verhalten sich zueinander wie Text und Kommentar, Rec I, 60 gehört bereits zur Wirkungsgeschichte von Rec I, 54. Terminus ad quem des Sektenkatalogs ist mithin die Abfassung von Rec I, 60, also wohl das nachnizäanische vierte Jahrhundert bis ca. 370 n. Chr.. Wenn bereits GS den Katalog bietet, stammt dieser aus dem dritten, möglicherweise bereits aus dem zweiten Jahrhundert. Eine exaktere Datierung ist angesichts der skizzierten literarkritischen Forschungssituation nicht verantwortbar. Der Katalog ist in jedem Fall in Zölesyrien zu lokalisieren.

12.1.4 Literarkritische Analyse: Hom β, 17//Rec III, 61; Hom β, 23f// Rec II, 8; Hom γ, 22

Solange die Benutzungstheorie pseudoklementinischer Literarkritik nicht definitiv auszuschließen ist (s. o. III:12.1.1), empfiehlt sich Zurückhaltung gegenüber der unvermittelten Zuweisung von Hom β, 17//Rec III, 61; Hom β, 23f//

---

[991] Epiphanius, Pan. haer., 14, 2, 1 weist nicht zwingend auf Rec I, 54 als Bestandteil von GS hin.
[992] Hervorhebung von K. B..
[993] Vgl. STRECKER, Judenchristentum, 239.

Rec II, 8 zu GS aufgrund der komparativen Methodik.[994] Noch weniger erlaubt sich die weitere Zuweisung von Hom β, 17//Rec III, 61[995]; Hom γ, 22[996] zu ΚΠ, denn die antipaulinisch orientierte Syzygienlehre kann erst dann als Charakteristikum dieser Filialquelle gelten, wenn formalisierbare Verfahren Existenz und Umfang der postulierten Schrift nachgewiesen haben. Die antipaulinische Züge aufweisenden Einleitungsschriften Epistula Petri und Contestatio verdanken sich jedenfalls erst dem Homilisten (s. o. III:12.1.2). Tatsächlich liegt es nahe, in der Syzygientheorie dessen gnostische Spekulationsfreudigkeit am Werk zu sehen[997], und sein Mißtrauen gegen das Alte Testament könnte die Ressentiments gegenüber dem Täufer erklären. Überhaupt ist für Hom γ, 1–58 die gestaltende Hand des Homilisten zu belegen.[998]

So wird im folgenden ohne Rekurs auf GS isoliert von Hom und Rec auszugehen sein. Erwiesen sich diese in der Einzelanalyse als Bearbeitung gemeinsam vorgegebenen Quellenmaterials oder ließe sich die Benutzung von Hom durch den Rekognitionisten en détail aufzeigen, so wäre dies als Einzelbeobachtung zu würdigen, ohne daß gesamtkritische Rückschlüsse dadurch zulässig würden. Aber Rec II, 8; III, 61 lassen sich jeweils sowohl als „orthodoxe" Reaktion auf Hom als auch als getreue Wiedergabe von GS oder auch als „orthodoxe" Korrektur von GS erklären.

Als generelle Datierung kommt für Hom β, 17; β, 23f; γ, 22 damit der Zeitraum von 220 bis ins – möglicherweise vornizäanische – vierte Jahrhundert in Betracht; für Rec II, 8; III, 61 etwa 220 bis 370. Die Lokalisierung weist jeweils nach Zölesyrien.

12.2 Historische Würdigung

Nachdem sich gezeigt hat, daß Apg 18, 24–28; 19, 1–7 die historische Existenz einer Täufergemeinde nicht zu belegen vermögen (s. o. III:7; 8), bleibt als äußere Evidenz dieser Gemeinde allein die pseudoklementinische Literatur, namentlich die Passus Rec I, 54; 60, möglicherweise noch Hom β, 23//Rec II, 8. Tatsächlich werden diese Stellen in weitem Umfang zur Absicherung der diversen Täuferkreis-Theorien herangezogen.[999] Jedoch ist dieser historischen

---

[994] So aber etwa STRECKER, Judenchristentum, 93; THOMAS, mouvement, 123f, 128f; WAITZ, Pseudoklementinen, 38.

[995] So STRECKER, Judenchristentum, 188; DERS., Einleitung, 444f.

[996] So STRECKER, Judenchristentum, 154, 188; DERS., Einleitung, 444.

[997] Vgl. IRMSCHER, Pseudo-Clementinen, 374.

[998] Vgl. STRECKER, Judenchristentum, 48; WEHNERT, Literarkritik, 300.

[999] Vgl. etwa BALDENSPERGER, Prolog, 138f, 149–152; BAUER, C: Joh, 16; BROWN, C: John I,

Rekonstruktion zu einem großen Teil anzulasten, daß sie weder die literarkritischen Aporien noch die formgeschichtliche Problematik der Pseudoklementinen noch den unmittelbaren Kontext der einzelnen zitierten Stellen zur Kenntnis nimmt. Statt dessen schaltet sie völlig undifferenziert Überlieferungsstränge sub titulo „historischer Beleg" gleich, unbekümmert um die Tatsache, daß dieser „Beweis" der romanhaften Kleinliteratur des vierten Jahrhunderts entnommen ist[1000], und desinteressiert an der kontextuellen Einbindung der zitierten Passagen, die doch eine Analyse allererst ermöglicht.[1001] Nicht minder verbietet sich allerdings eine undifferenzierte Weigerung, den pseudoklementinischen Hinweisen überhaupt irgendwelche Beachtung zu schenken: „To base a theory upon the evidence of the late and heretical Clementine romance is to build a house upon sand".[1002] Weder das Prädikat „late" – es trifft stricte nur die Hauptrezensionen – noch gar die Qualifikation „heretical" – in dieser Pauschalität liegt sie nicht nur praeter rem, sondern ist für Rec und wohl auch für GS schlechterdings unzutreffend – noch die Bestimmung „romance" – im einzelnen erweisen sich die Pseudoklementinen eher als mixta composita – erlauben die direkte Verwerfung eines Quellenwerts.

Potenziert gilt das Gesagte für die – möglicherweise durch die Unzugänglichkeit der Texte in der ersten Hälfte dieses Jahrhunderts erleichterte – Tarnung eigener Spekulationen als pseudoklementinische Aussagen. Völlig rätselhaft bleibt, wie R. Bultmann (1941) in Rec I, 54; 60; Ephraem, Ev. conc. exp., ed. Moesinger, p. 288 Spuren dafür finden kann, daß die „Johannes-Täufer" ihren Meister nicht nur für den Messias, sondern für den präexistenten und fleischgewordenen Offenbarer gehalten haben.[1003] Jenseits des Diskutablen liegt vollends die These B. W. Bacons (1929), der einfachhin um 200 n. Chr. datierte „author" der „Clementina" bezeuge, daß die Täufersekte die Johannes-Messianologie möglicherweise mit der Logos-Doktrin alexandrinischer Provenienz verbunden habe und Simon Magus, Dositheus, Menander und vielleicht Elchasai Johannesjünger gewesen seien.[1004]

Die historische Würdigung der pseudoklementinischen Belege wird die Ebene des Erzählten von der des Erzählenden trennen. Auf der ersten Ebene wird man den Quellenwert kaum gering genug einschätzen können. E. Schwartz

LXVIII; Bultmann, C: Joh, 4f A. 7; Cullmann, ἐρχόμενος, 170–173; Innitzer, Johannes, 390f; Lichtenberger, Täufergemeinden, 46f; Lindeskog, Johannes, 77; Schnackenburg, Evangelium, 24–27; ders., C: Joh I, 149; Sint, Eschatologie, 97; Thomas, mouvement, 114–132.

1000 Wenn Lindeskog, Johannes, 77 Rec „etwa um 200?" ansetzt, weckt dies den Eindruck, die Datierung stehe im Dienst der Suche nach einem „direkten Zeugnis" für die zuvor entwickelte Theorie.

1001 So ist nach Baldensperger, Prolog, 138 der Joh-Prolog „Antwort" auf die Argumentation von Rec I, 60. Von der hier geübten Kritik ist Thomas, mouvement, 114–132 auszunehmen.

1002 Dodd, tradition, 298 A. 1.

1003 Vgl. C: Joh, 4f A. 7.

1004 Vgl. relation, 52.

hat mit seinem generellen Verdikt gegen die frei fingierende ψευδὴς ἱστορία des Klemens-Romans das Wesentliche hierzu herausgestellt.[1005] Die Erzählungen wurden dem interessierten christlichen Publikum zur frommen Unterhaltung und en passant zur Erbauung und Belehrung vorgelegt. Das naive Geschichtsbild zeigt ein Christentum, das alle Gegner und zumal die Welt der Sekten triumphierend überwindet. Gerade Rec I, 54; 60 gehören zu einem „ausgeprägten Tendenzgebilde".[1006] Die Versuche, quellenkritisch zu ebionitischen Apostelakten mit „historischen Reminiszenzen"[1007] zu gelangen, sind gescheitert (s. o. III:12.1.2). Dies schließt zwar die Historizität des Geschilderten nicht a priori aus[1008], aber gerade der Vergleich mit den kontextuellen „Informationen" rät, wie die Einzelauslegung zeigt (s. u. III:12.3), zu Skepsis. „Romane"[1009] mögen einen historischen Kern haben, aber der Historiker bleibt ratlos, wenn er ihn ermitteln soll, ohne daß andere Quellen als der Roman selbst zur Verfügung stehen.

In Rec I, 54; 60 stellt die ganze Szenerie des fulminanten Siegs der zwölf Apostel über die Repräsentanten der fünf Sekten unter Führung des Kaiphas eine fromme Fiktion dar, wie sie sich vergröberter noch in den apokryphen Apostelakten findet.[1010] Rec I, 54, immerhin der älteste pseudoklementinische Beleg für den Täuferkreis, weckt mit dem Hinweis auf das kurz vor Johannes aufbrechende Schisma der Sadducaei, das auf Dositheus Samaritanus und Simon Magus zurückzuführen sei (vgl. Rec I, 54, 2), und den Empfang der Johannestaufe durch die als Schismata genannten Schriftgelehrten und Pharisäer (vgl. Rec I, 54, 6f), übrigens auch durch das völlige Fehlen der historisch so gewichtigen Essener in der Aufzählung[1011], Zweifel an der historischen Zuverlässigkeit.[1012]

A fortiori trifft dieser Vorbehalt die anderen Belege, in denen unterhaltsamerbauliche Spekulationen und romanhafte Konstruktionen die Annahme einer historischen Basis ausschließen. Mehr als diffuse Anspielungen oder Erinnerungen sind also für die Ebene des Erzählten nicht erwartbar.

Hingegen sind für die Ebene des Erzählenden Rückschlüsse auf den religionsgeschichtlichen Standort und auf die Position gegenüber einem hypothetischen Täuferkreis ebenso möglich wie in der neutestamentlichen Literatur. Das disparate Material wird hier im einzelnen zu untersuchen sein. Jedoch ist im

---

[1005] Vgl. Beobachtungen, 178–187.

[1006] Vgl. SCHOEPS, Theologie, 388.

[1007] Vgl. ebd., 435f u. ö..

[1008] Daß Disputationen wie in Rec I, 60 im Jahre 40 „tatsächlich so stattgefunden haben" könnten (SCHOEPS, ebd., 388), besagt allerdings selbst für den, der dieser überraschenden Behauptung Glauben schenkt, gar nichts.

[1009] Vgl. den Einwand SCHWARTZENS, Beobachtungen, 178f zu dieser Gattungsbeschreibung, freilich auch BLUMENTHAL, Formen, 167.

[1010] Vgl. dazu VIELHAUER, Geschichte, 694f.

[1011] Vgl. STRECKER, Judenchristentum, 227f.

[1012] Vgl. auch ROBINSON, Elijah, 279 A. 2.

voraus zu betonen, daß die Pseudoklementinen bestenfalls Aussagen über die Situation im Zölesyrien des vierten oder dritten, vielleicht noch des zweiten Jahrhunderts erlauben; Generalisierungen, etwa der Nachweis einer universalen Täuferdiaspora im Sinne H. LICHTENBERGERS[1013], sind auf der Basis pseudoklementinischer Evidenz allein unzulässig[1014] und erst nach Hinzuziehung der häresiologischen Literatur (s. u. III:13) möglich. Andererseits ist der syrische Raum für die Rückfrage nach dem Täuferkreis insofern günstig, als er zum einen ein Zentrum der apokryphen Täuferrezeption[1015] und zum anderen den Schauplatz für die Auseinandersetzung zwischen dem johanneischen Kreis und der konkurrierenden Täufergemeinde (s. u. V:5) darstellt.

12.3   Einzelanalyse

12.3.1   Rec I, 53, 5–54, 9; 60, 1–4

12.3.1.1 *Quellenwert*

Literarkritisch hat sich Rec I, 54, redaktionell eingeleitet durch Rec I, 53, 5, als die ursprünglichste Einheit der zu untersuchenden Belege erwiesen (s. o. III:12.1.3). Dennoch mußte ihr historischer Wert skeptisch beurteilt werden (s. o. III:12.2). Wenn beispielsweise – wie EvEb sec. Epiphanium, Pan. haer., 30, 13, 4f zeigt – judenchristlich den Pharisäern der Empfang der Johannestaufe zugeschrieben wird (vgl. Mt 3, 7 diff Lk 3, 7; hingegen auch Mt 21, 31f / Lk 7, 29f), so zeugt dies von dem diffusen „Wissen" der Spätzeit. Der zeitliche Ansatz der Sadduzäer bei Johannes dem Täufer (vgl. Rec I, 54, 2), erst recht die generalisierende Datierung aller Schismata bei dem Jordanpropheten (vgl. Rec I, 53, 5), läßt sich eher theologisch als historisch erklären.[1016] Insgesamt wird man dem Katalog über den Täuferkreis nicht mehr entnehmen können als seine historische Existenz. Wie etwa die Sadduzäer oder Pharisäer durch Rec I, 54 bezeugt werden, so auch eine Gemeinschaft von „Johannesjüngern", und zwar, wie die Einzelauslegung zeigt (s. u. III:12.3.1.3), als eine vom zeitgenössischen Judentum isolierte, ihren Meister verehrende religiöse Formation sui generis.

In Ansehung des sehr fragwürdigen historischen Werts der pseudoklementinischen Literatur wird man selbst diese zurückhaltende Auswertung rechtferti-

---

[1013] Vgl. Täufergemeinden, passim.
[1014] Gegen SCHOEPS, Theologie, 399–402.
[1015] Vgl. BACKHAUS, Apokryphen, 47.
[1016] Vgl. ebd., 9.

gen müssen. Immerhin könnte sich Rec I, 54 auch als „Lesefrucht" (vgl. Lk 3, 15; Joh 1, 20. 25; 3, 28[1017]) erklären lassen.[1018] Jedoch wird in keiner überkommenen Schrift die Täuferverehrung explizite einer Gruppierung von discipuli Ioannis zugeschrieben, und der Sektenkatalog dürfte kaum auf exegetischen Rückschlüssen der Tradenten basieren. Eine bis dahin ganz unbekannte Sekte wird niemand nach Jahrhunderten einfachhin fingieren[1019], und ein „derart fataler Disput wird höchstens verschwiegen, aber nicht freiwillig erfunden".[1020] Hinzu kommt, daß sich im syrischen Raum ohnehin ein besonderes Interesse am Täufer konstatieren läßt[1021] und auch Joh deutlich auf eine konkurrierende Gemeinde von „Johannesjüngern" im syrischen Raum verweist, die gegen Ende des ersten Jahrhunderts ein aktuelles Problem darstellen (s. u. V:5). Der Schluß liegt nahe, daß sich Rec I, 54 – jetzt freilich eindeutig ohne aktuelle Not[1022] – auf diese Formation zurückbezieht.

12.3.1.2 Rec I, 53, 5

Redaktionell wird der Anfang der Spaltung des Volkes „in multas partes" mit dem Auftreten des Johannes in Verbindung gebracht. Der Redaktor generalisiert hier die Auffassung vom Anfang der Sadduzäer vor dem Auftreten des Johannes in Rec I, 54, 2, die ihm traditionell vorgegeben ist (vgl. auch Epiphanius, Pan. haer., 14, 2, 1). Der ambivalente abl. abs. läßt keine Entscheidung zwischen einem rein temporalen und einem kausalen Sinnzusammenhang zu. Im ersten Fall wäre der Vers eine geschichtlich-heilsgeschichtliche Ortung, im zweiten Fall stellten bereits Rec Johannes als Häresiarchen par excellence dar. Rec I, 53, 5[syr]; Rec I, 54, 2 markieren aber eindeutig eine temporale Verbindung. „ ‏מן יומי יוחנן‏ " (transcr.). „Jean n'est donc pas au point de départ de ces sectes, mais son époque en marque les débuts".[1023]

Die heilsgeschichtliche Stellung Johannes' des Täufers ist für die frühnachneutestamentliche Literatur ein besonderes Problem.[1024] Dabei wird das Theologumenon vom τέλος τῶν προφητῶν zum locus communis der Täuferdeutung

---

[1017] Zum Zusammenhang zwischen Rec I und Joh vgl. MARTYN, Recognitions, v. a. 272–291.

[1018] Vgl. RUDOLPH, Baptisten, 12.

[1019] Vgl. HUGHES, Disciples, 54.

[1020] SCHOEPS, Pseudoklementinen, 9; die auf der Hypothese „ebionitischer Apostelakten" beruhenden historischen Rekonstruktionen dieses Aufsatzes sind jedoch im einzelnen abenteuerlich.

[1021] Vgl. BACKHAUS, Apokryphen, 47. Die „Entjohanneisierung" des EvThom (vgl. EvThom 78; 104) ließe sich durch die Virulenz einer überzogenen Täuferverehrung besser erklären (vgl. ebd., v. a. 29). Der einzige Passus, der den Täufer überhaupt noch nennt, EvThom 46, sieht ihn wie Hom β, 17//Rec III, 61; Hom γ, 22 in einer spekulativen Ahnenreihe und bezieht sich wie Rec I, 60 und die Syzygienspekulationen der Hom auf Mt 11, 11 / Lk 7, 28 zurück.

[1022] Daß es sich um eine „vivid description" und daher um „a concern with a similar contemporary, or near contemporary phenomena" handelt (HUGHES, Disciples, 54; vgl. 55f), wird man kaum behaupten können.

[1023] THOMAS, mouvement, 115 A. 2.

[1024] Vgl. BACKHAUS, Apokryphen, 50f.

(vgl. EvNic 18, 2). Hier – wie auch etwa bei Irenäus, Adv. haer., 4, 6 – wird der Gedanke zum Motiv des „finis legis" ausgeweitet.[1025] Die „gratia baptismi" (vgl. Rec I, 54, 1), die auch der Täufer Johannes repräsentiert (vgl. Rec I, 54, 7), beendet das Opferwesen und ruft damit den „inimicus" auf den Plan (vgl. Rec I, 54, 1). Weil die Taufe das „inminere" des „ortus Christi" markiert, fällt in die Zeit des Täufers der Aufbruch der Sekten (vgl. Rec I, 54, 1).

12.3.1.3 Rec I, 54, 8

Wenn sich nach Rec I, 54, 8 ein Teil „ex discipulis Iohannis" vom Volk absondert (segregare), so setzt das partitive „ex" voraus, daß der Rest beim jüdischen populus verbleibt. So bezeichnet „discipuli" hier die „wider circles" der Täuferbewegung im Sinne von Joh 4, 1, während die se a populo segregantes die „narrower circles" einer Täufergemeinde bezeichnen. Eine soziologische oder theologische Kontinuität zwischen dieser syrischen Täufergemeinde und dem engeren Jüngerkreis des Täufers Johannes kann mit Rec I, 54, 8 also nicht belegt werden. Unzutreffend sind die paraphrasierende Übertragung STREKKERS: „Auch einige Jünger des Johannes sondern sich vom Volke ab ..."[1026] und die Wiedergabe bei THOMAS: „les Disciples de Jean 'qui en assez grand nombre s'étaient séparés du peuple et prétendaient que leur maître était le Messie'".[1027] Als schwierig erweist sich das Verständnis des Relativsatzes. Sind sein Subjekt die discipuli Iohannis im allgemeinen oder die discipuli segregati im besonderen? Ist „magni" mit „zahlreich"[1028] oder „groß" zu übersetzen? Meint der N. c. I. „die für zahlreich / groß gehalten werden" oder „die sich großartig wähnen" (vgl. Apg 8, 9f).[1029] Die logische Sequenz findet sich am ehesten in der Transposition: „aber auch von den Jüngern des Johannes sondern sich die, die sich für großartig wähnten, vom Volk ab". Rec I, 54, 8^syr liest plausibler das Adjektiv דכי (transcr.).[1030] REHM denkt dabei an „καθαροί", „ἀγνοί", „σεμνοί" oder „γνήσιοι"[1031], während THOMAS die brisante Übersetzung „disciples 'strictement dits'" vorschlägt[1032]; der lexikalische Befund bietet für dieses Verständnis aber keinen Anhalt.[1033] Die Textzeugen unterscheiden sich auch in der näheren Beschreibung der praedicatio der discipuli segregati. Rufin bietet: „magistrum suum velut Christum praedicarunt". Eine präzise christologische Aussage liegt hier insofern nicht vor, als „velut" nur eine ungefähre Entsprechung bezeichnet, so daß

[1025] Vgl. STRECKER, Judenchristentum, 236f.
[1026] Ebd., 237.
[1027] Mouvement, 115.
[1028] So THOMAS, ebd..
[1029] Vgl. SCOBIE, John, 193.
[1030] SCHNACKENBURG, Evangelium, 24f etwa hält diese Lesart für zuverlässig.
[1031] Vgl. app. crit. ad l.c.. FRANKENBERG transponiert in der Textausgabe mit „καθαροί".
[1032] Vgl. mouvement, 121.
[1033] Vgl. BROCKELMANN, 72.

THOMAS' Übertragung „prétendaient que leur maître était le Messie" auch hier ungenau ist. Die syrische Version liest: „דבכסיותא איך ולמלפנהוו איתוהי אמרו" (transcr.).

Die textkritische Entscheidung fällt hier besonders schwer. Einerseits spricht für die syrische Lesart, daß sie die lectio difficilior darstellt. Die Änderung des ohnehin freizügigen Rufin läßt sich durch Paralleleinfluß von Rec I, 60, 3 oder Lk 3, 15; Joh 1, 20. 25; 3, 28 erklären. Ferner paßt die sachliche Aussage, sofern sie die elijanische Entrückung bezeichnen sollte[1034], zu der unten zu rekonstruierenden „Ioannologie" der Täufergemeinde (s. u. V:5.3).[1035] Andererseits stellt im Mikrokontext Rec I, 54, 9 die schismata nicht nur als impedimenta der Taufe, sondern gerade auch der „fides Christi" hin (vgl. dagegen Rec I, 54, 1). Im Rückbezug auf Rec I, 54, 8 behandelt Rec I, 60, 1 ebenso wie Rec I, 60, 1[syr] die Christus-Dignität des Johannes, und auch Ephraem, Ev. conc. exp., ed. MOESINGER, p. 288 scheint die Aussage Rufins vorzuliegen (s. u. III:13.6). Möglicherweise hat die lectio Syriaca χριστός und κρυπτός verwechselt[1036]; vielleicht haben apokryphe Täuferüberlieferungen das Verständnis beeinflußt (vgl. Protev 22–24).[1037] Wenn Rec[syr] das Verborgenheitsmotiv anführt, kann man zumindest in Betracht ziehen, daß der Übersetzer solche Elemente noch kennt.[1038]

12.3.1.4 Rec I, 60, 1–4

Der redaktionelle Passus kann nur im Kontext der traditionellen Vorgabe Rec I, 54 einerseits und der dramatischen Szenerie des Sektendisputs andererseits interpretiert werden. Das schriftstellerische Verfahren des Redaktors, also eher des Rekognitionisten als des GS-Kompilators (s. o. III:12.1.3), beschränkt sich in Rec I, 55–65 weithin darauf, die Grundthemen von Rec I, 54 biblizistisch und systematisch auszufächern und „orthodox" widerlegen zu lassen. Rec I, 60, 1–3a dramatisiert die in Rec I, 54, 8 listenhaft angeführte Aussage. Diese wird insofern generalisiert, als aus dem „magistrum suum velut Christum praedicare" (vgl. Rec I, 54, 8) ein „adfirmare Christum Iohannem fuisse, et non Iesum" (vgl. Rec I, 60, 1. 3) wird. Die Differenzierung von Rec I, 54, 8 – erst recht die von Rec I, 54, 8[syr] – fehlt hier; die Wirkungsgeschichte tendiert zur Verallgemeinerung. Die Schlußfigur des Johannesjüngers (Rec I, 60, 1–3a), der entsprechend der Vorgabe Rec I, 54, 8 als „unus ex discipulis Iohannis" charakterisiert wird, greift

---

[1034] Weitere Spekulationen über dieses Theologumenon, wie sie sich bei EISLER, Ἰησοῦς II, 47–50 finden, verbieten sich; vgl. auch W. BRANDT, Ein talmudisches Zeugnis von dem Täufer Johannes?, in: ZNW 12 (1911) 289–295.

[1035] BAMMEL, Baptist, 117 A. 7; SCHNACKENBURG, Evangelium, 24f halten Rec I, 54, 8[syr] für ursprünglich.

[1036] Vgl. THOMAS, mouvement, 121 A. 2.

[1037] Vgl. BACKHAUS, Apokryphen, 37–39.

[1038] Vgl. auch BROWN, C: John I, LXVIII. Abwegig ist es, aus Rec I, 54 ein Bild von Johannes „as being somehow involved in a plot of the devil before the appearance of Christ" herauslesen zu wollen (gegen BAMMEL, Baptist, 116).

auf Mt 11, 9. 11a/Lk 7, 26. 28a zurück; die Argumentation ist insofern biblizistisch. Die Erwiderung des Simon Chananaeus argumentiert systematisch mit dem Kontrast zwischen den „filii mulierum" und dem „filius hominis" (Rec I, 60, 3b f), greift also auf das Syzygienschema zurück, das hier die gängige kirchliche Täuferinterpretation begründet.[1039]

Mt 11, 11a/Lk 7, 28a bereitet bereits der frühesten neutestamentlichen Christologie erhebliche Schwierigkeiten (s. o. II:3.3.1.3). Aber gerade deshalb ist nicht anzunehmen, daß hier die Reminiszenz an eine Täuferkontroverse oder gar aktuelle Polemik[1040] vorliegt. Rec I, 60 setzt sich mehr mit Angelesenem als mit Anfechtungen auseinander. Ebensowenig wie der Redaktor sich noch mit virulenten Argumenten von Sadduzäern (vgl. Rec I, 56) oder Pharisäern (vgl. Rec I, 59) beschäftigen muß, stellen die Johannesjünger für ihn ein aktuelles Problem dar. „La mention des sadducéens, des samaritains, des pharisiens, insinue au contraire que ses disciples de Jean ne tentèrent qu'un effort de peu de durée pour s'opposer à l'expansion du christianisme, tout au début de la prédication évangélique".[1041] Präzise, über Rec I, 54 hinausweisende Kenntnis der antagonistischen Position liegt in Rec I, 55–65 nirgends vor. Daß Rec I, 60 von konkreten Angriffen der Johannesjünger auf die christliche Gemeinde gar nichts mehr weiß, zeigt der Umstand, daß er sie ausgerechnet mit biblischen Zitaten argumentieren läßt. Das Problem des Logions Mt 11, 11a/Lk 7, 28a ist ein rein innerchristliches. Es ist kaum anzunehmen, daß sich eine Täufergemeinde auf das „Ipse dixit" des Christus der Christen berufen hat, und noch weniger wird man einem solchen Logion irgendeinen Einfluß auf die Entwicklung der Messianologie in dem isolierten Milieu einer solchen „Täufersekte" zuschreiben. Allenfalls könnten Täuferkreise gegenüber den Christen „ad hominem" mit Mt 11, 11a/Lk 7, 28a argumentiert haben.[1042] Aber die Entgegnung des Simon Chananaeus läßt auch dies als unwahrscheinlich ansehen. Denn der Apostel setzt sich nicht mit einer konkurrierenden Gruppierung, sondern mit christlicher Literatur auseinander. Ein auf Mt 11, 9. 11a/Lk 7, 26. 28a basierender Syllogismus wird mit Hilfe einer auf dem Syzygiengedanken und dem Prinzip der inferioren weiblichen Prophetie beruhenden Schlußfigur außer Kraft gesetzt. Diese Antwort bleibt ganz im binnenchristlichen Raum und geht nicht ansatzweise auf eine vom Judentum oder von „Johannesjüngern" möglicherweise empfundene Schwierigkeit ein. Das Verhältnis „inter ipsum et Iesum" (vgl. Rec I, 60, 4) beschäftigt Christen, nicht Außenstehende.

[1039] Rec I, 60, 5f gehört gegen THOMAS, mouvement, 122 nicht mehr zu der gegen den Johannesjünger gerichteten Argumentation: „siluit ... Chananaeus" (Rec I, 60, 4) bezeichnet einen Abschluß, „Barnabas ... monere populum coepit" (Rec I, 60, 5) einen Neuansatz; die Argumentation bezieht sich jetzt nicht mehr auf die Thesis des Johannesjüngers, und als Adressat wird ausdrücklich der populus genannt.

[1040] Vgl. HUGHES, Disciples, 52–56; MARTYN, Recognitions, 277; THOMAS, mouvement, 121f.

[1041] BUZY, Jean-Baptiste, 370.

[1042] So THOMAS, mouvement, 122.

Der generellen Tendenz des Rekognitionisten entsprechend verbleibt Rec I, 60 ganz im Rahmen der „orthodoxen" kirchlichen Täuferinterpretation. Das Syzygienschema klingt nur verhalten durch. Johannes ist Prophet, sogar „maior omnibus prophetis" (vgl. Rec I, 60,3), allerdings „solum propheta" (Rec I, 60,4). Das Verhältnis zu Jesus wird mit dem frühnachneutestamentlichen Vorstellungsmodell der Vorläuferschaft einerseits und dem signifikant judenchristlichen Gedanken der Gesetzgebung und Gesetzesobservanz andererseits beschrieben. Johannes steht auf der Seite Jesu, die Johannesjünger werden von ihm geschieden. Das innerchristliche Problem eines Schriftzitats erscheint im Prisma innerchristlicher Theologie gelöst.

Die Täuferinterpretation von Rec I, 60 liegt ganz auf der Linie der übrigen apokryphen Literatur: sie bietet keine historischen Mitteilungen, ist exegetisch orientiert, bemüht sich um eine christologische Zuordnung und kirchliche Vereinnahmung des Johannes. Ihre Position dem Täufer gegenüber ist verhalten wohlwollend, doch ohne eigentlich theologisches Interesse.[1043]

12.3.2 Hom β, 17//Rec III, 61

12.3.2.1 Hom β, 17

Hom β, 15–17 führt im Rahmen eines antipaulinisch pointierten Dialogs zwischen Klemens und Petrus die Syzygie als Regel des Prophetenwirkens ein. Während in der kosmischen Ordnung der bessere Teil dem schlechteren vorangeht, so etwa der Tag der Nacht oder das Leben dem Tod, folgt in der menschlichen Ordnung umgekehrt der Bessere dem Schlechteren. So kommt Abel nach Kain, Isaak nach Ismael, Jakob nach Esau. Ebenso geht in der „πρὸς τὸν Ἡλίαν συζυγία" (Hom β, 17,1) „ὁ ‚ἐν γεννητοῖς γυναικῶν'" dem „ὁ ἐν υἱοῖς ἀνθρώπων" voran (Hom β, 17,2). Schließlich folgt Petrus „ταύτῃ τῇ τάξει" dem Simon Magus (Hom β, 17,3).

In dieser letzten Pointe liegt die Sinnspitze des Passus; die vorangehenden Paare illustrieren lediglich ταύτην τὴν τάξιν. Dennoch kommt dem vorletzten Paar als messianischer Syzygie besondere Bedeutung zu. Der Grundgedanke entspricht Rec I, 60,3f; allerdings ist der prägnante Menschensohn-Titel pluralisch verflacht. Daß der „unter den Weibgeborenen" der Vorläufer (Hom β, 17,2: „πρῶτος ἦλθεν") ist, leidet in Ansehung von Mt 11,11/Lk 7,28; Rec I, 60,3 keinen Zweifel und wird durch den Hinweis auf die „elijanische Syzygie" bestätigt. Das Syzygienschema ist eine neue Lösung der alten Schwierigkeit, daß Johannes dem Christus vorangegangen ist und damit das Privileg des zeitlichen Vorrangs genießt, der ihm einen Vorrang an Würde zu verleihen scheint (vgl. Mk 1,7/Mt 3,11 diff Lk 3,16; Joh 1,15.27.30; Apg 13,25; 19,4; anders Justin,

---

[1043] Vgl. BACKHAUS, Apokryphen, 47–51.

Dial., 49, 3; 88, 7) (s. o. II:2.2.2). Was die Synoptiker heilsgeschichtlich und der vierte Evangelist durch den Rekurs auf den Präexistenz-Gedanken zu klären versuchen, erhellt Hom β, 17 mit der spekulativen Syzygienlehre als dem ureigenen pseudoklementinischen Modell der Heilsgeschichte.

Johannes der Täufer wird dabei im Gegensatz zur neutestamentlichen Täuferinterpretation negativ beurteilt. Er gehört in eine Reihe mit Kain, Ismael, Esau und dem Erzketzer Simon und repräsentiert die auf Eva zurückgehende, weibliche Pseudoprophetie, die dem Terrestrischen verhaftet ist (vgl. Hom γ, 22, 2; 23, 2; 52, 1). Ihr steht die wahre, von Adam stammende, männliche Prophetie gegenüber (vgl. Hom γ, 22, 3; 26, 1).[1044]

O. CULLMANN hat wiederholt die Auffassung vertreten, hinter der Syzygienlehre stehe das Motiv einer Polemik: werde in den synoptischen Evangelien Johannes noch als Prophet anerkannt, so spreche ihm das vierte Evangelium diese Dignität ab, und in den ΚΠ werde er zum falschen Propheten.[1045] Näherhin stellten die ΚΠ die judenchristlich-gnostische Syzygienlehre in den Dienst der Auseinandersetzung mit der konkurrierenden Täufersekte, kehrten das im Altertum anerkannte Prinzip des chronologischen Vorrangs einfachhin um und stellten diesen Vorrang gar als Signum der Inferiorität heraus.[1046] Dieselbe Meinung vertritt mit Nachdruck vor allem J. THOMAS.[1047] Zumindest Spuren einer solchen Polemik, mithin Erinnerungen an eine „allerdings in den ΚΠ nicht mehr aktuelle" Auseinandersetzung entdeckt neben H. J. SCHOEPS auch G. STRECKER.[1048]

Der Thesis einer aktuellen Polemik gegen eine virulente Täufersekte widerrät der Mangel an polemischer Schärfe; die Pointe liegt in der Simon / Petrus-Syzygie (Hom β, 17, 3). Bereits die Tatsache, daß Johannes namentlich nicht genannt wird, läßt keineswegs darauf schließen, ein polemisierender Redaktor wolle ihn schonen, sondern darauf, daß Johannes hier keinen Selbstzweck besitzt: er dient zur Illustration der weiblichen Prophetie in dem Syzygienkanon. Ebensowenig wie Hom β, 16, 6 eine Esau-Sekte polemisch bekämpft, richtet sich Hom β, 17, 1f gegen eine Johannes-Sekte. Die Polarisierung Johannes vs. Menschensohn entspringt nicht der Dualität konkurrierender Sekten, sondern dem Dualismus gnostischer Spekulation.

Manche Hypothese hätte sich erübrigt, wenn vor der eilfertigen Auswertung der pseudoklementinischen Syzygienlehre die weitere gnostische Täuferinterpretation zum Vergleich herangezogen worden wäre (vgl. EpJac 6, 28–7, 6;

[1044] Vgl. SCHOEPS, Theologie, 163f; STRECKER, Judenchristentum, 145–162, 189; THOMAS, mouvement, 123f.

[1045] Vgl. problème, 240; ebenso SCHOEPS, Theologie, 164.

[1046] Vgl. ἐρχόμενος, 170; vgl. DERS., Kreis, 64.

[1047] Vgl. mouvement, 124f; ähnlich HUGHES, Disciples, 58f; RUDOLPH, Mandäer I, 74 A. 8; SCHNACKENBURG, Evangelium, 26f; DERS., C: Joh I, 250.

[1048] SCHOEPS, Theologie, 164: „Nachhall von Gruppenkämpfen aus der frühsten christlichen Geschichte"; vgl. STRECKER, Judenchristentum, 189 A. 1.

EvThom 46.78.104; ExAn 135,21–24; ParSem 31,14–22; 2 LogSeth 63, 26–64, 6; TestVer 30,20–31, 5; 45, 6–22; PS I, 7; 60–62; III, 133; 135; Epiphanius, Pan. haer., 26,6,3).[1049] Nirgends findet hier der historische Täufer oder eine ihn verehrende Sekte Beachtung. L. KECKS (1965) Urteil über PS kann auf die gesamte außermandäische Gnosis ausgedehnt werden: sie „has no interest in John as such, nor in his message and its relation to his rite of initiation, nor in the power of his rite as such"; sie „has no interest in the ascetism of John, nor in his disciples nor in his discipline, nor in Jesus' rejection of John's ethos".[1050] Johannes der Täufer interessiert nur, insofern er sich als Glied spekulativer Ahnenreihen (vgl. EvThom 46; 2 LogSeth 63,31–64, 1) oder als Anknüpfungspunkt gnostischer Metaphysik (vgl. z. B. PS I, 7; 60–62; III, 135) eignet. So verliert der Täufer sein Eigengewicht und wird zum Objekt kosmischer und supranaturaler Kräfte.[1051] Die Verhältnisbestimmung mittels des Syzygienschemas ist etwa mit PS I, 60–62 durchaus vergleichbar.[1052]

Aus dem Rahmen der herkömmlichen gnostischen Täuferdeutung fällt allerdings die dezidiert negative Beurteilung des Johannes, obwohl sich auch hier mit 2 LogSeth 63,26–64,6 (vgl. ParSem 31,14–22); TestVer 30,20–31,5 durchaus Parallelen beibringen lassen. Gerade TestVer 30,20–31,5 stimmt in der Grundtendenz bemerkenswert mit Hom überein. Die Ankunft des Menschensohns „from Imperishability" (vgl. TestVer 30,18f) setzt dem „dominion of carnal procreation" und damit der dieses repräsentierenden Johannestaufe ein Ende: „The water of the Jordan is the desire for sexual intercourse. John is the archon of the womb" (TestVer 31, 1–5). „Damit steht der ‚Menschensohn' dem von Johannes dem Täufer repräsentierten Menschheitsteil gegenüber, wie es die Antitypik von ‚Menschensohn' – dessen Herabkunft vom Himmel bedeutet, ‚daß die Herrschaft der fleischlichen Zeugung ein Ende gefunden hat' (30,28–30; cf. Joh 1, 34 [lege: 1,3.4?]. 13) – und dem Täufer – der, da Größter unter den Weibgeborenen (Lk 7,28), als ‚Archon des Mutterleibes' bezeichnet wird (31,3–5) – besagt. Genau den gleichen Gegensatz finden wir in den Pseudoklementinen, wo der Täufer Anlaß zu der Antithese gibt: filii mulierum – filius hominis".[1053] Ein anti-johanneischer Unterton ist hier nicht in Abrede zu stellen[1054], aber dem ist keine Polemik, sondern unbekümmerte dualistische Spekulationsfreudigkeit zu entnehmen.

Es ist dennoch nicht auszuschließen, daß die negative Beurteilung des Täufers in Hom auf eine in Syrien noch herrschende Erinnerung an eine Täuferge-

---

[1049] Vgl. zu weiteren Belegstellen KOSCHORKE, Polemik, 140 A. 54.
[1050] KECK, John, 191f.
[1051] Vgl. im einzelnen BACKHAUS, Apokryphen, 24–35; KECK, John, passim; KOSCHORKE, Polemik, 139–141.
[1052] Vgl. BACKHAUS, Apokryphen, 31f.
[1053] KOSCHORKE, Polemik, 99; vgl. ebd., 139–141.
[1054] Vgl. auch KECK, John, 193 A. 1.

meinde zurückgeht. Diese Hypothese ist an sich plausibel, angesichts von Rec I, 54 und der Polemik des vierten Evangeliums triftig, angesichts des Eigengefälles der gnostischen Täuferinterpretation aber weder notwendig noch zwingend.

12.3.2.2 Rec III, 61

Der Rekognitionist führt zehn Syzygienpaare ein. An die Stelle des „ἐν γεννητοῖς γυναικῶν" tritt in der siebten, messianischen Syzygie der „temptator" (Rec III, 61, 2). Allerdings setzt Rec III, 61, 2[syr] Johannes statt dessen in der sechsten, mosaischen Syzygie anstelle der „magi" ein. Ob textkritisch Rufin oder die versio Syriaca zu bevorzugen ist und literarkritisch Rec III, 61 oder Hom β, 17 die ursprünglichere Fassung bietet, ist nicht mehr zu entscheiden. Das Argument einer „orthodoxen" Relektüre der Tradition durch den Rekognitionisten[1055] wiegt beim gegenwärtigen Stand der pseudoklementinischen Literarkritik zu leicht, und für die textkritische Entscheidung fehlt es an überzeugenden Argumenten.[1056] Illustriert wird freilich in jedem Fall die völlig ungerichtete Täuferinterpretation und die Ersetzbarkeit des Johannes in einem Syzygiensystem, das weder an ihm noch an seinen Jüngern irgendein tieferes Interesse hegt.

12.3.3 Hom β, 23f//Rec II, 8

12.3.3.1 Hom β, 23f

Im Anschluß an die geraffte Darstellung von Leben und Lehre des Simon Magus (Hom β, 22, 2–7) schildert Hom β, 23f in Form einer lehrhaften Erörterung des Aquila die Anfänge der simonianischen Ketzerei: „τὸ δὲ παρεισελθεῖν αὐτὸν εἰς τὸν τῆς θεοσεβείας λόγον γέγονεν οὕτως" (Hom β, 23, 1). Ein gewisser („τις") Johannes trat auf, der einerseits als „ἡμεροβαπτιστής", andererseits als „τοῦ κυρίου ἡμῶν Ἰησοῦ κατὰ τὸν τῆς συζυγίας λόγον πρόοδος" zu charakterisieren ist (vgl. Hom β, 23, 1). So wie sich um den Herrn in Entsprechung zur Zahl der Sonnenmonate zwölf Apostel sammelten, gewann („γεγόνασιν") Johannes dreißig führende („ἔξαρχοι") Männer nach der Regel des Mondes (Hom β, 23, 2). In diese Zahl ist allerdings eine – nur die Hälfte des Mannes zählende – Frau namens Helena eingeschlossen[1057] (Hom β, 23, 3). Unter diesen

---

[1055] So SCHOEPS, Theologie, 164; THOMAS, mouvement, 126 A. 1.

[1056] Allzu verlegen THOMAS, mouvement, 126 A. 2 zur syrischen Variante: „Influence inconsciente du mot que l'on avait éliminé?"

[1057] „Mit dieser Ziffer [29½] stimmt aber die Sinngebung der Sekte genau überein: Wie der (spätere) Zwölferkreis Jesu an den 12 Monaten des Jahres, d. h. solar orientiert gewesen sei, so habe der (vorangehende) Johanneskreis die auf 29½ Tage kommende lunare Berechnung des Einzelmonats zum Vorbild gehabt. Demgemäß wird denn auch der Name der Helena (Ἑλήνη) von luna (Σηλήνη) abgeleitet" (BEYSCHLAG, Simon, 51).

Dreißig war für Johannes Simon der Erste und Meistgeschätzte („πρῶτος καὶ δοκιμώτατος"). Doch hat er nach dem Tod des Johannes dessen Nachfolge nicht angetreten, weil er sich zum Studium der Magie nach Ägypten begeben hatte und ihn Dositheus im Streben nach der Führungsposition für tot erklärte und selbst die Leitung der αἵρεσις übernahm (Hom β, 24,1). Nach seiner Rückkehr mußte sich Simon deshalb mit dem zweiten Platz begnügen, konspirierte aber unter den συμμαθηταί gegen seinen Rivalen, über den er alsbald auch mit dem Einsatz seiner magischen Kraft triumphierte (Hom β, 24, 2–7).

Was oben zur Historizität im pseudoklementinischen Roman allgemein konstatiert wurde (s. o. III:12.2), gilt für den skizzierten Passus potenziert. Die Schilderung ist phantastisch.[1058] Eine Verbindung des Täufers Johannes oder des Täuferkreises mit den Hemerobaptisten (s. u. III:13.3)[1059], mit Simon Magus oder der simonianischen Gnosis[1060], mit Dositheus Samaritanus oder dessen Bewegung[1061] findet sich nirgends sonst auch nur angedeutet und ist angesichts des völligen Mangels an innerer Verwandtschaft ganz unwahrscheinlich.[1062] Es handelt sich hier um rein literarische Kombinationen. Auch Petrus nimmt nach Hom ι, 1, 1; ια, 1, 1 ein tägliches Morgenbad, und nach Hom β, 25, 1–3 hat die Helena des Täuferkreises den Trojanischen Krieg ausgelöst. Historizität ist hier durchweg auszuschließen.[1063]

Das Täuferbild ist in dunkelstem Schwarz gemalt. Johannes ist Hemerobaptist, dunkler πρόοδος Jesu nach der Syzygienfolge, Haupt einer dem sonnenhaft-männlichen Apostelkreis kontrastierten αἵρεσις, geistiger Vater und Förderer des Erzketzers Simon, Vorgänger des samaritanischen Dositheus, Haupt einer Sekte, zu der die berüchtigte Helena gehört. In summa: er ist „hérésiarque par excellence, père de toutes les hérésies".[1064] Der Täuferkreis – von einer αἵρεσις (Hom β, 24, 1) und συμματηθαί (Hom β, 24, 4) ist ausdrücklich die Rede – ist Keimzelle aller Perfidie.[1065]

[1058] Vgl. auch BEYSCHLAG, Simon, 54f; HUGHES, Disciples, 57; LÜDEMANN, Untersuchungen, 96; MEYER, Ursprung III, 280; SCHNACKENBURG, Evangelium, 26f.

[1059] Vgl. auch THOMAS, mouvement, 138.

[1060] Vgl. dazu allgemein neben den Monographien von BEYSCHLAG, Simon (1974) und LÜDEMANN, Untersuchungen (1975) K. RUDOLPH, Simon – Magus oder Gnosticus? Zum Stand der Debatte, in: ThR 42 (1977) 279–359, v. a. 310–313; nach wie vor ergiebig ist auch HILGENFELD, Ketzergeschichte, 163–186. Die von LICHTENBERGER, Täufergemeinden, 46f vermuteten Zusammenhänge zwischen Simon und der „Täuferdiaspora" bleiben wirr; seine Mutmaßung: „wird wohl historischen Anhalt haben" (ebd., 46) verzichtet auch auf die Andeutung einer Begründung; STAUFFER, Jerusalem, 101 ergeht sich in Gemeinplätzen, um die Verbindung Simons zur Täuferbewegung zu belegen.

[1061] Vgl. dazu allgemein BOUSSET, Hauptprobleme, 382–384; T. CALDWELL, Dositheos Samaritanus, in: Kairos 4 (1962) 105–117.

[1062] Die Thesis einer gnostisierenden oder gnostischen Täufergemeinde beruht auf unhaltbaren Prämissen (s. u. III:13.8).

[1063] Vgl. auch BARTH, Zeit, 35 A. 66; BEYSCHLAG, Simon, 54 A. 98.

[1064] THOMAS, mouvement, 129.

[1065] Vgl. auch SCOBIE, John, 193.

Auch diese Erzählung ist als Täuferpolemik mit aktuellem Anliegen erklärt worden: „The best explanation of this is that the writer of the Homilies was so concerned to combat those who set up John as greater than Jesus that he was prepared to attack the traditionally honoured forerunner of Jesus. The alleged connection of John with Simon and Dositheus, and the suggestion that he was a hemerobaptist, are completely understandable as part of this violent polemic".[1066] Dagegen spricht, daß die phantasievolle Geschichtsmalerei frommer Erbauung dienen mag, für die Überzeugung Außenstehender oder die Polemik gegen Konkurrenten indes völlig untauglich ist. Die Schilderung zielt auf die Entstehung der simonianischen Ketzerei. Es wäre ein aussichtsloses Unterfangen, eine zeitgenössische Täufergemeinde en passant zu belehren, sie habe sich in die simonianische Gnosis aufgelöst, bestehe jetzt also nicht mehr! Denn daß eine Täufersekte als solche zu existieren aufgehört hat, ist eine implizite Aussage der Erzählung. Schließlich verraten die wirren Mitteilungen deutlich die zeitliche Distanz.

Vielleicht hat J. Thomas mit seiner Vermutung nicht unrecht, Johannes sei ursprünglich in den Zusammenhang eingeführt worden, um die Entstehung der Bewegung um Dositheus und Simon Magus zu datieren.[1067] Dem entspräche die oben festgestellte Tendenz, mit dem Täufer das offizielle Judentum enden und die Schismata beginnen zu lassen (vgl. Rec I, 53, 5; 54, 2. 7) (s. o. III:12.3.1.2). Erst durch die Verbindung mit der Syzygienlehre und dem Desiderat eines weiblich-dunklen Gegenpols mag dann die negative Färbung in das Bild eingedrungen sein.[1068] Andererseits legt der pseudoklementinische Kontext (vgl. v. a. Rec I, 54) es nahe, daß im Syrien des dritten oder vierten Jahrhunderts tatsächlich noch eine – dann aber diffuse – Erinnerung an eine αἵρεσις, die sich auf den Täufer Johannes berief, herrscht (s. o. III:12.3.1.1; 12.3.2.1).

12.3.3.2 Rec II, 8

Die Rec-Parallele unterscheidet sich von dem Hom-Passus signifikant. Sie setzt mit dem Tod des Täufers Johannes an, der aber – im abl. abs. erwähnt – keinen kausalen Zusammenhang mit den folgenden Ereignissen hat. In der Tat liegt die Initiative ganz bei Dositheus: „haereseos *suae* inisset exordium cum aliis triginta principalibus discipulis et una muliere quae Luna vocitata est". Zu dieser haeresis stößt alsbald auch Simon (Rec II, 8, 1f[1069]; vgl. Rec II, 8, 2–4).

Erneut bietet Rec eine „orthodoxe" kirchliche Täuferinterpretation. Johannes steht in keinerlei Zusammenhang mit der Perfidie des Dositheus und des Simon

---

[1066] HUGHES, Disciples, 184; vgl. ebd., 57f; ähnlich LÜDEMANN, Untersuchungen, 96; SCHNACKENBURG, Evangelium, 26; SCOBIE, John, 193; THOMAS, mouvement, 129.

[1067] Vgl. mouvement, 129; ferner SCHNACKENBURG, Evangelium, 27.

[1068] Vgl. auch BEYSCHLAG, Simon, 54f.

[1069] Hervorhebung von K. B..

Magus; lediglich sein Tod markiert den Aufbruch von deren Bewegung. Die Sekte des Johannes erscheint in dieser Version überhaupt nicht.

Die literarische Interdependenz ist auch hier nicht mit hinreichender Sicherheit zu bestimmen. Wahrscheinlich liegt GS-Material vor.[1070] Aber ob der Rekognitionist sie „rechtgläubig" überarbeitet hat[1071], kann nicht gesagt werden. Die Beziehungslosigkeit zwischen dem Auftreten des Johannes und dem Anbruch der Schismata findet sich auch in Rec I, 53, 5; 54, 2. Wenn am Anfang eine datierende Notiz stand, wie THOMAS vermutet[1072], mag Rec II, 8, 1 durchaus die ursprüngliche Gestalt bewahrt haben, zumal auch Hom β, 23, 4 („μετὰ τὴν τελευτὴν τοῦ Ἰωάννου"); β, 24, 1 („τοῦ Ἰωάννου ἀναιρεθέντος") den Tod des Johannes als Markstein bezeichnen. Daß sich nach Hom β, 23, 4 gegenüber Rec II, 8 die Geschehensfolge „in einem organischeren Zusammenhange befindet und daher Ursprünglichkeit zu beanspruchen hat"[1073], wird man so apodiktisch nicht behaupten können. Am ehesten verzichtet man daher auf eine definitive Textbeschreibung für GS.

12.3.4 Hom γ, 22

Im Rahmen eines stark gnostisch geprägten Diskurses de veritate kontrastiert Hom γ, 22 dualistisch das maskuline mit dem femininen Prinzip der Syzygie. Nach einigen kosmischen Beispielen (Hom γ, 22, 1) wird auf den – namentlich auch hier nicht genannten – Johannes verwiesen. Als einer „μετὰ πάντων τῶν ‚ἐν γεννητοῖς γυναικῶν'" repräsentiert er das weiblich-inferiore Prinzip und prophezeit der jetzigen Welt (Hom γ, 22, 2; vgl. Hom γ, 23, 2); Christus hingegen, „ὡς ‚υἱὸς ἀνθρώπου'", repräsentiert das superiore männliche Prinzip und prophezeit dem kommenden Äon (Hom γ, 22, 3).

Der Passus bestätigt das oben zur gnostischen Täuferinterpretation im allgemeinen und zu Hom β, 17 im besonderen Festgestellte (s. o. III:12.3.2.1). Johannes hat – selbst seines Namens beraubt – jedes Eigengewicht verloren. Ohne daß Interesse an seinem historischen Wirken deutlich wird, wird er zum „Spielball" einer dualistischen, polemisch desinteressierten[1074] Syzygienspekulation. Johannes ist der „Vorläufer", aber was ihm in der „orthodoxen" Interpretation zur Ehre gereicht, muß im Rahmen der Syzygienlehre sein Bild verdunkeln.

[1070] Vgl. LÜDEMANN, Untersuchungen, 96; STRECKER, Judenchristentum, 46; THOMAS, mouvement, 129.

[1071] So LÜDEMANN, Untersuchungen, 96; REHM, Entstehung, 137; STRECKER, Judenchristentum, 46; THOMAS, mouvement, 129.

[1072] Vgl. mouvement, 129.

[1073] STRECKER, Judenchristentum, 46.

[1074] Gegen THOMAS, mouvement, 127.

12.4 Resümee

Der historische Wert der pseudoklementinischen Literatur für die Täuferkreis-Forschung beschränkt sich auf den häresiologischen Katalog in Rec I, 54, namentlich auf Rec I, 54, 8. Rec I, 53, 5; 60 beziehen sich redaktionell auf diese traditionelle Vorgabe; die anderen Belege sind entweder völlig ahistorisch oder setzen diffuse Kenntnisse voraus, die über Rec I, 54 nicht hinausreichen. So wird durch die frühestens im zweiten, spätestens vor ca. 370 n. Chr. anzusetzende Liste zwar nicht der nähere Charakter, wohl aber die Existenz und die Täuferverehrung einer sich auf Johannes berufenden syrischen Gemeinschaft belegt. Es ist zu vermuten, daß diese Gemeinschaft mit der von Joh angegriffenen Formation identisch ist (s. u. V:5).

Ein aktuelles Interesse an dem Täufer oder einer Täufergemeinde ist Rec I, 54; 60 nicht zu entnehmen. Den Passus fehlt jede polemische Schärfe; ein konkreter Gegner mit konkreten Argumenten wird nicht faßbar. Das Ergebnis der Auswertung der weiteren Belege ist ebenso negativ. Hom β, 23f//Rec II, 8 legen ein fromm-erbauliches Phantasiegemälde vor, dem höchstens eine äußerst schemenhafte Reminiszenz an eine einstmals virulente Täufergemeinde im zölesyrischen Raum zugrundeliegt. Möglicherweise liegt hier auch die Wurzel für die ausgesprochen schlechte Beurteilung des Johannes in der homiletischen Syzygienlehre Hom β, 17; γ, 22. Das gnostische Christentum deutet den antagonistischen Heros eponymos als Gegenspieler Christi und stilisiert ihn in einer rein literarischen Entwicklung der Syzygienspekulation[1075] nach biblischer „Vorgabe" zum weiblichen und damit inferioren, feindlichen Gegenpol des Menschensohns. Eben diese Entwicklung läßt sich jedoch auch ohne Rekurs auf eine Täufergemeinde mit dem Eigengefälle der gnostisch-dualistischen Spekulation erklären. Ein zeitgenössischer nichtchristlicher Adressatenkreis, an den sich diese Täuferpassus polemisch richten, ist jedenfalls auszuschließen. Sie zielen allein rein christliche Formationen an. Rec III, 61 steht mit der Deutung des Täufers – Johannes ist heilsgeschichtlicher Wendepunkt – ganz in der großkirchlichen Tradition.

Ausgehend von unzutreffenden literarkritischen Voraussetzungen und mit einer partiell defizienten Textauslegung trägt J. THOMAS eine extensive Auswertung der pseudoklementinischen Täuferpassus vor[1076], die nicht selten unbesehen übernommen wird.[1077] Ausgangspunkt seiner Rekonstruktion ist eine sich auch bei Ephraem, Ev. conc. exp., ed. MOESINGER, p. 287f widerspiegelnde

---

[1075] Gegen THOMAS, ebd., 130.
[1076] Vgl. ebd., 114–132; zur Grundlegung der pseudoklementinischen Literarkritik vgl. DERS., Ébionites, passim.
[1077] So von SCHNACKENBURG, Evangelium, 25; SCOBIE, John, 190–195; SINT, Eschatologie, 97.

häresiologische Notiz, die zu Beginn des zweiten Jahrhunderts entstanden ist und bereits Täuferpolemik betreibt (vgl. Rec I, 54; 60). Der Redaktor von GS (um 230) bzw. der Rekognitionist (um 325) müssen sich hinreichend veranlaßt sehen, die Kontroverse zu referieren, so daß die gegen die Johannes-Sekte gerichtete Polemik noch in späterer Zeit brisant ist.[1078] Die Fortdauer der Sekte wird durch die „polémique si acerbe et si constante"[1079] auch in den anderen pseudoklementinischen Täuferpassus bestätigt.[1080] K. RUDOLPH, der zunächst (1959) in vorsichtiger Anlehnung an THOMAS ebenfalls diese Rekonstruktion vertreten hat[1081], äußert sich neuerdings (1981) erheblich zurückhaltender. Möglicherweise betrieben Hom, Rec und Ephraem keine Polemik gegen eine lebendige Täufergemeinde, sondern präsentierten „Lesefrüchte".[1082] In der Tat ist nach Abschätzung des Quellenwerts von Rec I, 54; 60 nicht auf eine Fortdauer der Täufergemeinde vom ersten bis ins vierte Jahrhundert zu schließen, sondern lediglich darauf, daß Rec I, 54*, wahrscheinlich im dritten Jahrhundert, möglicherweise eher entstanden, diffuse Erinnerungen an eine solche bewahrt und unpolemisch präsentiert; solche Erinnerungen können auch für die anderen Täuferpassus vermutet werden.

Erwogen werden kann auch, ob sich außerchristliche Gruppen ad hominem auf den Täufer oder die Erinnerung an seine Bewegung oder an eine Täufergemeinde beriefen.[1083] Jedenfalls ist aus den pseudoklementinischen Schriften eindeutig ablesbar, daß eine fixe Täufertradition – und sei es als bekämpfte Tradition – für die Pseudoklementinen gar nicht mehr vorliegt.

Wohl im zweiten Jahrhundert oder eher dürfte damit im zölesyrischen Raum eine Gemeinde von „discipuli Ioannis" existiert haben, die aller Wahrscheinlichkeit nach mit jener identisch ist, gegen die sich das vierte Evangelium richtet (s. u. V:5); allerdings ist ein direkter Zusammenhang zwischen Rec I und Joh nicht festzustellen.[1084] Die relativ kurze Existenz jener Formation um die Wende vom ersten zum zweiten Jahrhundert in dem begrenzten Territorium Syriens erklärt das fast völlige Schweigen der Häresiologie über sie.

[1078] Vgl. mouvement, 114–123.
[1079] Ebd., 132.
[1080] Vgl. ebd., 123–132.
[1081] Vgl. Mandäer I, 78f.
[1082] Vgl. Baptisten, 12.
[1083] Vgl. HUGHES, Disciples, 59f.
[1084] Vgl. MARTYN, Recognitions, 273–278 (vgl. aber ebd., 278–285); WAITZ, Pseudoklementinen, 361.

13. Die häresiologische Literatur

13.1 Die jüdischen αἱρέσεις im Spiegel der spätantiken jüdischen und der frühchristlichen Häresiologie

Angesichts ihrer Omnipräsenz in der „häresiologischen"[1085] Forschung der Gegenwart verwundert es, daß die „Johannes-Sekte" in der häresiologischen Literatur jener Epoche, in der sie existiert haben und virulent gewesen sein soll, in der Regel überhaupt nicht erwähnt wird. Namentlich in den Ὑπομνήματα des Hegesipp sec. Eusebium, Hist. Eccl., 4, in den Τοῦ κατὰ πασῶν αἱρέσεων ἐλέγχου βίβλοι des Hippolytus Romanus, in dem Diversarum hereseon liber des Filastrius von Brescia und in dem Κατὰ αἱρέσεων τὸ ἐπικληθὲν πανάριον εἴτουν κιβώτιον des Epiphanius von Salamis, die sich mit den baptistischen Sekten ihrer Zeit eingehend auseinandersetzen[1086], fehlt von einer religiösen Formation, die der Jordanprophet gegründet hat oder die sich auf ihn beruft, jede Spur. J. Thomas (1935), der den „Johannites" bei seiner Rekonstruktion des „mouvement baptiste en Palestine et Syrie" eine wesentliche Rolle zuschreibt, sucht diesen Mangel durch Hinweise auf indirekte Belege in Epiphanius, Pan. haer. zu beheben[1087], aber seine Argumente halten der Prüfung nicht stand (s. u. III:13.8). Auch die klassischen frühchristlichen Kirchengeschichten, etwa die des Eusebius Pamphili, des Tyrannius Rufinus, des Hermias Sozomenus oder des Theodoret von Cyrus, erwähnen die Gruppierung einer Johannes-Sekte in keinem Zusammenhang. Im einzelnen nennt Hegesipp die jüdischen „Häresien" der Simonianer, Kleobianer, Dositheaner, Gorathener und Masbothäer (sec. Eusebium, Hist. Eccl., 4, 22, 5), an anderer Stelle die der Essener, Galiläer, Hemerobaptisten, Masbothäer, Samariter, Sadduzäer und Pharisäer (sec. Eusebium, Hist. Eccl., 4, 22, 7). Hippolyt zählt die Pharisäer, Sadduzäer und Essener (Refutatio, 9, 18) bzw. die Pharisäer, Sadduzäer, Essener und Zeloten (Refutatio, 9, 22–29) auf. Filastrius führt die Dositheaner, Sadduzäer,

---

[1085] Das Adjektiv „häresiologisch" wird hier nicht im strikten, formkritischen Sinn verwendet, sondern bezeichnet ganz allgemein jede Mitteilung über die spätantiken „Häresien" – auch dieser Terminus im arbeitstechnischen Sinn verwendet.

[1086] Vgl. ausführlich Rudolph, Baptisten, 7–17.

[1087] Vgl. mouvement, 132–136.

Pharisäer, Samaritaner, Nazaräer, Essener und Heliognostiker an (Divers. heres. lib., 4–10), Epiphanius schließlich die Samaritaner, Essener, Sebuäer, Gorothener und Dositheaner (Pan. haer., 9–13) bzw. die Sadduzäer, Schriftgelehrten, Pharisäer, Hemerobaptisten, Nasaräer, Ossäer und Herodianer (Pan. haer., 14–20).

Vergleichbare Kataloge finden sich bei Flavius Josephus und den frühen Kirchenschriftstellern. Der jüdische Historiker nennt Pharisäer, Sadduzäer, Essener und – im Gefolge des Judas Galilaeus – Galiläer (Ant., 18, 11–25); im weiteren Sinn wird man auch den Lustrationsriten praktizierenden jüdischen Einsiedler Banus mit seinen Jüngern hier anführen können (vgl. Vita, 11). Justin der Märtyrer zählt Sadduzäer, Gennisten, Meristen, Galiläer, Hellenäer, Pharisäer und Baptisten auf (Dial., 80, 4); die Apostolischen Konstitutionen berichten von Sadduzäern, Pharisäern, Masbothäern, Hemerobaptisten, Ebionäern und Essäern (Const. Apost., 6, 6).[1088]

Aufgrund ihrer Eigenart kommt den häufiger erwähnten Elchasaiten und – in ihrem Gefolge – den Sampsäern besondere Bedeutung zu (vgl. etwa Hippolyt, Refutatio, 9, 13–17; Origenes sec. Eusebium, Hist. Eccl., 6, 38; Epiphanius, Pan. haer., 19; 53).[1089] In dem hier zu verfolgenden Zusammenhang interessieren primär die täuferischen Sekten[1090], wobei unter „täuferisch" solche Formationen verstanden werden sollen, in denen eine im weitesten Sinne „sakramental" zu nennende Wasserzeremonie, in der Regel ein in fließendem Wasser einmalig oder wiederholt vorgenommenes Tauchbad, im Zentrum des religiösen Selbstverständnisses und der kultischen Praxis steht.[1091] In Betracht kommen somit die Essener[1092], Masbothäer[1093], Sebuäer[1094] und Elchasaiten[1095], die Baptisten und Hemerobaptisten, im weiteren Sinn auch die Nasaräer[1096] und die Banus-Jünger.[1097] Aufgrund ihres Selbstzeugnisses wird man auch die hinter dem

---

[1088] Vgl. die hilfreiche Übersichtstafel bei RUDOLPH, Baptisten.

[1089] Die Texte sind konzentriert dargestellt bei KLIJN / REININK, evidence, s. v..

[1090] Der Sektenbegriff wurde unter I:2.1.4 definiert.

[1091] So RUDOLPH, Baptisten, 5; vgl. THOMAS, mouvement, 274–284.

[1092] Vgl. RUDOLPH, Mandäer I, 223–227; DERS., Baptisten, 7f; THOMAS, mouvement, 4–32; um eine Einordnung des Täufers Johannes in den qumranischen milieu baptiste bemüht sich SCHMITT, milieu, passim.

[1093] Vgl. BRANDT, Baptismen, 112f; RUDOLPH, Mandäer I, 228f; DERS., Baptisten, 8; THOMAS, mouvement, 40–42.

[1094] Vgl. BRANDT, Baptismen, 113f; RUDOLPH, Mandäer I, 228f; DERS., Baptisten 9f; THOMAS, mouvement, 42f.

[1095] Vgl. KLIJN / REININK, evidence, 54–67; RUDOLPH, Mandäer I, 233–239; DERS., Baptisten, 13–17; SINT, Eschatologie, 98; THOMAS, mouvement, 140–156.

[1096] Bei ihnen ist allerdings von Taufen und Reinigungsbädern nicht die Rede. Deshalb führt RUDOLPH, Baptisten sie wohl auch nicht eigens an; jedoch wird man diese Gruppierung, wenn man den Mitteilungen des Filastrius und des Epiphanius Glauben schenkt, im transjordanischen Täufermilieu ansiedeln müssen (vgl. THOMAS, mouvement, 37–40).

[1097] Hier bleibt der religionssoziologische Status jedoch unklar; vgl. BRANDT, Baptismen, 69f; RUDOLPH, Mandäer I, 227; DERS., Baptisten, 12; THOMAS, mouvement, 33f.

vierten Buch der Sibyllinischen Orakel stehende Formation[1098] anführen, ebenso jene, die die Vita Adae et Evae prägt[1099], schließlich die rätselhaften Παραβαπτισταί des Epiktet (Diatr., 2, 9, 20f).[1100] Hingegen können die טבלי שחרית der rabbinischen Überlieferung nicht als Sekte eigener Art betrachtet werden; sie waren vielmehr Waschungsrigoristen (vgl. z. B. b Ber 22a), wenn auch ihre religiöse Einstellung den Nährboden für täuferische Abspaltungen gestellt haben dürfte.[1101]

Bei den meisten der genannten baptistischen Gruppierungen ist es aufgrund der Quellenevidenz von vornherein ausgeschlossen, eine Verbindung zu dem Täufer Johannes und seinem Jüngerkreis oder einer späteren Johannes-Sekte herzustellen. Eigens zu untersuchen sind allerdings die Hemerobaptisten, Baptisten und – nach dem jüngsten Vorschlag H. LICHTENBERGERS (1987)[1102] – die Täufer der Oracula Sibyllina (s. u. III:13.3; 13.4; 13.5). Ferner sind die abgelegenen, aber expliziten Täuferkreis-Passus bei Ephraem Syrus (s. u. III:13.6) und Vigilius von Thapsus (s. u. III:13.7) zu prüfen.

13.2 Das täuferische Ebionitentum im Spiegel der frühchristlichen Historiographie

Als unergiebig für die Frage nach dem Täuferkreis erweist sich das Feld der frühchristlichen Täuferbewegung. Jesus von Nazaret wird man in keinem Fall unter die „christlichen Täufer" zählen, da er weder als Christ zu verstehen ist[1103] noch – im Sinne der oben gegebenen Definition – als Täufer (s. auch o. III:10.4).[1104] Eine solche Einordnung hätte höchstens dann einen gewissen Sinn, wenn Jesus als Mitglied des Kreises der Johannesjünger gelten könnte[1105], aber gerade dies ist nach den oben durchgeführten Untersuchungen nicht anzunehmen (s. o. II). Das judenchristlich-täuferische Ebionitentum, wie es sich bei

---

[1098] Vgl. LICHTENBERGER, Täufergemeinden, 38–43; RUDOLPH, Mandäer I, 227; DERS., Baptisten, 12; THOMAS, mouvement, 46–60.

[1099] Vgl. RUDOLPH, Mandäer I, 227; DERS., Baptisten, 12f.

[1100] Vgl. RUDOLPH, Mandäer I, 227 A. 3; DERS., Baptisten, 13.

[1101] Vgl. RUDOLPH, Mandäer I, 228; DERS., Baptisten, 9; THOMAS, mouvement, 43–45. Gegen BALDENSPERGER, Prolog, 150f sind diese Frühtäufer also nicht mit den Hemerobaptisten zu verwechseln!

[1102] Vgl. Täufergemeinden, 38–43.

[1103] Vgl. BULTMANN, Theologie, 1f.

[1104] Zur Verwendung des Terminus „Sekte" s. o. I:2.1.4.

[1105] So tatsächlich RUDOLPH, Baptisten, 19; vgl. auch HÖLSCHER, Urgemeinde, 18.

Epiphanius[1106] und in der pseudoklementinischen Literatur[1107] darstellt, weist keinerlei belegbaren Zusammenhang mit Johannes dem Täufer, seinem Jüngerkreis oder einer Johannes-Sekte auf.[1108]

13.3 Die Hemerobaptisten und der Täuferkreis

Die Hemerobaptisten unterziehen sich nach Epiphanius, Pan. haer., 17; 19, 5, 6f täglich einer heilsnotwendigen Waschung; die Apostolischen Konstitutionen beschreiben ihre Sorge um Reinheit, vor allem vor dem Mahl (vgl. Const. Apost., 6, 6, 5). Allzu hohes Gewicht wird man den isolierten Notizen (vgl. noch Hegesipp sec. Eusebium, Hist. Eccl., 4, 22, 7; Hom β, 23, 1 [s. o. III:12.3.3.1]) allerdings kaum beimessen. Bei den nicht immer klar orientierten Kirchenschriftstellern sind gerade im Feld des unüberschaubaren jüdisch-judenchristlichen Täufermilieus Verwechslungen durchaus denkbar[1109], und die wichtige Rekonstruktion des mouvement baptiste durch J. Thomas (1935) leidet wohl darunter, daß der Gelehrte den Häresiologen allzu bereitwillig Glauben schenkt.[1110]

Nun hat J. B. Lightfoot (1875) hinter diesen Hemerobaptisten nicht nur die Morgentäufer der rabbinischen Überlieferung, sondern auch die Sekte des Täuferkreises vermutet, die sich auf den Jordanpropheten berief, diesen zum Rivalen des christlichen Messias avancieren ließ und seine Taufe als tägliche Erneuerung der Schuldvergebung praktizierte.[1111] Diese Identifizierung fand bei sehr unterschiedlichen Richtungen der Forschung Anklang, bei W. Baldensperger (1898)[1112] ebenso wie bei H. Waitz (1904)[1113], bei J. Innitzer (1908)[1114] ebenso wie bei H. J. Schoeps (1949).[1115]

Demgegenüber hat J. Thomas den rein innerjüdischen Charakter der hemerobaptistischen Sekte betont; es führe keine erkennbare Linie zum Täuferkreis oder zum vierten Evangelium.[1116] Tatsächlich weist keines der den Hemerobap-

---

[1106] Vgl. dazu Thomas, mouvement, 171–174.
[1107] Vgl. dazu ebd., 174–182.
[1108] Vgl. allgemein Rudolph, Baptisten, 20f; Thomas, mouvement, 156–183; zur judenchristlichen Täuferbewegung Klijn/Reinink, evidence, 1–91.
[1109] Vgl. Rudolph, Baptisten, 8f.
[1110] Zur Kritik vgl. Rudolph, Baptisten, 5f m. 27 A. 5.
[1111] Vgl. C: Colossians; Philemon, 402–405.
[1112] Vgl. Prolog, 150–152.
[1113] Vgl. Simon, 130.
[1114] Vgl. Johannes, 391.
[1115] Vgl. Theologie, 400f.
[1116] Vgl. mouvement, 36, 138; ähnlich Buzy, Jean-Baptiste, 371f; Wink, John, 99f.

tisten zugeschriebenen Charakteristika auf Wesen und Gepflogenheiten, die für einen späteren Täuferkreis anzunehmen wären. Vollends spricht nichts dafür, daß die hypothetische Sekte der Johannesjünger 1) gerade die originale Neuschöpfung des Täufers Johannes, die einmalig gespendete Bußtaufe, zu einer iterativen Lustration entwickelt[1117] und 2) den radikalen Bruch des Johannes mit seiner religiösen Umwelt (s. u. IV:1) revoziert hätte. Das Postulat solcher theologischen Entwicklungen steht einzig im Dienst der vorgefaßten Täuferkreis-Hypothese und überdeckt die evidenten Diskrepanzen. Wenn einerseits Johannes der Täufer und sein Jüngerkreis eine einmalige eschatologische Umkehrtaufe praktizieren und andererseits die Hemerobaptisten sich dauernd zu wiederholenden Lustrationsriten unterwerfen, so ist dies kein erwartbarer Entfaltungsprozeß, sondern ohne Frage eine erhebliche Differenz, und nicht die Vertreter einer Diskrepanz, sondern die einer Identität zwischen den Formationen sind beweispflichtig.[1118]

Als Argument könnte allerdings geltend gemacht werden, daß Hom β, 23, 1 Johannes immerhin als ἡμεροβαπτιστής bezeichnet.[1119] Die Interpretation dieses Passus legt es aber nahe, diese Bemerkung als Spitze gegen den Täufer zu verstehen (s. o. III:12.3.3.1).[1120] Außerdem ist gar nicht vorauszusetzen, daß Hom mit dem Terminus irgendeine konkrete Vorstellung verbindet. Die Vielfalt der täuferischen Gruppierungen erlaubt den Gewährsleuten nur selten den Überblick, und selbst Tertullian hält sehr pauschal gleich alle Juden faktisch für „Hemerobaptisten“: „Ceterum Israel [Iudaeus] cotidie lauat quia cotidie inquinatur“ (De bapt., 15, 3; vgl. De orat., 14).

13.4 Die Baptisten und der Täuferkreis

Über die von Justin, Dial., 80, 4 angeführten βαπτισταί läßt sich, da sie sonst an keiner Stelle belegt sind, nicht mehr vermuten, als daß sie, wie die Bezeichnung nahelegt, als Sekte der Taufpraxis huldigten. Wahrscheinlich sind die Baptisten, sofern sie nicht einfachhin zugunsten einer Siebenzahl der Sekten fingiert sind, mit einer oder mehreren der sonst genannten Formationen, am ehesten mit den

---

[1117] Vgl. BUZY, Jean-Baptiste, 372; GOGUEL, seuil, 111f.
[1118] Gegen BALDENSPERGER, Prolog, 151f.
[1119] So INNITZER, Johannes, 391.
[1120] Vgl. auch THOMAS, mouvement, 36; WINK, John, 100 A. 1.

Masbothäern, zu identifizieren.[1121] Mitunter werden sie mit den Hemerobaptisten gleichgesetzt.[1122]

Gegen die auch hier vertretene Gleichsetzung mit der hypothetischen Johannes-Sekte[1123] sprechen die oben angeführten Gründe (s. o. III:13.3). Zugunsten dieser Gleichsetzung könnte allerdings der terminus βαπτισταί sprechen, da sich βαπτιστής vor Justin ausschließlich auf den Täufer Johannes bezieht, und zwar nicht nur in der neutestamentlichen Literatur, sondern auch bei Josephus (vgl. Ant., 18, 116).[1124] Aber es ist anzunehmen, daß der neutestamentlich-judengriechische Begriff sprachprägend gewirkt hat. Er entspricht den gängigen Substantivierungsregeln und zeigt sich auch in den Begriffen ἡμεροβαπτισταί und παραβαπτισταί.[1125]

13.5 Die Täufergemeinschaft der OrSib 4 sowie andere baptistische Formationen und der Täuferkreis

Ein Überblick über das vielschichtige Phänomen der spätantiken Täuferbewegungen, über ihre unterschiedlichen Gruppierungen, Überzeugungen, Artikulationen und Riten, wie sie nach W. BRANDT (1910)[1126] vor allem durch J. THOMAS (1935)[1127] und K. RUDOLPH (1981)[1128] systematisiert worden sind, läßt ohne weiteres die bare Willkür des Unterfangens erkennen, irgendeine dieser baptistischen Formationen herauszugreifen und mit der hypothetischen Johannes-Sekte zu identifizieren. Vor allem die ältere Forschungsgeschichte hat hier recht konfuse Spekulationen hervorgebracht, so über „the group of Johannine baptizers at Ephesus, whom Luke adopts as 'disciples' but who were more probably what the second century heresiologues call Mazbotheans ('Baptizers') or Hemerobaptists, and who later are designated Sabeans ... and 'Disciples of John'".[1129]

[1121] Vgl. RUDOLPH, Mandäer I, 228; DERS., Baptisten, 8.
[1122] Vgl. BRANDT, Baptismen, 50; BUZY, Jean-Baptiste, 371; LIGHTFOOT, C: Colossians; Philemon, 404; THOMAS, mouvement, 36f; WAITZ, Simon, 130.
[1123] So BALDENSPERGER, Prolog, 150f; LIGHTFOOT, C: Colossians; Philemon, 404f; SCHOEPS, Theologie, 400f; WAITZ, Simon, 130; jüngst anscheinend auch LICHTENBERGER, Täufergemeinden, 37 m. A. 5.
[1124] Vgl. näher OEPKE, Art. βάπτω, 544.
[1125] Vgl. auch THOMAS, mouvement, 138.
[1126] Baptismen.
[1127] Mouvement.
[1128] Baptisten.
[1129] BACON, relation, 49; ähnliche Konstruktionen ebd., 42f; BALDENSPERGER, Prolog, 150f; die Spitze der Absurdität erreicht auch hier EISLER, 'Ιησοῦς II, 47f: Johannes der Täufer ist el Kasaj, und die Johannesjünger sind die Elchasaiten!

Den jüngsten, ähnlich undisziplinierten Vorstoß in diese Richtung hat
H. LICHTENBERGER (1987) unternommen, der die hinter dem um 80 n. Chr. zu
datierenden vierten Buch der jüdischen Sibylle stehende täuferische Gemeinschaft mit einer auf den Täufer Johannes zurückgehenden römischen „Täuferdiaspora" identifiziert.[1130] Dabei geht LICHTENBERGER von der Auffassung aus,
dieses Zeugnis sei bislang weitgehend unbeachtet geblieben[1131]; tatsächlich ist es
jedoch in den klassischen Monographien von W. BRANDT[1132], J. THOMAS[1133] und
K. RUDOLPH[1134] bereits mit aller wünschenswerten Ausführlichkeit behandelt
worden, und schon 1875 hat J. B. LIGHTFOOT in seiner protagonistischen
Studie[1135], 1894 dann M. FRIEDLAENDER[1136], 1929 R. REITZENSTEIN[1137] Vorschläge vorgelegt, die denen LICHTENBERGERS durchaus nicht unähnlich sind.

Der entscheidende Passus des λόγος τέταρτος lautet:
„καὶ τότε γινώσκειν θεὸν οὐκέτι πρηῢν ἐόντα,
ἀλλὰ χόλῳ βρύχοντα καὶ ἐξολέκοντα γενέθλην
ἀνθρώπων ἅμα πᾶσαν ὑπ' ἐμπρησμοῦ μεγάλοιο
ἃ μέλεοι, μετάθεσθε, βροτοί, τάδε, μηδὲ πρὸς ὀργήν
παντοίην ἀγάγητε θεὸν μέγαν, ἀλλὰ μεθέντες
φάσγανα καὶ στοναχὰς ἀνδροκτασίας τε καὶ ὕβρεις
ἐν ποταμοῖς λούσασθε ὅλον δέμας ἀενάοισιν,
χεῖράς τ' ἐκτανύσαντες ἐς αἰθέρα τῶν πάρος ἔργων
συγγνώμην αἰτεῖσθε καὶ εὐλογίαις ἀσέβειαν
πικρὰν ἱλάσκεσθε· θεὸς δώσει μετάνοιαν
οὐδ' ὀλέσει· παύσει δὲ χόλον πάλιν, ἤνπερ ἅπαντες
εὐσεβίην περίτιμον ἐνὶ φρεσὶν ἀσκήσητε."
(OrSib 4, 159–170).

Dieser Abschnitt weist nach LICHTENBERGER folgende Analogien zur Verkündigung des Täufers Johannes auf: die Taufe im fließenden Wasser, die Einmalig-
keit und die soteriologische Funktion der Taufe in Ansehung des Endgerichts,
die Umkehr als Voraussetzung für die Wirksamkeit der Taufe, das Gericht als
universales Feuergericht.[1138]
Diese analogen Elemente sind indes denkbar allgemeiner Natur. Die Taufe in
fließendem Wasser ist ein „Spezifikum" nahezu jeder täuferischen Sekte.[1139] Von

---

[1130] Vgl. Täufergemeinden, 38–43; vgl. ebd., 47, 56.
[1131] Vgl. ebd., 37.
[1132] Baptismen, 87–90.
[1133] Mouvement, 46–60.
[1134] Mandäer I, 227; Baptisten, 12.
[1135] Vgl. C: Colossians; Philemon, 96f, 404.
[1136] Vgl. La sibylle juive et les partis religieux de la dispersion, in: Revue des études juives 29 (1894)
183–196.
[1137] Vgl. Vorgeschichte, 235–239.
[1138] Vgl. Täufergemeinden, 40.
[1139] Vgl. etwa THOMAS, mouvement, 269–414.

einer einmaligen Taufe ist im Text weder hier noch an irgendeiner anderen Stelle in OrSib 4 die Rede, statt dessen von einer Selbsttaufe, die sich von der Taufspendung als eigentümlicher Neuschöpfung des Täufers Johannes erheblich unterscheidet. Die soteriologische Funktion der Taufe lag im ersten Jahrhundert religionsgeschichtlich nahe[1140], zumal für OrSib 4 bereits Einflüsse der christlichen Tauftheologie angenommen werden können. Die Vorstellung vom großen Feuergericht ist kein für die Gerichtspredigt des Johannes spezifisches Motiv, sondern findet sich häufiger[1141] und ist auch ohne Rekurs auf eine Diaspora des Täuferkreises völlig erklärbar, vor allem wenn man in Rechnung stellt, daß OrSib 4 unter dem Einfluß der Vesuv-Katastrophe entstanden ist.[1142] Der Bezug der Sibylle auf den Jordanpropheten reduziert sich somit auf ein Minimum; zur Erklärung des zitierten Passus reicht die Annahme einer Zugehörigkeit der Dichter zum jüdischen Täufermilieu aus. Die Hypothese LICHTENBERGERS stellt lediglich einmal mehr einen Versuch zur Ausdehnung des BALDENSPERGERSCHEN Ansatzes auf ein weiteres Terrain der spätantiken Literatur dar.[1143]

In summa ergibt sich, daß die Mitteilungen der jüdischen und frühchristlichen Häresiologie, Historiographie oder Theologie keinerlei Rückschluß auf den Täuferkreis zulassen, deshalb ist es auch verfehlt, von den täuferischen Sekten des Judentums und frühen Christentums unvermittelt Rückschlüsse auf die soziologische und religiöse Eigenart der hypothetischen Johannes-Sekte zu ziehen.[1144] Wie sich diese in den umfassenden mouvement baptiste einordnet, ist von den Chronisten dieses mouvement nicht beschrieben worden und kann daher nicht festgestellt werden.

13.6 Ephraem, Ev. conc. exp., ed. MOESINGER, p. 287f

Der Hinweis des Ephraem Syrus auf die discipuli Ioannis (vgl. Ev. conc. exp., ed. MOESINGER, p. 287f) wird immer wieder als historischer Beleg für die Existenz der Johannes-Sekte angeführt.[1145] Der Diatessaron-Kommentar ist in

---

[1140] Vgl. ebd., 297–303, 344–350.

[1141] Vgl. etwa F. LANG, Art. „πῦρ κτλ“, in: ThWNT VI (1959), 927–953, hier: 935f, 937–940, 942–946, 947f.

[1142] Vgl. näher LICHTENBERGER, Täufergemeinden, 41; THOMAS, mouvement, 47–50.

[1143] Vgl. allgemein auch RUDOLPH, Mandäer I, 227; ders., Baptisten, 12; THOMAS, Mouvement, 57–59.

[1144] Gegen HÖLSCHER, Urgemeinde, 18.

[1145] Vgl. etwa SCHNACKENBURG, Evangelium, 25; SCHOEPS, Theologie, 401; THOMAS, mouvement, 116–119.

der eddessinischen Schaffensphase des syrischen Theologen, also um 370, entstanden.[1146]

Der synoptische Vergleich mit Rec I, 54 läßt deutlich auf literarische Dependenz schließen.[1147] Nun vermutet J. THOMAS, Ephraem greife auf eine knappe häresiologische Überlieferung zurück, die auch dem Rekognitionisten vorgelegen habe.[1148] Doch sind die dafür anzuführenden Argumente – wohl auch für THOMAS selbst[1149] – nicht gerade triftig.[1150] Mehr spricht für eine „Benutzungstheorie". Die entscheidende Begründung für eine solche liegt in der Tatsache, daß Ephraem Motive aus Rec I, 54 mit der Argumentationsfigur der Johannesjünger in Rec I, 60 verbindet[1151], also die pseudoklementinische Schrift wohl im Zusammenhang kennt und nicht die in deren frühestem überlieferungsgeschichtlichen Stadium anzunehmende Notiz (s. o. III:12.1.3) benutzt. Die knappen Bemerkungen des syrischen Theologen lassen auch kaum auf lebendige Anschauung schließen[1152]; eher präsentiert er „Lesefrüchte".[1153] Schließlich geht es Ephraem ebensowenig wie dem Rekognitionisten um die Befehdung oder Beschreibung einer zeitgenössisch virulenten Gemeinschaft; vielmehr hält er Rückschau auf die Anfänge der haereses zur Zeit des Täufers Johannes und Jesu. Eigenständiger Quellenwert kommt dem Täuferkreis-Passus des Diatessaron-Kommentars also in keinem Fall zu.[1154] Daß der „παρὰ τοῖς Σύροις σοφός" (Epiphanius, Pan. haer., 51, 22, 7) freilich noch diffuse Erinnerungen an solche Johannesjünger kennt, ist nicht auszuschließen. Vielleicht ließe sich die Übernahme der pseudoklementinischen Mitteilung so besser erklären; notwendig ist eine solche Annahme jedoch in keinem Fall.

[1146] Vgl. MURRAY, Art. Ephraem, 756; zur allgemeinen Charakterisierung Ephraems vgl. ALTANER/STUIBER, Patrologie, 343–346.

[1147] Vgl. die Synopse bei THOMAS, mouvement, 117.

[1148] Vgl. ebd., 118f; ebenso ROBINSON, Elijah, 279 A. 2; SCHNACKENBURG, Evangelium, 25; SCOBIE, John, 195.

[1149] Der Exeget hält seine Hypothese auch lediglich für wahrscheinlicher als die einer direkten literarischen Abhängigkeit und formuliert eher zurückhaltend.

[1150] Vgl. die bei THOMAS, mouvement, 118 A. 1 angeführten Gründe.

[1151] Gut ersichtlich aus der Synopse ebd., 117.

[1152] Gegen THOMAS, mouvement, 118f.

[1153] Vgl. RUDOLPH, Baptisten, 12.

[1154] So auch RUDOLPH, Mandäer I, 78f A. 5; DERS., Baptisten, 12; SCOBIE, John, 195; STRECKER, Judenchristentum, 242. SCHOEPS, Theologie, 401 A. 2 verfängt sich einmal mehr in abwegigen quellenkritischen Spekulationen.

13.7 Vigilius Tapsensis, Dial. c. Arianos, etc., 1, 20; Dial. c. Arianos, 1, 11

Vigilius von Thapsus, der als Bischof um 480 in Nordafrika wirkte[1155], wird eher selten als Gewährsmann für die Existenz der Johannes-Sekte zitiert.[1156] In seiner polemischen Schrift „Contra Arianos, etc., dialogus. Athanasio, Ario, Sabellio, et Photino, et Probo iudice interlocutoribus", die noch in einer kürzeren, wohl aus karolingischer Zeit stammenden Version, „Contra Arianos dialogus. Athanasio, Ario et Probo iudice interlocutoribus" vorliegt, behandelt er bzw. der rechtgläubige Sprecher Athanasius die Zuordnung von res antiqua und nomen novum in der Sache der Religion:

> „In ipso Christianae religionis praedicationis initio, omnes qui credebant Domino nostro Jesu Christo, non *Christiani*, sed *discipuli* nominabantur. Et quia multi dogmatum novorum auctores exstiterant, doctrinae obviantes apostolicae, omnesque sectatores suos discipulos nominabant: nec erat ulla nominis discretio inter veros falsosque discipulos, sive qui Christi, sive qui Dosithei, sive Theodae, sive Judae cujusdam, sive etiam Joannis sectatores, qui se Christo credere fatebantur, noluerunt ut uno discipulorum nomine censerentur. Tunc apostoli convenientes Antiochiam, sicut eorum Luca narrante indicant Acta, omnes discipulos novo nomine, id est *Christianos* appellant: discernentes eos a communi falsorum discipulorum vocabulo, ut et divini per Isaiam oraculi sermo impleretur, qui ait: *Servientium vero mihi vocabitur nomen novum*" (Dial. c. Arianos, etc., 1, 20; vgl. Dial. c. Arianos, 1, 11).

Das Zitat selbst belegt deutlich, daß dem afrikanischen Hierarchen keine besonderen Mitteilungen über die sectatores Joannis zur Verfügung stehen. Er hält sie für ein Phänomen der Zeit des „Apostelkonzils" und nennt sie in einem Zug mit sehr unterschiedlichen anderen Sekten. Die im Relativsatz gegebene Charakterisierung dieser Formation weist keineswegs auf Vertrautheit; vielmehr präsentiert Vigilius wohl exempli gratia Angelesenes. Möglicherweise bezieht er sich auf die pseudoklementinische Romanliteratur, die die sectatores Joannis ja auch als discipuli bezeichnet (vgl. Rec I, 54, 8; 60, 1). Eigenen Quellenwert wird man jedenfalls auch diesem Täuferkreis-Passus nicht zuschreiben.[1157]

[1155] Zur Charakterisierung vgl. ALTANER/STUIBER, Patrologie, 489; MARTIN, Art. Vigilius von Thapsus, 788f.

[1156] So von BAMMEL, Baptist, 117 A. 7; REITZENSTEIN, Vorgeschichte, 60; RUDOLPH, Mandäer I, 72 A. 1.

[1157] So auch RUDOLPH, Baptisten, 12 m. 29 A. 27; STRECKER, Judenchristentum, 242.

13.8 Epiphanius, Pan. haer., 26, 6f; 42, 11

J. Thomas führt – wohl im Bemühen um Belege für seine extensive Rekonstruktion der Geschichte und Verbreitung der Sekte der Johannesjünger – noch die exegetische Auseinandersetzung des Epiphanius mit gnostischen Antagonisten einerseits (vgl. Pan. haer., 26, 6f) und – mit geringerer Sicherheit – marcionitischen Gegenspielern andererseits (vgl. Pan. haer., 42, 11) als indirekte Hinweise auf den Täuferkreis an.[1158] Aber der Rückschluß auf solche „polémique anti-johannite" gnostischer oder marcionitischer Provenienz ist methodologisch (s. o. I:2.1.3) wie sachlich äußerst anfechtbar. Es handelt sich hier vielmehr um denkbar allgemeine Täuferpassus, die sich von der herkömmlichen Johannes-Interpretation etwa gnostischer Prägung (s. o. III:12.3.2.1) gar nicht signifikant unterscheiden.

13.9 Exkurs: Der Täuferkreis in der apokryphen und mandäischen Literatur und in den mittelalterlichen Ketzerakten

Die weitere frühnachneutestamentliche Literatur weist ebensowenig auf den historischen Kreis der Täuferjünger oder eine spätere Johannes-Sekte wie das – freilich vor allem von der älteren Exegese oft zitierte – mittelalterliche Schrifttum.

In den *Apokryphen* zeigt sich in einer Frühphase noch eine gewisse Pluralität in der Johannes-Interpretation; erst mit EvNic meldet sich ein festes kirchliches Täuferbild.[1159] Gewisse generelle Tendenzen halten sich jedoch von den judenchristlichen Evangelien bis zu den gnostischen Spekulationssystemen, im großkirchlichen Raum und in der „heterodoxen" Sektenwelt durch.[1160] So ist das Interesse an der Gestalt Johannes' des Täufers durchweg eher „exegetisch" und narrativ, nicht aber im eigentlichen Sinne theologisch oder apologetisch-polemisch. Geschichtliche Mitteilungen über den Jordanpropheten und seinen

---

[1158] Vgl. mouvement, 132–136.
[1159] Wir setzen im folgenden unsere Studie über „Johannes den Täufer in den Apokryphen" voraus und verzichten für den generellen Überblick auf die Anführung der dort en détail untersuchten Einzelbelege; bei Gelegenheit soll die Studie veröffentlicht werden. Zu EvNic vgl. Backhaus, Apokryphen, 42–46.
[1160] Vgl. allgemein ebd., 47–52.

Jüngerkreis sind den Apokryphen schlechterdings nicht mehr zu entnehmen.[1161] Statt dessen wird die kanonische Täuferinterpretation dramatisch ausgefaltet, mitunter dogmatisch korrigiert. Die heilsgeschichtliche Betrachtungsweise – in den gnostischen Apokryphen: der Mythos oder die kosmisch-dualistische Spekulation – absorbiert die Johannes-Deutung und entwickelt eine eigene Dynamik.[1162] So erweist sich die apokryphe Täuferinterpretation im ganzen als eine auswählende, aber unpolemische Fortsetzung der neutestamentlichen Tradition. Neue „Ioannologumena" werden nicht entwickelt, wohl aber werden bestimmte Linien aufgenommen, die schon in der kanonischen Literatur erkennbar sind: Johannes ist der „Vorläufer", der „Bußprediger", der „Asket", vor allem aber der „Anfang des Evangeliums", ein Motiv, das sich auffallenderweise von den judenchristlichen Taufberichten bis zur Descensus-Legende des fünften Jahrhunderts durchhält.[1163] Was jedoch zum historischen Täufer gehört und einen „Selbstand" gegenüber der interpretatio Christiana begründen kann, die eigentümliche Endzeit-Botschaft des Jordanpropheten, seine Taufe und der Kreis seiner Jünger, verliert sich in der apokryphen Überlieferung. Vor allem tritt an die Stelle des auch von der synoptischen Täuferinterpretation noch als kompliziert dargestellten ambivalenten Verhältnisses des Johannes zu Jesus ganz die christologische Zuordnung und kirchliche „Vereinnahmung" des Jordanpropheten.[1164] Schon früh macht sich die Tendenz bemerkbar, ihn als Gewährsmann für die eigenen dogmatischen Auffassungen in Anspruch zu nehmen oder zumindest „an ihm" die eigene Dogmatik exemplarisch zu demonstrieren.[1165] Johannes wird so zum Prisma, durch das sich das Licht der jeweiligen Trägergruppe bricht, und schließlich – mit Ausbildung der Großkirche – zum „Christen vor Christus", zu einem „ersten Mann der Kirche"; das Motiv des „heiligen Heiden" dagegen wird an keiner Stelle thematisch. Hatte das Neue Testament den Täufer als Propheten dargestellt, so wird er in den Apokryphen zum Heiligen. Diese Johannes-Interpretation setzt die neutestamentliche Täuferdeutung durchweg voraus. Sie ist nirgendwo in der Hinsicht „negativ", daß sie dem Jordanpropheten bestimmte Attribute streitig macht oder seine Position via contradictionis zu bestimmen sucht. Sie kämpft gegen keinerlei antagonistische Johannes-Verehrung, sondern setzt die neutestamentliche Interpretation fort. Die kanonische Lösung des „Johannes-Problems" hat sich durchgesetzt; ein neues „Johannes-Problem", etwa gar das einer sich auf den Täufer berufenden Sekte, ist an keiner Stelle erkennbar.

Den *mandäischen Forschungskomplex* erneut mit dem Problem des Täufer-

---

[1161] Auch autonome Täuferkreis-Quellen sind nicht nachzuweisen, da sich auch Protev durch die christliche Legende gefärbt zeigt (vgl. ebd., 36–40); vgl. ferner ebd., 47f.

[1162] Vgl. ebd., 48–51.

[1163] Vgl. ebd., 50.

[1164] Vgl. ebd., 49–51.

[1165] Vgl. ebd., 49f.

kreises in Zusammenhang zu bringen hieße, überholte Exegesegeschichte unnötig zu rekapitulieren. In der ersten Hälfte dieses Jahrhunderts wurde das Mandäertum regelmäßig mit den Johannesjüngern in mehr oder weniger engen Zusammenhang gebracht.[1166] Die Berichte aus dem 17., 18. und 19. Jahrhundert sprechen gar von „Johanneschristen" oder eben „Johannesjüngern".[1167] Aber bereits hier scheint sich die Forschung ihre eigene „Johannes-Sekte" – wohl in Anlehnung an Apg 18, 24–28; 19, 1–7 – kreiert zu haben.[1168] Zwar handelt es sich bei den Mandäern in der Tat um eine Taufreligion orientalisch-gnostischer Prägung mit manchen jüdisch-synkretistischen Zügen[1169], aber J. Thomas (1935)[1170] und K. Rudolph (1960)[1171] haben in intensiver Auseinandersetzung mit der einschlägigen Argumentation überzeugend nachgewiesen, daß von Johannes dem Täufer und den Täuferjüngern bzw. einer nachneutestamentlichen Johannes-Sekte kein gangbarer Weg zu den Mandäern führt[1172], so daß es bestenfalls müßig ist, Betrachtungen über derartige Beziehungen anzustellen. Demgegenüber hat neuerdings G. Widengren (1982)[1173] nichts Neues oder Überzeugendes über die „etwas enigmatische Verbindung zwischen Johannesjüngern und ‚Urmandäern'"[1174] beitragen können. Es bleibt bei dem Verdikt Rudolphs: „Die Johannestaufe und die Gestalt des Johannes muß endlich einmal völlig ohne irgendeinen Zusammenhang mit den Mandäern gesehen werden. Die Mandäersekte muß auch in ihrem Ursprung unabhängig von der Johannesbewegung gewesen sein".[1175]

Als Marginalie, zugleich aber als erneuter Hinweis auf die methodologische Unbefangenheit eines großen Teils der Täuferkreis-Forschung seien schließlich diverse hochmittelalterliche Häretikerakten angeführt, die R. Bultmann als Quellenbeleg für die im Hintergrund des vierten Evangeliums stehende Formation der „Johannes-Täufer" anführt.[1176] Die von I. von Döllinger mitgeteilten Texte[1177] sind polemische Traktate oder Protokolle der Inquisition und stammen im wesentlichen aus dem 13. und 14. Jahrhundert; betroffen sind meist die

---

[1166] Paradigmatisch seien genannt Bultmann, Bedeutung, passim; Cullmann, Christologie, 25f; Vielhauer, Art. Johannes, 807.

[1167] Vgl. Rudolph, Mandäer I, 66.

[1168] Vgl. ebd..

[1169] Zur Charakteristik vgl. das Standardwerk Rudolphs, Mandäer; ferner Thomas, mouvement, 184–267. Die wichtigsten einschlägigen Studien sind jetzt erfaßt in G. Widengren (Hg.), Der Mandäismus, Darmstadt 1982 (= WdF 167).

[1170] Mouvement, 256–267.

[1171] Mandäer I, 66–80.

[1172] Vgl. zuvor bereits Goguel, seuil, 124–135; Hölscher, Urgemeinde, 20–26; Kraeling, John, 106–109, 185f; Lietzmann, Beitrag; ferner Schnackenburg, Evangelium, 27–31.

[1173] Vgl. Einleitung, 10–13.

[1174] Einleitung, 11; vgl. ebd., 10–13.

[1175] Mandäer I, 76 (ohne Hervorhebung).

[1176] Vgl. C: Joh, 4f A. 7; ferner Reitzenstein, Vorgeschichte, 68f.

[1177] Vgl. Sektengeschichte I, 46f, 154, 169, 190, 242; Textmitteilungen in Sektengeschichte II, 20f, 34, 65, 90f, 155, 267, 283, 294, 325, 375, 633.

Katharer. Der Täufer tritt in diesen Dokumenten allgemein in dualistischem Verstehenshorizont als diabolischer Gegenspieler Jesu auf; die Wassertaufe des Johannes verkörpert die depravierte diesseitige Welt, zu der auch die Johannesjünger gehören: „discipuli Johannis nubunt et nubuntur, discipuli autem mei non nubunt, nec nubuntur, sed sunt sicut angeli Dei" (ed. DÖLLINGER[1178]). Den Ketzern wird gar zugeschrieben, Johannes den Täufer als deus malignus und dominus mundi zu vindizieren, der diese Welt geschaffen habe, den Jesus aber als kleiner als der Geringste im Himmelreich bezeichnet habe (vgl. ed. DÖLLINGER[1179]). Die selbständige Dynamik der dualistischen Spekulation tritt in solchen Texten noch deutlicher hervor als in der pseudoklementinischen Gnosis (s. o. III:12.3.2.1); die polemische Spitze richtet sich hier eindeutig gegen die zeitgenössische Großkirche, zumal gegen ihre Sakramententheologie.[1180] Die Texte gehören zur neutestamentlich-frühnachneutestamentlichen Wirkungsgeschichte, nicht aber – in dem Abstand von dreizehn Jahrhunderten – zur neutestamentlichen Religionsgeschichte.[1181] So belegen die mittelalterlichen Häretikerakten lediglich die oben (s. o. III:12; 13) aufgewiesenen Tendenzen der Johannes- bzw. Johannesjünger-Interpretation, nicht aber die historische Existenz einer Johannes-Sekte oder die Eigenart der Täuferkreis-Polemik.

[1178] Sektengeschichte II, 91.

[1179] Ebd., 155.

[1180] Vgl. auch RUDOLPH, Mandäer I, 79 A. 1; allgemein REITZENSTEIN, Vorgeschichte, 67–102.

[1181] Mit dem gleichen Recht wie BULTMANN könnte man für DS 1614 statt eines gegen die Reformatoren gerichteten Anliegens ein täuferkreis-polemisches Interesse der tridentinischen Väter vermuten!

14. Summe: Der Täuferkreis in der neutestamentlichen, nebenneutestamentlichen und frühnachneutestamentlichen Literatur[1182]

In *historischer* Hinsicht konnte die Untersuchung der Täuferkreis-Passus eine schmale, aber gesicherte Basis zur Rekonstruktion des Jüngerkreises des Täufers Johannes wie einer späteren „Johannes-Sekte" im Umkreis des vierten Evangeliums gewinnen.

Während vor allem die zentrale „Johannesjünger-Perikope" Mt 11, 2–6/Lk 7, 18–23 für die historische Rückfrage ganz auszuscheiden war, konnte anhand des überlieferungsgeschichtlich freigelegten Kerns der weiteren synoptischen Passus nachgewiesen werden, daß Johannes der Täufer von einer soziologisch fest umgrenzten Schar von Jüngern umgeben war, die dem Jüngerkreis Jesu im ganzen ähnelte und von den Zeitgenossen mit ihm verglichen wurde. Diese Jüngergemeinschaft bestand auch nach dem Tod des Meisters bis zu einem nicht mehr festzustellenden, aber wohl nicht allzu späten Zeitpunkt fort und pflegte eine eschatologisch motivierte Fastenpraxis. Jesus und seine Jünger haben sich von dieser Formation und ihrer praxis pietatis in Ansehung des Anbruchs der Gottesherrschaft unpolemisch abgegrenzt, namentlich auf Fastenübungen verzichtet und eine eigene Gebetstradition entwickelt. Diese Tradition stand allerdings in bewußter Kontinuität zu der der Johannesjünger, so daß sich einmal mehr die soziologische wie theologische Einheit Jesu und der frühesten Gemeinde mit der Täuferbewegung und ihre Verwandtschaft mit dem Jüngerkreis des Täufers zeigt.

Die mit besonderer methodologischer Behutsamkeit durchzuführende historische Analyse der einschlägigen Passus des vierten Evangeliums ließ von der allgemein soziologischen auf eine konkrete personale Kontinuität zwischen den Jüngerkreisen Johannes' und Jesu schließen; eine Beziehung des „Lieblingsjüngers" zum Täuferkreis ist jedoch nicht belegbar. Jesus hat vermutlich Kontakte zu der Jüngergemeinschaft des Täufers unterhalten, selbst aber zu keiner Zeit die Johannestaufe gespendet. Schließlich ließ sich eine Wirksamkeit des Täufers

---

[1182] Das folgende Kapitel will nur einen groben Überblick über die in diesem Teil der Untersuchung erzielten Resultate geben. Die Textbelege, Begründungen und Details sind den Einzelkapiteln zu entnehmen, auf die hier aus Gründen der Übersichtlichkeit nicht mehr verwiesen wird.

Johannes in Samaria, mithin eine samaritanische Täuferbewegung wahrscheinlich machen.

Die Prüfung der von der Täuferkreis-Forschung weithin extensiv rekonstruierten Nachgeschichte der Johannesjünger führte keineswegs in ein unsicheres Terrain, sondern zur definitiven Widerlegung der verschiedenen Rekonstruktionen.

An erster Stelle war festzustellen, daß die „Hauptbelege" dieser Rekonstruktionen, Apg 18, 24–28 und Apg 19, 1–7, zu dem Problem einer „Sekte" von Johannesjüngern im engeren Sinn gar nicht beitragen. Beide loci classici sind in der Forschung ausweglos umstritten. Nur das vom auslegungsgeschichtlichen Herkommen determinierte apriorische Postulat der Johannes-Sekte, verbunden mit einer unberechtigten historischen Unterschätzung der Texte, literarkritischen Operationen und redaktionsgeschichtlichen Spekulationen, haben diesen Perikopen ihren Rang in der Täuferkreis-Forschung verliehen. Tatsächlich zeigt die Detailanalyse, daß die ephesischen Jünger zwar aus der weiteren Täuferbewegung hervorgegangen sind, aber bereits früh zu der Anhängerschaft Jesu fanden. Mit dem spezifischen Oster- und Pfingstkerygma der paulinischen Urgemeinde machte sie allerdings erst die Predigt des Apostels vertraut. Die ephesischen „Altchristen" sind somit „Fossile", die einmal mehr die Ursprungsidentität von Täufer- und Jesus-Bewegung erkennen lassen. Demgegenüber erweist die Einzeluntersuchung von Apg 18, 24–28, daß es sich bei Apollos um einen aus der Täuferbewegung hervorgegangenen, mit der christlichen Botschaft im wesentlichen vertrauten Sondermissionar handelte, der erst spät in die sozial-ekklesiale Gemeinschaft des paulinischen Missionschristentums integriert wurde. Daß er das christliche Taufsakrament nicht mehr empfing, weist erneut auf die soziologisch-theologische Kontinuität zwischen Täuferbewegung und Christentum. So illustriert Apg im ganzen nicht die Nachgeschichte der Johannesjünger, sondern die Ursprungsgeschichte des Christentums selbst.

Auch Josephus und die gesamte häresiologisch-historiographische Literatur des frühesten Christentums, aus der lediglich Ephraem Syrus und Vigilius von Thapsus die Johannesjünger überhaupt nennen, tragen nicht zur historischen Rekonstruktion einer neutestamentlichen oder nachneutestamentlichen Johannes-Sekte bei. Die apokryphe und mandäische Literatur gehört ebenso wie die hochmittelalterlichen Häretikerkataloge in die neutestamentlich-frühnachneutestamentliche Wirkungsgeschichte und besitzt keinen eigenen Quellenwert.

Bei der Untersuchung der pseudoklementinischen Romanliteratur ergab sich jedoch, daß deren überlieferungsgeschichtlicher Kern historisch zuverlässige Reminiszenzen an eine wohl um die Wende zum zweiten Jahrhundert in Syrien anzusetzende Gemeinschaft von Johannes-Verehrern birgt. Sämtliche weitere Täufer- oder Täuferkreis-Passus der Hom und Rec erwiesen sich indes entweder als angereicherte Wirkungsgeschichte der ursprünglichen häresiologischen Notiz oder als Produkte der Eigendynamik gnostisch-dualistischer Spekulation. Für die mitunter vermutete gnostische Johannes-Sekte[1183] ergab sich bei der Durchsicht aller einschlägigen Dokumente nicht ein einziger Anhaltspunkt.[1184]

In Verbindung mit der jeweiligen überlieferungsgeschichtlichen Analyse war die *Rezeptionsgeschichte* des Täuferkreises auf den verschiedenen Ebenen der Diachronie zu untersuchen. Dabei erwies sich das Terrain der Vor-Q- und Vor-Mk-Überlieferung als unzugänglich. Fast durchweg zeigte sich, daß die Annahme einer täuferpolemischen, -missionarischen oder -apologetischen Darstellungsabsicht methodologisch und sachlich unbefriedigend blieb und zu Fehlinterpretationen der einzelnen Passus führte. Mt 11, 2–6/Lk 7, 18–23 dient innerhalb von Q zur Vermittlung zwischen der Verkündigung Jesu und der des Täufers, zur Herstellung einer theologischen Einheit, die die zu vermutende soziologisch-religionsgeschichtliche Verwandtschaft der Q-Gemeinde mit der Täuferbewegung vervollständigen soll. Für die Synoptiker war ein theologisches Desinteresse am Phänomen der Johannesjünger definitiv nachzuweisen. Die Mitteilungen über die Jünger des Täufers sind tendenzlos, historischer Reflex oder topischer Zug. Hatte sich Jesus noch genötigt gesehen, seine ureigenen Anliegen in Ansehung des Täuferkreises zu formulieren, so fehlt dieser Bezugspunkt bei den Synoptikern völlig. Immerhin scheint Lk die Johannesjünger als geschlossene religiöse Formation zu verstehen, Mt illustriert an ihrem Beispiel sogar eine Dynamik wachsender Jesus-Nähe, doch ist bei beiden Evangelisten die Funktion dieser Jünger rein darstellungstechnisch und narrativ begründet. Auch in Apg, bei Josephus und in der gesamten frühnachneutestamentlichen, zumal in der pseudoklementinischen Literatur fehlt jedwedes aktuelle Interesse am Täuferkreis.

Das vierte Evangelium ist differenzierter zu betrachten. Der Befund ist ambivalent: einerseits ist der Perikope Joh 1, 35–51, die vermutlich in mehr oder weniger engem Zusammenhang mit SQ steht, ein missionarisch werbender Text, der zugleich eine Fluktuation von der Täuferbewegung zur Gemeinde des johanneischen Kreises widerspiegelt; andererseits ist der dem vierten Evangelisten zuzuschreibende Passus Joh 3, 22–4, 3 in der Tat ein täuferkreis-polemischer Text. Die Rekonstruktion der Eigenart und Geschichte des – bislang noch nicht präzise erfaßten – antagonistischen Täuferkreises kann also beim vierten Evangelium – und nur bei ihm – ansetzen, muß allerdings diachron differenzieren.

Vor allem mit der quellenkritischen Untersuchung von Mk 6, 17–29, aber auch mit der Prüfung einer pseudonymen Täuferkreis-Vita aus dem Syrien des fünften Jahrhunderts wurde die letzte Hauptstütze der extensiven Täuferkreis-Theorien, der „indirekte" Beleg der „Sekte" durch ihre eigenen Zeugnisse, destruiert. Für Mk war ein im wesentlichen markinischer, für die Vita ein

---

[1183] Vgl. etwa BACON, relation, 50–53.
[1184] Vgl. dazu ergänzend BROWN, C: John I, LXVIII; GOGUEL, seuil, 108–112; SCHNACKENBURG, Evangelium, 25–31.

allgemein christlicher Ursprung nachzuweisen. Beide Überlieferungen illustrieren freilich die verschiedenen Stadien der christlichen Johannes-Legende, die hier zugleich auch Johannesjünger-Legende ist.

Insgesamt ist vorläufig (s. u. V) festzuhalten: Das Postulat der Täuferkreis-Polemik, -Mission und -Apologetik ist aus der Synoptikerforschung als im ganzen dysfunktional und nicht sachgerecht auszuscheiden. Überhaupt ist die klassisch von W. Baldensperger und J. Thomas begründete, häufig vorausgesetzte oder übernommene, zuletzt von H. Lichtenberger ausgefaltete extensive Täuferkreis-Hypothese entschieden zu revidieren. Pointiert formuliert: die Johannes-Sekte führte ihr Dasein weniger im Ostjordantal, in Ephesus oder im iranisch-irakischen Grenzgebiet als vielmehr auf den Kathedern der vornehmlich deutschen und britischen Exegese des 19. und 20. Jahrhunderts. Die Quellen erlauben jedoch eine begrenzte historische Rekonstruktion der Jüngergemeinschaft des Täufers zur Zeit Jesu und einer Formation von Johannes-Verehrern im Hintergrund des vierten Evangeliums und – hier allerdings sehr diffus – der pseudoklementinischen Literatur.

TEIL IV

Die Rahmenbedingungen des Täuferkreises

1. Der Ursprung beim Täufer

1.1 Das Problem einer Gemeindestiftung

Sucht man das Phänomen des Täuferkreises von seinen Wurzeln her zu erfassen, so hat man sich der Frage zu stellen, ob sein Heros Eponymos zugleich als sein Stifter anzusehen ist, inwieweit es in der Absicht des Jordanpropheten lag, eine Gemeinde eigener Art zu gründen. Die Forscher, die dem Täufer eine solche Gründungsabsicht zuschreiben[1], vermögen sich freilich auf keinen einzigen neutestamentlichen Beleg zu stützen. So greift man häufig auf die profanhistorische Notiz des Josephus, Ant., 18, 116–119 zurück, die sich jedoch als Beleg für den Täuferkreis in keiner Weise eignet (s. o. III:11); ebensowenig vermögen Hom β 23f // Rec II, 8 die Stiftung einer Gemeinde durch Johannes zu erweisen (s. o. III:12.3.3.1; 12.3.3.2).

Liegt also kein *äußeres* Indiz dafür vor, daß Johannes sich als Stifter einer religiösen Gemeinschaft im engeren Sinn verstanden hat, so bleibt doch zu untersuchen, ob seine Botschaft (s. u. IV:1.2), sein Wirken (s. u. IV:1.3) oder sein Selbstverständnis (s. u. IV:1.4) eine Gemeindegründung einschlossen, erforderten oder nahelegten. Darüber hinaus ist zu fragen, ob sich die Verkündigung des Täufers mit dem Reifen einer religiösen Formation samt all der damit verbundenen sozialen und theologischen Konsequenzen vereinbaren ließ. Von den Ergebnissen einer solchen Untersuchung ist zugleich ein Hinweis darauf zu erhoffen, vor welchen Problemen eine Gemeinde, die sich auf Johannes berief, stand, wenn sie sich mit seinem Erbe konfrontiert sah, auf welche Weise sie die Impulse des Täufers fortsetzen konnte oder transformieren mußte, wie sich ihr Selbstverständnis in Ansehung ihrer Ursprünge entwickelt haben dürfte.

---

[1] Genannt seien hier nur die sehr unterschiedlich ansetzenden Studien HUGHES', Disciples, z. B. 86f und MEYERS, Ursprung I, 90.

1.2 Die Botschaft des Täufers

Der Künder des einbrechenden Gotteszorns scheint zum Gründer einer Gemeinde kaum geeignet. Wenn dem Täufer der Gerichtstag als unmittelbar bevorstehend galt, dann, so wird argumentiert[2], lag es völlig fern, die Gründung einer Gemeinde zu betreiben. Gerade die Endzeitbotschaft war aber das zentrale Anliegen des Johannes.[3] Mit nicht mehr zu überbietender Dringlichkeit sagte er das Kommen des Gerichts an. Wenn die Axt bereits an der Wurzel der Bäume lag (vgl. Mt 3, 12 / Lk 3, 17), dann blieb, wie es scheint, keine Zeit mehr, nach „Parteigängern" Ausschau zu halten. Gegen jedwede Gemeindestiftung stand beim Täufer mithin der „eschatologische Vorbehalt": „Angesichts der Nähe des Gerichts wäre eine Gemeindegründung ein Anachronismus".[4]

So folgerichtig der beschriebene Gedankengang anmutet, so wenig trifft er die eigentümliche Logik antiker Religiösität. Wer die Naherwartung des Täufers als Hauptargument gegen eine Gemeindegründung durch Johannes anführt, übersieht den solidarisierenden Impetus eines hochgespannten Endzeit-Enthusiasmus. Religionsgeschichtlich ist unschwer aufzuweisen, daß gerade solche Gruppierungen zur Aufnahme oder Verstärkung sozialer Kohärenz neigten, die sich schon in den Wehen der ἔσχατα wähnten.[5] Die Erwartung eines bevorstehenden Endgerichts muß spontane Gemeindegründungen also keineswegs ausschließen, sondern kann sie sogar fördern oder allererst motivieren.

Die „Logik des Weltendes" greift also zu kurz: die Endzeiterwartung des Täufers schloß die Bildung einer Gemeinde an sich noch nicht aus.[6] Aber der „eschatologische Vorbehalt" ist mißverstanden, wenn man ihn als Folge eines gewissermaßen pragmatischen Kalküls sieht: weil das Gericht einbricht, lohnt es sich nicht mehr, eine Gemeinschaft zu bilden, wie es auch unnütz wäre, Zweige auf Bäume zu pfropfen, an deren Wurzel schon die Axt liegt. Vielmehr ist der Verzicht des Johannes auf eine Gemeindegründung als stringent theologisch begründet anzusehen.

Die Predigt des Täufers war von einer entschiedenen Theozentrik geprägt: Gott selbst war ja der kommende Richter, der ἐρχόμενος, von dem allein die Zukunft abhing.[7] Das Wirken des Predigers wie das seiner Zuhörer war lediglich

---

[2] Vgl. BECKER, Johannes, 39; BRANDT, Baptismen, 74, 81; SCOBIE, John, 131.

[3] Die hier vorausgesetzte Interpretation der Täuferbotschaft beruht im wesentlichen auf der luziden Rekonstruktion BECKERS, Johannes, 16–65 (s. aber o. II:3.2).

[4] Ebd., 39.

[5] Hier sei nur an den Montanismus erinnert, der wohlgeordnete Gemeindeverbände durchaus nicht ausschloß (vgl. etwa HILGENFELD, Ketzergeschichte, 560–601; J. WIRSCHING, Art. „Montanismus", in: K. ZIEGLER u. W. SONTHEIMER [Hg.], Der Kleine Pauly. Lexikon der Antike III, München 1979, Sp. 1417–1419).

[6] Ähnlich HUGHES, Disciples, 5f.

[7] Vgl. dazu v. a. HUGHES, Disciples, 64–87; überzeugend DERS., John, passim.

Re-aktion auf das entscheidende Handeln des Richtergottes, vor dem nicht einmal mehr das Privileg der Abrahamskindschaft zählte (vgl. Mt 3, 9 / Lk 3, 8). Im Kontext einer solchen Konzentration auf den einbrechenden Gott mußte die Gründung einer geschlossenen religiösen Gemeinschaft als pure Trivialität erscheinen. Vom Hörer der Täuferbotschaft war allein μετάνοια gefordert, und diese ganz (vgl. Mt 3, 8 / Lk 3, 8; Mk 1, 4 parr). Das Streben nach der Exklusivität einer Heilsgemeinde wäre hier von vornherein als Hochmut entlarvt, als hybrider Eingriff in das dem Menschen gänzlich entzogene Gerichtshandeln Gottes.

Überhaupt setzte die täuferische Theozentrik alles menschliche Tun der völligen Kontingenz aus. In Erwartung der ἔσχατα erhob der Gerichtsprediger Protest gegen alle Überschätzung menschlicher Betriebsamkeit. Die geforderte Antwort auf die Drohbotschaft und daher der einzige Weg, dem Zorn zu entgehen, war der mit der Umkehr verbundene Empfang der Bußtaufe. Daneben wurde alles weitere menschliche Tun zum Adiaphoron. So war „die Orientierung an einer der Gruppen des damaligen Judentums, jede Restauration oder Progressivität, jede politische, gesellschaftliche oder ökonomische Aktivität Zeitverschwendung".[8] Jenseits der totalen Lebenskehre des in seiner Gesamtheit angesprochenen Volkes war jedes menschliche faciendum im Wortsinn ohne Aussicht.

In summa: Die drängende Endzeiterwartung des Täufers schließt eine Gemeindegründung nicht zwingend aus; der eschatologische Zeitentwurf läßt an sich keinen Rückschluß auf die Bildung einer Täufergemeinde zu. Begreift man dieses Zeitverständnis indes als Ingrediens des theologischen Ansatzes des Täufers, so erhellt, daß dieser eine Gemeindegründung nicht als entscheidendes oder auch nur wichtiges Unterfangen verstehen konnte: die totale Überlegenheit des Richtergottes machte jedes Elitebewußtsein einer Heilsgemeinde ebenso zunichte wie deren verfügenden Ausgriff auf die Zukunft. Aus der theozentrischen Perspektive des Täufers resultiert ein Menschenbild, das zu dem Gedanken einer Gemeindegründung keinerlei Affinität besitzt: die Entlarvung der Nichtigkeit menschlichen Treibens und religiöser Plausibilitäten drängen nicht zu der Bildung einer esoterischen Formation.

Aus diesen Erkenntnissen lassen sich erste Folgerungen für das Selbstverständnis der Täufergemeinde gewinnen: Die Endzeitbotschaft des Johannes schließt die spontane Bildung eines Kreises von Gleichgesinnten um ihn nicht grundsätzlich aus. Wenn sich aber ein solcher Kreis von Johannesjüngern gebildet hat, so lag dessen Sammlung nicht in der Fluchtlinie des theologischen Ansatzes des Jordanpropheten, sondern genoß letztlich vortheologische Dignität. Im Bannkreis des Johannes ließ sich keine „Ekklesiologie" treiben. Die Jüngergruppe mußte darauf verzichten, sich theologisch zu legitimieren; sie konnte nicht mehr beanspruchen, als ein schlichter Zusammenschluß von

---

[8] Becker, Johannes, 31.

Jüngern – keine „Gemeinde", keine „Sekte" und kein „Orden" – zu sein. Entscheidend war mithin nicht, ob jemand dem Jüngerzirkel angehörte; angesichts des drohenden Gotteszorns war diese Frage unerheblich. Gewicht kam allein dem Umstand zu, ob jemand dem Gericht dadurch Rechnung trug, daß er umkehrte und sich taufen ließ. Diese entscheidende Tat konnte innerhalb wie außerhalb des Jüngerzirkels vollzogen werden: nicht das Wo, das Ob berührte den Kern der johanneischen Botschaft.

1.3 Die Taufe des Täufers

Die Frage, ob die johanneische Taufe als Mittel zu einer Gemeindebildung gedient haben mag, ist weniger durch den Aufweis ihrer Genese[9] als vielmehr durch den ihrer Geltung im Verständnis des Johannes zu klären. Im Licht dieses Verständnisses wird die Taufe so unverwechselbar wie der Mann, nach dem sie und der nach ihr benannt wurde. In dem hier zu untersuchenden Problemfeld genügt es, die Deutung des johanneischen Ritus auf die Frage zuzuspitzen, ob der Johannestaufe der Charakter eines Initiationsritus eignete. Dies ist in der Tat behauptet worden[10], nicht immer war dies freilich auch gemeint. Um terminologische Unklarheiten zu vermeiden, sollte man den Begriffsumfang von „Initiation" auf die sozio-kulturellen rites de passage, die Einweihungsprozeduren in die Mysterien eines religiösen Bundes und – als „Initiation" im strikten Wortsinn – die Riten zur Aufnahme in eine geschlossene religiöse Formation beschränken.[11] Zu fragen ist dann, ob die Johannestaufe in diesem letzten Sinn Initiationsritus war, ob sie also den „Empfängern" ein „signum distinctivum" verlieh, das sie in eine fest umrissene Gemeinschaft von relativ dauerhafter und dichter Kohärenz, mit bestimmten Strukturen, einem Solidaritätsempfinden nach innen und einer gewissen Abgrenzung gegenüber der Sozietät, mit charakteristischen gemeinsamen Plausibilitäten, Wertmustern oder Lebensgewohn-

---

[9] Entscheidend ist hier nicht, woher Johannes die äußeren Elemente seiner Taufe, das „sacramentum tantum", entlehnt hat, sondern für welchen Zweck er das Entlehnte in Dienst nahm. Um diesen zu erkennen, bedarf es der Analyse des theologischen Gefüges der Täuferbotschaft, die als ganzes keine Parallele findet. Gewiß: „Le Baptiste par excellence est, à sa façon, un témoin du mouvement baptiste" (THOMAS, mouvement, 88), aber das wesentliche Anliegen der Taufe erschließt sich erst dem Blick auf „sa façon".

[10] So etwa von BÖCHER, Überlieferung, 63 A. 57; BULTMANN, Theologie, 41f; GOGUEL, seuil, 99, 290f; KRAELING, John, 99, 119f; MACGREGOR, problems, 356, 361; OEPKE, Art. βάπτω, 535. Anders BECKER, Johannes, 39; PESCH, Initiation, 92; THYEN, Studien, 132f A. 3.

[11] Vgl. dazu BLEEKER, preface, IX; ausführlicher DERS., remarks, v. a. 18f; ELIADE, initiation, v. a. 1f.

heiten auf der Basis eines religiös-ethischen Grundkonsensus stellte. Riten dieser Art waren in der Umwelt des Täufers durchaus bekannt, so in Qumran, aber es ist ohne weiteres zu bestreiten, daß Johannes seine Taufe in einem solchen Sinn verstanden haben kann. Dies legt bereits ein Blick auf das äußere Geschehen der Jordantaufe nahe, erst recht eine auf ihr inneres Gefüge gerichtete Schau.

Der Taufritus diente nicht der Aufnahme in eine geschlossene Religionsgemeinschaft, und von Zeremonien oder theologischen Elementen der Initiation, etwa einem Noviziat, ist nichts bekannt. Die Taufe wurde nicht einzelnen Prädestinierten, sondern der Gesamtheit des Volkes gepredigt; die Scharen versammelten sich am Jordan, um die Taufe zu empfangen, kehrten aber anschließend in den Alltag zurück.

Die „ekklesiologische Anspruchslosigkeit" der Johannestaufe erklärt sich wiederum aus der radikalen Theozentrik des Täufers. Die Taufe – und nur sie – führte die Botschaft in ihr Ziel. Mithin ist auch sie nur aus der Polarität von Richtergott und Büßer zu begreifen, für eine Heilsgemeinde läßt sie keinen Raum. Nicht ein Kollektiv, sondern der Einzelne wird am Jordan auf das Gericht vorbereitet.[12] Nicht die Vereinigung, sondern die Vereinzelung zeitigte die Taufe: sie „führt zu keiner Pauschalamnestie des Volkes, sondern erzwingt die Individualisierung des einzelnen Israeliten. Die Taufe als Akt der Vereinzelung ist vielmehr Möglichkeit, sich gerade dem allgemeinen Gerichtsurteil über ganz Israel zu entziehen. Diese Einzelnen werden von Johannes nirgends durch eine soziologisch überindividuelle Kategorie in eine neue Gemeinschaft integriert".[13] Jenseits aller Institutionen zählte allein das „solus cum solo" in Erwartung des Gerichts. Sicherlich implizierte die Johannestaufe auch die „Sammlung der Geretteten", aber diese Sammlung blieb dem Kommenden vorbehalten; sie erfuhr weder theologische Reflexion noch soziale Konkretion.

Die Jordantaufe war ursprünglich also kein Initiationsritus. Freilich war sie mit Person und Botschaft des Täufers so eng verbunden, daß bei einem Verlust dieser Bindung und einer Fortentwicklung der Botschaft mit ihrer Transformation a priori zu rechnen ist. Besonders der Schwund des eschatologischen Verstehenshorizontes und die Wandlung der sozialen Rahmenbedingungen, namentlich der Fortfall der Massenbewegung in Verbindung mit einer Problematisierung des universalen Anspruchs des Ritus, konnten sich auf ihre Deutung auswirken. Die Möglichkeit zu einer Entwicklung auf einen Initiationsritus hin war also offen.

---

[12] Vgl. dazu auch die – allerdings allzu spekulationsfreudigen – Erwägungen LOHMEYERS, Urchristentum, v. a. 88f, 155f.

[13] BECKER, Johannes, 40.

1.4 Das Selbstverständnis des Täufers

Der Täufer verkündigte Gericht und Umkehr, nicht aber sich selbst. Nichtsdestoweniger ist es legitim, sein Auftreten unter einem Leitbegriff in das weitverzweigte religiöse System seines Wirkungsfelds einzuordnen. Hierfür bietet sich vor allem die – freilich recht allgemeine – Kategorie des „Propheten" an. Johannes der Täufer ist als Prophet aufgetreten und als ein solcher gedeutet worden.[14] Dieses Prophetentum verlangt eine genauere Beschreibung, wobei insbesondere zu klären ist, worin das dem Täufer zugeschriebene „περισσότερον" (vgl. Mt 11, 9/Lk 7, 26) besteht, ob es nicht erst in der Täuferrezeption, sondern bereits im Selbstentwurf des Johannes seine Grundlage fand.

J. Becker (1972) hat die Gestalt des Jordantäufers in einer vergleichenden Untersuchung der Typologie nachalttestamentlichen Prophetentums zugeordnet.[15] Mit dem qumranischen „Lehrer der Gerechtigkeit" repräsentiert Johannes für ihn den Typus des prophetischen Charismatikers, „der unter der Voraussetzung, Gesamtisrael habe endgültig seinen Heilsanspruch vor Gott verspielt, einen möglichen neuen Weg, der *massa perditionis* zu entkommen, allenfalls noch durch den Bußruf und die eigene Person gegeben sieht".[16] Den geistesgeschichtlichen Hintergrund dieses Typus bietet das hasidäische Programm einer eschatologisch geprägten Umkehrbewegung. Johannes wie der „Lehrer" verstanden sich als die letzten von Gott gesandten Propheten. Ihr Selbstbewußtsein war ausgeprägt, und sie beanspruchten eine Mittlerrolle. Sie setzten sich gleichermaßen in Gegensatz zum Heilsbewußtsein ihres Volkes und forderten es zur Umkehr auf.[17] Diese Zuordnung ist keineswegs unproblematisch.[18] Zwar vermag sie einerseits die Originalität des Propheten Johannes in der reichen Vielfalt des nachexilischen Prophetentums freizulegen; andererseits aber wird sie eben dieser Originalität nicht gerecht, wenn sie Täufer und „Lehrer" allzu künstlich in einem einzigen Typus subsumiert. Gerade das profilierte Selbstbewußtsein, das Becker beiden Gestalten bescheinigt[19], und die daraus resultierende originale Gestaltungskraft machten ihr Prophetentum letztlich inkommensurabel. Wenn es Johannes um eine „Radikalisierung prophetischer Gedan-

---

[14] Vgl. etwa G. Friedrich, in: Krämer u. a., Art. προφήτης, 838–842.
[15] Vgl. Johannes, 41–62.
[16] Ebd., 56.
[17] Vgl. ebd., 56–61.
[18] Die – auch von Becker gesehenen – Unterschiede wiegen schwer. Beim „Lehrer der Gerechtigkeit" sind das Offenbarungsverständnis, die Auffassung von der Kontinuität der Heilsgeschichte und die Orientierung am ausstehenden Heil viel deutlicher ausgeprägt. Gerade die entscheidenden Koordinaten der Täuferbotschaft, die hochgespannte Enderwartung und die daraus resultierende strikte Zukunftsperspektive, wie das zentrale Medium, die Bußtaufe, finden beim „Lehrer" keine Entsprechung!
[19] Vgl. Johannes, 57–60.

ken" ging[20], dann dürfen die radices seiner Botschaft nicht außerhalb seiner Persönlichkeit gesucht werden. Dennoch erlaubt die Untersuchung BECKERS den Schluß: der Prophet Johannes steht nicht in einer Reihe mit einem bestimmten Typus des Prophetentums der Zeitenwende; Parallelen finden sich allenfalls beim „Lehrer der Gerechtigkeit", aber selbst diese erweisen den Täufer mit seiner Kernbotschaft als Propheten sui generis.

Freilich zeichnen den „Lehrer" wie den Täufer in der Tat gleichermaßen starkes Autoritätsbewußtsein und der Anspruch auf eine Mittlerrolle aus. Wenn die evangelischen Zeugnisse Johannes ein „maius" bescheinigen (vgl. Mt 11, 9 f / Lk 7, 26f), so wurzelt diese Würdigung in der christologischen Funktion des „Vorläufers". Bahnt man sich aber einen Weg durch die dichten Versuche der Inferiorisierung, so stößt man auf ein hohes Selbst- und Sendungsbewußtsein des Täufers, das sich von dem früherer Propheten deutlich abhebt. Nicht im jüdischen Heilssystem ist der Gott, dessen Abkehr vom Volk Johannes autoritativ ansagt, zu finden, sondern allein am Jordan, wo Johannes als sein funktionaler Platzhalter wirkt: als anklagende wie anleitende Stimme und als letzte zur Rettung angebotene Hand[21], als Vorläufer des kommenden Richtergottes selbst.[22] Die späteren Reflexionen über die Gestalt des Jordanpropheten fragen konsequent nicht nach legitimierenden Zeichen, sondern nach der Bevollmächtigung (vgl. Mk 11, 30 parr) und der Person (vgl. Joh 1, 19–23)[23], an die Botschaft wie Taufe unlösbar geknüpft sind.

Mag der Täufer also für Gott nur Herold sein, für das Volk ist sein Auftreten nachgerade heilskonstitutiv, insofern Heil die Verschonung vor dem Gericht bezeichnet. „So gering Johannes vor dem göttlichen Herrn steht, so hoch steht er über den Menschen; diese Hoheit und jene Niedrigkeit bezeichnen nur scharf die Mittlerstellung des Täufers".[24] Tatsächlich gewinnt Johannes als Offenbarungsträger, vor allem aber durch seine Taufe eine mittlerische Funktion jenseits des offiziellen Kultes, „insofern er als Person beim Taufakt konstitutiv hinzugehört und nur durch die Taufe, verbunden mit der Umkehr, überhaupt noch Sündenvergebung möglich ist".[25]

Hoheitsbewußtsein und Mittlerstellung sind in der Botschaft des Täufers also implizite vorausgesetzt; sie sind aber nicht Inhalt der Botschaft selbst. Johannes

---

[20] VIELHAUER, Art. Johannes, 805.
[21] Vgl. auch LOHMEYER, Urchristentum, v. a. 147.
[22] Dies hat HUGHES, Disciples, 64–87; DERS., John, passim überzeugend nachgewiesen.
[23] Vgl. dazu LOHMEYER, Urchristentum, 95f.
[24] Ebd., 100.
[25] BECKER, Johannes, 40; vgl. ebd., 38. Damit soll allerdings keineswegs gesagt sein, daß allein die Mitwirkung des Täufers als Person die ἄφεσις konstituierte (BECKER, ebd., 38 drückt sich hier etwas mißverständlich aus). Entscheidend war die endzeitliche Vergebung durch Gott, für die die Johannestaufe disponierte. Ob die Taufe von Johannes selbst gespendet wurde, blieb ohne Bedeutung, sofern sie nur in intentione Ioannis vollzogen wurde. So ist es weder unwahrscheinlich, daß auch die Johannesjünger die Bußtaufe ihres Meisters spendeten, noch a priori auszuschließen, daß auch Jesus und das früheste Christentum die Johannestaufe praktizierten.

hat sich nicht als Weg empfunden, sondern als Wegweiser; gerade so aber blieb seine eigene Person unentbehrlich. „Nicht er prägt und trägt die Taufe, sondern die Taufe ihn".[26]

Aus dem hier skizzierten Selbstverständnis des Täufers ergeben sich Konsequenzen für die Frage des Täuferkreises. Boten weder die Botschaft noch die Taufe des Johannes einen Ansatz für eine Gemeinschaftsbildung, so doch sein prophetisches Auftreten. Jenseits der theologischen Fluchtlinie, die eine als Adiaphoron verstandene Jüngerformation allerdings nicht ausschloß, mochte sich eine feste Gruppe von Anhängern um den Jordanpropheten sammeln. Eine solche Sammlung lag sogar insofern nahe, als der Autoritäts- und Mittleranspruch des Täufers magnetisch wirken mußte. Da sie aber vortheologisch blieb, konnte die Jüngergruppe nicht mehr sein als ein personal ausgerichteter Anhängerkreis mit gewisser sozialer Kohärenz, aber ohne ekklesiologischen Geltungsanspruch. Im engeren Umkreis des Täufers Johannes war jede Messianisierung seiner Gestalt dem eschatologischen Verdikt verfallen. Spätere „Johannologie" mochte allerdings explizieren, was in der Täuferbotschaft bereits angelegt war, denn in dem Maße, in dem die Gerichtsbotschaft ihre Dringlichkeit verlor, rückte die Person des Künders dieser Botschaft, der zudem das Martyrium erlitten hatte, in das Zentrum des frommen Interesses.

In summa: Botschaft, Taufe und Person des Johannes schlossen die Bildung eines Jüngerkreises nicht a priori aus, doch war ein solcher nur als *Prophetenschule* möglich. Allerdings mochte diese Formation von Prophetenjüngern bereits Ansätze einer späteren Entwicklung zur Glaubensgemeinde bergen. Als Voraussetzung war hier aber das Verblassen der ursprünglichen Täuferbotschaft nötig, denn nur so konnte die extreme eschatologische Ausrichtung „historisiert", das Medium der Taufe reinterpretiert und die Person des Täufers zur Heilsgestalt erhoben werden.

---

[26] LOHMEYER, Urchristentum, 102; vgl. ebd., 101f.

2. Phänomenologie des Jüngerkreises

2.1 Der Jüngerkreis als Prophetenschule

Der Versuch einer Phänomenologie des Jüngerkreises kann von dem oben festgestellten Charakter der Prophetenschule ausgehen (s. o. IV:1.4). Um diese Beschreibung präzisieren zu können, empfiehlt sich der Blick auf religionsgeschichtliche Analogien. Als nächste zeitgenössische Parallele ist hier der Jüngerkreis Jesu zu nennen, zumal er eine personale Kontinuität zum Täuferkreis aufweist (s. o. III:9.5.2).[27] Weitere Analogien sind in der prophetischen Tradition zu suchen, deren Erbe Johannes bewußt wahrte. Von der Sozietät abgesonderte und vor allem vom Charisma des Führers geprägte personale Lebensgemeinschaften von Meister und Jüngern finden sich etwa bei Apollonius von Tyana[28], in den Prophetenverbänden des vorklassischen Nebiismus (vgl. 1 Sam 10, 5. 10; 19, 18–20, 1)[29], insbesondere in der Elija-Elischa-Gruppe (vgl. 1 Kön 20, 35–43; 2 Kön 2, 3–18; 4, 1. 38–41; 5, 22; 6, 1–7; 9, 1–10), wohl auch in den Jüngerschulen der klassischen Schriftprophetie (vgl. Jes 8, 16).[30]

Gruppen dieser Art sind naturgemäß von kleiner Zahl und kurzer Dauer, weil sie in der Ich-Du-Beziehung zwischen Meister und Jünger wurzeln.[31] Es ist eine spezifische Leistung der christlichen Auferstehungschristologie, daß sie ein solches Verhältnis auch nach dem Tod des Meisters ermöglicht hat. Daß aus den Nachfolgern Tradenten, aus den Jüngern Gemeindemitglieder werden[32], ist beim Jüngerkreis des Täufers an sich nicht erwartbar, um so weniger, als es per definitionem ein zu wahrendes „kanonisches Erbe" gar nicht geben konnte, das Traditionsprinzip[33] durch die Täuferbotschaft selbst ausgeschlossen war. Weil für den Jüngerkreis des Johannes die extreme Naherwartung kein Theologumenon neben anderen war, sondern das zentrale Wesenskonstitutivum, konnte die

---

[27] Vgl. BORNKAMM, Jesus, 128; DAHL, Volk, 161; HENGEL, Nachfolge, 40.
[28] Vgl. RENGSTORF, Art. μανθάνω, 423–425.
[29] Vgl. FABRY, Art. חבל, 706.
[30] Vgl. dazu H. WILDBERGER, Jesaja 1–12, Neukirchen-Vluyn 1972 (= BK.AT 10/1), 344–346.
[31] Vgl. P. HONIGSHEIM, Art. „Jüngerschaft", in: RGG³ III (1959), Sp. 1009f.
[32] Vgl. HENGEL, Nachfolge, 38.
[33] Vgl. RENGSTORF, Art. μανθάνω, 425–428.

eschatologische „Verzögerung" für ihn – anders als für das Christentum – nicht theologisch fruchtbar werden, sondern letztlich nur vernichtend. Eine Möglichkeit, die eigene Legitimität zu behaupten, wäre die „Flucht nach vorn", die Proklamation der Erfüllung der Eschata durch Johannes, gewesen, aber sie stand in einem derart krassen Widerspruch zu dessen eigener ἐρχόνεμος-Erwartung, daß hier wohl erst eine spätere Generation ansetzen konnte (s. u.V:5). Da tatsächlich vom Jüngerkreis des Täufers zwar noch nach dessen Tod (s. o. III:3.4), aber in den synoptischen Schriften nicht mehr aktuell (s. o. III:2; 3; 4; 6; 7; 8) die Rede ist, empfiehlt sich die Annahme, daß er sich noch in der ersten Generation aufgelöst hat. Die im vierten Evangelium befehdete Formation wahrt keinerlei Kontinuität zu diesen Jüngern der ersten Stunde (s. u. V:5).

2.2 Fasten- und Gebetspraxis

Um den Jüngerkreis des Täufers zu charakterisieren, wird immer wieder auf die in Mk 2, 18–22 parr; Lk 11, 1 belegte Praxis ihres Fastens und Betens verwiesen.[34] Freilich wird man in der antiken Welt selten eine religiöse Gruppierung antreffen, die nicht fastete, und niemals eine, die kein Gebet übte. So gesehen ist mit solchen Hinweisen wenig gewonnen. Um die spärlichen Nachrichten ergiebiger auszuwerten, werden daher beide Praktiken mitunter in Verbindung gesetzt und die eine von der anderen her gedeutet. Meist wird dann das Fasten als „gebetsverstärkend" angesehen, wobei auch Auskunft darüber erteilt wird, welches Gebet durch solches Fasten unterstützt worden sei.[35] Jedoch erlaubt nichts, die beiden, eher zufällig überkommenen Praktiken in Beziehung zueinander zu setzen und in einem theologischen System zu kombinieren.

Ernster zu nehmen ist die Erklärung einiger Exegeten, durch die genannten Praktiken als regulae vitae habe sich der Täuferkreis allererst als religiöse Gruppierung innerhalb der jüdischen Welt konstituiert.[36] Eine solche Thesis ist für die religionssoziologische Einordnung des Jüngerkreises von erheblicher Bedeutung und verdient nähere Überprüfung.

Das spätantike Judentum kannte ein von der Tora gefordertes allgemeines Fasten nur am Versöhnungstag (vgl. Lev 16, 29–31; 23, 26–32; Num 29, 7; vgl. Apg 27, 9)[37], ferner kollektive Fastenverpflichtungen zur Erinnerung an natio-

---

[34] Genannt seien nur HUGHES, Disciples, 7f; KRAELING, John, 80.

[35] Vgl. etwa KRAFT, Entstehung, 38; ferner REICKE, Fastenfrage, 322.

[36] So GOGUEL, seuil, 99, 292; HÖLSCHER, Urgemeinde, 19; KRAFT, Entstehung, 38f; LINDESKOG, Johannes, 71; LOHMEYER, Urchristentum, 115; MEYER, Ursprung I, 90f; RUDOLPH, Mandäer I, 78; VIELHAUER, Art. Johannes, 807; WINK, Art. John, 487.

[37] Vgl. STRACK/BILLERBECK II, 771f.

nale Katastrophen oder aus Anlaß eines öffentlichen Notstands.[38] Darüber hinaus unterzogen sich einzelne Fromme freiwilligen Fastenübungen, sei es zur Sühne eigener oder fremder Schuld oder zur Unterstützung des Gebets.[39] Im nachexilischen Judentum erfreute sich das Fasten steigender Wertschätzung[40], und die religiöse Elite im allgemeinen wie die Pharisäer im besonderen widmeten sich ihm mit eifriger Hingabe. So pflegten die Frommen vor allem das zweimalige wöchentliche Fasten (vgl. Lk 18, 12). Zwar war dies wohl keineswegs bloß ein privater Akt, sondern eher eine stellvertretende Sühneleistung[41], die aufgrund eines Gelübdes auch bindend werden konnte, aber es war stets der Einzelne, der sich auf eigenen Entschluß zu dieser besonderen Frömmigkeitsübung verpflichtete. Eine *Verpflichtung*, die etwa für die Pharisäer als *religiöse Formation* galt und damit den einzelnen Pharisäer qua Pharisäer band, gab es nicht.[42]

Da also ein Fasten, das eine jüdische Gruppierung als solche konstituierte, nirgends nachweisbar ist, wird auch das Fasten des Jüngerkreises Johannes' des Täufers, selbst wenn es ohne weiteres mit dem Montags- und Donnerstagsfasten der Pharisäer gleichgesetzt werden dürfte (s. o. III:3), nicht als Konstitutivum einer Gemeinde anzusehen sein. Der Nachweis, daß sich der Täuferkreis dem Fasten und Beten widmete, genügt nicht, um ihn als eigene Religionspartei innerhalb des Judentums zu profilieren. Mit den aus Mk 2, 18f gewonnenen historischen Daten läßt sich nicht mehr belegen, als daß die Angehörigen des Jüngerkreises – hierin den Pharisäern vergleichbar – eine gewisse Vorliebe für die opera supererogatoria des Fastens hegten, ohne daß dadurch bereits die Motivation des Fastens erfaßt wäre. Die „Observanz" einer baptistischen Religionspraxis läßt sich also weder zur Lebenszeit des Johannes noch nach dessen Tod aufweisen: das Fasten ist eben kein „regular feature of Baptist observance".[43]

Das Fasten der Johannesjünger war aller Wahrscheinlichkeit nach ein eschatologisch motiviertes Bußfasten. Schon die „Askese" des Täufers erklärt sich aus der Mitte seiner Botschaft, also der Erwartung des Gerichts, und der Mitte seiner Paränese, der Mahnung zur Umkehr. Schlichte Kleidung (vgl. Mk 1, 6 / Mt 3, 4) und Nahrung (vgl. Mk 1, 6 / Mt 3, 4; ferner Mt 11, 16–19 / Lk 7, 31–35) lassen sich am ehesten im Sinne einer eschatologischen Demonstration[44] verstehen, als „acted parables", die die Üppigkeit der dem Zorn verfallenen Welt entlarven sollten. Der Kreis schließt sich, fragt man umgekehrt, warum Jesus auf das

---

[38] Vgl. STRACK/BILLERBECK IV/1, 77–94.
[39] Vgl. STRACK/BILLERBECK II, 241f; IV/1, 94–100.
[40] Vgl. BEHM, Art. νῆστις, 929–932 mit zahlreichen Belegen.
[41] So plausibel STRACK/BILLERBECK II, 241–244.
[42] Vgl. BEHM, Art. νῆστις, 930; STRACK/BILLERBECK II, 244.
[43] KRAELING, John, 173; ähnlich KRAFT, Entstehung, 39; LAMBERT, Art. John, 865.
[44] Vgl. VIELHAUER, Tracht, 53f.

Fasten verzichtet hat. Nach Mk 2, 19a leidet es keinen Zweifel, daß Jesus seine Reserve gegenüber der Fastenpraxis der Johannesjünger mit dem Anbruch der eschatologischen Freudenzeit begründet hat (s. o. III:3.4).[45] Da seine Erwiderung sich auf eine konkrete Anfrage bezieht, zielt sie nicht allgemein theologisch das Fastenproblem an, sondern konkret die Frage, warum die Jünger Jesu im Gegensatz zu den Täuferjüngern nicht fasten. Deshalb wird diese Erwiderung auch die Fastenmotivation der Johannes-Gruppe treffen.

Von daher empfiehlt es sich, den Einfluß der Fastenpraxis der Johannesjünger auf die des frühesten Christentums nicht zu überschätzen. Gerade in der Täuferforschung findet sich immer wieder die Vermutung, der Täuferkreis habe bei der Einführung des Fastens in die junge Kirche Pate gestanden.[46] Doch übersieht diese These, daß die christliche Motivation des Fastens nicht primär eschatologisch orientiert war, sondern christologisch (vgl. Mk 2, 20; Apg 13, 2; Tertullian, De ieiun., 2, 2), und sich eher an der Vergangenheit der Zeit Jesu oder an der Gegenwart des Herrn in der Gemeinde ausrichtete als an der eschatologischen Zukunft, um die allein es dem Täuferkreis gehen konnte. Angesichts der Verbreitung des Fastens im spätantiken Judentum ist es überhaupt weder möglich noch nötig, die Fastenpraxis des jungen Christentums dem – nirgends belegten – Einfluß des Täuferkreises zuzuschreiben.

---

[45] Vgl. hierzu auch ROLOFF, Kerygma, 227–229; van ROYEN, Jezus, 64; WAIBEL, Auseinandersetzung, 75f.

[46] So etwa DIBELIUS, Überlieferung, 42, 87f, 96, 142; KRAELING, John, 173f; MEYER, Ursprung III, 247f.

3. Die Interdependenz zwischen Täuferkreis und Frühchristentum

3.1 Die Ursprungseinheit von Täuferkreis und Frühchristentum

Als das Christentum entstand, hat es sich nicht als „Christentum" verstanden. Es beanspruchte nicht, etwas völlig Neues zu sein, sondern sah sich als authentische Form des Judentums und auch hier nicht als gänzlich neue Form, sondern als jene, die der Täufer Johannes ins Leben gerufen hatte, die freilich erst in Jesus von Nazaret zu sich selbst gekommen war (s. o. II:3). Gerade deshalb befriedigt es nicht, wenn das Christentum „als eine Absplitterung aus der Johannessekte"[47] beschrieben wird. Abgesehen noch davon, daß der Terminus „Sekte" die Sache verfehlt (s. o. I:2.1.4), vermag das Bild von der „Ablösung" des „Splitters" den tatsächlichen religionsgeschichtlichen Fortsetzungsprozeß nicht adäquat zu beschreiben. Im Laufe der hier vorgelegten Untersuchung hat sich immer wieder die soziologische und theologische Kontinuität und teilweise sogar die personale Identität von Täuferkreis und frühestem Christentum (s. o. III:9.5.2) gezeigt. Da sich andererseits eine dauerhafte religiöse Täuferformation neben der jungen Kirche als denkbar unwahrscheinlich erwies, empfiehlt es sich, statt von einer „Absplitterung" des Christentums von einer Beerbung und Fortsetzung der Täuferbewegung durch die Kirche zu sprechen. Im Licht der hier gewonnenen Resultate ist der Thesis W. WINKS vollauf beizupflichten: „the church stood at the center of John's movement from the very beginning and became its one truly great survivor and heir".[48] Herrscht so zwischen beiden Bewegungen eine Einheit im Ursprung, so sind die Grenzen zwischen ihnen naturgemäß sehr unscharf. Das gesamte Hypothesensystem einer Täuferkreis-Polemik bzw. -Apologetik, das von dem Nebeneinander zweier Konventikel ausgeht, ist somit zumindest für den synoptischen und

---

[47] H.-J. SCHOEPS, Gottheit und Menschheit, Bergisch Gladbach 1982, 59.
[48] WINK, John, 110 (ohne Hervorhebung).

weitenteils auch den frühnachneutestamentlichen Bereich im Ansatz verfehlt. „Intrareligiöse" Probleme der Auseinandersetzung des Christentums mit seinen eigenen Ursprüngen werden als „interreligiöse" Probleme der Auseinandersetzung des Christentums mit einer konkurrierenden Sekte mißdeutet. Gerade an der Deutung der Gestalt des Täufers in der synoptischen Literatur läßt sich dieser Sachverhalt illustrieren: wird Johannes einerseits gegenüber seiner „Erfüllung" in dem Christus Jesus konsequent inferiorisiert, so bleibt er doch als „Anfang des Evangeliums" durchgehend[49] der Kirche als eigener Ursprung erhalten. So gilt: „the church hedged about its traditions concerning John with various defense-mechanisms whose purpose was not only to safeguard belief in Jesus as the Christ, but to preserve John for the church".[50]

3.2 Der Einfluß des Täuferkreises auf das Frühchristentum

3.2.1 Allgemeine Einwirkungen

Die beschriebene Ursprungsidentität von Täufer- und Jesus-Bewegung macht es höchst wahrscheinlich, daß das Christentum manche theologischen Elemente birgt, die auf seine Beerbung durch die Täuferbewegung zurückzuführen sind. Läßt sich das freilich gerade für die Fasten- und Gebetspraxis kaum vermuten (s. o. IV:2.2; III:6.3.4), so mag doch die Botschaft und das Selbstverständnis Jesu, somit mittelbar auch die Theologie und Christologie des frühesten Christentums zu einem erheblichen Teil in der Predigt und dem Sendungsbewußtsein des Täufers wurzeln (s. o. II:3; ferner IV:1.4). Die oben betonte Ursprungseinheit läßt hier aber gerade keine exakte Scheidung von täuferischem und jesuanischem oder christlichem Gedankengut mehr zu, da die Grenzen fließend sind und christliche Theologumena lediglich ein fortentwickeltes Stadium täuferischer Elemente darstellen können. Als klar profiliertes täuferisches Erbe wird man damit neben der Stellung des Täufers im heilsgeschichtlichen Konzept des Frühchristentums[51] nur das Phänomen der Taufpraxis in den Anfängen der Kirche anführen.

---

[49] Auch Joh kennt noch die Anfangsstellung des Täufers (vgl. Joh 1, 6–8. 15. 19–51); in der apokryphen Literatur ist dieses heilsgeschichtliche Konzept von den judenchristlichen Evangelien über die gnostische Interpretation bis hin zur Descensus-Legende gegenwärtig (vgl. BACKHAUS, Apokryphen, 50).

[50] WINK, John, 108 (ohne Hervorhebung).

[51] Vgl. dazu die redaktionsgeschichtlichen Studien WINKS, John, passim.

3.2.2 Der Ursprung der christlichen Taufe

Daß die Kirche sich als Fortsetzung der palästinischen Täuferbewegung verstand, ist besonders deutlich daraus zu ersehen, daß sie sich von ihren frühesten Anfängen an ohne Verzug und mit barer Selbstverständlichkeit deren zentrale Übung zu eigen machte. Die christliche Taufe war die im Licht des Christus-Ereignisses reinterpretierte Johannestaufe. Der Täufer war, so gesehen, auch der „Anfang" der christlichen Taufpraxis.[52] Um die Bedeutung der hier aufgezeigten Fortsetzung der Johannestaufe durch das Christentum würdigen zu können, bedarf es der Überlegung, aus welchen Gründen und in welchem Sinne sich die Urgemeinde für die Johannestaufe entschieden hat.

Die zweite Generation der Kirche hat sich die erstaunlich breite und unkomplizierte Aufnahme des Taufritus durch einen entsprechenden Auftrag des auferstandenen Herrn erklärt (Mt 28, 19; vgl. Mk 16, 16). Als historische Erklärung eignet sich die theologische Reflexion jedoch nicht.[53] Während die tauftheologische Aussage Mk 16, 16 textkritisch sekundär ist und dem zweiten Jahrhundert entstammt, repräsentiert der Taufbefehl traditionsgeschichtlich bereits ein recht fortgeschrittenes Stadium. Dafür sprechen die triadische Ausfaltung des Auftrags, die vorausgesetzte Heidenmission und die deutliche Prägung des Logions durch die Redaktion des ersten Evangelisten bei gleichzeitigem Mangel an Parallelen selbst dort, wo – bei Voraussetzung einer älteren Tradition dieses Taufbefehls – solche zu erwarten wären (vgl. Lk 24, 46–53; Joh 20, 21–23; Gal 1, 15f usf.).[54] Daß Jesus selbst die Johannestaufe empfangen und sie ausdrücklich gutgeheißen (vgl. Mk 11, 27–33) hatte, mag die Übernahme der Taufe durch die junge Gemeinde gefördert haben, reicht aber zur Begründung nicht aus.[55] Denn solche historischen Sachverhalte genossen in der frühchristlichen Tradition keine kerygmatische Dignität, und biographische Erinnerung allein dürfte kaum die grundlegende und verbreitete Taufpraxis erklären.[56] Ebensowenig vermögen kursierende Verheißungen die Übernahme der Johannestaufe zu erklären.[57] Die Ankündigung einer Geisttaufe durch Johannes (vgl. Mk 1, 7f parr; Joh 1, 33; Apg 1, 5; 11, 16) ist interpretatio Christiana und läßt angesichts des Wortlauts solcher Verheißungen (vgl. Apg 1, 5!) eher noch dringlicher fra-

---

[52] Vgl. im einzelnen die einschlägigen Untersuchungen ALANDS, Vorgeschichte, passim; BARTHS, Zeit, 11–43; LOHFINKS, Ursprung, passim; PESCHS, Initiation, 91–96.

[53] Anders etwa BARTH, Sakrament, 136; OEPKE, Art. βάπτω, 537; STAUFFER, Theologie, 139; der sorgfältige „Rettungsversuch" BEASLEY-MURRAYS, Taufe, 109–122 scheitert wohl doch an der übergroßen Anzahl der Hilfsannahmen.

[54] Vgl. dazu im einzelnen BARTH, Zeit, 13–17.

[55] Anders SCHNEIDER, Jesus, 535, der jede historische Kontinuität der Taufe negiert.

[56] Vgl. THYEN, Studien, 146.

[57] Vgl. etwa KRAFT, Entstehung, 215–219, der sich auf Joël 3, 1–5 bezieht.

gen, warum sich die Urkirche nicht mit der Geisttaufe begnügt hat, sondern fraglos die als obsolet disqualifizierte Wassertaufe des Johannes praktizierte.

Angesichts des Versagens solcher Erklärungsversuche neigt man zur Resignation. W. MARXSEN etwa tut die Übernahme der Johannestaufe als Zufälligkeit ab: das Christentum habe einen greifbaren Ritus mit weitem Interpretationsfeld aus der Umwelt übernommen und hätte in gleicher Weise auch eine andere Gepflogenheit seinen Zwecken dienstbar machen können.[58] Jedoch übersieht er dabei, daß die Urgemeinde mit der Johannestaufe eben keinen beliebig interpretierbaren, sondern einen theologisch bereits eindeutig festgelegten Ritus übernahm, obschon sie so durchaus in eine gewisse Verlegenheit geriet (vgl. z. B. Apg 19, 1–7).

Um die Frage lösen zu können, wird man sie präziser stellen müssen. Bei genauerem Hinsehen wird man nämlich geneigt sein, statt nach der *Übernahme* der Johannestaufe durch das früheste Christentum nach ihrer *Wiederaufnahme* oder *Fortsetzung* zu fragen. Die Vorstellung von einer Übernahme der Taufe orientiert sich an dem rituellen Transfer zwischen Religionen, Konfessionen oder Sekten und wird so den religionssoziologischen Beziehungen zwischen Täuferkreis und Christentum nicht gerecht. Die Urgemeinde hat nach den überkommenen Zeugnissen von Anfang an eine Taufe praktiziert, die Jesus selbst und ein Großteil seiner Jünger empfangen hatten und die ihnen aus den „Tagen des Johannes" (vgl. Apg 1, 22) vertraut war.[59] So gesehen liegt die Schwierigkeit weniger darin, die Wiederaufnahme der Taufe zu erklären, als ihre Unterbrechung in der Zeit der öffentlichen Wirksamkeit Jesu (s. o. III:10.4).

Die anfängliche Einheit des johanneischen und des christlichen Ritus erhellt bereits aus der Tatsache, daß die Johannestaufe die christliche Taufe ersetzen konnte (s. o. III:8.4) und die „Altapostel" aller Wahrscheinlichkeit nach großßenteils die Johannestaufe empfangen haben, von ihrer christlichen Taufe aber nirgends etwas erwähnt wird. Wenn die spätere christliche Theologie massiv beide Riten voneinander abzugrenzen sucht, läßt dies nur um so mehr auf ihre ursprüngliche Verwechselbarkeit schließen.

Ähnlich wie bei der Fastenfrage (s. o. III:3; IV:2.2) hat Jesus auf die Taufpraxis wohl deshalb verzichtet, weil ihr Sinn, die eschatologische Bereitung, mit seinem Kommen erfüllt war. Wenn die junge Gemeinde hingegen diese Praxis unverzüglich wiederaufnahm, so wird man dies am ehesten mit der analogen eschatologischen Situation der frühen nachösterlichen Kirche erklären.[60] So ist „die christliche Taufe *zunächst* geblieben, was die Johannestaufe von Anfang an

---

[58] Vgl. W. MARXSEN, Erwägungen zur neutestamentlichen Begründung der Taufe, in: W. ELTESTER u. F. H. KETTLER (Hg.), Apophoreta. FS E. HAENCHEN, Berlin 1964 (= BZNW 30), 169–177, hier: 173–175.

[59] Vgl. dazu im einzelnen etwa ALAND, Vorgeschichte, passim.

[60] Vgl. LOHFINK, Ursprung, 46–49; THYEN, Studien 147–150.

war, nämlich eschatologisches Bußsakrament zur Sündenvergebung".[61] Allerdings wird diese Sündenvergebung in der nachösterlichen Gemeinde nicht ohne Bezug auf das Ostergeschehen und die so ermöglichte Erfahrung der Zuwendung des gnädigen Gottes gesehen worden sein.[62] Mit dem Pfingstereignis trat auch der Initiationscharakter der Taufe ins Bewußtsein, so daß sich das Sakramentsverständnis christologisch und ekklesiologisch entfalten und aus dem johanneischen Bezugsrahmen herauswachsen konnte.[63] Aus der „rituellen Selbstverständlichkeit" des frühesten Christentums als Fortsetzung der Täuferbewegung wurde so das „spezifisch christliche" Grundsakrament.

---

[61] THYEN, Studien, 150.
[62] Vgl. dazu BARTH, Zeit, 44–59; PESCH, Initiation, 95f; SCHNEIDER, Jesus, 532.
[63] Vgl. näher THYEN, Studien, 145–152.

TEIL V

Der Täuferkreis im Gesamtgefüge der neutestamentlichen Literatur

1. Der Täuferkreis in Q

Die Untersuchung der von Q tradierten Herrenlogien (s. o. II:3.3.1; 3.3.2; 3.3.3; 3.3.4) und des einzigen Q-Passus, der explizite Johannesjünger nennt (Mt 11, 2–6 / Lk 7, 18–23) (s. o. III:2), hat ergeben, daß Q zwar ein besonderes personales und theologisches Interesse an der Gestalt des Täufers und an dem Verhältnis zwischen Jesus und Johannes hegt, daß sie so aber retrospektiv bzw. „protologisch" die eigenen Ursprünge in den Blick nimmt und sich keineswegs mit einem Täuferkreis auseinandersetzt. Es wurde vermutet, daß die Q-Gemeinde zum Teil selbst auf eine täuferische Vergangenheit zurückschauen kann (s. o. III:2.5.5), so daß sich das Christentum hier einmal mehr als „outgrowth of the Baptist movement"[1] erweist. Für die Frage einer Täufersekte im engeren Sinn kommt Q damit keinerlei Quellenwert zu.[2]

---

[1] So in anderem Zusammenhang WINK, John, 81.
[2] Vgl. dazu im einzelnen noch ebd., 18–26.

2. Der Täuferkreis in Mk

Weder die primär markinisch tradierten Herrenworte (s. o. II:3.3.5; 3.4) noch die detailliert untersuchten Täuferkreis-Passus Mk 2, 18–22 (s. o. III:3); 6, 17–29 (s. o. III:4) weisen auf eine aktuelle Kontroverse des zweiten Evangelisten mit dem Täuferkreis. Für Mk sind die Johannesjünger ein Phänomen der Vergangenheit. Mk 6, 17–29 birgt keine Täuferkreis-Quelle (s. o. III:4.2.4), und auch die Vorstadien von Mk führen nicht zu dieser hypothetischen Formation (s. o. III:3.1.1–3.5).

Demgegenüber ist die Ansicht vertreten worden, die markinischen Täuferberichte gingen teilweise auf die Kreise der Täuferanhänger zurück.[3] Wenn aber das Christentum selbst in der Täuferbewegung wurzelt und mithin im Jordanpropheten seine eigene ἀρχή würdigt, läßt sich dieses „biographische" Moment der Täuferdeutung auch ohne Rekurs auf ein Drittes – eine hypothetische Tradentengruppe von Täuferanhängern – hinreichend erklären.

Eben dieses Sparsamkeitsprinzip (s. o. I:2.1.3) widerrät auch der von A. Vögtle (1972) prononciert vorgetragenen Hypothese, die markinische Taufperikope Mk 1, 9–11 entspringe in ihrer christologisch ausgefalteten Form dem Anliegen, die Taufe Jesu gegenüber den Täuferverehrern zu rechtfertigen und die Würde des von Johannes getauften Christus zu wahren.[4] Tatsächlich wird aber die vom Messias empfangene Bußtaufe nicht erst durch die Einschaltung vermuteter Antagonisten zum Pudendum. Die gesamte Interpretationsgeschichte der Tauferzählung bis weit in die frühnachneutestamentliche Literatur hinein[5] illustriert die theologische Verlegenheit der Tradenten angesichts der Taufe Jesu und ihr emsiges Bemühen, das Geschilderte durch „christological safeguards"[6] abzusichern und zu vertiefen.[7]

Insgesamt muß also auch Mk aus der Diskussion des Täuferkreises im engeren Sinne herausgehalten werden.

---

[3] Vgl. Pesch, C: Mk I, 81–83. Neuerdings von Dobbeler, Gericht, 153–200: die Studie birgt wertvolle Erkenntnisse zur Einordnung der Täuferbotschaft in die Theologiegeschichte des Frühjudentums; die Tatsache der Rezeption dieser Botschaft durch eine Täufergemeinde wird in ihr jedoch eher vorausgesetzt als nachgewiesen.

[4] Vgl. Taufperikope, 131–139.

[5] Vgl. näher Backhaus, Apokryphen, 4f.

[6] Vgl. Wink, John, 108.

[7] Vgl. näher ebd., 107–113.

3. Der Täuferkreis in Mt

3.1 Der Täuferkreis in der matthäischen Gesamtkonzeption

Im Ausgang von der Aufteilung des ersten Evangeliums in fünf Teilkompositionen (A: Mt 3, 1–7, 29; B: Mt 8, 1–11, 1; C: Mt 11, 2–13, 53; D: Mt 13, 54–19, 1; E: Mt 19, 2–26, 1) versucht J. L. JONES (1959)[8] aufzuweisen, daß die Partien A, B und D mit dem Kontrastthema Johannes beginnen und die Partien C und E den Täufer an ihrer Klimax behandeln. Hinter dieser sorgfältigen Komposition sei das darstellungsleitende Anliegen einer Auseinandersetzung mit dem Täuferkreis anzunehmen:

„To those for whom the Gospel was written the claims made concerning John offered embarrassment and perhaps a threat. Against these claims and within each of the five basic areas of thought, the Gospel offers to its readers an explanation of the relationship between Jesus and John, which could be used to refute or to convert those who had, in the eyes of the evangelist, mistakenly put their faith in the forerunner and had failed to recognize the Messiah".[9]

Bereits die Basis, auf der die Thesen JONES' beruhen, ist brüchig. Zwar ist die von ihm vorgeschlagene Strukturierung des ersten Evangeliums möglich; es ist aber fraglich, ob Mt derart schematisch einen „clearly outlined plan"[10] verfolgte. In jedem Fall übertrifft der Scharfsinn JONES' die Kompositionskraft des Evangelisten bei weitem. Dies gilt vor allem für die Täufer- bzw. Täuferkreis-Perikopen. Im allgemeinen sind sie einfachhin einer der matthäischen Vorlagen entnommen; eine Koinzidenz mit dem „Generalthema" der jeweiligen Sektion ist nicht ohne Künstlichkeit zu behaupten.[11] Überhaupt ist es nicht einsichtig, warum der Evangelist sein zentrales Anliegen so geschickt in seine Schrift verwoben, damit verborgen und seiner Wirkung gänzlich beraubt haben sollte. Auch in den Einzelbeobachtungen bleibt JONES den Beleg schuldig. Unklar bleibt etwa,

---

[8] Vgl. references, passim. Wir behandeln hier den Aufsatz wegen seines paradigmatischen Charakters ausführlicher.

[9] Ebd., 302.

[10] Ebd., 299.

[11] So ist etwa nicht einzusehen, in welchem Zusammenhang die Fastenfrage mit dem „book of apostleship", der Tod des Täufers mit dem „Buch der Kirchenordnung" stehen soll!

warum ausgerechnet Mt 21, 23–27 die Überlegenheit Jesu über den Täufer demonstrieren soll[12], wenn Jesus doch gerade hier seine eigene Vollmacht mit dem Verweis auf die Autorität des Täufers bzw. der Johannestaufe begründet (s. o. II:3.3.5). Auch die anderen von Jones angeführten Passus (z. B. Mt 14, 1–12[13]) zeigen keine Spur eines formalen Kriteriums von Apologetik oder Polemik (s. o. I:2.1.3). Die Willkür wird schließlich evident, wenn die Gesetzesdebatte im Anschluß an Mt 11, 19 „without too much difficulty" der Kontroverse zwischen Kirche und Täufergemeinschaft zugewiesen, Mt „anti-Johannine polemic" unterstellt und e contrario auf eine „legalistic observance" der Johannesjünger geschlossen wird.[14] Die explizite Nennung der Pharisäer in Mt 12, 2. 14. 24 wird in dieser Spekulierfreudigkeit einfachhin ignoriert.

Hier wird der verfehlte Ansatz der Untersuchung deutlich, die nur die Konsequenzen aus dem Baldenspergerschen Verfahren (s. o. I: 1) zieht und so dieses unzweideutiger widerlegt, als es die Kritiker Baldenspergers vermochten. Aber auch die – heute verbreitetere – kriterienlose Zuweisung einzelner Täufer-Passus in die „Täuferkreis-Polemik" wird durch diesen – immerhin konsequenteren – Versuch ad absurdum geführt. Jones' Vorgehen ist nachgerade paradigmatisch für weite Teile der Täuferkeis-Forschung. Zunächst setzt er voraus, eine – soziologisch diffus bleibende – Baptist community habe existiert und sei für die frühe Kirche zum ernsten Problem geworden, so daß diese sich polemisch, apologetisch und missionarisch[15] – auch hier wird auf Differenzierung verzichtet – mit ihr auseinanderzusetzen hatte. Zur Begründung dieser als „obvious"[16] vorgestellten Prämisse wird nicht auf neutestamentliche oder frühnachneutestamentliche Belegstellen, sondern auf Sekundärliteratur, namentlich auf W. Baldensperger und C. R. Bowen, verwiesen.[17] Sodann werden auffällige wie auch völlig unauffällige Texte ohne Hinzuziehung formaler Kriterien dem Bereich der Polemik bzw. Apologetik zugewiesen, wobei das Interesse an der Gestalt des Täufers unreflektiert mit dem am Täuferkreis identifiziert wird. Dies führt zu denkbar ungewissen Resultaten[18], die freilich alsbald zur Rekonstruktion des theologischen Systems des Täuferkreises herangezogen werden, indem der diametrale Gegensatz des jeweils beim Evangelisten Behaupteten als positive Auffassung des Täuferkreises angesehen wird. Nachfolgende Forscher können auf der so gewonnenen Basis „weiterbauen". So schließt sich der Zirkel.

---

[12] Vgl. references, 302.
[13] Vgl. ebd., 301.
[14] Vgl. ebd..
[15] Vgl. v. a. ebd., 302.
[16] Vgl. ebd., 298.
[17] Vgl. ebd., 298 A. 2; 299 A. 3.
[18] Sprachlich wird dies am inflationären Gebrauch von Konjunktiven wie „could" oder „would" und Adverbien wie „perhaps" oder „possibly" u. ä. deutlich.

Das hypothetische Gebilde des Täuferkreises nimmt auf diese Weise ein immenses Gewicht in der Sekundärliteratur ein, so daß am Ende ein krasses Mißverhältnis zwischen dem Textbefund und seiner Auswertung entsteht: qui nimis probatur, nihil probatur.

Sieht man von solchen Spekulationen ab, so ergibt sich dennoch in gewissem Sinne ein matthäisches Gesamtkonzept, indem sich an dem dreifachen Vorkommen der Johannesjünger im ersten Evangelium eine Dynamik wachsender Jesus-Nähe ablesen läßt (s. o. III:4.5). Doch stellt diese ausgearbeitete Linie der matthäischen Täuferkreis-Interpretation nur einen eher unscheinbaren literarischen Nebenzug des ersten Evangeliums dar.

3.2 Mt 3, 14f

Der knappe Dialog in der matthäischen Tauferzählung dient als Paradebeleg für ein Interesse des Mt am Täuferkreis.[19] Der redaktionelle Passus[20] ist indes unter traditionsgeschichtlichem Gesichtspunkt kaum auffällig. Er steht in einer Reihe mit zahlreichen Texten der ur- und frühchristlichen Literatur, die sich mit dem Skandalon der Taufe Jesu auseinandersetzen.[21] Dabei ist die im Hintergrund stehende Problematik in der Regel rein christologischer Natur. Von einer polemischen Akzentuierung der einschlägigen Passus ist im allgemeinen nichts zu erkennen (s. o. V:2). Liegt Mt 3, 14f ganz in der Fluchtlinie dieses Traditionsstrangs, so läßt sich freilich noch die Frage nach dem spezifisch matthäischen Skopus stellen.

Das Grundproblem wird im einleitenden Handlungsverbum διακωλύω angezeigt und mit der in der wörtlichen Rede des Täufers durch die in den Personalpronomina der ersten und zweiten Person des Singulars zum Ausdruck kommende Spannung begründet. Die Lösung des Problems deutet Jesus im nachfolgenden Vers imperativisch an (ἀφίημι), wobei er die Spannung durch den Gebrauch der ersten Person des Plurals auflöst und diesen Ausgleich durch den Rekurs auf die zu erfüllende δικαιοσύνη begründet.[22] Dem Imperativ folgt in der erzählten Handlung der entsprechende Indikativ im abschließenden Handlungsverbum, so daß das Grundproblem als gelöst betrachtet werden kann.

---

[19] Vgl. MacGregor, problems, 358; Sand, C: Mt, 64, 70; Sint, Eschatologie, 113 (als Überlegung); Strecker, Weg, 178.

[20] Der Einschub ist gegen Lohmeyer, C: Mt, 49; Strecker, Weg, 150 keine eigenständige Überlieferung (vgl. Gnilka, C: Mt I, 75).

[21] Vgl. Backhaus, Apokryphen, 4f; Bauer, Leben, 110, 113, 115.

[22] Zur näheren Erklärung vgl. Gnilka, C: Mt I, 76f; Schweizer, C: Mt, 28f.

Hieraus ergibt sich: der Skopus des redaktionellen Einschubs zielt auf das Gefälle zwischen Taufspender und Taufempfänger. Der Passus ist mithin als christologische Reflexion in sich verständlich. Die Annahme einer Berufung hypothetischer Antagonisten auf die superiore Dignität des Spenders stellt eine Hilfsvermutung dar, die zur präziseren Texterschließung nichts beiträgt (s. o. I:2.1) und daher auszuscheiden ist.

4. Der Täuferkreis in Lk/Apg

Die Untersuchung der einschlägigen Täuferkreis-Passus im dritten Evangelium hat ergeben, daß Lk weder eine spezifische Täuferkreis-Konzeption noch gar ein irgendwie geartetes aktuelles Interesse an einer solchen Formation hat (s. o. III:2.7; 3.7; 6). In Apg wird vollends eine engere täuferische Gruppierung erst gar nicht thematisch (s. o. III:7; 8). Insgesamt ist die lukanische Johannes-Interpretation nicht an einem Täuferkreis orientiert, sondern an den heilsgeschichtlichen Leitgedanken des dritten Evangelisten.[23]

Von daher sind auch die beiden in der Tat auffälligen Einzelverse Lk 3, 15; Apg 13, 25 zu verstehen. Sie sind in keinem Fall als Polemik gegen eine zeitgenössische messianische Verehrung des Täufers durch eine isolierte Johannes-Partei erklärbar.[24] Der dritte Evangelist selbst weist die Überlegungen (Lk 3, 15) bzw. die Fehleinschätzung (Apg 13, 25) den breiteren Volksschichten zu, und die oben vorgelegten Untersuchungen haben gezeigt, daß eine diffuse messianische Verehrung des Täufers in solchen Kreisen durchaus möglich und sogar naheliegend war (s. o. II:3.4.4; III:11.1.2).[25] Das ausgeprägte Selbst- und Sendungsbewußtsein des Johannes (s. o. IV:1.4) mag derartige Tendenzen noch gefördert haben. Es liegt näher, die beiden Passus auf solche aufweisbaren Strömungen zu beziehen, als auf hypothetische Tendenzen, die Lk/Apg an keiner anderen Stelle beschäftigen, zu rekurrieren.[26]

Von Gewicht ist schließlich die Frage, ob in Lk 1, vor allem in dem Hymnus Lk 1, 68–79, möglicherweise auch im Magnificat Lk 1, 46b–55[27], Zeugnisse des Täuferkreises vorliegen.[28]

Trotz der Einwände P. BENOITS[29] empfiehlt es sich, hinter dem nach Struktur und Inhalt singulären Kapitel eine ursprünglich selbständige, zumindest teilweise wohl schriftlich vorgegebene Personallegende zu vermuten.[30] Wie aber

---

[23] Vgl. näher BACHMANN, Johannes, passim; ERNST, C: Lk, 148–150; WINK, John, 42–58.
[24] Z. B. gegen SCHÜRMANN, C: Lk I, 170f.
[25] Vgl. auch WINK, John, 82f.
[26] Vgl. auch die luziden Ausführungen ebd., 82–86.
[27] Vgl. dazu BENKO, Magnificat, passim.
[28] So etwa HUGHES, Disciples, 11–32; VIELHAUER, Benedictus, passim. Einen kritischen forschungsgeschichtlichen Überblick bietet FARRIS, hymns, 88–94.
[29] Vgl. BENOIT, enfance, passim.
[30] Vgl. im einzelnen SCHÜRMANN, C: Lk I, 95f.

selbst J. H. Hughes konzediert[31], ist damit noch keineswegs gesagt, daß als Tradenten nur die Angehörigen einer Täufer-Gruppierung in Frage kommen. Seit C. R. Bowen (1912)[32] ist dies zwar immer wieder behauptet worden, doch fehlt bislang ein wirklich plausibler Beleg für eine solche Behauptung, und selbst W. Baldensperger stand ihr skeptisch gegenüber.[33]

Im einzelnen ist zu beachten:

1. Das Christentum hat als Sproß der Umkehrbewegung des Johannes und in einer breiten theologischen, soziologischen und personalen Kontinuität zu ihr ein massives Interesse an der Gestalt des Jordanpropheten: „the church possessed these legends about John from the very beginning by virtue of the fact that it was itself an outgrowth of the Baptist movement".[34]

2. Dieses Interesse hat sich bereits früh in der Bildung von Personallegenden niedergeschlagen, die prima facie keinerlei christliche Spezifika aufweisen müssen. Als Beispiele sind Mk 6, 17–29 (s. o. III:4.2) oder Protev 22–24[*35] anzuführen.

3. Andererseits findet sich in Lk 1 kein einziges Theologumenon, das zwingend auf eine Täuferkreis–Christologie schließen ließe oder eine solche auch nur nahelegte. Selbst Lk 1, 76–79 ist ohne weiteres aus einer christlichen Täuferinterpretation heraus erklärbar.[36] Also verbietet das Prinzip der ökonomischen Texterschließung (s. o. I:2.1.2), auf ein – unbekanntes – Drittes zu rekurrieren: „What John must do he can do alone; and what he has done is done once for all time. Luke 1 envisions no continuing ’Johannite ministry'".[37]

4. Es ist nicht einzusehen, warum Lk eine Täuferkreis-Quelle an den Beginn seines Werks gestellt haben sollte. Daß er durch die Verknüpfung mit der Geburtsgeschichte Jesu Johannes indirekt inferiorisieren will, ist gerade angesichts des doxologischen Hymnus Lk 1, 68–79 unwahrscheinlich. Unproblematisch hingegen ist das Verständnis, das von einer unter Benutzung vorgegebenen Materials ausgestalteten Dramatisierung der gängigen ἀρχή-Vorstellung ausgeht. Natürlich ist so nicht auszuschließen, daß darin auch Traditionsgut aus der Täuferbewegung enthalten ist, zumal diese von

---

[31] Disciples, 15f.

[32] Vgl. John, 97–104 (dort weitere Hinweise zur Forschungsgeschichte).

[33] Vgl. Prolog, 136f. Mit Farris, hymns wendet sich auch die jüngste einschlägige Monographie gegen die Hypothese, das Magnificat (vgl. ebd., 89) oder Benedictus (vgl. ebd., 89–94) stamme aus Täuferkreisen; Farris plädiert nachdrücklich für eine judenchristliche Herkunft (vgl. ebd., 95–98).

[34] Wink, John, 81; vgl. auch Schürmann, C: Lk I, 96.

[35] Vgl. Backhaus, Apokryphen, 37–40.

[36] Vgl. die ausführlichen und überzeugenden Darlegungen bei Brown, birth, 377–392, v. a. 373f, 382; Schürmann, C: Lk I, 93f,95f; Wink, John, 70–72; allgemein auch H. L. MacNeil, The Sitz im Leben of Luke 1, 5–2, 20, in: JBL 65 (1946) 123–130.

[37] Wink, John, 70.

dem frühen Judenchristentum ohnehin nicht scharf zu trennen ist (s.o. IV:3.1).[38]

5. Auf keinen Fall kann durch Lk 1 die Existenz eines engeren Täuferkreises im lukanischen Umfeld nachgewiesen werden, denn deren Vermutung eignet die Valenz einer ad hoc subsidiary hypothesis[39] und ist nicht *Resultat* der Analyse!

---

[38] Vgl. näher WINK, John, 58–82; SCHÜRMANN, C: Lk I, 95f.
[39] Vgl. TEICHER, sect, 143.

5. Der Täuferkreis in Joh

5.1 Methodologische Vorüberlegungen

Bei der Beurteilung möglicher auf einen Täuferkreis bezogener Passus im vierten Evangelium ist zunächst von der Forschungsgeschichte, wie sie sich vor allem seit W. BALDENSPERGER (1898) darstellt[40] (s. o. I:1), abzusehen, da diese sich einseitig auf die Textfunktion einer „Täuferpolemik" festgelegt hat, wobei sie in der Regel sowohl von einem methodologisch fragwürdigen Polemik-Begriff (s. o. I:2.1.3; 2.1.4) als auch besonders von einem bisher an Texten nicht belegbaren religionsgeschichtlichen Vorverständnis (s. o. I:2.1.1) ausgeht. Vielmehr ist am „Nullpunkt" zu beginnen, indem zunächst die einschlägigen Texte erhoben und dann auf dieser Basis die antagonistischen Täufer-Theologumena, Textfunktion und Textadressaten, sofern überhaupt möglich, ermittelt werden. Angesichts der quellen- und traditionskritischen Unabwägbarkeiten gerade in der Erforschung des vierten Evangeliums erscheint es dabei als legitim, zunächst eine rein synchrone Analyse am vorliegenden Endtext vorzunehmen, um erst in einem weiteren Schritt die Möglichkeiten diachroner Differenzierung abzuwägen.

Die Forschungsgeschichte mahnt auch zur Zurückhaltung gegenüber einer allzu breiten Bezugsbasis der Textuntersuchung. Bei der Auswahl des relevanten Textmaterials kann im Ausgang von der Einzelexegese von Joh 1, 35–51 (s. o. III:9) und Joh 3, 22–4, 3 (s. o. III:10) ein Interesse der zu postulierenden Bezugsgruppe an der Gestalt des Täufers Johannes supponiert werden. Die Ergebnisse der Auslegung von Mk 2, 18–22 parr (s. o. III:3) und Lk 11, 1 (s. o. III:6) ermutigen indes nicht, das Fasten oder die Gebetspraxis als Spezifika der hypothetischen Bezugsgruppe anzusehen und entsprechendes johanneisches Material zu untersuchen. So beschränkt sich die Analyse auf die Täufer-Passus des vierten Evangeliums im strengen Sinne.

---

[40] Prolog.

5.2 Synchrone Textanalyse der Täufer-Passus

5.2.1 Positive Täuferinterpretamente

Zunächst seien die positiven Nomina der johanneischen Täufer-Passus aufgelistet[41]:

Joh 1, 6:	ἄνθρωπος	Joh 3, 29:	φίλος τοῦ νυμφίου
Joh 1, 23:	φωνὴ βοῶντος	Joh 5, 34:	ἄνθρωπος
Joh 3, 27:	ἄνθρωπος	Joh 5, 35:	λύχνος
Joh 3, 28:	ἀπεσταλμένος		

Die Verben in positiven Aussagen[42], deren Handlungsträger Johannes der Täufer ist, lauten:

Joh 1, 6:	ἀποστέλλομαι	Joh 1, 33:	βαπτίζω
Joh 1, 7:	μαρτυρέω	Joh 1, 34:	ὁράω, μαρτυρέω
Joh 1, 8:	μαρτυρέω	Joh 1, 36:	ἐμβλέπω
Joh 1, 15:	μαρτυρέω	Joh 3, 23:	βαπτίζω
Joh 1, 20:	ὁμολογέω (bis)	Joh 3, 26:	μαρτυρέω
Joh 1, 25:	βαπτίζω	Joh 3, 29:	ἀκούω, χαίρω
Joh 1, 26:	βαπτίζω	Joh 3, 30:	ἐλαττόομαι
Joh 1, 28:	βαπτίζω	Joh 5, 33:	μαρτυρέω
Joh 1, 29:	βλέπω	Joh 5, 35:	καίω, φαίνω
Joh 1, 31:	βαπτίζω	Joh 10, 40:	βαπτίζω
Joh 1, 32:	μαρτυρέω, θεάομαι		

Bei den Nomina handelt es sich mit Ausnahme von ἄνθρωπος um *Funktionsbegriffe*. φωνὴ βοῶντος kann dabei als Funktion dem λόγος zugeordnet werden. Auch der ἀπεσταλμένος wird primär in seiner Funktion betrachtet. Beim φίλος τοῦ νυμφίου leuchtet dies nicht sofort ein, doch spielt der Begriff auf eine feste Institution an, deren Aufgabe darin bestand, die Hochzeit vorzubereiten und den Brautjubilus weiterzugeben.[43] Bei der sachlichen Prüfung des Mikrokontextes ergibt sich, daß diese Nomina stets funktional dem johanneischen κύριος zugeordnet sind. Die Verben lassen sich zum großen Teil mit diesen Funktionen verbinden: μαρτυρέω und ὁμολογέω der φωνή; καίω, φαίνω und möglicherweise ἐλαττόομαι[44] dem λύχνος, ἀποστέλλομαι dem ἀπεσταλμένος; ἀκούω und χαίρω dem φίλος τοῦ νυμφίου. Als transitive Verben der Sinneswahrnehmung, deren Objekt stets Christus – in einem

---

[41] Die ῥαββί-Anrede (Joh 3, 26) wird hier nicht angeführt, wohl aber das substantivierte Partizip ἀπεσταλμένος (Joh 3, 28).

[42] Ausgeklammert sind alle Hilfsverben und unspezifische Verba dicendi, eundi o. ä..

[43] Vgl. z. B. BARRETT, C: John, 223.

[44] So BAUER, 492.

Fall das auf ihn herabsteigende Pneuma – ist, sind auch βλέπω, ἐμβλέπω, ὁράω, θεάομαι rein relational zu verstehen. Wird wiederum der Sachzusammenhang geprüft, so ergibt sich, daß die aktiven Verben im allgemeinen durch ihren Christusbezug konstitutiert sind, ἀποστέλλομαι durch den Bezug zum Vater.

Drei Begriffe lassen sich zunächst nicht in dieses relationale Schema einordnen: das Nomen ἄνθρωπος (3×) und die Verben ἐλαττόομαι (1×) und βαπτίζω (7×). Die Relation ist in diesen Fällen komparativ bzw. kontradiktorisch. ἄνθρωπος ist in Joh 1, 6 dem λόγος-θεός (Joh 1, 1), in Joh 3, 27 (vgl. Joh 3, 31) dem οὐρανός, in Joh 5, 34 den „ἔργα ἃ δέδωκέν μοι ὁ πατήρ" (Joh 5, 36) kontrastiert, ἐλαττόομαι dem αὐξάνειν Christi. βαπτίζω ist mit Ausnahme der Lokalnotizen Joh 1, 28; 10, 40 ausnahmslos als Wassertaufe qualifizert und steht als solche der Taufe bzw. dem Täufer „ἐν πνεύματι ἁγίῳ" (Joh 1, 33) gegenüber; nach Joh 4, 1 gewinnt und tauft Jesus mehr Jünger als Johannes.

Die Analyse der positiven Aussagen über Johannes gelangt zu dem Ergebnis, daß der vierte Evangelist ihn konsequent in Relation bzw. Funktion zu Christus setzt. Insofern ist nahezu durchgehend eine *finalisierende Interpretation* des Johannes im vierten Evangelium zu konstatieren. Ihr entspricht die gehäufte Verwendung der Finalkonjunktion ἵνα zur Bezeichnung des Wirkens des Johannes (vgl. Joh 1, 7 [bis, + εἰς finale].8.27.31) und vor allem der Umstand, daß gerade die Taufe, der im Vorverständnis von Joh 1, 25 ein Eigengewicht zukommen muß, sich ganz in der Christus-Offenbarung erschöpft (vgl. Joh 1, 31), in der nach Joh 3, 30 gar die ganze Existenz des Täufers aufgeht. Der prägnanteste Begriff der positiven Täuferdeutung ist dabei der der μαρτυρία (verbal: Joh 1, 7. 8. 15. 32. 34; 3, 26; 5, 33; nominal: Joh 1, 7. 19; 5, 34. 36).[45] „Johannes der Täufer gibt so häufig Zeugnis, dass dies sein eigentliches und einziges Geschäft zu sein scheint".[46] In einer – vom vierten Evangelisten selbst allerdings nicht vorgenommenen – Substantivierung könnte man das johanneische Täuferbild sub voce μάρτυς zusammenfassen. Dabei kennzeichnet der Kontext abschließend die μαρτυρία zweifach: inhaltlich qualifiziert er sie als ἀληθής (vgl. Joh 5, 33; 10, 41), zugleich aber relativiert er ihren Wert: „Ἐγὼ δὲ ἔχω τὴν μαρτυρίαν μείζω τοῦ Ἰωάννου" (Joh 5, 36).

Die positive Täuferinterpretation des vierten Evangeliums belegt die im johanneischen Kreis empfundene Notwendigkeit, die Relationen zwischen Jesus und dem Täufer zu klären. Es wird deutlich, daß diese Klärung auf eine weit über die Synoptiker hinausgehende Christianisierung des Täuferbilds zielt, und die Intensität wie Quantität dieser Charakterisierungen läßt darauf schließen, daß die christliche „Vereinnahmung" des Täufers ein dringliches Anliegen des johanneischen Kreises war.

---

[45] Dies wird immer wieder betont; vgl. z. B. LINDESKOG, Johannes, 77; von der OSTEN-SACKEN, Christ, v. a. 166–169; RICHTER, Elias, 29f; WINK, John, 105 u. ö.; WREDE, Charakter, 40–42, 62.
[46] WREDE, Charakter, 41.

Eindeutige Schlußfolgerungen über Textfunktion und Textadressaten sind so freilich noch nicht erlaubt. Das zu lösende Problem könnte etwa durchaus in der Frage nach der heilsgeschichtlichen Bedeutung des Johannes liegen, die sich im Binnenraum der christlichen Gemeinde stellte, so daß Joh nur in ausgeprägter Form Intentionen verfolgt, die etwa bereits das lukanische Doppelwerk prägen. Ein erheblicher Unterschied zu diesem liegt aber nun gerade darin, daß das vierte Evangelium eine Kumulation negativer Täuferinterpretamente aufweist. Solche gestatten dann in der Tat präzisere Rückschlüsse auf Darstellungsabsicht und Zielgruppen.

5.2.2 Negative Täuferinterpretamente

Die negativ qualifizierten Nomina der Täufer-Passus sind:

Joh 1, 8:	φῶς	Joh 1, 21.25:	Ἠλίας
Joh 1, 20.25; 3, 28:	χριστός	Joh 1, 21.25:	προφήτης

Es finden sich folgende negative Verbalaussagen:

Joh 1, 20:   Johannes leugnete nicht, nicht der Christus zu sein.

Joh 1, 27:   Johannes ist nicht würdig, dem nach ihm Kommenden die Schuhriemen zu lösen.

Joh 1, 31.33: Johannes kannte Jesus nicht.

Joh 3, 24:   Johannes war noch nicht ins Gefängnis geworfen.

Joh 3, 27:   Der Mensch (Johannes) kann sich nichts nehmen, wenn es ihm nicht vom Himmel gegeben ist.

Joh 10, 41:   Johannes tat kein Zeichen.

Da sich bereits bei der Deutung der positiven Aussagen über den Täufer das Verhältnis zwischen ihm und Jesus als Kernproblem herauskristallisiert hat, empfiehlt es sich zunächst, die einschlägigen relationalen, komparativen und kontradiktorischen Aussagen zusammenzustellen. Wie exakt der Evangelist dieses Verhältnis zu bestimmen sucht, kann paradigmatisch am Täufereinschub des Joh-Prologs (Joh 1, 6–8. 15) demonstriert werden.

Der Prolog weist in der jetzt vorliegenden Gestalt ein antithetisch-paralleles Schema auf, in dem Aussagen über den Logos solchen über den Täufer Johannes gegenübergestellt werden. Der Kontrast erschließt sich besonders deutlich im Vergleich zwischen Joh 1, 6 und Joh 1, 1:

tertium comparationis	Joh 1, 6: Johannes	Joh 1, 1: Logos
Sein	zeitliches Werden (γίνεσθαι) im bloßen Menschsein (ἄνθρωπος)	überzeitliches Sein (εἶναι) von göttlicher Dignität (θεός)
Stellung zu Gott	Sendung (ἀποστέλλομαι) von (παρά) Gott	Sein (εἶναι) bei (πρός) Gott
Benennung	Ἰωάννης[47]	θεός

Ähnlich steht das Kommen des Johannes (Joh 1, 7: „οὗτος ἦλθεν") in signifikantem Gegensatz zum Sein des göttlichen Logos von Anfang an (Joh 1, 2: „οὗτος ἦν ἐν ἀρχῇ"). Sieht Joh 1, 3f auf die umfassende Würde des Logos in der Welt, so unterstreicht Joh 1, 7f die Subordination des Johannes, dessen Sendung sich in einem reinen Sein-für-das-Licht erschöpft. Die Funktionalisierung des Täufers zeigt sich im εἰς finale, im ἵνα finale (ter), im διά instrumentale und im μαρτυρία-Begriff (ter). Johannes wird zweifach dem φῶς zugeordnet (περί). Mit der direkten Negation in Joh 1, 8 scheint diese Art der Täuferinterpretation schließlich ihr Ziel zu erreichen. Joh 1, 9 erhält mit dem affirmativen ἀληθινός und dem exklusiven πάντα den Charakter eines abschließenden christologischen Kontrapunkts.

Als Kronzeuge der Herrlichkeit des Logos wird in Joh 1, 15 Johannes selbst aufgerufen. Das Demonstrativpronomen weist vom Sprecher fort, auf den, für (περί) den der Täufer Zeugnis ablegt. Der ganze Sinn der Täuferbotschaft liegt für den Evangelisten in diesem Zeugnis, das daher im Präsens („μαρτυρεῖ") und besonders eindringlich („κέκραγεν") zur Sprache kommt. Der Inhalt des Zeugnisses, gebunden an das Oxymoron „ὀπίσω μου" – „ἔμπροσθέν μου" mit der redundanten Begründung „ὅτι πρῶτός μου ἦν", zielt auf die chronologische Priorität des Johannes, die durch die Präexistenz des Logos überboten wird. Mit der Kausalkonjunktion ὅτι schließt sich ein Bekenntnis zum πλήρωμα des Logos an, aus dem erneut πάντες – den Täufer wird man hier einschließen - empfangen haben.[48]

BALDENSPERGER hat nicht unrecht, wenn er konstatiert, daß der Prolog „wie ein Leuchtthurm am Eingang des Johannesevangeliums aufgepflanzt, sein Streiflicht auf das ganze Werk ... fallen läßt".[49] Zumindest gilt dies für den ersten Teil, indem die kontradiktorisch-komparative Täuferinterpretation dominiert, obschon freilich, anders als BALDENSPERGER annimmt, nicht das Verhältnis zwischen Logos und Täufer, sondern das des Logos zum Vater theologi-

---

[47] BALDENSPERGER, Prolog, 5 sieht in der Etymologie des theophoren Namens einen Hinweis auf die Stellung seines Trägers – eine geistreiche Überinterpretation!

[48] Vgl. zu der hier vorgelegten Analyse ebd., 1–57.

[49] Ebd., V.

sches Zentralthema ist.[50] Der Kontrast zwischen ἄνθρωπος (Joh 1, 6) und θεός (Joh 1, 1) findet sich in den Gegensätzen zwischen Wasser- und Geisttaufe (Joh 1, 26. 31. 33), Irdischem und Himmlischem (Joh 3, 27. 31) und Zunehmendem und Abnehmendem (Joh 3, 30) wieder. Die direkte Kontradiktion φῶς vs. οὐκ φῶς (Joh 1, 7. 8) spiegelt sich in der ebenfalls direkten Negation Joh 10, 41. Die komparative Bestimmung von Joh 1, 15 findet sich noch einmal in Joh 1, 30 (vgl. Joh 1, 27). Weitere Verhältnisbestimmungen sind Joh 4, 1; 5, 36.

5.3 Rückschluß auf den Täuferkreis

5.3.1 Die via contradictionis

Die Kumulation funktionaler, negativer, kontradiktorischer und komparativer Aussagen über den Täufer im vierten Evangelium läßt den gesicherten Schluß zu, daß sich die Notwendigkeit zur Klärung des Verhältnisses zwischen Jesus und Johannes durch eine für den Evangelisten aktuelle Situation einer Konkurrenz zwischen beiden Gestalten ergab, daß die Textfunktion demnach als apologetisch, polemisch oder möglicherweise auch missionarisch zu bestimmen ist. Daß sich die zitierten Aussagen weithin gegen eine überspitzte Täuferverehrung richten, ist nahezu opinio communis der Exegese.[51] Um so mehr ist der Versuchung zu widerstehen, von dieser Beobachtung aus unmittelbar auf ein entgegengesetztes System und deren Trägergruppen zu schließen. Allerdings ist auch dieses methodologisch haltlose Verfahren (s. o. I:2) fast zum Gemeingut der Auslegung geworden[52], wobei im allgemeinen die via contradictionis bevorzugt wird. Danach ist alles, was dem Täufer in Joh abgesprochen wird, ihm vom Täuferkreis zugesprochen worden. So muß man zu der Konklusion gelangen, die „Johannesjünger" hätten ihren Meister gnostisierend als Licht (Joh 1, 8), zugleich als Messias (Joh 1, 20. 25; 3, 28), Elias redivivus (Joh 1, 21. 25) und „den Propheten" (Joh 1, 21. 25) verehrt, ihm ferner Zeichen (Joh 10, 41) und das Bekenntnis zur messianischen Dignität (Joh 1, 20; 3, 28) zugeschrieben.

Hiergegen ist geltend zu machen, daß vor der Behauptung der Determination der negativen Aussagen durch hypothetische gegenteilige Aussagen einer ebenfalls hypothetischen Antagonistengruppe die kontextuelle Determination zu

---

[50] Vgl. etwa SCHNACKENBURG, C: Joh I, 197–200.

[51] Vgl. etwa DIBELIUS, Überlieferung, 119–123; LICHTENBERGER, Täufergemeinden, 51–53; von der OSTEN-SACKEN, Christ, 161f; RICHTER, Elias, v. a. 12–15, 30–32; WILSON, integrity, 38–40.

[52] Die beste Illumination dieses Verfahrens bietet neben BALDENSPERGER, Prolog (s. o. I:1) LICHTENBERGER, Täufergemeinden, v. a. 51–53; ähnlich etwa RICHTER, Elias, 12–15, 30–32. Reflektierter und seiner Zeit erheblich voraus DIBELIUS, Überlieferung, 119–123.

prüfen ist. Wenn im Prolog Johannes die Dignität des φῶς abgesprochen wird (Joh 1, 8), so mag man religionsgeschichtlich auf eine gnostisierende Täuferchristologie verweisen, die freilich unbelegt bleiben muß.[53] Die synchrone Würdigung des Mikrokontexts zeigt aber, daß die Negation unmittelbar durch Joh 1, 4f. 7. 9 determiniert wird (s. o. V:5.2.2). Diachron zeigt sich hierbei überdies, daß die positiven Christologumena λόγος und φῶς primär, die negativen Aussagen über den Täufer sekundär und auf diese bezogen entstanden sind.[54] Ähnlich ist an Joh 10, 41 nicht abzulesen, Johannes sei als Wundertäter verehrt worden[55] (s. o. II:3.4.4); vielmehr sind primär Jesus Zeichen zugeschrieben worden, und deshalb werden sie dem Täufer abgesprochen.[56]

Mag im einzelnen noch erwogen werden, ob Johannes als Messias oder „der Prophet" angesehen worden ist, so zeigt sich die ganze Mangelhaftigkeit der via contradictionis doch spätestens beim Versuch, die negativen Täuferaussagen oder zumindest deren Hauptstück Joh 1, 20–26 im Verbund zu sehen oder gar als System zu deuten. Der am meisten beeindruckende Vorstoß in diese Richtung wurde mit sorgfältiger Argumentation von G. RICHTER (1962/63) unternommen.[57] Gegen ihn sprechen folgende Überlegungen:

1. Die Fragestellung in Joh 1, 20–22 ist nicht inklusiv, sondern disjunktiv. Johannes ist weder einerseits der Messias noch andererseits Elija noch wieder anders „der Prophet". Dies zeigt sich sprachlich an der konsekutiven Konjunktion οὖν (Joh 1, 21) im Sinne von „Wer also dann?" und der kopulativen Negation οὐδέ (Joh 1, 25) im Sinne von „auch nicht" oder „nicht einmal".[58] „Possibily John 1:19–21, or the tradition behind it, should be interpreted to mean that John is not *even* Elijah or the prophet, much less the Messiah".[59]

2. Nun kann es in einem entwickelteren traditionsgeschichtlichen Stadium zu einem usus mixtus verschiedener Hoheitstitel und Würdeprädikationen kommen. Tatsächlich ist dies in Joh für einige Tituli, die sich auf Jesus beziehen, der Fall. Aber gerade deshalb ist dies für die Johannes-Verehrung auszuschließen. Denn selbst wenn eine entsprechend entfaltete Täuferchristologie vorausgesetzt werden dürfte, so ist es doch völlig unwahrscheinlich, daß sie sich in genauer Parallele zur Christologie des johanneischen Kreises entwickelt hat!

3. Diese Unwahrscheinlichkeit ist vor allem religionssoziologisch zu begründen. Der johanneische Kreis ist im wertfreien sozialen Sinn zumindest in

---

[53] So etwa BULTMANN, C: Joh, 29.
[54] Daß die Täuferpartien des Prologs sekundär sind, wird nahezu allgemein angenommen (vgl. etwa SCHNACKENBURG, C: Joh I, 226–229, 249f).
[55] So aber etwa BULTMANN, C: Joh, 300 A. 4; HEEKERENS, Zeichen-Quelle, 101.
[56] Vgl. dazu BECKER, C: Joh I, 93.
[57] Vgl. Elias, passim.
[58] Vgl. BLASS/DEBRUNNER, § 445, 2; BAUER, 1172.
[59] SMITH, Christianity, 74.

seinem Verhältnis zur nichtchristlichen Umwelt dem Typos der Sekte zuzuweisen, sofern man mit diesem Begriff folgenden Umstand zu beschreiben sucht: das Denken dieses Kreises bewegt sich in eigenen religiösen Plausibilitätsstrukturen, sein elitäres Selbstbewußtsein verbindet sich mit sozialer Isolierung, der dichten Kohäsion der in-group entspricht die Absonderung und der Selbstschutz dieser kognitiven Minderheit gegenüber der out-group.[60] Für eine postulierte Täufersekte würde diese Beschreibung analog gelten. Dann leidet es aber keinen Zweifel, daß die theologische Eigendynamik der beiden sozial abgekapselten Formationen eine parallel verlaufende Entwicklung der christologischen Systeme ausschließt.[61]

5.3.2 Die methodisch gesicherte Rückfrage

5.3.2.1 Das Phänomen einer negativen Täufertheologie

Nach dem oben Festgestellten ergeben sich zwei Fragen: 1) Wie ist die Kumulation der negativen, kontradiktorischen und komparativen Aussagen über den Täufer Johannes zu erklären? 2) Erlaubt sich überhaupt irgendein Rückschluß auf die von Joh befehdete Täuferinterpretation?

Zu 1): Auszugehen ist von der Konkurrenz zwischen den Heilsgestalten Jesus und Johannes (s. o. V:5.3.1). Wenn Joh auch keine Summe von Hoheitstiteln der Täuferverehrer zusammenstellt, so doch eine Fülle eigener christologischer Hoheitstitel, und es ist zu vermuten, daß er die „Klaviatur der Würdeprädikate" für Jesus in der „Oberstimme" durch eine „Klaviatur der Niedrigkeit" in der „Unterstimme" ergänzen will. Im „negativen Hauptakkord" Joh 1, 20–26 bedient er sich dabei des „Dreiklangs": Johannes ist weder der Messias noch Elija noch „der Prophet". Nicht unter welchen Prädikaten der Täufer verehrt wird, bringt Joh zum Ausdruck, sondern daß der Täufer nicht das sein kann, was Jesus für den johanneischen Kreis ist. Die Konkurrenz wird nicht dadurch entschieden, daß parallele Würdeprädikate gegeneinander ausgespielt werden, sondern dadurch, daß a priori Jesus als der Heilsbringer schlechthin herausgestellt wird und der Täufer nur noch als dessen negativer „Kontrapunkt" aufzutreten vermag.

Zu 2): Von dieser destruktiven Feststellung führt dennoch ein Weg zu einer vertretbaren Rekonstruktion signifikanter Aussagen des „Gegensystems".

---

[60] Vgl. dazu ausführlich BECKER, C: Joh I, 45–48; REBELL, Gemeinde, 112–123.

[61] Obschon LICHTENBERGER, Täufergemeinden, 51 das Grundproblem erkennt, fällt er ihm zum Opfer, weil er unvermittelt auf einen diffusen „Gesamtzusammenhang" rekurriert und sich ohne nähere Begründung zu der rätselhaften Meinung bekennt: „Die Täuferbewegung konnte ihre Kraft fortzudauern nur daraus erhalten, daß sie eine Täuferchristologie ausbildete, die in Analogie zu der der Jesusgemeinden gestaltet war".

Denn die Thesis, Johannes werde abgesprochen, was für Jesus behauptet wird, impliziert, daß die einzelnen Würdeprädikate nur noch im theologischen Kontext des christlichen, näherhin des johanneisch-christlichen Verstehenshorizontes zu erklären sind. Sobald ein anderer Verstehenshorizont vorausgesetzt wird, muß überprüft werden, ob sich hier das „System" der antagonistischen Täuferverehrer zeigt. Damit ist ein Schlüssel für den Zugang zu den bekämpften Vorstellungen gewonnen.

5.3.2.2 Die Selektion positiver Elemente des „Gegensystems"

Die Mehrzahl der oben zusammengestellten negativen, kontradiktorischen und komparativen Aussagen setzen ein johanneisches oder gemeinchristliches Vorverständnis voraus. So wird etwa die Negation der φῶς-Würde durch den Kontext bestimmt (s. o. V:5.3.1); erst recht zeigt der Christus-Titel prägnant johanneischen Sinn (vgl. Joh 1, 17.41!). Naturgemäß sind auch die kontradiktorischen und komparativen Aussagen durch das ureigene Christus-Verständnis des johanneischen Kreises determiniert.

Dem christlichen Verstehenshorizont entziehen sich jedoch einige Täuferinterpretamente. So fällt die Negation einer *Elija-Würde* des Täufers aus dem Rahmen, weil Jesus im gesamten vierten Evangelium gar nicht als Elias redivivus verstanden wird[62] und die sonstige gemeinchristliche Tradition dahin tendiert, Johannes als Elias redivivus zu verstehen (vgl. z. B. Mk 9, 11–13 / Mt 17, 10–13; Mt 11, 14; Justin, Dial., 49, 3–5; ferner Lk 1, 17). Die Elias-praecursor Christi-Vorstellung ist ein der interpretatio Christiana durchaus angemessenes Täuferinterpretament und würde auch zur konsequenten Funktionalisierung des Jordanpropheten im vierten Evangelium passen, zumal dieses die Vorläufer-Funktion des Johannes noch deutlich hervorhebt.[63] Demnach wird die christliche bzw. synoptische Elija-Vorstellung von Joh nicht befehdet. Dann kommt aber vor allem die Elias-praecursor dei-Vorstellung des klassischen Judentums in Betracht. Sie basiert auf Mal 3, 1.23f; Sir 48, 10: der wunderbar entrückte Prophet (vgl. 2 Kön 2, 1–18) wird vor dem Einbruch Gottes in diese Welt zur Umkehr aufrufen und die innere Verfassung des Volkes restituieren.[64] Elija gilt dabei als unmittelbarer Vorläufer Jahwes, so daß für eine messianische „Zwischengestalt" in diesem Konzept kein Raum mehr ist.[65] Dieses Verstehensmodell paßt vorzüglich zur Botschaft des Täufers, der auch bereits von seinen

---

[62] Selbst wenn man einige typologische Bezüge zum Elija-Elischa-Zyklus durchaus einräumt (vgl. HEEKERENS, Zeichen-Quelle, 98f; NICOL, Sēmeia, 53, 55, 57), lassen solche assoziativen Zusammenhänge noch nicht auf das geprägte Vorstellungsmodell des Elias redivivus schließen, das an keiner Stelle des vierten Evangeliums profiliert erkennbar wird (gegen HEEKERENS, Zeichen-Quelle, 99). Vgl. auch BECKER, C: Joh I, 94.

[63] Vgl. RICHTER, Elias, 14f.

[64] Material bei STRACK/BILLERBECK IV/2, 764–798, v. a. 779–784.

[65] Vgl. HAHN, Hoheitstitel, 355.

Zeitgenossen möglicherweise als Elias redivivus verstanden worden ist (s. o. II:3.2). So mag die von Joh angegriffene Täuferverehrung gerade die Würde eines Elias redivivus als Vorläufer Gottes für Johannes reklamiert haben.

Aus johanneisch-christlicher Perspektive ergibt auch die Frage nach der *Taufvollmacht* Joh 1, 25 keinen Sinn, weil die Taufe gar nicht den drei genannten Heilsgestalten vorbehalten ist. Vielmehr betont Joh 4, 2, daß der Christus selbst gerade nicht taufte. Auffällig mutet vor diesem Hintergrund auch die Replik Joh 3, 28 auf die Frage Joh 3, 26 an. Tatsächlich mußte jede Täuferverehrung gerade an dessen originalem Heilsmedium ansetzen (s. o. IV:1. 3), das sich unschwer an die elijanische Funktion der restitutio populi in integrum anknüpfen ließ.[66] So ist zu fragen, ob die Antagonisten in Johannes nicht nur den Elias redivivus, sondern näherhin den Elias baptizans verehrten. Zwar ist diese Vorstellung motivgeschichtlich nicht zu belegen, aber immerhin ist der Gedanke des Elias sacerdos nachweisbar[67], der in Ansehung der heilsvermittelnden Tätigkeit des Täufers auf seine Taufe hin präzisiert worden sein mag. Jedenfalls ließen sich auf diese Weise einige Auffälligkeiten des vierten Evangeliums plausibel erklären: die im Vergleich zu den Synoptikern stark betonte Charakterisierung der Johannestaufe als Wasserritus (Joh 1, 26. 31. 33; ferner 1 Joh 5, 6–8), die völlige Vermeidung des geläufigen Cognomen βαπτιστής und möglicherweise auch die Angaben von Joh 3, 22–4, 3, namentlich der Streit um den καθαρισμός (Joh 3, 25).

Die Argumentation in Joh 1, 15. 27. 30 scheint an sich zunächst aus einer heilsgeschichtlichen Verlegenheit der christlichen Gemeinde heraus befriedigend erklärbar. Jedoch erweist sich das Oxymoron „ὁ ὀπίσω μου ἐρχόμενος ἔμπροσθέν μου γέγονεν" innerhalb eines christlichen Vorverständnisses als unnötig und dessen Begründung „ὅτι πρῶτός μου ἦν" (Joh 1, 15) als nichtssagend. Hier wird die Ebene der Absicherung gegenüber möglichen innerchristlichen Mißverständnissen verlassen und das schwerwiegende Argument der Präexistenz gegen die *Beanspruchung eines chronologischen Prae-* für den Täufer angeführt.

Die herausgestellten Elemente einer „Täuferchristologie" sind so spezifisch, die Argumente gegen ihre Vertreter so eindringlich, daß man – auch unter der Berücksichtigung der Auslegung von Joh 3, 22–4, 3 (s. o. III:10. 5) – eine konkrete Antagonistengruppe innerhalb der Umwelt des johanneischen Kreises annehmen muß, sich also nicht damit begnügen kann, eine Berufung des Judentums im allgemeinen auf den Täufer anzunehmen.[68]

---

[66] Vgl. im einzelnen Jeremias, Art. Ἠλ(ε)ίας, 935f.

[67] Reiches Material bei Strack/Billerbeck IV/1, 462f; IV/2, 789–792; vgl. auch Jeremias, Art. Ἠλ(ε)ίας, 934f.

[68] Gegen Hughes, Disciples, v. a. 156; dessen Argumentation ähnlich bereits bei Wrede, Charakter, 64f.

5.4 Diachrone Textanalyse

5.4.1 Quellen- und traditionskritische Vorüberlegungen

Vor der diachronen Analyse der einschlägigen Passus ist in Betracht zu ziehen, daß die synchrone Untersuchung keine Täuferinterpretation freigelegt hat, die zu einer traditionskritischen Differenzierung einlädt. Nach Diktion und Intention wirken die Aussagen einheitlich. Die Prinzipien der Negation und Funktionalisierung prägen alle Täufer-Passus gleichermaßen; das Leitwort der μαρτυρία stellt den Bezug auch äußerlich her (s. o. V:5.2.1); Querverbindungen sind ohne weiteres erkennbar (vgl. Joh 1, 7f: 1, 19: 3, 26; Joh 1, 15: 1, 27: 1, 30; Joh 1, 20: 3, 28; Joh 1, 8: 5, 35; Joh 1, 28: 10, 40).

Wenn der jetzt vorliegende Text des Joh-Evangelisten (Abk. im folgenden: JE) aber intensiv „Täuferpolemik" treibt, dann wird das diese herausfordernde Problem ebenfalls auf der Ebene der Schlußredaktion anzusiedeln sein. Das schließt nicht aus, daß sich bereits in den Quellen oder Traditionen, auf die JE zurückgreift, die Wechselwirkungen zwischen der johanneischen Gemeinde und dem Täuferkreis niederschlagen, aber dies muß an dem möglichst abgesicherten Text der Vorlagen mit hinreichender Wahrscheinlichkeit aufzuweisen sein.[69] Die Meinung, der Konflikt mit den „Johannesjüngern" müsse bereits deshalb in ein Frühstadium des johanneischen Kreises gehören, weil die Jünger des Täufers eben seit dessen Tod virulent waren oder doch zumindest existierten, beruht auf einer unzulässigen Prämisse, da historische Linien erst nach Aufweis der Einzelbelege gezogen werden können (s. o. I:2.1.1).

Die einzige Quelle, die zumindest ihrer Existenz nach weithin anerkannt ist, ist die Semeia-Quelle (Abk. im folgenden: SQ).[70] Freilich deutet sich hinsichtlich ihres Umfangs nicht einmal entfernt ein Konsens an. Gegenüber maximalisierender Literarkritik, wie sie etwa die Joh-Kommentierung J. BECKERS (1984/85)[71] prägt, ist, solange die Kriterienfrage nicht als gelöst gelten darf[72],

---

[69] So ist vor allem die von SCHULZ, Komposition, 150f, 167–169 vorgetragene Thesis als arbiträr abzulehnen, prägnostisch-synkretistische Johannesjünger seien als Träger der vorjohanneischen Traditionen im Hintergrund der johanneischen Reden anzusehen. Das hierfür angeführte Hauptargument ist das durch nichts plausibel zu machende Konstrukt eines täuferischen Urprologs (vgl. auch BULTMANN, C: Joh, 4f), das aufgrund interpolierter Täuferkreis-Polemik (Joh 1, 6–8. 15) das Logos-Lied für den Täuferkreis reklamiert (s. o. I:2.1.2).

[70] Einen forschungsgeschichtlichen Überblick geben etwa BITTNER, Zeichen, 2–14; KYSAR, Gospel, 2395–2402; NICOL, Sēmeia, 9–14. Vor allem SCHNELLE, Christologie, 105–108, 168–182 meldet in jüngster Zeit Zweifel an der Existenz der Quelle überhaupt an (vgl. auch KÜMMEL, Einleitung, 178–180). Manches Argument trifft gewiß die Rekonstruktionsverfahren im Gefolge BULTMANNS, den hier vorausgesetzten Minimalbestand vermögen die Einwände SCHNELLES jedoch nicht zu erschüttern.

[71] Vgl. neben der laufenden Kommentierung v. a. C: Joh I, 112–120.

[72] Vgl. die kritischen Aufstellungen bei HEEKERENS, Zeichen-Quelle, 17–43; SCHNELLE, Christolo-

Vorsicht geboten. Es empfiehlt sich umgekehrt, vom weithin anerkannten Minimalbestand Joh 2, 1–12; 4, 46b–54 der two-signs-hypothesis, wie sie nach Vorarbeiten von F. Spitta (1910)[73] von S. Temple (1962)[74] begründet und von H.-P. Heekerens (1984)[75] systematisch fundiert wurde, auszugehen. Von dieser Grundlage aus kann dann nach weiteren Spuren der SQ im Corpus des Evangeliums, die durchaus als wahrscheinlich gelten können, gefragt werden. Doch sind diese wohl kaum mehr quellenkritisch, sondern nur noch traditions-kritisch zu eruieren.[76] Ein in diese Richtung vortastender Versuch wurde oben für die hier interessierende Perikope Joh 1, 35–51 vorgelegt (s. o. III:9.1.1). Dabei wurde bereits festgestellt, daß für SQ anders als für JE das missionarische Anliegen gegenüber „Johannesjüngern" von Bedeutung ist, also keine apologe-tisch-polemische Abgrenzung angestrebt wird (s. o. III:9.6).

5.4.2 Der Täuferkreis und JE

Joh 1, 6–8. 15. 19–34; 3, 22–4, 3; 5, 33–36; 10, 40–42 zeichnen sich im ganzen durch sprachliche und sachliche Einheitlichkeit und durch mannigfache Quer-bezüge aus (s. o. V:5.4.1).[77] Ein Quellenpostulat ist hier nicht zu erheben.[78] Demnach ist das Täuferproblem in erster Linie ein Problem des JE; der Konflikt zwischen johanneischem Kreis und Täuferkreis ist daher relativ spät zu datie-ren.[79] Da das Evangelium im letzten Jahrzehnt des ersten Jahrhunderts entstan-den ist[80], wird man das nachweisbare Stadium der Auseinandersetzung in diese Zeit datieren. Gerade im Vergleich mit dem unpolemischen SQ-Strang scheint in der Absicherungs- und Abgrenzungsstrategie des JE die synagogale Einheit mit den Antagonisten gestört, so daß man als terminus post quem den um 80 n. Chr. anzusetzenden Synagogalbann gegen den johanneischen Kreis (vgl. Joh 9, 22; 12, 42; 16, 2) annehmen darf.[81] Bei der Lokalisierung der Abfassung von Joh zeichnet sich mit guten Gründen eine Konvergenz der Forschung ab, die Syrien für den Entstehungsort hält.[82] Entsprechend hat die Auseinander-

---

gie, 168–182 und die methodologische Reflexion bei H. M. Teeple, Methodology in source analysis of the Fourth Gospel, in: JBL 81 (1962) 279–286.

[73] Das Johannes-Evangelium als Quelle der Geschichte Jesu, Göttingen 1910.

[74] The two signs in the Fourth Gospel, in: JBL 81 (1962) 169–174.

[75] Zeichen-Quelle; Heekerens bezieht allerdings noch Joh 21, 1–14 in seine Rekonstruktion ein.

[76] Vgl. zur Diskussion allgemein Kümmel, Einleitung, 165–183.

[77] Vgl. auch die Gesamtschau bei Brox, Zeuge, 70f; Ibuki, Wahrheit, 231–242.

[78] Für Joh 3, 22–4, 3 wurde dies oben III:10.1.1 begründet; zu Joh 10, 40–42 vgl. noch Bammel, miracle, 198f; Ibuki, Wahrheit, 235–237.

[79] Vgl. auch Brown, C: John I, LXIX.

[80] Vgl. dazu Barrett, C: John, 127f; Kümmel, Einleitung, 211; Vielhauer, Geschichte, 460.

[81] Vgl. näher Becker, C: Joh I, 43f; ferner Martyn, history, 37–62, 156f.

[82] Genannt seien nur die eine breite Linie repräsentierenden Schriften Cullmanns, Kreis, 102f (als Möglichkeit); Kösters, Einführung, 632 u. ö.; Kümmels, Einleitung, 211f; Vielhauers, Ge-schichte, 460 und der protagonistische Aufsatz O. Zurhellens, Die Heimat des vierten Evange-

setzung in dieser Region stattgefunden, in der auch die pseudoklementinische Kontroverse mit dem Täuferkreis anzusiedeln ist (s. o. III:12).

5.4.3 Der Täuferkreis und SQ

5.4.3.1 Die Frage einer Täuferkreis-Polemik in SQ

Daß sich SQ insbesondere polemisch mit dem Täuferkreis auseinandersetzt, wird oft behauptet. So rekonstruiert J. BECKER (1984/85) eine bis in die synagogale Zeit des johanneischen Kreises zurückreichende „Konkurrenz beider kleingruppenartigen Bewegungen"[83], die SQ präge (vgl. Joh 1,19–34; 10,40–42), aber auch noch JE beschäftige (vgl. Joh 1,1–51; 3,22–30; 4,1f).[84] Neuerdings hat D. M. SMITH (1987) im Ausgang von Joh 10,40–42 nachweisen wollen, die SQ sei „a mission tract directed to members of the Baptist sect as a means of convincing them to shift their loyalty to Jesus".[85] Die methodologischen Voraussetzungen sind hier zweifelhaft (s. o. I:2.1.3), die literarkritischen Operationen allzu kühn (s. o. V:5.4.1).

Auf einer soliden Basis der Quellenscheidung beruht hingegen der Versuch H.-P. HEEKERENS' (1984).[86] Auch er sieht in SQ[87] ein Dokument der Kontroverse der frühen johanneischen Gemeinde mit der Täuferbewegung.[88] Jedoch fragt sich, wie HEEKERENS diese Kontroverse an der von ihm weitgehend überzeugend rekonstruierten Quelle Joh 2,1–12; 4,46b–54; 21,1–14 belegen kann. Tatsächlich tut er sich hier außerordentlich schwer, indem er auf eine Konkurrenz zwischen Johannes und Jesus um den Titel des Elias redivivus rekurrieren muß. Im religionsgeschichtlichen Hintergrund aller drei Wundererzählungen stehe der Elija-Zyklus. Also werde Jesus von SQ als Elias redivivus dargestellt, und eben diese Dignität werde Johannes in Joh 1,21.25 bestritten. Ferner stelle SQ Jesus als „Propheten wie Mose" und – durch beide Hoheitstitel vermittelt – als Messias dar. Genau dies spreche Joh 1,20f.25 dem Täufer ab.[89]

---

liums (1909), in: K.H. RENGSTORF (Hg.), Johannes und sein Evangelium, Darmstadt 1973 (= WdF 82), 314–380, v. a. 379f A. 115.

[83] C: Joh I,44.

[84] Vgl. ebd., 44, 114–116 und die fortlaufende Kommentierung.

[85] Christianity, 77; vgl. ebd., 74–79. SMITH, ebd., 63f, 78f, 84 führt diese Thesis auf beiläufige Beobachtungen BULTMANNS (vgl. z. B. C: Joh, 76, 78) zurück, der selbst allerdings Joh 10,40–42 gar nicht definitiv SQ zuweist (vgl. ebd., 299f A. 2). Vgl. auch BAMMEL, Baptist, 112f, 122 und die behutsamere Stellungnahme MARTYNS, history, 117.

[86] Vgl. Zeichen-Quelle, v. a. 96–106.

[87] HEEKERENS bedient sich zur Abgrenzung von der BULTMANNSCHEN Literarkritik des terminus technicus „Zeichen-Quelle" (vgl. Zeichen-Quelle, 143). Um der terminologischen Einheitlichkeit willen sei hier der eingebürgerte Begriff SQ für alle Rekonstruktionen unabhängig von der jeweiligen Eigenart benutzt.

[88] Vgl. ebd., 102.

[89] Vgl. ebd., 98–102.

Dagegen spricht, daß das Schema einer korrespondierenden Konkurrenz Elija – „Prophet" – Messias sachlich und religionssoziologisch nicht zu halten ist (s. o. V:5.3.1; 5.3.2.1). Ferner mag man hinter Joh 2, 1–12; 4, 46b–54 Anklänge an den Elija-Zyklus erkennen.[90] Die direkten Bezüge Joh 2, 4: 1 Kön 17, 18 LXX; Joh 4, 50: 1 Kön 17, 23 LXX sind jedoch höchstens beiläufig, zumal wenn Joh 2, 4 sich der johanneischen Redaktion verdankt, wie gerade auch HEEKE-RENS annimmt.[91] Die Motive des Geschenkwunders (1 Kön 17, 8–16; Joh 2, 1–12; 21, 1–14) und des Auferweckungswunders (1 Kön 17, 17–24; Joh 4, 46b–54) sind eher allgemein. Auf keinen Fall kann man von solchen mehr assoziativen als typologischen Bezügen einen prägnanten Hoheitstitel ableiten, der allererst die Vergleichbarkeit des Täufers mit Jesus ermöglichen würde. Ebensowenig ist eine konkrete Gegenüberstellung sub voce „Prophet wie Mose" anzunehmen, weil die Analogie der drei Zeichen in Ex 4, 1–9 denkbar generell ist und, auch wenn man sie gelten lassen wollte, noch nicht auf ein spezifisches Würdeprädikat schließen ließe.[92] Vor allem kann HEEKERENS keinen Beleg für eine Polemik gegen Johannes als Messias oder Elias redivivus oder „Propheten wie Mose" in der von ihm rekonstruierten Quelle aufweisen, sondern sieht sich gezwungen, auf Joh 1, 20f. 25 auszuweichen, das er so allzu verlegen als „eine Reminiszenz an eine frühere Kontroverse mit den Täuferjüngern"[93] werten muß. Aber die Kumulation negativer Aussagen gerade in Joh 1, 20–27 legt eine dringende Notwendigkeit und nicht eine zweckfreie Erinnerung nahe; der Passus steht überdies in direktem sprachlichen und sachlichen Zusammenhang zu der auch von HEEKERENS gesehenen[94] Polemik in JE. So gelingt es HEEKERENS insgesamt nicht, eine Kontroverse des johanneischen Kreises der SQ mit dem Täuferkreis nachzuweisen.

Dennoch läßt sich ein Zusammenhang zwischen SQ und der Täuferbewegung herstellen, sofern man eine von HEEKERENS gar nicht berücksichtigte Interpretation von Joh 2, 1–12 (SQ) zuläßt und Joh 1, 35–51 als zumindest rudimentär im Traditionsstoff von SQ vorgegeben anerkennt (s. o. III:9.1.1).

5.4.3.2 Joh 2, 1–12

Bereits W. BALDENSPERGER tritt mit Nachdruck für die These ein, Joh 2, 1–12 konfrontiere den Sühnetod Jesu (vgl. Joh 2, 4) mit den bloßen Wasserriten der Johannesjünger und diene so der „Depotenzirung der Johannestaufe"[95] im Konflikt mit den baptistischen Gegnern.[96] Ganz nach der BALDENSPERGER-

---

[90] Für Joh 2, 1–12; 4, 46b–54 vermutet solche etwa auch NICOL, Sēmeia, 53, 55.
[91] Vgl. Zeichen-Quelle, 67–69.
[92] Vgl. MEEKS, Prophet-King, 319.
[93] Zeichen-Quelle, 100.
[94] Vgl. ebd., 100f.
[95] Prolog, 60.
[96] Vgl. ebd., 61–65.

schen Methode führt A. GEYSER (1970) dessen negatives Korrespondenzschema (s. o. I:2.1.3; V:5.3.1) freilich endgültig ad absurdum, indem er aus Joh 2, 1–11 Vers für Vers via contradictionis täuferische Gegenaussagen erschließt und in willkürlichen Zusammenhang mit der synoptischen Täuferinterpretation bringt: Die konkurrierenden Täuferjünger leben zölibatär (vgl. Joh 2, 1) und trinken keinen Wein (vgl. Joh 2, 3–10); die Eucharistie lehnen sie ab (vgl. Joh 2, 9), den Christen werfen sie die physische Abstammung Jesu von Maria vor (vgl. Joh 2, 4). Sie verehren Johannes als aaronitischen Messias und halten Kana als „an early baptist stronghold"[97], so daß Kontakte zu der zelotischen Bewegung zu erwägen sind.[98]

Die notwendige methodologische Zurückhaltung läßt eine ausschließlich „täuferpolemische" Deutung nicht zu. Exegetisch geboten ist vielmehr, die christologische Pointe Joh 2, 11 als Schlüssel zum Verständnis des σημεῖον zu benutzen und so die Offenbarung der δόξα und die πίστις der Jünger als Sinnspitze der Perikope zu betrachten.[99] Jedoch schließt dies Nebenzüge keineswegs aus, und in Anlehnung an Joh 2, 6 denkt man hier insbesondere an die Verwandlung des „water of Judaism into the wine of Christianity, the water of Christlessness into the wine of the richness and the fulness of eternal life in Christ, the water of the law into the wine of the gospel".[100] Von daher ist es denkbar, daß ein Strang dieses Nebenzugs in das Terrain des Täuferkreises führt. In der Regel bleiben solche Behauptungen reine Vermutung, doch lassen folgende Argumente in diesem Fall die Vermutung zumindest als sehr plausibel erscheinen:

1. Im unmittelbaren *literarischen Kontext* muß Joh 2, 11 als Ziel- und Schlußpunkt von Joh 1, 19–51 und näherhin von Joh 1, 35–51 gelten. Die Kana-Perikope ist vom Ende der Berufungserzählung Joh 1, 50f her zu verstehen.[101] Die Verbindungen zwischen beiden Perikopen sind mannigfalt: Joh 1, 43 bereitet den Ortswechsel, Joh 1, 50f das Zeichen vor. Joh 2, 1. 11 weisen auf die Jüngerberufung zurück. Zudem verknüpft die Tageszählung Joh 2, 1 mit Joh 1, 43. 35. 29.[102] Natanaël wird nur noch im Nachtragskapitel (Joh 21, 2) genannt, dort aber wird als seine Heimat Kana zu Galiläa angegeben (vgl. Joh 2, 1).

2. Im *narrativen Kontext* sind die Jünger, die Jesus begleiten und zum Glauben gelangen[103], eben jene, die zuvor aus der Jüngerschaft des Johannes zur

---

[97] Semeion, 21.
[98] Vgl. ebd., 17–21.
[99] Vgl. etwa BECKER, C: Joh I, 110; BROWN, C: John I, 103f; SCHNACKENBURG, C: Joh I, 338–344.
[100] MORRIS, C: John, 176; ähnlich BARRETT, C: John, 189; BAUER, C: Joh, 46f; GRUNDMANN, Verkündigung, 296f; STRATHMANN, C: Joh, 59; WINK, John, 92f. Eher ablehnend SCHNACKENBURG, C: Joh I, 342f, der jedoch mit dem gar nicht vorauszusetzenden „feindlichen" Charakter eines solchen Tiefsinns argumentiert.
[101] Vgl. HAHN, Jüngerberufung, 173; SCHNACKENBURG, C: Joh I, 328.
[102] Vgl. auch DIBELIUS, Überlieferung, 112 A. 1; WINK, John, 92.
[103] Der Aorist in Joh 2, 11 ist ingressiv.

Nachfolge Christi gefunden haben. Joh 1, 50 ist dem Natanaël zugesagt worden, er werde „μείζω τούτων" sehen. Mit dem σημεῖον und dem explizite herausgestellten πιστεῦσαι scheint der Weg in die Christus-Nachfolge in sein Ziel zu kommen.[104]

3. Im *Vergleich mit dem Makrokontext* sprechen drei signifikante Motive für eine Verbindung der Kana-Perikope mit der Täuferfrage:

   a) In Joh 1, 26. 31. 33 (vgl. Joh 3, 23) ist das Element des Wassers das Charakteristikum der Johannestaufe schlechthin.[105]

   b) Der schwierige Begriff καθαρισμός kommt im vierten Evangelium nur noch an einer Stelle vor: im Streit der Täuferjünger mit einem Juden Joh 3, 25 (s. o. III:10.3.4).[106]

   c) Schließlich erinnert das Motiv der Hochzeit an das Bild vom Bräutigam und dem Freund des Bräutigams (Joh 3, 29).

4. *Motivkritisch* ist der Wein als Symbol der erfüllten Heilszeit reich belegt.[107] Auch in Mk 2, 18–22 / Mt 9, 14–17 / Lk 5, 33–39 geht es um die Freude der „υἱοὶ τοῦ νυμφῶνος", die jedes Fasten ausschließt: die Jesus-Bewegung ist der neue Wein, der die alten Schläuche zerreißt (s. o. III:3).[108]

5. *Religionsgeschichtlich* wird man betonen, daß das Judentum als nahe und der Täuferkreis als nächste Analogie zum frühesten Christentum den Vorzug vor entfernteren Parallelen, etwa der Dionysos-Legende, beanspruchen können.[109]

6. Im *Text* selbst wird man nicht allegorisierend nach Bezügen suchen, doch lädt zumindest die sonst völlig unbekannte und möglicherweise ad hoc geschaffene Weinregel[110] des ἀρχιτρίκλινος dazu ein, sie in Zusammenhang mit dem chronologischen Argument des Täuferkreises (s. o. V:5.3.2.2) zu lesen: das Neue der Jesus-Bewegung ist dem Alten der Täuferbewegung überlegen.

In summa vermuten wir also, daß Joh 2, 1–12 auch auf die Verwandlung der Täuferbewegung in das Novum des Christentums abhebt.[111] Insofern stimmt die Intention der Perikope mit der für Joh 1, 35–51 ermittelten Darstellungsab-

---

[104] Vgl. BARRETT, C: John, 193f; BROWN, C: John I, 105.

[105] Vgl. WINK, John, 93; anders BULTMANN, C: Joh, 84 A. 2.

[106] Vgl. auch GEYSER, Semeion, 18.

[107] Vgl. die bei SMITMANS, Weinwunder, 43–46 angeführten Autoren; ferner BAUER, C: Joh, 46f.

[108] Vgl. DIBELIUS, Überlieferung, 112 A. 1.

[109] Zur Diskussion vgl. BARRETT, C: John, 188f; BECKER, C: Joh I, 110f; BULTMANN, C: Joh, 83; SCHULZ, C: Joh, 45; skeptisch HAENCHEN, C: Joh, 195f; SCHNACKENBURG, C: Joh I, 343f. Einen Überblick bis 1966 bietet SMITMANS, Weinwunder, 31–37.

[110] Vgl. HAENCHEN, C: Joh, 190; SCHNACKENBURG, C: Joh I, 337; ferner SMITMANS, Weinwunder, 143–145. Gegen H. WINDISCH, Die johanneische Weinregel (Joh. 2, 10), in: ZNW 14 (1913) 248–257.

[111] So auch DIBELIUS, Überlieferung, 112; THYEN, Studien, 142f A. 4 (143); WINK, John, 92f. Demgegenüber ablehnend BULTMANN, C: Joh, 84 A. 2; skeptisch SCHNACKENBURG, C: Joh I, 343; unsicher SINT, Eschatologie, 133.

sicht überein (s. o. III:9). Einerseits wird in beiden Perikopen die Transformation der Johannes- in die Jesus-Bewegung *beschrieben,* andererseits diese Übergangsdynamik *missionarisch werbend* vorgestellt; zu dem letzteren Interesse paßt das Motiv des Geschenkwunders.[112] Daher besteht gegen die Vertreter der oben vorgestellten Hypothese (s. o. V:5.4.3.1) kein Grund, eine *polemische* Darstellungsabsicht oder gar „polemical thrust"[113] anzunehmen.

Freilich stellt sich die Frage, ob erst JE oder bereits SQ den Bezug zur Täuferbewegung herstellt.[114] Oben wurde hauptsächlich mit dem Kontext argumentiert, der für Joh 2, 1–12 als Bestandteil von SQ nicht unbedingt herangezogen werden kann. Letztlich hängt die Beantwortung der Frage davon ab, ob die Perikope Joh 1, 35–51 bereits in SQ mit Joh 2, 1–12 verknüpft war. Die sehr enge Verzahnung beider Passus und die Eigenart der Perikope von der Jüngerberufung (s. o. III.9.1.1) lassen darauf schließen, daß JE zumindest eine Grundform von Joh 1, 35–51 in SQ vorgefunden hat. Dann drängt sich aber die Vermutung auf, daß Joh 2, 1-12 bereits in SQ die Transformation der Täuferbewegung unpolemisch konstatierte und missionarisch anpries. Möglicherweise ist sogar erst im Laufe der Quellenintegration dieses Motiv zu einem Nebenzug geworden.

5.4.3.3 Die Fluktuation im Licht von SQ

Die von SQ geprägte Perikope Joh 1, 35–51 und die zu SQ gehörende Perikope Joh 2, 1–12 erweisen sich einerseits einheitlich als unpolemisch werbend und spiegeln andererseits typologisch den Übergang von der Täuferbewegung in die junge christliche Gemeinde wider. Aller Wahrscheinlichkeit nach sind nicht alle Anhänger der Täuferbewegung in die von SQ repräsentierte Gemeinde integriert worden, aber die „Zurückbleibenden" stehen nicht im Mittelpunkt des Interesses. Nicht das Contra wird polemisch beschworen, sondern das Prae-dankbar zur Kenntnis genommen und zum Post- eingeladen. Konkurrierende Geltungsansprüche werden nicht bestritten. Von daher wird man in den angesprochenen Gruppierungen wohl kaum eine religiös abgeschlossene Formation sehen, sondern die „wider circles" der Täuferbewegung, denen das „ἔρχεσθε καὶ ὄψεσθε" (Joh 1, 39) gilt und die teilweise bereits in das „ὕδωρ οἶνον γεγενημένον" (vgl. Joh 2, 9) der Kirche verwandelt worden sind. Sie werden am Rand des Judentums anzusiedeln sein (vgl. Joh 2,6; 3,25) und mit dem johanneischen Kreis wohl noch benachbart und synagogal vereint gedacht werden müssen, so daß eine Fluktuation ohne weiteres möglich ist. Diese Phase

---

[112] Zum Zusammenhang von Wunder und Mission vgl. BECKER, C: Joh I, 116; NICOL, Sēmeia, 49, 77; D. L. TIEDE, Religious propaganda and the gospel literature of the early Christian mission, in: ANRW II, 25. 2 (1984), 1705–1729, hier: 1716–1721.

[113] WINK, John, 93; ähnlich BALDENSPERGER, Prolog, 60f; GEYSER, Semeion, passim; vorsichtiger auch DIBELIUS, Überlieferung, 112f.

[114] So auch DIBELIUS, Überlieferung, 112 A. 1.

der Fluktuation hat man also vor dem Synagogalbann um 80 n. Chr. zu datieren. Jedenfalls setzt sich SQ nicht mit einer konkurrierenden Gemeinde, sondern mit den Ursprüngen der eigenen Gemeinschaft auseinander: Johannes ist auch hier der „Anfang des Evangeliums", und es bietet sich in der Tat an, Joh 3, 30 typologisch zu verstehen: „die Mitgliederzahlen der johanneischen Gemeinde steigen auf Kosten auf Täuferbewegung".[115]

Die Vermutung, daß der johanneische Kreis in der Täuferbewegung wurzelt, ist häufig geäußert worden[116], ohne daß die plötzliche theologische Wendung zur Täuferkreis-Polemik einleuchtend begründet werden konnte. Die Frühda-tierung der Fluktuationsphase in die hinter SQ stehende Gemeinschaft und die Spätansetzung der Polemik bei JE lösen dieses Problem. Zugleich werden die jeweils verschiedenen religionssoziologischen Möglichkeitsbedingungen trans-parent gemacht, indem einerseits die Täuferbewegung als Adressat der Wer-bung, andererseits geschlossene Täuferkonventikel als Ziel des Angriffs heraus-gestellt werden. Die Beschreibung dieser Möglichkeitsbedingungen ist zu ver-vollständigen, indem die geographischen und damit zugleich die sozialökologi-schen Voraussetzungen der unterschiedlichen Entwicklung ermittelt werden.

5.4.3.4 Die Lokalisierung der Fluktuation in Samaria

Zusammenhänge zwischen dem vierten Evangelium und dem samaritanischen Milieu sind in der jüngeren Forschung häufiger konstatiert worden.[117] Neben einem theologischen Interesse an der Samariterfrage (vgl. Joh 4, 4–42; 8, 48) sprechen die topographischen Kenntnisse des Evangeliums für solche Verbin-dungen.[118] Vor allem aber ist eine religionsgeschichtliche Verwandtschaft beider Strömungen anzunehmen[119], und einige Spuren weisen auf ein Interesse des johanneischen Kreises an der Samariter-Mission.[120]

Vor diesem Hintergrund gewinnen für SQ die Beobachtungen von H.-P. Heekerens (1984) an Gewicht, daß die Traditionen des Nordreich-Propheten Elija und des „Propheten wie Mose" vorrangig in Samaria gepflegt wurden.[121] Der Genitiv-Zusatz „τῆς Γαλιλαίας" in Joh 2, 1. 11; 4, 46 (vgl. Joh 21, 2) wirkt

---

[115] Heekerens, Zeichen-Quelle, 101.

[116] Vgl. Cullmann, Rätsel, 271, 289; Ders., Kreis, 34f, 64; Schulz, Komposition, 183; Viel-hauer, Geschichte, 451; Wengst, Gemeinde, 91.

[117] Vgl. den forschungsgeschichtlichen Überblick bei Kysar, Gospel, 2429f; Pamment, evidence, passim; ferner E. D. Freed, Samaritan influence in the Gospel of John, in: CBQ 30 (1968) 580–587.

[118] Vgl. Meeks, Prophet-King, 314–316.

[119] Vgl. Heekerens, Zeichen-Quelle, 102.

[120] Vgl. Cullmann, Kreis, 49–52; Heekerens, Zeichen-Quelle, 102f.

[121] Vgl. Heekerens, Zeichen-Quelle, 105f; Nicol, Sēmeia, 79–94. Freilich wird man dieser These nur in begrenztem Maße zustimmen (s. o. V:5.3.2.2), zumal die Tradition des „Propheten wie Mose" weder eine exklusiv samaritanische Vorstellung ist (vgl. z. B. 1 QS 9, 11; 4 QTest 5–8) noch einfachhin mit der Idee des Moyses redivivus verwechselt werden darf (gegen Heekerens, Zeichen-Quelle, 105). Typologische Bezüge sind indes durchaus erwägenswert.

innerhalb des galiläischen Raums überflüssig.[122] Nachdem ein hellenistischer Hintergrund mit dem Scheitern der Hypothese einer θεῖος ἀνήρ-Christologie ausscheidet, erscheint Samaria als soziokulturelles Milieu der Quelle plausibel. Auch sozialökologisch und sozialökonomisch kommt Samaria als Herkunftsregion in die engere Auswahl.[123]

Geht man arbeitshypothetisch von einer samaritanischen Herkunft von SQ aus, so erhalten die textimmanenten Erkenntnisse zu Joh 1,35–2,12 einen äußeren Beleg. Es war vor allem C. H. H. Scobie (1964), der die Aufmerksamkeit der Täuferforschung auf das in der Tat auffällige Faktum eines „Samaritan ministry" des Johannes gelenkt hat.[124] Die topographische Notiz Joh 3,23 ist historisch zuverlässig (s. o. III:10.3.2; 10.4). Tatsächlich ist dem eschatologischen Bruch des Täufers mit Vergangenheit und Gegenwart seiner jüdischen Umgebung auch die Mißachtung des antisamaritanischen Ressentiments zuzutrauen.[125] Konvergierend kommt die Tatsache einer frühen Täufer- und Täufergrabverehrung in Samaria hinzu[126], wenn auch die Annahme eines tatsächlichen Begräbnisses des Johannes in Samaria sehr zweifelhaft bleibt (s. o. III:4.3).[127] Wenn die pseudoklementinische Häresiologie die beiden samaritanischen Häresiarchen Simon Magus und Dositheus ausgerechnet als Johannesjünger ausgibt (vgl. Hom β, 23f//Rec II, 8) (s. o. III:12.3.3), mag dies eine gewisse Grundlage in der Beheimatung von „Johannesjüngern" im samaritanischen Milieu haben.[128] Vor allem setzte die früheste christliche Mission gerade in Samaria an (vgl. Apg 1,8; 8,4–25); das erklärt sich am ehesten, wenn sie auch hier – wie in Galiläa – das verwandte Fluidum der Täuferbewegung voraussetzen konnte.[129]

Von daher ist der von E. Lohmeyer[130] gefaßte, von J. A. T. Robinson (1959)[131] systematisch entfaltete und von einigen Forschern[132] aufgenommene Gedanke sehr naheliegend, hinter den in Joh 4,38 erwähnten ἄλλοι seien die Täuferkreise zu sehen. Angesichts der pluralischen Wiedergabe des in Joh 4,37 im generischen Singular zitierten Sprichworts[133] (vgl. Dtn 20,6; 28,30; Ijob 31,8; Mt 25,42/Lk 19,21) fragt sich in der Tat, wer mit den ἄλλοι gemeint sein

---

[122] Vgl. Heekerens, Zeichen-Quelle, 96.
[123] Vgl. Heekerens, Zeichen-Quelle, 95f; ferner Nicol, Sēmeia, 92–94; zum σημεῖον-Glauben allgemein jetzt Bittner, Zeichen, passim.
[124] Vgl. John, 163–177; in Anlehnung an Scobie auch Hughes, Disciples, 176–185.
[125] Vgl. Hughes, Disciples, 177f.
[126] Vgl. Hughes, Disciples, 180; Scobie, John, 176f.
[127] Gegen Scobie, John, 177; Stauffer, Jerusalem, 98.
[128] Vgl. Scobie, John, 168–173, 176.
[129] Vgl. ebd., 175.
[130] Vgl. Urchristentum, 26 A. 3.
[131] Vgl. The "Others" of John 4,38. A test of exegetical method, in: K. Aland u. a. (Hg.), Studia Evangelica. Papers presented to the International Congress on "The Four Gospels in 1957" held at Christ Church, Oxford 1957, Berlin 1959 (= TU 73), 510–515.
[132] So von Morris, C: John, 281f; Scobie, John, 175f; Trocmé, Jean-Baptiste, 145f.
[133] Der Begriff λόγος (John 4,37) bezeichnet die sprichwörtliche Redensart (vgl. Bauer, 943).

kann.[134] Der Kontext bietet keine Möglichkeit einer Identifizierung an, wohl aber eine Verbindung mit den konkreten samaritanischen Missionsverhältnissen (vgl. Joh 4, 19–26. 35–39. 41f).[135] Deshalb hat vor allem O. CULLMANN immer wieder auf die Träger der hellenistischen Mission (vgl. Apg 1, 8; 8, 4–25) geschlossen.[136] Hiergegen sprechen zwei Bedenken: 1) Der christliche Missionserfolg der Hellenisten wird kaum sub voce σπείρω behandelt werden, wie nach Joh 4, 37 aber zu folgern wäre.[137] 2) Auffälligerweise wird die parallele Struktur des Sprichworts Joh 4, 37 durch den Relativsatz durchbrochen, so daß die Aussage vermieden wird, Jesus hätte auch die κεκοπιακότες ausgesandt. Angesichts der – auch von CULLMANN anerkannten[138] – historischen Situation empfiehlt sich dann aber die Identifizierung der ἄλλοι mit dem Täuferkreis, auch wenn diese hypothetisch bleiben muß.[139]

Mit dieser Nebenaussage hat der Evangelist freilich nicht die konkurrierende Täufergemeinde im Blick, sondern die Ursprünge der eigenen.[140] Möglicherweise greift er auf Tradition zurück.[141] HEEKERENS mißdeutet Joh 4, 37f, wenn die Verse ihn „weniger an Abfolge als an Konkurrenz" erinnern.[142] Gerade im Vergleich mit dem sprichwörtlichen Material fällt die optimistische Applikation des λόγος durch den johanneischen Jesus auf[143], und dies räumt HEEKERENS indirekt selbst ein, wenn er konstatiert: „Die johanneische Gemeinde tritt – zumindest partiell – deren [scil. der Täuferjünger] *Erbe* in Samaria an".[144] Legt bereits der Wortlaut den Gedanken der „Abfolge" nahe, so schließt der von HEEKERENS übersehene Teilvers Joh 4, 36b jeden Gedanken an eine Konkur-

---

[134] Gegen SCHULZ, C: Joh, 78 und andere ist angesichts der pluralischen Fassung nicht an eine Bezugnahme auf Jesus zu denken.

[135] Vgl. auch BECKER, C: Joh I, 182; SCHNACKENBURG, C: Joh I, 455, 486f.

[136] Vgl. Samarien, 237, 240; significance, 26f; Rätsel, 280; Kreis, 52. Vorher hat bereits SCHLATTER, C: Joh, 133f diese Ansicht vertreten. Vgl. auch BECKER, C: Joh I, 182; BROWN, C: John I, 184; SCHNACKENBURG, C: Joh I, 487.

[137] Vgl. HEEKERENS, Zeichen-Quelle, 103.

[138] Vgl. Kreis, 52 A. 27.

[139] HUGHES, Disciples, 179 trägt Bedenken vor: 1) Es ist kein Zusammenhang zwischen Joh 3, 23 und Joh 4, 38 ersichtlich. 2) Joh 4, 37f erwähnt die „Johannesjünger" nicht explizite, obschon dies in das johanneische „Konversionsschema" gut passen würde. Zu 1): Es bedarf keines literarischen Zusammenhangs mit Joh 3, 23, sofern nur der sachliche Hintergrund des Wirkens und der Wirkung des Täufers in Samaria feststeht; daran zweifelt aber auch HUGHES nicht (vgl. Disciples, 176–178). Zu 2): JE berichtet unter Rückgriff auf SQ von der Übergangsbewegung, doch als redaktionelle Prägung setzt Joh 4, 37f bereits den Konflikt mit der konkurrierenden Gemeinschaft der Täuferverehrer voraus.

[140] Dies ist gegen BECKER, C: Joh I, 182 anzuführen. BROWN, C: John I, 183f wendet ein: „would the disciples of John the Baptist be presented by John as having prepared the way for Jesus?" Von einer „presentation" kann in der Tat die Rede nicht sein, wohl aber von einer „implication", wie sie auch die synoptische Darstellung charakterisiert.

[141] Vgl. BULTMANN, C: Joh, 147 A. 4.

[142] Zeichen-Quelle, 103 (Hervorhebung von K. B.).

[143] Vgl. BROWN, C: John I, 182f.

[144] Zeichen-Quelle, 104.

renz definitiv aus: „ὁ σπείρων ὁμοῦ χαίρῃ καὶ ὁ θερίζων".[145] Die Freude des Säenden (vgl. Joh 3, 29!) ist mit einem Konkurrenzverhältnis unvereinbar. Das Säen ist die praeparatio evangelii, und sie wird – in einer an die Synoptiker gemahnenden Weise – der Täuferbewegung zuerkannt.

So stellt sich SQ in summa nicht als das Dokument einer Kontroverse zwischen frühem johanneischen Kreis und Täuferkreis dar[146], sondern nach innerer wie äußerer Evidenz als die Dokumentation einer breiten Übergangsbewegung, die religionsgeschichtlich plausibel erscheint und auch sonst an der frühesten christlichen Missionsgeschichte aufzuweisen ist.

5.5 Resümee

Die bei der Untersuchung von Joh 3, 22–4, 3 (s. o. III:10) bereits in den Blick genommene gängige Täuferkreis-Theorie läßt sich in der synchronen Analyse der einschlägigen Johannes-Partien des vierten Evangeliums zum Teil verifizieren. Der johanneische Kreis des JE steht zur Zeit der Abfassung des Werkes, also um die *Jahrhundertwende* in *Syrien*, in einer vor allem um die entscheidende Heilsgestalt geführten Auseinandersetzung mit einer am Rand des Judentums anzusiedelnden Formation von Anhängern des Täufers Johannes. Diese Formation ist religionsgeschichtlich wie –soziologisch schwer einzuordnen, doch läßt sich ihr mit großer Wahrscheinlichkeit eine Verehrung des Täufers als Elias redivivus et baptizans zuschreiben; ferner hat sie mit dem chronologischen Vorrang ihres Heros argumentiert. Ob dieser ihr freilich auch als Messias galt und ob die Täuferverehrung neben der Taufe (vgl. Joh 4, 1) (s. o. III:10.3.8; 10.5) das einzige wesentliche Charakteristikum der Gruppierung war, läßt sich nicht mehr ermitteln. Immerhin paßt die so beschriebene Formation in das aus der pseudoklementinischen Literatur gewonnene Bild der syrischen „Johannesjünger" (s. o. III:12). Der Täuferkreis im Sinne der sogenannten Johannes-Sekte ist damit um die Wende des ersten Jahrhunderts in Syrien zu lokalisieren. Für eine Kontinuität mit der Prophetenschule um den Jordantäufer ließ sich kein Indiz aufweisen. Vielmehr wäre bei einem Lehrkontinuum eine größere Nähe zu den Ursprüngen zu erwarten (s. o. IV:1). Möglicherweise entstammte die Gruppe der Täuferverehrer der allgemeinen Umkehrbewegung des Johannes, die noch lange nach dem Ableben ihres Begründers auch außerhalb Palästinas und Samarias existierte (s. o. III:7.3; 8.3).

---

[145] Die christologische Auslegung durch SCHNACKENBURG, C: Joh I, 483–485 wirkt allzu gewollt.
[146] So aber HEEKERENS, Zeichen-Quelle, 102.

Zu einer ganz anderen Lösung führte die Analyse der SQ-Texte (s. o. III:9; V:5.4.3.2). Sie sind eher missionarisch als apologetisch-polemisch orientiert; vor allem schlägt sich in ihnen eine bereits vollzogene Übergangsdynamik von den „wider circles" der samaritanischen Täuferbewegung zu den frühen Kreisen der johanneischen Gemeinde nieder. Auch wenn der Lieblingsjünger nicht als Bindeglied zwischen beiden Gruppierungen beansprucht werden kann (s. o. III:9.5.3), erweist sich so doch die Täuferbewegung in Samaria als ein Anfang des vierten Evangeliums.

TEIL VI
Forschungsertrag

Ohne daß die Einzelresultate der vorliegenden Untersuchung hier wiederholt werden sollen, sind die folgenden, für die weitere Forschung am Täuferkreis relevanten Hauptergebnisse festzuhalten.

Der heuristische Wert und die methodologische Basis der gängigen Täuferkreis-Hypothesen sind zweifelhaft. Auf die forschungsgeschichtlich naheliegende, sachlich aber äußerst schwierig zu begründende deduktive Prämisse einer universalen Gemeinde von Johannesjüngern ist zu verzichten. Statt dessen ist die jeweils in Betracht kommende Formation in Auseinandersetzung mit dem jeweiligen Einzeltext und nach den oben aufgestellten Kriterien zu erfassen und religionsgeschichtlich wie -soziologisch möglichst präzise zu beschreiben. Für die Rekonstruktion antagonistischer Geltungsansprüche erweist sich die übliche via contradictionis als ungeeignet; sie ist durch das oben erarbeitete, am je vorausgesetzten Verstehenshorizont orientierte Selektionsverfahren zu ersetzen.

Der Begriff „Täuferkreis" subsumiert drei durchaus unterschiedliche Phänomene: die Johannesjünger im engeren Sinne, die palästinische Täuferbewegung und die syrische Täufergemeinde.

Die Gruppe der Johannesjünger stellt eine Prophetenschule dar, die sich um den historischen Täufer gesammelt hat und durch den personalen Bezug zu ihm konstituiert wird. Ein „ekklesiologisches" Selbstverständnis wird durch die Eigenart des theozentrischen Ansatzes ihres Meisters ausgeschlossen. Die Jünger folgen der endzeitlichen Umkehrpredigt des Johannes, nehmen an seiner Taufpraxis teil und pflegen eine eigene Gebetstradition; sie üben ein eschatologisch motiviertes Bußfasten. Einige der ersten Jünger Jesu gehen aus dieser Gemeinschaft hervor, und die Johannesjünger erweisen sich als die engste religionsgeschichtliche Analogie zum „Apostelkreis". Entgegen einer sententia fere communis der gegenwärtigen Forschung hat Jesus selbst jedoch aller Wahrscheinlichkeit nach zu keinem Zeitpunkt zu den Täuferjüngern gehört. Sämtliche zugunsten dieser sententia vorgebrachten Argumente und Belege halten der Detailanalyse nicht stand. Die seit M. GOGUEL vorgeschlagenen Gesamtrekonstruktionen der Beziehungen Jesu zur Jüngergemeinschaft des Johannes bleiben unbefriedigend. Die Jüngergemeinschaft tritt auch nach dem Tod ihres Meisters noch in Erscheinung, löst sich aber wohl noch in der „ersten Generation" auf, indem sich ihre Glieder entweder der Synagoge oder der Kirche oder dem „heterodoxen" mouvement baptiste anschließen. Spannungen zwischen dieser Gruppierung und Jesus oder dem frühesten Christentum sind ebensowenig zu konstatieren wie ein direkter Einfluß auf die asketische Praxis der Urgemeinde.

Von diesem „narrower circle" von Täuferjüngern sind die „wider circles" der von Johannes ins Leben gerufenen palästinischen Umkehrbewegung zu unterscheiden. Sie repräsentiert eine relativ breite Strömung im spätantiken Judentum und begegnet der Gestalt des Jordanpropheten mit tiefer, mitunter quasi-messianischer Verehrung. Ihr Milieu bildet den Interpretationshorizont für die als „authentisch" zu erweisenden Täufer-Logien Jesu wie für dessen religionsgeschichtlichen Standort überhaupt. Nur wenn die eschatologische Botschaft Jesu im Rahmen der Täuferbewegung gewürdigt wird, läßt sich ihre historisch-soziologische Vermittlung präzise erfassen, ihre theologische Qualität sachgerecht verstehen und ihr Spezifikum deutlicher profilieren. Jesus tritt von seinen Anfängen an als selbständiger Prophet innerhalb der Täuferbewegung auf, freilich ohne sich an der praxis pietatis des Johannes zu orientieren und ohne jemals selbst zu taufen. Nach seiner eigenen Interpretation ist die βασιλεία-Predigt die in ihr Ziel geführte Täuferbotschaft unter dem Primat der Abba-Theozentrik und mit dem Anspruch der Erfüllung.

Die Bewegung Jesu und das früheste Christentum stehen in personaler, soziologischer und theologischer Kontinuität zur Täuferbewegung. Darauf weist etwa gerade die Übernahme und Reinterpretation der Johannestaufe durch die Urkirche hin. Die Ursprungsidentität von Täuferbewegung und Christentum läßt sich an den als loci classici für die gängige Täuferkreis-Theorie beanspruchten Perikopen Apg 18, 24–28; 19, 1–7 besonders deutlich aufzeigen. In der Einzeluntersuchung erweist sich Apollos als ein aus der Täuferbewegung hervorgegangener Sondermissionar, der mit dem christlichen Kerygma im wesentlichen bereits vertraut ist, der aber in den sozial-ekklesialen Verband der paulinischen Missionsgemeinde integriert werden muß. Die ephesischen „Johannesjünger" sind tatsächlich „Altchristen", die sehr früh von der Täuferbewegung zum Anhang Jesu gefunden haben, ohne noch das Oster- und Pfingstkerygma annehmen zu können. Sie repräsentieren ein überwundenes geschichtlich-heilsgeschichtliches Stadium der Kirche und holen jenen Prozeß nach, den diese als ganze zu vollziehen hatte: den Übergang von der „Taufe des Johannes" zum Evangelium, dessen „Anfang" diese markiert. Nicht die Nachgeschichte von Johannesjüngern, sondern die Ursprungsgeschichte des Christentums wird hier transparent.

Die synoptischen Täufer-Logien, in der Regel Weiterbildungen der Johannes-Interpretation Jesu, setzen sich denn auch nicht mit einer konkurrierenden Täufersekte auseinander, sondern mit eben dieser täuferischen Ursprungsgeschichte der eigenen Gemeinschaft. Das Grundproblem der synoptischen Johannes-Deutung ist nicht kontroverstheologisch, sondern „protologisch". Die Verankerung in der Täuferbewegung läßt sich besonders deutlich an der hinter Q stehenden Gemeinde demonstrieren. Für Mk und Lk bildet die engere Gemeinschaft der Johannesjünger lediglich eine Größe der Vergangenheit; ein signifikantes Konzept läßt nur das erste Evangelium erkennen, das an den Johannesjüngern eine Dynamik wachsender Jesus-Nähe illustriert.

Berücksichtigt man die breite, quasi-messianische Verehrung des Täufers in der palästinischen Bußbewegung einerseits und die Ursprungseinheit von Täufertum und dem Anhang Jesu bzw. der frühesten Kirche andererseits, so ergeben sich die zahlreichen christologischen und heilsgeschichtlichen Aporien, mit denen sich die neutestamentliche und frühnachneutestamentliche Johannes-Interpretation konfrontiert sieht. Demgegenüber erweist sich das gängige Hypothesensystem einer Täuferkreis-Polemik, -Apologetik und -Mission zur Erklärung des einschlägigen Textmaterials durchweg als dysfunktional. Es stellt ad hoc „subsidiary hypotheses" in den Dienst einer forschungsgeschichtlich „selbstverständlichen" Theorie, die methodologisch unreflektiert bleiben und sachlich an keiner Stelle zu befriedigen vermögen. Vielmehr erweisen sie sich in der Regel als arbiträr und können durch andere, ökonomischere Erklärungen ersetzt werden, sei es durch den Rekurs auf „christological safeguards", auf heilsgeschichtliche Reflexionen, biblizistisch-narrative Dramatisierungen oder gnostisch-dualistische Spekulation. Die Untersuchung sämtlicher als Beleg für eine Täufersekte beanspruchten Passus der neutestamentlichen und apokryphen Literatur, der frühchristlichen Häresiologie und Historiographie, des Flavius Josephus und des mandäischen Schrifttums hat gezeigt, daß eine solche Formation historisch nicht zu belegen ist. Sie stellt eher ein inneres Problem der neueren Exegesegeschichte als eines der antiken Religionsgeschichte dar. Die wenigen außerneutestamentlichen Passus, in denen überhaupt von Johannesjüngern oder einer Johannes-Sekte die Rede ist, erweisen sich bei näherer Untersuchung als Wirkungsgeschichte des Neuen Testaments und vermögen dessen Ursprünge nicht zu erhellen.

Auch die dem Täuferkreis zugeschriebenen Quellen ließen in jedem Einzelfall innerchristliche Herkunft erkennen. Sobald man die frühe Kirche als „outgrowth of the Baptist movement" würdigt, erklären sich auch die vermeintlichen Täuferkreis-Traditionen aus einem christlichen Darstellungsinteresse.

Lediglich der überlieferungsgeschichtliche Kern der pseudoklementinischen Johannes-Interpretation und vor allem die Schlußredaktion des vierten Evangeliums stellen eine Ausnahme dar. Hier ließ sich in der Tat eine als Täufergemeinde zu charakterisierende Formation mit einem hinreichenden Wahrscheinlichkeitsgrad ermitteln. Diese Gruppierung ist aber auf das Syrien der Wende zum zweiten Jahrhundert beschränkt; die Lokaltradition von Emesa weiß im ausgehenden fünften Jahrhundert vermutlich bereits nicht mehr von ihr. Ein großer Teil der einschlägigen Passus des vierten Evangeliums, aber auch einige Stellen der pseudoklementinischen Literatur erklären sich aus dem apologetisch-polemischen Gegensatz zu dieser Täufergemeinde, die am Rand des Judentums anzusiedeln ist und ihren Heros eponymus wahrscheinlich als Elias redivivus et baptizans verehrt. Jedoch ist hier diachron zu differenzieren: die massive Täuferkritik der späteren Pseudoklementinen erklärt sich aus der literarischen Eigendynamik dieser Schriften; von JE ist SQ abzuheben, deren einschlägige Perikopen von einer erfolgreichen Missionsarbeit in der samaritanischen Täuferbewegung vor 80 Zeugnis geben.

In summa beurteilt die vorliegende Untersuchung den heuristischen Wert der gängigen Täuferkreis-Hypothesen eher skeptisch und negiert ihn für die Synoptiker- und Acta-Forschung ganz. Zugleich stellt sie aber die Relevanz der Prophetenschule des Johannes wie der täuferischen Umkehrbewegung überhaupt für die Genese des Christentums im allgemeinen und für die eschatologische Botschaft Jesu im besonderen heraus. Die kirchliche Selbstauslegung hat der Täuferbewegung als jener ἄλλοι gedacht, denen sich das Christentum verdankt (vgl. Joh 4, 38). Indem die Studie so in die nicht-christliche Vorgeschichte des christlichen Evangeliums führte, relativierte sie dessen religionsgeschichtliche Abgrenzbarkeit. Freilich konkretisierte sie damit nur aus historischer Perspektive den theologischen Gedanken von der Grenzen-losigkeit des Logos:

„οὗτος ὁ ἀπ' ἀρχῆς, ὁ καινὸς φανεὶς καὶ παλαιὸς εὑρεθείς" (Diog 11, 4).

Literaturverzeichnis

Das Literaturverzeichnis ist in vier Sektionen aufgeteilt: A. Quellen und Übertragungen; B. Hilfsmittel; C. Kommentare; D. Weitere Literatur. Im Textteil werden *Quellen* (Sektion A) nach der inneren Zitationsweise angeführt. *Hilfsmittel* (Sektion B) werden nur mit dem Namen des Verfassers bzw. Herausgebers zitiert; sind mehrere Werke eines Verfassers bzw. Herausgebers herangezogen worden, so werden diese durch die Angabe des jeweiligen Erscheinungsjahres unterschieden. *Kommentare* (Sektion C) werden mit dem Sigel C und der Nennung der kommentierten Schrift gekennzeichnet. Schließlich wird die *weitere Literatur* (Sektion D), also Monographien, Aufsätze, Artikel, Rezensionen usf., mit Kurztiteln zitiert, die im Literaturverzeichnis hervorgehoben sind.

In der Bibliographie werden nur mehrfach zitierte Werke und solche Studien angeführt, die bei der Abfassung der Arbeit zur allgemeinen Orientierung herangezogen worden sind.

Im allgemeinen wird, wenn nicht forschungsgeschichtliche Gesichtspunkte eine andere Auswahl nahelegten, nach der jüngst erschienenen Auflage zitiert. Die einschränkenden Bemerkungen bei ERNST/BACKHAUS, Studium, 44f A. 23 sind zu beachten. Bei Quelleneditionen wurde in der Regel die textkritisch und philologisch am ehesten zuverlässige Ausgabe benutzt. In wenigen Ausnahmefällen wurde bei vergleichsweise unbedeutsamen Passus auch eine zweitrangige Edition herangezogen, wenn eine solidere nicht greifbar war. Übersetzungen wurden nach Möglichkeit vermieden und nur dann verwendet, wenn der Originaltext nicht besorgt werden konnte.

A. Quellen und Übertragungen

a) Alt- und neutestamentliche Literatur

Biblia hebraica Stuttgartensia. Editio funditus renovata. Hg. von K. ELLIGER u. W. RUDOLPH, Stuttgart 1967–1977.

Septuaginta. Id est Vetus Testamentum graece iuxta LXX interpretes. Hg. von A. RAHLFS, 2 Bde., Stuttgart °o. J..

Novum Testamentum graece. Editio octava critica maior. Hg. von C. TISCHENDORF, 3 Bde., Leipzig 1869; 1872; III: Prolegomena. Von C. R. GREGORY, 1884.

The Greek New Testament. Hg. von K. ALAND u. a., Stuttgart ³1975.

Novum Testamentum graece. Begr. von E. NESTLE, hg. von K. ALAND u. a., Stuttgart ²⁶1979.

Einheitsübersetzung der Heiligen Schrift. Die Bibel. Gesamtausgabe, Stuttgart 1980.

Münchener Neues Testament. Studienübersetzung. Hg. von J. HAINZ, Düsseldorf 1988.

b) Intertestamentaria und neutestamentliche Apokryphen

Das Martyrium Jesajas, in: JSHRZ II/1, 15–34, ed. E. HAMMERSHAIMB (1973).

Der Buch der Jubiläen, in: JSHRZ II/3, ed. K. Berger (1981).
Die Testamente der zwölf Patriarchen, in: JSHRZ III/1, ed. J. Becker (1974).
Die Psalmen Salomos, in: JSHRZ IV/2, ed. S. Holm-Nielsen (1977).
Die Elia-Apokalypse, in: JSHRZ V/3, ed. W. Schrage (1980).
Das 4. Buch Esra, in: JSHRZ V/4, ed. J. Schreiner (1981).
Oracula Sibyllina, in: GCS 8, ed. J. Geffcken (1902).
Apocrypha I–III. Hg. von E. Klostermann, Bonn 1903; ²1910; 1904 (= KlT 3; 8; 11).
Acta Apostolorum apocrypha. Begr. von C. Tischendorf, hg. von R. A. Lipsius u.
    M. Bonnet (1891; 1898; 1903), 1 Bd., 2 Teilbde., Nachdruck: Hildesheim 1972.
L'Évangile selon Thomas, in: Nag Hammadi studies 5, ed. J.-É. Ménard (1975).
Neutestamentliche Apokryphen in deutscher Übersetzung. Hg. von W. Schneemel-
    cher, 2 Bde., Tübingen ⁵1987; ⁵1989.
The Nag Hammadi library in English. Translated by members of the Coptic Gnostic
    Library Project of the Institute for Antiquity and Christianity. Hg. von M. W.
    Meyer, Leiden 1977.
Pistis Sophia, in: Nag Hammadi studies 9, ed. C. Schmidt u. V. MacDermot (1978).

c) Judaica

Die Texte aus Qumran. Hebräisch und deutsch. Hg. von E. Lohse, München ³1981.
Philo Alexandrinus: Philonis Alexandrini opera quae supersunt. Hg. von L. Cohn u.
    P. Wendland, 6 Bde., 2 Reg., Berlin 1896–1930.
Flavius Josephus: Flavii Josephi opera. Hg. von B. Niese (1887-1895), 6 Bde., 1 Ind.,
    Nachdruck: Berlin 1955.
Ders.: Ἱστορία Ἰουδαϊκοῦ πολέμου πρὸς Ῥωμαίους. Hg. von O. Michel u.
    O. Bauernfeind, 3 Bde., Darmstadt, I: ³1982; II/1: 1963; II/2: 1969; III: 1969.
Der Babylonische Talmud. Hg. von L. Goldschmidt (1929–1936), Nachdruck: Berlin
    1964.

d) Literatur der klassischen Antike und des Hellenismus

Herodotus Halicarnasseus: Ἱστορίαι, in: LCL 117–120, ed. A. D. Godley (1920/1981;
    1921/1971; 1922/1971; 1925/1969).
Xenophon Atheniensis: Συμπόσιον, in: Xénophon. Banquet – Apologie de Socrate. Hg.
    von F. Ollier, Paris ²1972 (Collection des universités de France), 5–80.
Plato Atheniensis: Συμπόσιον, in: Platon. Werke in acht Bänden. Griechisch und
    deutsch III. Hg. von G. Eigler, Darmstadt 1974, 209–393.
Dio Cocceianus Chrysostomus: Περὶ Ὁμήρου καὶ Σωκράτους, in: LCL. Dio Chryso-
    stom IV, ed. H. L. Crosby (1946/1962), 380–399.
Epictetus Stoicus: Ἀρριανοῦ τῶν Ἐπικτήτου διατριβῶν βίβλοι, LCL 131; 218, ed.
    W. A. Oldfather (1925/1967; 1928/1966).
Appianus Alexandrinus: Ῥωμαϊκῶν ἐμφυλίων βίβλοι, in: LCL 4; 5, ed. H. White
    (1913/1979).

e) Frühchristliche Literatur

Die Apostolischen Väter. Hg. von J. A. FISCHER, Darmstadt ⁹1986 (= SUC 1).

Didache (Apostellehre). Barnabasbrief. Zweiter Klemensbrief. Schrift an Diognet. Hg. von K. WENGST, Darmstadt 1984 (= SUC 2).

Didascalia et Constitutiones Apostolorum. Hg. von F. X. FUNK, 2 Bde., Paderborn 1905.

Iustinus Martyr: Πρὸς Τρύφωνα Ἰουδαῖον διάλογος, in: Die ältesten Apologeten. Hg. von E. J. GOODSPEED, Göttingen 1914, 90–265.

Irenaeus Lugdunensis: Adversus haereses libri quinque. Hg. von W. W. HARVEY, 2 Bde., Cambridge 1857.

Quintus Septimus Florens Tertullianus: De praescriptione haereticorum, in: CChr.SL 1, 185–224, ed. R. F. REFOULÉ (1954).

DERS.: De oratione, in: CChr.SL 1, 255–274, ed. G. F. DIERCKS (1954).

DERS.: De baptismo, in: CChr.SL 1, 275–295, ed. J. G. P. BORLEFFS (1954).

DERS.: Adversus Marcion. Libri quinque, in: CChr.SL 1, 437–726, ed. A. KROYMANN (1954).

DERS.: De ieiunio adversus psychicos, in: CChr.SL 2, 1255–1277, ed. A. REIFFERSCHEID u. G. WISSOWA (1954).

Hippolytus Romanus: Τοῦ κατὰ πασῶν αἱρέσεων ἐλέγχου βίβλοι, in: PTS 25, ed. M. MARCOVICH (1986).

Origenes Alexandrinus: Ἐκ τῶν εἰς τὸ κατὰ Ματθαῖον εὐαγγέλιον ἐξηγητικῶν τόμοι, in: GCS 40, ed. E. BENZ (1935).

DERS.: Τῶν εἰς τὸ κατὰ Ἰωάννην εὐαγγέλιον ἐξηγητικῶν τόμοι, in: GCS 10, ed. E. PREUSCHEN (1903).

DERS.: Πρὸς τὸν ἐπιγεγραμμένον Κέλσου ἀληθῆ λόγον τόμοι Η', in: GCS 2, 49–374; 3, 1–293, ed. P. KOETSCHAU (1899).

Eusebius Pamphili: Ἐκκλησιαστικῆς ἱστορίας βίβλοι, in: GCS 9, t. 1–3 (partim), ed. E. SCHWARTZ (1903; 1908; 1909).

DERS.: Περὶ τῶν τοπικῶν ὀνομάτων, in: GCS 11, t. 1 (partim), ed. E. KLOSTERMANN (1904).

Ephraem Syrus: Evangelii concordantis expositio. Hg. von G. MOESINGER, Venedig 1876.

Filastrius Brixiensis: Diversarum hereseon liber, in: CChr.SL 9, 207–324, ed. F. HEYLEN (1957).

Epiphanius Salaminius: Κατὰ αἱρέσεων τὸ ἐπικληθὲν πανάριον εἴτουν κιβώτιον, in: GCS 25, 169–464; 31; 37, 1–496, ed. K. HOLL (1915; 1922; 1933).

Ambrosius Mediolanensis: Expositio Evangelii secundum Lucam, in: CChr.SL 14, V*–400, ed. M. ADRIAEN (1957).

Tyrannius Rufinus: Ecclesiasticae historiae libri, in: GCS 9, t. 1–3 (partim), ed. T. MOMMSEN (1903; 1908; 1909).

Sophronius Eusebius Hieronymus: Commentariorum in Esaiam libri XVIII, in: CChr.SL 73; 73A, ed. M. ADRIAEN (1963).

DERS.: Commentariorum in Matheum libri IV, in: CChr.SL 77, ed. D. HURST u. M. ADRIAEN (1969).

DERS.: Dialogus adversus Pelagianos sub persona Attici catholici et Critobuli haeretici, in: PL 23, Sp. 513–618, ed. J. MARTIANAEUS (1865).

DERS.: Eusebii Περὶ τῶν τοπικῶν ὀνομάτων in translatione Latina, in: GCS 11, t. 1 (partim), ed. E. KLOSTERMANN (1904).

DERS.: Epistolae, in: PL 22, ed. J. MARTIANAEUS (1859).

Aurelius Augustinus: In Iohannis evangelium tractatus CXXIV, in: CChr.SL 36, ed. R. Willems (1954).

Evagrius Presbyter: Altercatio Simonis Iudaei et Theophili Christiani, in: TU 1,t. 3, 15–44, ed. A. Harnack (1883).

Hermias Sozomenus Salaminius: Λόγος πρὸς τὸν αὐτοκράτορα Θεοδόσιον καὶ ὑποθέσεις τῆς ἐκκλησιαστικῆς ἱστορίας, in: GCS 50, ed. J. Bidez u. G. C. Hansen (1960).

Theodoretus Cyrensis: Ἐκκλησιαστικῆς ἱστορίας τόμοι, in: GCS 44, ed. L. Parmentier u. F. Scheidweiler (²1954).

Vigilius Tapsensis: Contra Arianos, etc., dialogus. Athanasio, Ario, Sabellio, Photino, et Probo iudice interlocutoribus, in: PL 62, Sp. 179–238 (1863).

Ders.: Contra Arianos dialogus. Athanasio, Ario et Probo iudice interlocutoribus, in: PL 62, Sp. 155–180 (1863).

Κθ. μαρτύριον ἤγουν ἡ γέννησις καὶ ἡ ἀποτομὴ τοῦ ἁγίου Ἰωάννου τοῦ προδρόμου καὶ βαπτιστοῦ, in: PO 4, 521–541, ed. F. Nau (o. J.).

Agobardus Lugdunensis: De Iudaicis superstitionibus et erroribus, in: CChr.CM 52, 197–221, ed. L. van Acker (1981).

f) Pseudoklementinische und mandäische Literatur

Ὁμιλίαι, in: GCS 42, ed. B. Rehm (1953).

Recognitiones. Rufino interprete, in: GCS 51, ed. B. Rehm (1965).

Die syrischen Clementinen mit griechischem Paralleltext. Eine Vorarbeit zu dem literargeschichtlichen Problem der Sammlung, in: TU 48,t. 3, ed. W. Frankenberg (1937).

Ginzā. Der Schatz oder Das große Buch der Mandäer. Hg. von M. Lidzbarski, Göttingen/Leipzig 1925 (= QRG. Gr. 4, 13).

Das Johannesbuch der Mandäer. Hg. von M. Lidzbarski, Gießen 1915.

Mandäische Liturgien. Hg. von M. Lidzbarski (1920), Nachdruck: Hildesheim 1971 (= AGWG.PH N. F. 17, 1).

g) Weitere Primärliteratur

Enchiridion symbolorum, definitionum et declarationum de rebus fidei et morum. Begr. von H. Denzinger, hg. von A. Schönmetzer, Barcelona ³⁶1976.

B. Hilfsmittel

Aland, K.: Kurzgefaßte Liste der griechischen Handschriften des Neuen Testaments I, Berlin 1963 (= ANTT 1).

Ders. (Hg.): Vollständige Konkordanz zum griechischen Neuen Testament, 2 Bde., Berlin 1983; 1978 (= ANTT 4).

Ders. (Hg.): Synopsis quattuor evangeliorum locis parallelis evangeliorum apocryphorum et Patrum adhibitis, Stuttgart ¹³1984.

Bauer, W.: Griechisch-deutsches Wörterbuch zu den Schriften des Neuen Testaments und der übrigen urchristlichen Literatur, Berlin ⁵1958/1971.

Beyer, K.: Semitische Syntax im Neuen Testament I: Satzlehre Teil 1, Göttingen ²1968 (= StUNT 1).

Blass, F. u. A. Debrunner: Grammatik des neutestamentlichen Griechisch. Bearb. von F. Rehkopf, Göttingen ¹⁶1984.

Bonsirven, J.: Textes rabbiniques des deux premiers siècles chrétiens pour servir à l'intelligence du Nouveau Testament, Rom 1955.

Brockelmann, K.: Lexikon syriacum, Berlin/Edinburgh 1895.

Gesenius, W.: Hebräisches und aramäisches Handwörterbuch über das Alte Testament. Bearb. von F. Buhl, Berlin [17]1915/1962.

Hatch, E. u. H. A. Redpath: A concordance to the Septuagint and the other Greek versions of the Old Testament, 2 Bde., 1 Suppl. (1897–1906), Nachdruck: Graz 1975.

Huck, A. u. H. Greeven: Synopse der drei ersten Evangelien mit Beigabe der johanneischen Parallelstellen, Tübingen [13]1981.

Kraft, H.: Clavis Patrum Apostolicorum, Darmstadt 1963.

Merx, A.: Grammatica syriaca, Halle 1867.

Metzger, B. M.: A textual commentary on the Greek New Testament. A companion volume to the United Bible Societies' Greek New Testament (third edition), London [3]1984.

Morgenthaler, R.: Statistik des neutestamentlichen Wortschatzes,. Zürich [3]1982.

Moulton, J. H. u. G. Milligan: The vocabulary of the Greek Testament illustrated from the papyri and other non-literary sources (1930), Nachdruck: London 1952.

Ökumenisches Verzeichnis der biblischen Eigennamen nach den Loccumer Richtlinien, Stuttgart [2]1981.

Rengstorf, K. H.: A complete concordance to Flavius Josephus, 4 Bde., Suppl. I, I–IV: Leiden 1973–1983; Suppl. I: Von A. Schalit, 1968.

Schwertner, S.: TRE. Abkürzungsverzeichnis, Berlin 1976.

Strack, H. L. u. P. Billerbeck: Kommentar zum Neuen Testament aus Talmud und Midrasch, 4 Bde., 2 Reg., München [8]1982; [8]1983; [7]1979; [7]1978; [5]1979; [5]1979.

Strecker, G.: Konkordanz zu den Pseudoklementinen I: Lateinisches Wortregister, Berlin 1986 (= GCS 56, 3).

Ungnad, A.: Syrische Grammatik, München [2]1932 (= Clavis linguarum semiticarum 7).

Wright, G. E. u. F. V. Filson: The Westminster historical atlas of the Bible, Philadelphia 1956.

C. Kommentare

Albright, W. F. u. C. S. Mann: Matthew, Garden City 1971 (= AncB 26).

Allen, W. C.: A critical and exegetical commentary on the Gospel according to S. Matthew, Edinburgh [[3]1912]/1977 (ICC).

Barrett, C. K.: The Gospel according to St John, London [2]1978.

Bauer, W.: Das Johannesevangelium, Tübingen [3]1933 (= HNT 6).

Bauernfeind, O.: Die Apostelgeschichte, Leipzig 1939 (= ThHK 5).

Beare, F. W.: The Gospel according to Matthew. A commentary, Oxford 1981.

Becker, J.: Das Evangelium nach Johannes, 2 Bde., Gütersloh/Würzburg [2]1985; [2]1984 (= ÖTK 4).

Bernard, J. H.: A critical and exegetical commentary on the Gospel according to St. John, 2 Bde., Edinburgh 1928/1976 (ICC).

Beyer, H. W.: Die Apostelgeschichte, Göttingen [8]1957 (= NTD 5).

Bonnard, P.: L'Évangile selon Saint Matthieu, Genf [2]1982 (= CNT [N] 1).

Brown, R. E.: The Gospel according to John, 2 Bde., Garden City [2]1979; 1979 (= AncB 29).

Bruce, F. F.: Commentary on the Book of the Acts, Grand Rapids 1977 (NIC).

Bultmann, R.: Das Evangelium des Johannes, Göttingen [20]1978 m. Erg. (1968) (= KEK 2).

CONZELMANN, H.: Die Apostelgeschichte, Tübingen ²1972 (= HNT 7).

ERNST, J.: Das Evangelium nach Markus, Regensburg 1981 (RNT).

DERS.: Das Evangelium nach Lukas, Regensburg 1977 (RNT).

FELTEN, J.: Die Apostelgeschichte, Freiburg i. Br. 1892.

FILSON, F. V.: A commentary on the Gospel according to St. Matthew, London ²1971/ 1977 (BNTC).

FITZMYER, J. A.: The Gospel according to Luke (I–IX), Garden City ²1981/1986 (= AncB 28).

GAECHTER, P.: Das Matthäus-Evangelium, Innsbruck 1964.

GELDENHUYS, N.: Commentary on the Gospel of Luke, Grand Rapids 1977 (NIC).

GNILKA, J.: Das Matthäusevangelium I, Freiburg i. Br. 1986 (= HThK 1/1).

DERS.: Das Evangelium nach Markus, 2 Bde., Zürich/Neukirchen-Vluyn 1978; 1979 (= EKK 2).

DERS.: Johannesevangelium, Würzburg ²1985 (= EB 4).

GOULD, E. P.: A critical and exegetical commentary on the Gospel according to St. Mark, Edinburgh 1896/1975 (ICC).

GROTIUS, H.: Opera omnia theologica II, 1: Annotationes in quatuor Euangelia et Acta Apostolorum (1679), Nachdruck: Stuttgart 1972.

GRUNDMANN, W.: Das Evangelium nach Matthäus, Berlin 1968 (= ThHK 1).

DERS.: Das Evangelium nach Markus, Berlin ⁹1984 (= ThHK 2).

DERS.: Das Evangelium nach Lukas, Berlin ⁸1978 (= ThHK 3).

HAENCHEN, E.: Der Weg Jesu. Eine Erklärung des Markus-Evangeliums und der kanonischen Parallelen, Berlin ²1968.

DERS.: Das Johannesevangelium. Ein Kommentar, Tübingen 1980.

DERS.: Die Apostelgeschichte, Göttingen ¹⁶1977 (= KEK 3).

HAUCK, F.: Das Evangelium des Markus, Leipzig 1931 (= ThHK 2).

DERS.: Das Evangelium des Lukas, Leipzig 1934 (= ThHK 3).

HOLTZMANN, O.: Das Johannesevangelium untersucht und erklärt, Darmstadt 1887.

KLOSTERMANN, E.: Das Matthäusevangelium, Tübingen ⁴1971 (= HNT 4).

DERS.: Das Markusevangelium, Tübingen ⁴1950 (= HNT 3).

DERS.: Das Lukasevangelium, Tübingen ²1929 (= HNT 5).

KNABENBAUER, J.: Commentarius in quatuor S. Evangelia Domini n. Jesu Christi I: Evangelium secundum S. Matthaeum, 2 Bde., Paris 1892; ²1903 (CSS).

LAGRANGE, M.-J.: Évangile selon Saint Jean, Paris ⁸1948 (ÉtB).

LANE, W. L.: The Gospel according to Mark, London 1974 (NLC).

LEANEY, A. R. C.: A commentary on the Gospel according to St. Luke, London ²1966/ 1976 (BNTC).

LIGHTFOOT, J. B.: St. Paul's Epistles to the Colossians and to Philemon (1879), Nachdruck: Grand Rapids o. J. (Classic commentary library).

LIGHTFOOT, R. H.: St. John's gospel. A commentary, Oxford 1956/57.

LINDARS, B.: The Gospel of John, Grand Rapids/London 1981 (The New Century Bible commentary).

LOHMEYER, E.: Das Evangelium des Matthäus. Hg. von W. SCHMAUCH, Göttingen ⁴1967 (= KEK. Sonderband).

DERS.: Das Evangelium des Markus, Göttingen ¹⁷1967 m. Erg. (³1967) (= KEK. Abt. 1, 2).

LOISY, A.: Les évangiles synoptiques, 2 Bde. (1907; 1908), Nachdruck: Frankfurt a. M. 1971.

DERS.: Les Actes des Apôtres (1920), Nachdruck: Frankfurt a. M. 1973.

DERS.: L'Évangile selon Luc (1924), Nachdruck: Frankfurt a. M. 1971.

LUZ, U.: Das Evangelium nach Matthäus I, Zürich/Neukirchen-Vluyn 1985 (= EKK 1).

MANN, C. S.: Mark, New York 1986 (= AncB 27).

MARSHALL, I. H.: The Gospel of Luke. A commentary on the Greek text, Exeter 1978 (= The new international Greek Testament commentary 3).

MONTEFIORE, C. G.: The synoptic gospels, 2 Bde., New York ²1968.

MORRIS, L.: The Gospel according to John, Grand Rapids 1971/1977 (NIC).

MUNCK, J.: The Acts of the Apostles, Garden City 1967/1978 (= AncB 31).

NINEHAM, D. E.: The Gospel of St Mark, Harmondsworth 1963/1983 (PNTC).

PESCH, R.: Das Markusevangelium, 2 Bde., Freiburg i. Br. ⁴1984; ³1984 (= HThK 2).

DERS.: Die Apostelgeschichte, 2 Bde., Zürich/Neukirchen-Vluyn 1986 (= EKK 5).

PLUMMER, A.: A critical and exegetical commentary on the Gospel according to S. Luke, Edinburgh ⁴1901/1977 (ICC).

RENGSTORF, K. H.: Das Evangelium nach Lukas, Göttingen ¹⁶1975 (= NTD 3).

ROLOFF, J.: Die Apostelgeschichte, Göttingen ¹⁷1981 (= NTD 5).

SAND, A.: Das Evangelium nach Matthäus, Regensburg 1986 (RNT).

SANDERS, J. N. u. B. A. MASTIN: A commentary on the Gospel according to St John, London 1968 (BNTC).

SCHILLE, G.: Die Apostelgeschichte des Lukas, Berlin ²1984 (= ThHK 5).

SCHLATTER, A.: Der Evangelist Matthäus. Seine Sprache, sein Ziel, seine Selbständigkeit, Stuttgart ²1933.

DERS.: Markus. Der Evangelist für die Griechen, Stuttgart 1935.

DERS.: Das Evangelium des Lukas. Aus seinen Quellen erklärt, Stuttgart 1931.

DERS.: Der Evangelist Johannes. Wie er spricht, denkt und glaubt, Stuttgart ²1948.

SCHMITHALS, W.: Das Evangelium nach Markus, 2 Bde., Gütersloh/Würzburg ²1986 (= ÖTK 2).

DERS.: Die Apostelgeschichte des Lukas, Zürich 1982 (= ZBK 3, 2).

SCHNACKENBURG, R.: Das Johannesevangelium, 3 Bde., Freiburg i. Br. ⁶1986; ⁴1985; ⁵1985 (= HThK 4).

SCHNEIDER, G.: Das Evangelium nach Lukas, 2 Bde., Gütersloh/Würzburg ²1984 (= ÖTK 3).

DERS.: Die Apostelgeschichte, 2 Bde., 1980; 1982 (= HThK 5).

SCHNEIDER, J.: Das Evangelium nach Johannes. Hg. von E. FASCHER, Berlin ²1978 (= ThHK. Sonderband).

SCHNIEWIND, J.: Das Evangelium nach Markus, Göttingen ¹⁰1963 (= NTD 1).

SCHÜRMANN, H.: Das Lukasevangelium I, Freiburg i. Br. ²1982 (= HThK 3, 1).

SCHULZ, S.: Das Evangelium nach Johannes, Göttingen ¹⁵1983 (= NTD 4).

SCHWEIZER, E.: Das Evangelium nach Matthäus, Göttingen ¹⁵1981 (= NTD 2).

DERS.: Das Evangelium nach Markus, Göttingen ¹⁵1978 (= NTD 1).

STÄHLIN, G.: Die Apostelgeschichte, Göttingen ¹⁴1975 (= NTD 5).

STRATHMANN, H.: Das Evangelium nach Johannes, Göttingen ¹⁰1963 (= NTD 4).

TAYLOR, V.: The Gospel according to St. Mark, London 1952/1957.

TENNEY, M. C.: The Gospel of John, in: DERS. u. R. N. LONGENECKER, John – Acts, Grand Rapids 1981 (= The expositor's Bible commentary 9), 1–203.

TILLMANN, F.: Das Johannesevangelium, Bonn ⁴1931 (= HSNT 3).

WEISER, A.: Die Apostelgeschichte, 2 Bde., Gütersloh/Würzburg 1981; 1985 (= ÖTK 5).

WEISS, J.: Die Schriften des Neuen Testaments I: Die drei älteren Evangelien, Göttingen 1917.

WELLHAUSEN, J.: Das Evangelium Lucae, Berlin 1904.

WILLIAMS, C. S. C.: A commentary on the Acts of the Apostles, London 1957/1978 (BNTC).

ZAHN, T.: Das Evangelium des Matthäus, Leipzig ⁴1922 (= KNT 1).

DERS.: Das Evangelium des Lucas, Leipzig ³/⁴1920 (= KNT 3).

DERS.: Das Evangelium des Johannes (⁶1921), Nachdruck: Wuppertal 1983 (= KNT 4).

DERS.: Die Apostelgeschichte des Lucas, 2 Bde., Leipzig ¹/²1919; ³/⁴1927 (= KNT 5).

D. Weitere Literatur

AGOURIDES, S.: Ἡ θεολογία τῆς κοινότητας Ἰωάννη τοῦ Βαπτιστῆ σὰν παράγοντας διαμόρφωσης τῆς χριστολογίας στὸ Δ' Εὐαγγέλιο, in: DBM 12 (1983) 15–23.

ALAND, K.: *Taufe* und Kindertaufe. 40 Sätze zur Aussage des Neuen Testaments und dem historischen Befund, zur modernen Debatte darüber und den Folgerungen daraus für die kirchliche Praxis – zugleich eine Auseinandersetzung mit Karl Barths Lehre von der Taufe, Gütersloh 1971.

DERS.: Zur *Vorgeschichte* der christlichen Taufe, in: H. BALTENSWEILER u. B. REICKE (Hg.), Neues Testament und Geschichte. FS O. CULLMANN, Zürich/Tübingen 1972, 1–14.

DERS. u. B. ALAND: Der *Text* des Neuen Testaments. Einführung in die wissenschaftlichen Ausgaben sowie in Theorie und Praxis der modernen Textkritik, Stuttgart 1982.

ALBERTZ, M.: Die synoptischen *Streitgespräche*. Ein Beitrag zur Formengeschichte des Urchristentums, Berlin 1921.

ALBRIGHT, W. F.: The *names* "Nazareth" and "Nazorean", in: JBL 65 (1946) 397–401.

ALLISON, D. C.: "*Elijah* must come first", in: JBL 103 (1984) 256–258.

ALTANER, B. u. A. STUIBER: *Patrologie*. Leben, Schriften und Lehre der Kirchenväter, Freiburg i. Br. ⁸1978.

ARCHER, R. L.: *Apollos* and the Logos doctrine, in: ET 62 (1950/51) 301–303.

ARENS, E.: The ἦλθον-*sayings* in the synoptic tradition. A historico-critical investigation, Freiburg i. d. Schw./Göttingen 1976 (= OBO 10).

BACHMANN, M.: *Johannes* der Täufer bei Lukas: Nachzügler oder Vorläufer?, in: W. HAUBECK u. M. BACHMANN (Hg.), Wort in der Zeit. Neutestamentliche Studien. FS K. H. RENGSTORF, Leiden 1980, 123–155.

BACKHAUS, K.: Johannes der Täufer in den *Apokryphen*. Arbeitsschrift am Lehrstuhl für die Exegese des Neuen Testaments der Theologischen Fakultät Paderborn, Paderborn 1985 (als Typoskript).

DERS.: „Dort werdet ihr Ihn *sehen*" (Mk 16,7). Die redaktionelle Schlußnotiz des zweiten Evangeliums als dessen christologische Summe, in: ThGl 76 (1986) 277–294.

BACON, B. W.: New and old in Jesus' *relation* to John, in: JBL 48 (1929) 40–81.

BALDENSPERGER, W.: Der *Prolog* des vierten Evangeliums. Sein polemisch-apologetischer Zweck, Freiburg i. Br. 1898.

BAMMEL, E.: Is *Luke* 16, 16–18 of Baptist's provenience?, in: HThR 51 (1958) 101–106.

DERS.: *Erwägungen* zur Eschatologie Jesu, in: F. L. CROSS (Hg.), Studia Evangelica III. Papers presented to the Second International Congress on New Testament studies held at Christ Church, Oxford, 1961 II: The New Testament message, Berlin 1964 (= TU 88), 3–32.

DERS.: "John did no *miracle*", in: C. F. D. MOULE (Hg.), Miracles. Cambridge studies in their philosophy and history, London 1965, 179–202.

DERS.: The *Baptist* in early Christian tradition, in: NTS 18 (1971/72) 95–128.

BARCLAY, R. A.: New Testament *baptism*. An external or internal rite?, in: C. J. BLEEKER (Hg.), Initiation. Contributions to the theme of the study-conference of the International Association for the History of Religions held at Strasburg, September 17th to 22nd 1964, Leiden 1965 (= SHR 10), 172–183.

BARTH, G.: Das *Gesetzesverständnis* des Evangelisten Matthäus, in: G. BORNKAMM, G. BARTH u. H. J. HELD, Überlieferung und Auslegung in Matthäusevangelium, Neukirchen-Vluyn ⁴1965 (= WMANT 1), 54–154.

DERS.: Die Taufe in frühchristlicher *Zeit*, Neukirchen-Vluyn 1981 (= Biblisch-Theologische Studien 4).

BARTH, M.: Die Taufe – ein *Sakrament?* Ein exegetischer Beitrag zum Gespräch über die kirchliche Taufe, Zollikon 1951.

BARTSCH, H.-W.: *Jesus.* Prophet und Messias aus Galiläa, Frankfurt a. M. 1970.

BAUER, W.: Das *Leben* Jesu im Zeitalter der neutestamentlichen Apokryphen, Tübingen 1909.

DERS.: *Rechtgläubigkeit* und Ketzerei im ältesten Christentum, Tübingen ²1964 (= BHTh 10).

BAUMBACH, G.: *Fragen* der modernen jüdischen Jesusforschung an die christliche Theologie, in: ThLZ 102 (1977) Sp. 625–636.

BAUMGARTNER, W.: Der heutige *Stand* der Mandäerfrage, in: ThZ 6 (1950) 401–410.

BAUR, F. C.: *Paulus,* der Apostel Jesu Christi. Sein Leben und Wirken, seine Briefe und seine Lehre. Ein Beitrag zu einer kritischen Geschichte des Urchristenthums, 2 Bde., Leipzig ²1866/67.

BEASLEY-MURRAY, G. R.: Die christliche *Taufe.* Eine Untersuchung über ihr Verständnis in Geschichte und Gegenwart, Kassel 1968 (Üb. Engl.).

BEBB, L. J. M.: Art. „*John* the Baptist", in: DB (H) II (1899/1958), 677–680.

BECKER, J.: *Wunder* und Christologie. Zum literarkritischen und christologischen Problem der Wunder im Johannesevangelium, in: NTS 16 (1969/70) 130–148.

DERS.: *Johannes* der Täufer und Jesus von Nazareth, Neukirchen-Vluyn 1972 (= BSt 63).

DERS.: Das *Gottesbild* Jesu und die älteste Auslegung von Ostern, in: G. STRECKER (Hg.), Jesus Christus in Historie und Theologie. FS H. CONZELMANN, Tübingen 1975, 105–126.

BEHM, J.: Art. „νῆστις, νηστεύω, νηστεία", in. ThWNT IV (1942), 925–935.

DERS. u. E. WÜRTHWEIN: Art. „νοέω κτλ", in: ThWNT IV (1942), 947–1016.

BELSER, J.: Über *Johannes* den Täufer, in: ThQ 72 (1890) 355–399.

BENKO, S.: The *Magnificat.* A history of the controversy, in: JBL 86 (1967) 263-275.

BENOIT, P.: L'*enfance* de Jean-Baptiste selon Luc I, in: NTS 3 (1956/57) 169–194.

BERENDTS, A.: Die handschriftliche *Überlieferung* der Zacharias- und Johannes-Apokryphen. Über die Bibliotheken der Meteorischen und Ossa-Olympischen Klöster, Leipzig 1904 (= TU 26).

BERGER, K.: Die *Amen-Worte* Jesu. Eine Untersuchung zum Problem der Legitimation in apokalyptischer Rede, Berlin 1970 (= BZNW 39).

DERS.: Die *Auferstehung* des Propheten und die Erhöhung des Menschensohnes. Traditionsgeschichtliche Untersuchungen zur Deutung des Geschickes Jesu in frühchristlichen Texten, Göttingen 1976 (= StUNT 13).

DERS.: Die impliziten *Gegner.* Zur Methode des Erschließens von „Gegnern" in neutestamentlichen Texten, in: D. LÜHRMANN u. G. STRECKER (Hg.), Kirche. FS G. BORNKAMM, Tübingen 1980, 373–400.

BERNOULLI, C. A.: Die *Kultur* des Evangeliums I: Johannes der Täufer und die Urgemeinde, Leipzig 1918.

BEYSCHLAG, K.: *Simon* Magus und die christliche Gnosis, Tübingen 1974 (= WUNT 16).

BIELER, L.: θεῖος ἀνήρ. Das Bild des „göttlichen Menschen" in Spätantike und Frühchristentum (1935/36), Nachdruck: Darmstadt 1967.

BIETENHARD, Hans: „Der *Menschensohn*" – ὁ υἱὸς τοῦ ἀνθρώπου. Sprachliche und religionsgeschichtliche Untersuchungen zu einem Begriff der synoptischen Evangelien I: Sprachlicher und religionsgeschichtlicher Teil, in: ANRW II, 25. 1 (1982), 265–350.

BITTNER, W. J.: Jesu *Zeichen* im Johannesevangelium. Die Messias-Erkenntnis im Johannesevangelium vor ihrem jüdischen Hintergrund, Tübingen 1987 (= WUNT Reihe 2: 26).

BLACK, M.: An aramaic *approach* to the Gospels and Acts, Oxford ³1967/1977.

BLANK, J.: Was *Jesus* heute will. Überlegungen zur Ethik Jesu, in: ThQ 151 (1971) 300–320.

DERS.: Jesus von Nazareth. *Geschichte* und Relevanz, Freiburg i. Br. 1972.

DERS.: Zur eschatologischen *Konzeption* des historischen Jesus (1973), in: DERS., Der Jesus des Evangeliums. Entwürfe zur biblischen Christologie, München 1981, 157–166.

DERS.: Das *Jesus-Bild* in der christlichen Exegese von heute (1975), in: DERS., Der Jesus des Evangeliums. Entwürfe zur biblischen Christologie, München 1981, 75–94.

DERS.: *Lernprozesse* im Jüngerkreis Jesu (1978), in: DERS., Der Jesus des Evangeliums. Entwürfe zur biblischen Christologie, München 1981, 95–116.

BLEEKER, C. J.: *Preface*, in: DERS. (Hg.), Initiation. Contributions to the theme of the study-conference of the International Association for the History of Religions held at Strasburg, September 17th to 22nd 1964, Leiden 1965 (= SHR 10), IX.

DERS.: Some introductory *remarks* on the significance of initiation, in: DERS. (Hg.), Initiation. Contributions to the theme of the study-conference of the International Association for the History of Religions held at Strasburg, September 17th to 22nd 1964, Leiden 1965 (= SHR 10), 15–20.

BLINZLER, J.: Die *Johannesjünger* und die junge Kirche, in: BiKi 17 (1962) 110–113.

BLUMENTHAL, M.: *Formen* und Motive in den apokryphen Apostelgeschichten, Leipzig 1933 (= TU 48, 1).

BÖCHER, O.: *Wasser* und Geist, in: DERS. u. K. HAACKER (Hg.), Verborum veritas. FS G. STÄHLIN, Wuppertal 1970, 197–209.

DERS.: Aß Johannes der Täufer kein *Brot* (Luk. vii. 33)?, in: NTS 18 (1971/72) 90–92.

DERS.: Johannes der Täufer in der neutestamentlichen *Überlieferung*, in: G. MÜLLER (Hg.), Rechtfertigung – Realismus – Universalismus in biblischer Sicht. FS A. KÖBERLE, Darmstadt 1978, 45–68.

DERS.: *Lukas* und Johannes der Täufer, in: SNTU.A 4 (1979) 27–44.

DERS.: Art. „*Johannes* der Täufer", in: TRE XVII (1988), 172–181.

BOISMARD, M.-É.: Les *traditions* johanniques concernant le Baptiste, in: RB 70 (1963) 5–42.

DERS.: *Aenon*, près de Salem (Jean, III, 23), in: RB 80 (1973) 218–229.

BORNKAMM, G.: *Paulus*, Stuttgart ³1977.

DERS.: *Jesus* von Nazareth, Stuttgart ¹²1980.

BORSCH, F. H.: The *Son* of Man in myth and history, London 1967 (NTLi).

BOUSSET, W.: *Hauptprobleme* der Gnosis (1907), Nachdruck: Göttingen 1973 (= FRLANT 10).

DERS.: *Kyrios* Christos. Geschichte des Christusglaubens von den Anfängen des Christentums bis Irenaeus, Göttingen ²1921 (= FRLANT 21).

BOWEN, C. R.: *John* the Baptist in the New Testament, in: AJT 16 (1912) 90–106.

BRANDT, W.: Die jüdischen *Baptismen* oder das religiöse Waschen und Baden im Judentum mit Einschluß des Judenchristentums, Gießen 1910 (= BZAW 18).

BRAUMANN, G.: „Dem *Himmelreich* wird Gewalt angetan" (Mt 11, 12 par.), in: ZNW 52 (1961) 104–109.

DERS.: „An jenem *Tag*" Mk 2, 20, in: NT 6 (1963) 264–267.

BRAUN, H.: Entscheidende *Motive* in den Berichten über die Taufe Jesu von Markus bis Justin (1953), in: DERS., Gesammelte Studien zum Neuen Testament und seiner Umwelt, Tübingen ²1967, 168–172.

DERS.: Spätjüdisch-häretischer und frühchristlicher *Radikalismus*. Jesus von Nazareth und die essenische Qumransekte, 2 Bde., Tübingen ²1969 (= BHTh 24).

DERS.: *Jesus* – der Mann aus Nazareth und seine Zeit. Erweiterte Studienausgabe, Stuttgart 1984.

BRETSCHER, P. G.: "Whose *sandals*"? (Matt 3, 11), in: JBL 86 (1967) 81–87.

BROWN, R. E.: The Qumran *scrolls* and the Johannine Gospel and Epistles, in: K. STEN-DAHL (Hg.), The Scrolls and the New Testament, New York 1957, 183–207.

DERS.: New Testament *essays*, London 1965.

DERS.: The *birth* of the Messiah. A commentary on the infancy narratives in Matthew and Luke, London 1977.

DERS.: Ringen um die *Gemeinde*. Der Weg der Kirche nach den Johanneischen Schriften, Salzburg 1982 (Üb. Engl.).

BROWNLEE, W. H.: *John* the Baptist in the new light of ancient scrolls (1955), in: K. STENDAHL (Hg.), The Scrolls and the New Testament, New York 1957, 33–53.

BROX, N.: *Zeuge* und Märtyrer. Untersuchungen zur frühchristlichen Zeugnis-Terminologie, München 1961 (= StANT 5).

BRUCE, F. F.: *Zeitgeschichte* des Neuen Testaments, 2 Bde., Wuppertal 1975/76 (Üb. Engl.).

BRUNEC, M.: De *legatione* Ioannis Baptistae (Mt. 11, 2–24), in: VD 35 (1957) 193–203; 321–331.

BÜCHSEL, F.: *Mandäer* und Johannesjünger, in: ZNW 26 (1927) 219–231.

DERS. u. V. HERNTRICH: *Art.* „κρίνω κτλ", in: ThWNT III (1938), 920–955.

BULTMANN, R.: Der religionsgeschichtliche *Hintergrund* des Prologs zum Johannes-Evangelium, in: H. SCHMIDT (Hg.), Εὐχαριστήριον. Studien zur Religion und Literatur des Alten und Neuen Testaments. FS H. GUNKEL II, Göttingen 1923 (= FRLANT 36, 2), 3–26.

DERS.: Die *Bedeutung* der neuerschlossenen mandäischen und manichäischen Quellen für das Verständnis des Johannesevangeliums, in: ZNW 24 (1925) 100–146.

DERS.: *Jesus* (1926), Tübingen 1961.

DERS.: *Art.* „ἀφίημι κτλ", in: ThWNT I (1933), 506–509.

DERS.: *Art.* „πιστεύω κτλ A; C; D", in: ThWNT VI (1959), 174–182; 197–230.

DERS.: Die *Geschichte* der synoptischen Tradition, Göttingen ⁹1979 (= FRLANT 29) mit Ergänzungsheft, Göttingen ⁵1979.

DERS.: *Theologie* des Neuen Testaments, Tübingen ⁹1984 (= UTB 630).

BURCHARD, C.: Zu *Lukas* 16,16, in: DERS. u. G. THEISSEN (Hg.), Lese-Zeichen. FS A. FINDEISS, Heidelberg 1984 (= BDBAT 3), 113–120.

DERS.: *Jesus* von Nazareth, in: J. BECKER u. a., Die Anfänge des Christentums. Alte Welt und neue Hoffnung, Stuttgart 1987, 12–58.

BURKILL, T. A.: Should wedding *guests* fast? A consideration of Mark 2:18–20, in: DERS., New light on the earliest gospel. Seven Markan studies, Ithaca 1972, 39–47.

BUZY, D.: Saint *Jean-Baptiste*. Études historiques et critiques, Paris 1922.

CAMBE, M.: *Jésus* baptise et cesse de baptiser en Judée. Jean 3/22–4/3, in: ETR 53 (1978) 98–102.

CAMERON, P. S.: *Violence* and the kingdom. The interpretation of Matthew 11:12, Frankfurt a. M. 1984 (= ANTI 5).

CARMIGNAC, J.: *Recherches* sur le "Notre Père", Paris 1969.

CATCHPOLE, D. R.: On doing *violence* to the kingdom, in: JTSA 5 (1978) 50–61.

CHAMBLIN, K.: *John* the Baptist and the Kingdom of God, in: TynB 15 (1964) 10–16.

CHAPMAN, J.: On the *date* of the Clementines, in: ZNW 9 (1908) 21–34; 147–159.

CHARLESWORTH, J. H.: The historical *Jesus* in light of writings contemporaneous with him, in: ANRW II, 25. 1 (1982), 451–476.

CHEYNE, T. K.: *Art.* „*John* the Baptist", in: DERS. u. J. S. BLACK (Hg.), Encylopaedia Biblica. A critical dictionary of the literary, political and religious history, the archaeology, geography and natural history of the Bible II, London 1901, Sp. 2498–2504.

CHRIST, F.: Jesus *Sophia*. Die Sophia-Christologie bei den Synoptikern, Zürich 1970 (= AThANT 57).

CONZELMANN, H.: Die *Mitte* der Zeit. Studien zur Theologie des Lukas, Tübingen ⁶1977 (= BHTh 17).

CORBO, V. u. S. LOFFREDA: Nuove *scoperte* alla fortezza di Macheronte. Rapporto preliminare alla quarta campagna di scavo: 7 settembre – 10 ottobre 1981, in: SBFLA 31 (1981) 257–286.

CREMER, F. G.: Die *Fastenansage* Jesu. Mk 2, 20 und Parallelen in der Sicht der patristischen und scholastischen Exegese, Bonn 1965 (= BBB 23).

CRIBBS, F. L.: St. *Luke* and the Johannine tradition, in: JBL 90 (1971) 422–450.

CULLMANN, O.: Le *problème* littéraire et historique du roman pseudo-clémentin. Étude sur le rapport entre le gnosticisme et le judéo-christianisme, Paris 1930 (= EHPhR 23).

DERS.: Die literarischen und historischen *Probleme* des pseudoklementinischen Romans (1930), in: DERS., Vorträge und Aufsätze 1925–1962. Hg. von K. FRÖHLICH, Tübingen/Zürich 1966, 225–231.

DERS.: „Ὁ ὀπίσω μου ἐρχόμενος" (1948), in: DERS., Vorträge und Aufsätze 1925–1962. Hg. von K. FRÖHLICH, Tübingen/Zürich 1966, 169–175.

DERS.: *Samarien* und die Anfänge der christlichen Mission. Wer sind die „ΑΛΛΟΙ" von Joh. 4, 38? (1953), in: DERS., Vorträge und Aufsätze 1925–1962. Hg. von K. FRÖHLICH, Tübingen/Zürich 1966, 232–240.

DERS.: Die neuentdeckten *Qumrantexte* und das Judenchristentum der Pseudoklementinen (1954), in: DERS., Vorträge und Aufsätze 1925–1962. Hg. von K. FRÖHLICH, Tübingen/Zürich 1966, 241–259.

DERS.: The *significance* of the Qumran texts for research into the beginnings of Christianity (1955), in: K. STENDAHL (Hg.), The Scrolls and the New Testament, New York 1957, 18–32.

DERS.: Die *Christologie* des Neuen Testaments, Tübingen ⁴1966.

DERS.: Das *Rätsel* des Johannesevangeliums im Lichte der neuen Handschriftenfunde (1958), in: DERS., Vorträge und Aufsätze 1925–1962. Hg. von K. FRÖHLICH, Tübingen/Zürich 1966, 260–291.

DERS.: Der johanneische *Kreis*. Sein Platz im Spätjudentum, in der Jüngerschaft Jesu und im Urchristentum. Zum Ursprung des Johannesevangeliums, Tübingen 1975.

DAHL, N. A.: Das *Volk* Gottes. Eine Untersuchung zum Kirchenbewußtsein des Urchristentums (1941), Nachdruck: Darmstadt 1963.

DALMAN, G.: Die *Worte* Jesu mit Berücksichtigung des nachkanonischen jüdischen Schrifttums und der aramäischen Sprache I: Einleitung und wichtige Begriffe (1930), Nachdruck: Darmstadt 1965.

DERS.: *Orte* und Wege Jesu. Hg. von A. JEPSEN, Darmstadt ⁴1967.

DAUBE, D.: The New *Testament* and Rabbinic Judaism, London 1956.

DERS.: *Responsibilities* of master and disciples in the gospels, in: NTS 19 (1972/73) 1–15.

DIBELIUS, F.: Zwei *Worte* Jesu, in: ZNW 11 (1910) 188–192.

DIBELIUS, M.: Die urchristliche *Überlieferung* von Johannes dem Täufer, Göttingen 1911 (= FRLANT 15).

DERS.: Art. „*Johannes* der Täufer", in: RGG² III (1929), Sp. 315–319.

DERS.: *Jesus*, Berlin ²1949 (= SG 1130).

DERS.: Die *Formgeschichte* des Evangeliums, Tübingen ⁶1971.

DOBBELER, S. von: Das *Gericht* und das Erbarmen Gottes. Die Botschaft Johannes des Täufers und ihre Rezeption bei den Johannesjüngern im Rahmen der Theologiegeschichte des Frühjudentums, Frankfurt a. M. 1988 (= BBB 70).

DOBSCHÜTZ, Ernst von: Zum *Charakter* des 4. Evangeliums, in: ZNW 28 (1929) 161–177.

DODD, C. H.: The *parables* of the Kingdom (1935), Nachdruck: Glasgow 1978.

DERS.: The *interpretation* of the Fourth Gospel, Cambridge 1953.

DERS.: Historical *tradition* in the Fourth Gospel, Cambridge 1963.

DÖLLINGER, I. von: *Beiträge* zur Sektengeschichte des Mittelalters, 2 Bde. (1890), Nachdruck: New York o. J..

DÖMER, M.: Das *Heil* Gottes. Studien zur Theologie des lukanischen Doppelwerkes, Köln 1978 (= BBB 51).

DONAHUE, J. R.: Tax *collectors* and sinners. An attempt at identification, in: CBQ 33 (1971) 39–61.

DSCHULNIGG, P.: *Sprache*, Redaktion und Intention des Markus-Evangeliums. Eigentümlichkeiten der Sprache des Markus-Evangeliums und ihre Bedeutung für die Redaktionskritik, Stuttgart 1984 (= SBB 11).

DUNN, J. D. G.: Spirit-and-fire-*baptism*, in: NT 14 (1972) 81–92.

DERS.: The *birth* of a metaphor – Baptized in Spirit, in: ET 89 (1977/78) 134–138; 173–175.

DUPONT, J.: L'*ambassade* de Jean-Baptiste (Matthieu 11, 2–6; Luc 7, 18–23), in: NRTh 93 (1961) 805–821; 943–959.

DERS.: *Vin* vieux, vin nouveau (Luc 5, 39), in: CBQ 25 (1963) 286–304.

EBELING, H. J.: Die *Fastenfrage* (Mk. 2, 18–22) in: ThStKr 108 (1937/38) 387–396.

EISLER, R.: Ἰησοῦς βασιλεύς οὐ βασιλεύσας. Die messianische Unabhängigkeitsbewegung vom Auftreten Johannes des Täufers bis zum Untergang Jakobs des Gerechten. Nach der neuerschlossenen Eroberung von Jerusalem des Flavius Josephus und den christlichen Quellen, 2 Bde., Heidelberg 1929/30 (= RWB 9).

EISSFELDT, O.: Πληρῶσαι πᾶσαν δικαιοσύνην in Matthäus 3, 15, in: ZNW 61 (1970) 209–215.

ELIADE, M.: L'*initiation* et le monde moderne, in: C. J. BLEEKER (Hg.), Initiation. Contributions to the theme of the study-conference of the International Association for the History of Religions held at Strasburg, September 17th to 22nd 1964, Leiden 1965 (= SHR 10), 1–14.

ELLIOTT, J. K.: Did the Lord's *Prayer* originate with John the Baptist?, in: ThZ 29 (1973) 215.

ENSLIN, M. S.: *John* and Jesus, in: ZNW 66 (1975) 1–18.

ERNST, J.: *Anfänge* der Christologie, Stuttgart 1972 (= SBS 57).

DERS.: *Petrusbekenntnis* – Leidensankündigung – Satanswort (Mk 8, 27–33). Tradition und Redaktion, in: A. BRANDENBURG u. H. J. URBAN (Hg.), Petrus und Papst. Evangelium – Einheit der Kirche – Papstdienst II, Münster 1978, 4–31.

DERS.: „Wie kommt der *Täufer* an den Anfang des Evangeliums?", in: Dynamik im Wort. Lehre von der Bibel, Leben aus der Bibel. FS Katholisches Bibelwerk in Deutschland. Hg. vom Katholischen Bibelwerk e. V., Stuttgart 1983, 163–182.

DERS.: *Lukas*. Ein theologisches *Portrait*, Düsseldorf 1985.

DERS.: War Jesus ein Schüler Johannes' des Täufers?, in: H. FRANKEMÖLLE u. K. KERTELGE (Hg.), Vom Urchristentum zu Jesus. FS J. GNILKA, Freiburg i. Br. 1989, 13–33.

DERS.: Johannes der Täufer. Interpretation – Geschichte – Wirkungsgeschichte, Berlin 1989 (= BZNW 53).

DERS. u. K. BACKHAUS: *Studium* Neues Testament, Paderborn 1986.

FABRY, H.-J.: *Art.* „ חם I", in: ThWAT II (1977), Sp. 699–706.

FAIERSTEIN, M. M.: Why do the *scribes* say that Elijah must come first, in: JBL 100 (1981) 75–86.

FARMER, W. R.: *Art.* „*John* the Baptist", in: IDB II (1962), 955–962.

FARRIS, S.: The *hymns* of Luke's infancy narratives. Their origin, meaning and significance, Sheffield 1985 (= Journal for the study of the New Testament. Supplement series 9).

FELDKÄMPER, L.: Der betende Jesus als *Heilsmittler* nach Lukas, St. Augustin 1978 (= Veröffentlichungen des Missionspriesterseminars St. Augustin bei Bonn 29).

FENEBERG, R. u. W. FENEBERG: Das *Leben* Jesu im Evangelium, Freiburg i. Br. 1980 (= QD 88).

FEUILLET, A.: La *controverse* sur le jeûne (Mc 2, 18–20; Mt 9, 14–15; Lc 5, 33–35), in: NRTh 100 (1968) 113–136; 252–277.

FIEDLER, P.: *Jesus* und die Sünder, Frankfurt a. M. 1976 (= BET 3).

FILSON, F. V.: *Geschichte* des Christentums in neutestamentlicher Zeit, Düsseldorf 1967 (Üb. Engl.).

FINKEL, A.: The *Pharisees* and the teacher of Nazareth. A study of their background, their halachic and midrashic teachings, the similarities and differences, Leiden 1964/1974 (= AGSU 4).

FITZMYER, J. A.: More about *Elijah* coming first, in: JBL 104 (1985) 295.f.

FLEMINGTON, W. F.: The New Testament *doctrine* of baptism, London 1957.

FLENDER, H.: *Heil* und Geschichte in der Theologie des Lukas, München ²1968 (= BEvTh 41).

FOERSTER, W.: *Art. „Ἰησοῦς"*, in: ThWNT III (1938), 284–294.

FREUDENBERGER, R.: Zum *Text* der zweiten Vaterunserbitte, in: NTS 15 (1968/69) 419–432.

FRIDRICHSEN, A.: The *problem* of miracle in primitive christianity (1925), Minneapolis 1972 (Üb. Französ.).

DERS.: Zu *Matth.* 11, 11–15, in: ThZ 2 (1946) 470f.

FUCHS, A.: *Intention* und Adressaten der Bußpredigt des Täufers bei Mt 3, 7–10, in: SNTU.A 1 (1976) 62–75.

GÄRTNER, B.: *Nazareth*, Nazoräer und das Mandäertum (1957), in: G. WIDENGREN (Hg.), Der Mandäismus, Darmstadt 1982 (= WdF 167), 166–184.

GALL, A. von: *Βασιλεία τοῦ θεοῦ*. Eine religionsgeschichtliche Studie zur vorkirchlichen Eschatologie, Heidelberg 1926 (= RWB 7).

GARDNER, R. B.: Jesus' *appraisal* of John the Baptist. An analysis of the sayings of Jesus concerning John the Baptist in the synoptic tradition, Bamberg 1973 (Diss. Würzburg).

GEYSER, A.: The *youth* of John the Baptist. A deduction from the break in the parallel account of the Lucan infancy story, in: NT 1 (1956) 70–75.

DERS.: The *Semeion* at Cana of the Galilee, in: DERS. u. a., Studies in John. FS J. N. SEVENSTER, Leiden 1970 (= NT.S 24), 12–21.

GNILKA, J.: Die essenischen *Tauchbäder* und die Johannestaufe, in: RdQ 3 (1961) 185–207.

DERS.: Der *Hymnus* des Zacharias, in: BZ N. F. 6 (1962) 215–238.

DERS.: Das *Martyrium* Johannes' des Täufers (Mk 6, 17–29), in: P. HOFFMANN (Hg.), Orientierung an Jesus. Zur Theologie der Synoptiker. FS J. SCHMID, Freiburg i. Br. 1973, 78–92.

GOGUEL, M.: Au *seuil* de l'Évangile. Jean-Baptiste, Paris 1928.

DERS.: *Jésus*, Paris ²1950.

GOPPELT, L.: *Theologie* des Neuen Testaments, 2 Bde., Göttingen ³1978.

GRÄSSER, E.: Das *Problem* der Parusieverzögerung in den synoptischen Evangelien und in der Apostelgeschichte, Berlin ³1977 (= BZNW 22).

GREEVEN, H. u. J. HERRMANN: *Art. „εὔχομαι κτλ"*, in: ThWNT II (1935), 774–808.

GRESSMANN, H.: Das religionsgeschichtliche *Problem* des Ursprungs der hellenistischen

Erlösungsreligion. Eine kritische Auseinandersetzung mit Reitzenstein, in: ZKG 40 (1922; H. 1) 178–191; 41 (1922; H. 2) 154–180.

GROBEL, K.: ″He that cometh after me″, in: JBL 60 (1941) 397–401.

GRUNDMANN, W.: Art. „ἰσχύω κτλ", in: ThWNT III (1938), 400–405.

DERS.: Verkündigung und Geschichte in dem Bericht vom Eingang der Geschichte Jesu im Johannes-Evangelium, in: H. RISTOW u. K. MATTHIAE (Hg.), Der historische Jesus und der kerygmatische Christus. Beiträge zum Christusverständnis in Forschung und Verkündigung, Berlin ³1964, 289–309.

GUÉNIN, P.: Y a-t-il eu conflit entre Jean-Baptiste et Jésus? Étude méthodologico-exégétique et historico-critique sur l'attitude que prit l'église primitive à l'égard de Jean-Baptiste (et du Baptisme) et des conséquences qui en résultèrent pour la formation des Évangiles synoptiques et la rédaction des Actes des Apôtres, Genf/Paris 1933.

GUNDRY, R. H.: The use of the Old Testament in St. Matthew's gospel. With special reference to the messianic hope, Leiden 1967 (= NT.S 18).

GUY, H. A.: New Testament prophecy. Its origin and significance, London 1947.

GYLLENBERG, R.: Die Anfänge der johanneischen Tradition, in: N. A. DAHL u. a., Neutestamentliche Studien. FS R. BULTMANN, Berlin ²1957 (= BZNW 21),144–147.

HAACKER, K.: Einige Fälle von „erlebter Rede" im Neuen Testament, in: NT 12 (1970) 70–77.

HAAG, H. (Hg.): Bibel-Lexikon, Zürich ³1982.

HAENCHEN, E.: Probleme des johanneischen „Prologs", in: ZThK 60 (1963) 305–334.

HAHN, F.: Die Bildworte vom neuen Flicken und vom jungen Wein (Mk. 2, 21f parr), in: EvTh 31 (1971) 357–375.

DERS.: Christologische Hoheitstitel. Ihre Geschichte im frühen Christentum, Göttingen ⁴1974 (= FRLANT 83).

DERS.: Die Jüngerberufung Joh 1, 35–51, in: J. GNILKA (Hg.), Neues Testament und Kirche. FS R. SCHNACKENBURG, Freiburg i. Br. 1974, 172–190.

DERS.: Methodologische Überlegungen zur Rückfrage nach Jesus, in: K. KERTELGE (Hg.), Rückfrage nach Jesus. Zur Methodik und Bedeutung der Frage nach dem historischen Jesus, Freiburg i. Br. 1974 (= QD 63), 11–77.

HAJDUK, A.: Jánovi učenici, in: Cirkevné Listy 94 (1981) H. 11, 168–170.

HARNACK, A.: Beiträge zur Einleitung in das Neue Testament II: Sprüche und Reden Jesu. Die zweite Quelle des Matthäus und Lukas, Leipzig 1907.

DERS.: Über einige Worte Jesu, die nicht in den kanonischen Evangelien stehen, nebst einem Anhang über die ursprüngliche Gestalt des Vater-Unsers (1904), in: DERS., Kleine Schriften zur Alten Kirche I, Leipzig 1980 (= Opuscula 9, 1), 663–701.

DERS.: Zwei Worte Jesu (1907), in: DERS., Kleine Schriften zur Alten Kirche I, Leipzig 1980 (= Opuscula 9, 1), 830–845.

HART, J. H. A.: Apollos, in: JThS 7 (1906) 16–28.

HAUSRATH, A.: Neutestamentliche Zeitgeschichte I: Die Zeit Jesu, München ³1879.

HEEKERENS, H.-P.: Die Zeichen-Quelle der johanneischen Redaktion. Ein Beitrag zur Entstehungsgeschichte des vierten Evangeliums, Stuttgart 1984 (= SBS 113).

HELD, H. J.: Matthäus als Interpret der Wundergeschichten, in: G. BORNKAMM, G. BARTH u. H. J. HELD, Überlieferung und Auslegung im Matthäusevangelium, Neukirchen-Vluyn ⁴1965 (= WMANT 1), 155–287.

HENGEL, M.: Nachfolge und Charisma. Eine exegetisch-religionsgeschichtliche Studie zu Mt 8, 21f. und Jesu Ruf in die Nachfolge, Berlin 1968 (= BZNW 34).

HILGENFELD, A.: Die Ketzergeschichte des Urchristentums. Urkundlich dargestellt (1884), Nachdruck: Darmstadt 1966.

DERS.: *Judentum* und Judenchristentum. Eine Nachlese zu der Ketzergeschichte des Urchristentums (1886), Nachdruck: Hildesheim 1966.

HILL, D.: *Jesus* und Josephus' 'messianic prophets', in: E. BEST u. R. M. WILSON (Hg.), Text and interpretation. Studies in the New Testament. FS M. BLACK, Cambridge 1979, 143–154.

HIRSCH, E.: *Frühgeschichte* des Evangeliums, 2 Bde., Tübingen ²1951; 1941.

HIRSCH, S.: *Studien* zu Matthäus 11, 2–26. Zugleich ein Beitrag zur Geschichte Jesu und zur Frage seines Selbstbewußtseins, in: ThZ 6 (1950), 241–260.

HOEHNER, H. W.: *Herod* Antipas, Cambridge 1972 (= SNTS.MS 17).

HÖLSCHER, G.: *Urgemeinde* und Spätjudentum, Oslo 1928.

HOFFMANN, P.: *Studien* zur Theologie der Logienquelle, Münster ³1982 (= NTA N. F. 8).

HOLLENBACH, P. W.: The *conversion* of Jesus: From Jesus the Baptizer to Jesus the Healer, in: ANRW II, 25. 1 (1982), 196–219.

HOWARD, V.: Das *Ego* Jesu in den synoptischen Evangelien. Untersuchungen zum Sprachgebrauch Jesu, Marburg 1975 (= MThSt 14).

HUGHES, J. H.: *Disciples* of John the Baptist. An examination of the evidence for their existence, and an estimate of their significance for the study of the Fourth Gospel, Durham 1969 (Master Thesis; als Typoskript).

DERS.: *John* the Baptist: the forerunner of God himself, in: NT 14 (1972) 191–218.

HULTGREN, A. J.: Jesus and his *adversaries*. The form and function of the conflict stories in the synoptic tradition, Minneapolis 1979.

HUNTER, A. M.: *Apollos* the Alexandrian, in: J. R. MCKAY u. J. F. MILLER (Hg.), Biblical studies. FS W. BARCLAY, London 1976, 147–156.

IBUKI, Y.: Die *Wahrheit* im Johannesevangelium, Bonn 1972 (= BBB 39).

INNITZER, T.: *Johannes* der Täufer nach der Heiligen Schrift und der Tradition, Wien 1908.

IRMSCHER, J.: Die *Pseudo-Clementinen*, in: E. HENNECKE u. W. SCHNEEMELCHER (Hg.), Neutestamentliche Apokryphen in deutscher Übersetzung II, Tübingen ⁴1971, 373–398.

JACKSON, F. J. F. u. K. LAKE: The *beginnings* of christianity *I*, London 1920.

JEREMIAS, J.: Der *Ursprung* der Johannestaufe, in: ZNW 28 (1929) 312–320.

DERS.: *Art.* „Ἠλ(ε)ίας“, in: ThWNT II (1935), 930–943.

DERS.: *Art.* „νύμφη, νυμφίος“, in: ThWNT IV (1942), 1092–1099.

DERS.: Der gegenwärtige *Stand* der Debatte um das Problem des historischen Jesus, in: H. RISTOW u. K. MATTHIAE (Hg.), Der historische Jesus und der kerygmatische Christus. Beiträge zum Christusverständnis in Forschung und Verkündigung, Berlin ³1964, 12–25.

DERS.: Das *Vater-Unser* im Lichte der neueren Forschung, Stuttgart 1962 (= CwH 50).

DERS.: Das tägliche *Gebet* im Leben Jesu und in der ältesten Kirche, in: DERS., Abba. Studien zur neutestamentlichen Theologie und Zeitgeschichte, Göttingen 1966, 67–80.

DERS.: Die *Gleichnisse* Jesu, Göttingen ⁸1970.

DERS.: Neutestamentliche *Theologie* I: Die Verkündigung Jesu, Gütersloh ³1979.

DERS.: Die *Sprache* des Lukasevangeliums. Redaktion und Tradition im Nicht-Markus-stoff des dritten Evangeliums, Göttingen 1980 (KEK).

JONES, F. S.: The *Pseudo-Clementines*. A history of research, in: The Second Century 2 (1982) 1–33; 63–96.

JONES, J. L.: *References* to John the Baptist in the Gospel according to St. Matthew, in: AThR 41 (1959) 298–302.

JÜLICHER, A.: Die *Gleichnisreden* Jesu, 2 Bde., Tübingen ²1910.

JÜNGEL, E.: *Paulus* und Jesus. Eine Untersuchung zur Präzisierung der Frage nach dem Ursprung der Christologie, Tübingen ²1964 (= HUTh 2).

KÄSEMANN, E.: Die *Johannesjünger* in Ephesus (1952), in: DERS., Exegetische Versuche und Besinnungen I, Göttingen 1960, 158–168.

DERS.: Das *Problem* des historischen Jesus (1954), in: DERS., Exegetische Versuche und Besinnungen I, Göttingen 1960, 187–214.

KAZMIERSKI, C. R.: The *stones* of Abraham: John the Baptist and the end of Torah (Matt 3, 7–10 par. Luke 3, 7–9), in: Bibl 68 (1987) 22–39.

KECK, L. E.: *John* the Baptist in christianized gnosticism, in: C. J. BLEEKER (Hg.), Initiation. Contributions to the theme of the study-conference of the International Association for the History of Religions held at Strasburg, September 17th to 22nd 1964, Leiden 1965 (= SHR 10), 184–194.

KEE, A.: The *question* about fasting, in: NT 11 (1969) 161–173.

DERS.: The old *coat* and the new wine. A parable of repentance, in: NT 12 (1970) 13–21.

KENNARD, J. S.: *Nazorean* and Nazareth, in: JBL 66 (1947) 79–81.

KERTELGE, K.: Die *Überlieferung* der Wunder Jesu und die Frage nach dem historischen Jesus, in: DERS. (Hg.), Rückfrage nach Jesus. Zur Methodik und Bedeutung der Frage nach dem historischen Jesus, Freiburg i. Br. 1974 (= QD 63), 174–193.

KILGALLEN, J. J.: *John* the Baptist, the sinful woman and the pharisee, in: JBL 104 (1985) 675–679.

KIPPENBERG, H. G.: *Garizim* und Synagoge. Traditionsgeschichtliche Untersuchungen zur samaritanischen Religion der aramäischen Periode, Berlin 1971 (= RVV 30).

KITTEL, G.: *Art.* „ἀκολουθέω κτλ“, in: ThWNT I (1933), 210–216.

DERS.: *Art.* „λέγω κτλ D etc.“, in: ThWNT IV (1942), 100–147.

KLAUCK, H.-J.: *Allegorie* und Allegorese in synoptischen Gleichnistexten, Münster 1978 (= NTA N. F. 13).

KLAUSNER, J.: *Jesus* of Nazareth. His life, times, and teaching, London 1925/1947 (Üb. Neuhebr.).

KLEIN, G.: Die ursprüngliche *Gestalt* des Vaterunsers, in: ZNW 7 (1906) 34–50.

KLEINKNECHT, H. u. a.: *Art.* „ὀργή κτλ“, in: ThWNT V (1954), 382–448.

DERS. u. a.: *Art.* „πνεῦμα κτλ“, in: ThWNT VI (1959), 330–453.

KLIJN, A. F. J. u. G. J. REININK: Patristic *evidence* for Jewish-Christian sects, Leiden 1973 (= NT.S 36).

KÖSTER, H.: *Einführung* in das Neue Testament im Rahmen der Religionsgeschichte und Kulturgeschichte der hellenistischen und römischen Zeit, Berlin 1980.

DERS. u. J. M. ROBINSON: *Entwicklungslinien* durch die Welt des frühen Christentums, Tübingen 1971.

KOPP, C.: Die heiligen *Stätten* der Evangelien, Regensburg 1959.

KOSCHORKE, K.: Die *Polemik* der Gnostiker gegen das kirchliche Christentum. Unter besonderer Berücksichtigung der Nag-Hammadi-Traktate „Apokalypse des Petrus“ (NHC VII, 3) und „Testimonium Veritatis“ (NHC IX, 3), Leiden 1978 (= Nag Hammadi Studies 12).

KOSMALA, H.: *Hebräer* – Essener – Christen. Studien zur Vorgeschichte der frühchristlichen Verkündigung, Leiden 1959 (= StPB 1).

KRAELING, C. H.: *John* the Baptist, New York 1951.

KRÄMER, H. u. a.: *Art.* „προφήτης κτλ“, in: ThWNT VI (1959), 781–863.

KRÄNKL, E.: *Jesus* der Knecht Gottes. Die heilsgeschichtliche Stellung Jesu in den Reden der Apostelgeschichte, Regensburg 1972 (= BU 8).

KRAFT, H.: Die *Entstehung* des Christentums, Darmstadt 1981.

KRAUSS, S.: Das *Leben* Jesu nach jüdischen Quellen (1902), Nachdruck: Hildesheim 1977.

KRIEGER, N.: Barfuß *Buße* tun, in: NT 1 (1956) 227f.

KÜMMEL, W. G.: Die *Gottesverkündigung* Jesu und der Gottesgedanke des Spätjudentums (1945), in: DERS., Heilsgeschehen und Geschichte. Gesammelte Aufsätze 1933–1964. Hg. von E. GRÄSSER, O. MERK u. A. FRITZ, Marburg 1965 (= MThSt 3), 107–125.

DERS.: *Jesus* und die Anfänge der Kirche (1953), in: DERS., Heilsgeschehen und Geschichte. Gesammelte Aufsätze 1933–1964. Hg. von E. GRÄSSER, O. MERK u. A. FRITZ, Marburg 1965 (= MThSt 3), 289–309.

DERS.: *Verheißung* und Erfüllung. Untersuchungen zur eschatologischen Verkündigung Jesu, Zürich ³1956 (= AThANT 6).

DERS.: Das Neue *Testament*. Geschichte der Erforschung seiner Probleme, Freiburg i. Br. ²1970 (= OA 3, 3).

DERS.: Der persönliche *Anspruch* Jesu und der Christusglaube der Urgemeinde (1963), in: DERS., Heilsgeschehen und Geschichte. Gesammelte Aufsätze 1933–1964. Hg. von E. GRÄSSER, O. MERK u. A. FRITZ, Marburg 1965 (= MThSt 3), 429–438.

DERS.: Die *Naherwartung* in der Verkündigung Jesu (1964), in: DERS., Heilsgeschehen und Geschichte. Gesammelte Aufsätze 1933–1964. Hg. von E. GRÄSSER, O. MERK u. A. FRITZ, Marburg 1965 (= MThSt 3), 457–470.

DERS.: „Das *Gesetz* und die Propheten gehen bis Johannes" – Lukas 16, 16 im Zusammenhang der heilsgeschichtlichen Theologie der Lukasschriften, in: O. BÖCHER u. K. HAACKER (Hg.), Verborum Veritas. FS G. STÄHLIN, Wuppertal 1970, 89–102.

DERS.: Jesu *Antwort* an Johannes den Täufer. Ein Beispiel zum Methodenproblem in der Jesusforschung, Wiesbaden 1974 (= SbWGF 11, 4).

DERS.: *Einleitung* in das Neue Testament, Heidelberg ²¹1983.

DERS.: Dreißig Jahre *Jesusforschung* (1950–1980). Hg. von H. MERKLEIN, Königstein/ Ts. 1985 (= BBB 60).

KÜNG, H.: *Christ* sein, München ⁵1980 (Taschenbuchausgabe).

KUHN, H.-J.: *Christologie* und Wunder. Untersuchungen zu Joh 1, 35–51, Regensburg 1988 (= BU 18).

KUHN, H.-W.: *Enderwartung* und gegenwärtiges Heil. Untersuchungen zu den Gemeindeliedern von Qumran mit einem Anhang über Eschatologie und Gegenwart in der Verkündigung Jesu, Göttingen 1966 (= StUNT 4).

DERS.: Ältere *Sammlungen* im Markusevangelium, Göttingen 1971 (= StUNT 8).

KUHN, K. G.: *Achtzehngebet* und Vaterunser und der Reim, Tübingen 1950 (= WUNT 1).

KUNDSIN, K.: Topologische *Überlieferungsstoffe* im Johannes-Evangelium, Göttingen 1925 (= FRLANT 39).

KUSS, O.: Zur vorpaulinischen *Tauflehre* im Neuen Testament (1951), in: DERS.: Auslegung und Verkündigung I. Aufsätze zur Exegese des Neuen Testamentes, Regensburg 1963, 98–120.

KYSAR, R.: The Fourth *Gospel*. A report on recent research, in: ANRW II, 25. 3 (1984), 2389–2480.

LAMBERT, J. C.: Art. *„John* the Baptist", in: DCG I (1906/¹⁰1953), 861–866.

LANG, F.: *Erwägungen* zur eschatologischen Verkündigung Johannes des Täufers, in: G. STRECKER (Hg.), Jesus Christus in Historie und Theologie. FS. H. CONZELMANN, Tübingen 1975, 459–473.

LANGBRANDTNER, W.: Weltferner *Gott* oder Gott der Liebe. Der Ketzerstreit in der johanneischen Kirche. Eine exegetisch-religionsgeschichtliche Untersuchung mit

Berücksichtigung der koptisch-gnostischen Texte aus Nag-Hammadi, Frankfurt a. M. 1977 (= BET 6).

LEANEY, R.: The Lucan *text* of the Lord's Prayer (Lk xi 2–4), in: NT 1 (1956) 103–111.

LEHMANN, M.: Synoptische *Quellenanalyse* und die Frage nach dem historischen Jesus. Kriterien der Jesusforschung untersucht in Auseinandersetzung mit Emanuel Hirschs Frühgeschichte des Evangeliums, Berlin 1970 (= BZNW 38).

LEIPOLDT, J.: Die urchristliche *Taufe* im Lichte der Religionsgeschichte, Leipzig 1928.

LEIVESTAD, R.: *Jesus* – Messias – Menschensohn. Die jüdischen Heilandserwartungen zur Zeit der ersten römischen Kaiser und die Frage nach dem messianischen Selbstbewußtsein Jesu, in: ANRW II, 25. 1 (1982), 220–264.

LENTZEN-DEIS, F.: Die *Taufe* Jesu nach den Synoptikern. Literarkritische und gattungsgeschichtliche Untersuchungen, Frankfurt a. M. 1970 (= FTS 4).

DERS.: *Kriterien* für die historische Beurteilung der Jesusüberlieferung in den Evangelien, in: K. KERTELGE (Hg.), Rückfrage nach Jesus. Zur Methodik und Bedeutung der Frage nach dem historischen Jesus, Freiburg i. Br. 1974 (= QD 63), 78–117.

LEROY, H.: *Jesus*. Überlieferung und Deutung, Darmstadt 1978 (= EdF 95).

LICHTENBERGER, H.: *Täufergemeinden* und frühchristliche Täuferpolemik im letzten Drittel des 1. Jahrhunderts, in: ZThK 84 (1987) 36–57.

LIDZBARSKI, M.: Mandäische *Fragen*, in: ZNW 26 (1927) 70–75.

LIETZMANN, H.: Ein *Beitrag* zur Mandäerfrage (1930), in: G. WIDENGREN (Hg.), Der Mandäismus, Darmstadt 1982 (= WdF 167), 93–109.

LINDARS, B.: Two *parables* in John, in: NTS 16 (1969/70) 318–329.

LINDEMANN, A.: *Paulus* im ältesten Christentum. Das Bild des Apostels und die Rezeption der paulinischen Theologie in der frühchristlichen Literatur bis Marcion, Tübingen 1979 (= BHT 58).

LINDESKOG, G.: Die *Jesusfrage* im neuzeitlichen Judentum. Ein Beitrag zur Geschichte der Leben-Jesu-Forschung (1938), Nachdruck: Darmstadt 1973.

DERS.: *Johannes* der Täufer. Einige Randbemerkungen zum heutigen Stand der Forschung, in: ASTI 12 (1983) 55–83.

LINNEMANN, E.: *Jesus* und der Täufer, in: G. EBELING, E. JÜNGEL u. G. SCHUNACK (Hg.), Festschrift für Ernst Fuchs, Tübingen 1973, 219–236.

DIES.: *Zeitansage* und Zeitvorstellung in der Verkündigung Jesu, in: G. STRECKER (Hg.), Jesus Christus in Historie und Theologie. FS H. CONZELMANN, Tübingen 1975, 237–263.

LINTON, O.: The *parable* of the children's game. Baptist and Son of Man (Matt. XI. 16–19 = Luke VII. 31–5): A synoptic text-critical, structural and exegetical investigation, in: NTS 22 (1976) 159–179.

LOHFINK, G.: Der *Ursprung* der christlichen Taufe, in: ThQ 156 (1976) 35–54.

LOHMEYER, E.: Zur evangelischen *Überlieferung* von Johannes dem Täufer, in: JBL 51 (1932) 300–319.

DERS.: Das *Urchristentum* I: Johannes der Täufer, Göttingen 1932.

LOISY, A.: La *naissance* du christianisme (1933), Nachdruck: Frankfurt a. M. 1971.

DERS.: Le *Mandéisme* et les origines chrétiennes (1934), Nachdruck: Frankfurt a. M. 1983.

DERS.: Les *origines* du Nouveau Testament, Paris 1936.

LORENZEN, T.: Der *Lieblingsjünger* im Johannesevangelium. Eine redaktionsgeschichtliche Studie, Stuttgart 1971 (= SBS 55).

LÜDEMANN, G.: *Untersuchungen* zur simonianischen Gnosis, Göttingen 1975 (= GTA 1).

DERS.: *Paulus*, der Heidenapostel II: Antipaulinismus im frühen Christentum, Göttingen 1983 (= FRLANT 130).

LÜHRMANN, D.: Die *Redaktion* der Logienquelle, Neukirchen-Vluyn 1969 (= WMANT 33).

LUZ, U.: Das *Jesusbild* der vormarkinischen Tradition, in: G. STRECKER (Hg.), Jesus Christus in Historie und Theologie. FS H. CONZELMANN, Tübingen 1975, 347–374.

MacGREGOR, G. H. C.: Some outstanding New Testament *problems* VII: John the Baptist and the origins of Christianity, in: ET 46 (1935/36) 355–362.

MACUCH, R.: *Alter* und Heimat des Mandäismus nach neuerschlossenen Quellen, in: ThLZ 82 (1957) Sp. 401–408.

MAIER, J.: *Jesus* von Nazareth in der talmudischen Überlieferung, Darmstadt 1978 (= EdF 82).

MANSON, T. W.: The *sayings* of Jesus as recorded in the Gospels according to St. Matthew and St. Luke, London 1937/1949.

DERS.: *John* the Baptist, in: BJRL 36 (1953/54) 395–412.

MARSH, H. G.: The *origin* and significance of the New Testament baptism, Manchester 1941.

MARTIN, J.: *Art.* „*Vigilius* von Thapsus", in: LThK² 10 (1965), Sp. 788f.

MARTYN, J. L.: Clementine *Recognitions* 1, 33–71, Jewish christianity, and the Fourth Gospel, in: J. JERVELL u. W. A. MEEKS (Hg.), God's Christ and His people. FS N. A. DAHL, Oslo 1977, 265–295.

DERS.: *History* and theology in the Fourth Gospel, Nashville ²1979.

MARUCCI, C.: Die implizite *Christologie* in der sogenannten Vollmachtsfrage, in: ZKTh 108 (1986) 292–300.

MARXSEN, W.: Der *Evangelist* Markus. Studien zur Redaktionsgeschichte des Evangeliums, Göttingen ²1959 (= FRLANT 67).

MEEKS, W. A.: The *Prophet-King*. Moses traditions and the Johannine christology, Leiden 1967 (= NT.S 14).

MEIER, J. P.: *John* the Baptist in Matthew's gospel, in: JBL 99 (1980) 383–405.

MERKEL, H.: *Art.* „᾽Απολλῶς", in: EWNT I (1980), 328f.

MERKLEIN, H.: Die *Gottesherrschaft* als Handlungsprinzip. Untersuchung zur Ethik Jesu, Würzburg ²1981 (= FzB 34).

DERS.: Die *Umkehrpredigt* bei Johannes dem Täufer und Jesus von Nazaret, in: BZ N. F. 25 (1981) 29–46.

DERS.: Jesu *Botschaft* von der Gottesherrschaft. Eine Skizze, Stuttgart 1983 (= SBS 111).

MEYER, B. F.: The *aims* of Jesus, London 1979.

MEYER, E.: *Ursprung* und Anfänge des Christentums, 3 Bde. (1923–1925), Nachdruck: Stuttgart 1962.

MEYER, R.: Der *Prophet* aus Galiläa. Studie zum Jesus-Bild der drei ersten Evangelien (1940), Nachdruck: Darmstadt 1970.

DERS.: *Art.* „*Propheten* II A", in: RGG³ V (1961), Sp. 613–618.

DERS. u. F. HAUCK: *Art.* „καθαρός κτλ", in: ThWNT III (1938), 416–434.

MICHAELIS, W.: Die sog. *Johannes-Jünger* in Ephesus, in: NKZ 38 (1927) 717–736.

DERS.: *Täufer*, Jesus, Urgemeinde. Die Predigt vom Reiche Gottes vor und nach Pfingsten, Gütersloh 1928 (= NTF. Reihe II 3).

DERS.: Zum jüdischen *Hintergrund* der Johannestaufe, in: Jud. 7 (1951) 81–120.

DERS.: *Art.* "ὁδός κτλ", in: ThWNT V (1954), 42–118.

MICHEL, O.: „Diese Kleinen" – eine *Jüngerbezeichnung* Jesu, in: ThStKr 108 (1937/38) 401–415.

DERS.: *Art. „μικρός* (ἐλάττων, ἐλάχιστος)", in: ThWNT IV (1942), 650–661.

DERS.: *Jesus* der Jude, in: H. RISTOW u. K. MATTHIAE (Hg.), Der historische Jesus und der kerygmatische Christus. Beiträge zum Christusverständnis in Forschung und Verkündigung, Berlin ³1964, 310–316.

DERS.: *Art. „Johannes* der Täufer", in CBL (²1967), Sp. 668–670.

MONTEFIORE, H. W.: *God* as Father in the synoptic gospels, in: NTS 3 (1956/57) 31–46.

MOORE, G. F.: *Judaism* in the first centuries of the Christian era, 3 Bde. (1927–1930), Nachdruck: Cambridge 1954.

MUDDIMAN, J. B.: The fasting *controversy* in Mark. A historical and exegetical study of Mark II, 18–22, Oxford 1976 (Diss., als Typoskript).

MÜLLER, U. B.: *Vision* und Botschaft. Erwägungen zur prophetischen Struktur der Verkündigung Jesu, in: ZThK 74 (1977) 416–448.

MURRAY, R.: *Art. „Ephraem* Syrus", in: TRE IX (1982) 755–762.

MUSSNER, F.: Der nicht erkannte *Kairos* (Mt 11, 16–19 = Lk 7, 31–35), in: Bibl 40 (1959) 599–612.

DERS.: *Methodologie* der Frage nach dem historischen Jesus, in: K. KERTELGE (Hg.), Rückfrage nach Jesus. Zur Methodik und Bedeutung der Frage nach dem historischen Jesus, Freiburg i. Br. 1974 (= QD 63), 118–147.

NAU, F.: *Histoire* de Saint Jean-Baptiste attribuée à Saint Marc l'Évangeliste, in: PO 4 (o. J.), 521–541.

NEPPER-CHRISTENSEN, P.: Die *Taufe* im Matthäusevangelium. Im Lichte der Traditionen über Johannes den Täufer, in: NTS 31 (1985) 189–207.

NICOL, W.: The *Sēmeia* in the Fourth Gospel. Tradition and redaction, Leiden 1972 (= NT.S 32).

NIEDERWIMMER, K.: *Jesus*, Göttingen 1968.

NODET, É.: *Jésus* et Jean-Baptiste selon Josephe, in: RB 92 (1985) 321–348; 497–524.

OBERLINNER, L.: *Todeserwartung* und Todesgewißheit Jesu. Zum Problem einer historischen Begründung, Stuttgart 1980 (= SBB 10).

OEPKE, A.: *Art. „βάπτω* κτλ", in: ThWNT I (1933), 527–544.

DERS.: *Art. „ζέω* κτλ", in: ThWNT II (1935), 877–879.

O'HARA, J.: Christian *fasting* Mk. 2, 18–22, in: Scrip. 19 (1967) 82–95.

OLIVER, H. H.: The Lucan birth *stories* and the purpose of Luke-Acts, in: NTS 10 (1963/64) 202–226.

OLLROG, W.-H.: *Paulus* und seine Mitarbeiter. Untersuchungen zu Theologie und Praxis der paulinischen Mission, Neukirchen-Vluyn 1979 (= WMANT 50).

OSTEN-SACKEN, P. von der: Der erste *Christ*. Johannes der Täufer als Schlüssel zum Prolog des vierten Evangeliums, in: ThViat 13 (1975/76) 155–173.

OTT, L.: *Grundriß* der katholischen Dogmatik, Freiburg i. Br. ¹⁰1981.

OTT, W.: *Gebet* und Heil. Die Bedeutung der Gebetsparänese in der lukanischen Theologie, München 1965 (= StANT 12).

OTTO, R.: *Reich* Gottes und Menschensohn. Ein religionsgeschichtlicher Versuch, München ²1940.

PAMMENT, M.: Is there convincing *evidence* of Samaritan influence on the Fourth Gospel?, in: ZNW 73 (1982) 221–230.

PARRATT, J. K.: The *rebaptism* of the Ephesian disciples, in: ET 79 (1967/68) 182f.

DERS.: The Holy *Spirit* and baptism, in: ET 82 (1970/71) 231–235; 266–271.

PAYOT, C.: *Jean-Baptiste* censuré, in: ETR 45 (1970) 273–283.

PERCY, E.: Die *Botschaft* Jesu. Eine traditionskritische und exegetische Untersuchung, Lund 1953.

PERRIN, N.: The *kingdom* of God in the teaching of Jesus, London 1963 (NTLi).

DERS.: Rediscovering the *teaching* of Jesus, London 1967 (NTLi).

PESCE, M.: *Discepolato* gesuano e discepolato rabbinico. Problemi e prospettive della comparazione, in: ANRW II, 25. 1 (1982), 351–389.

PESCH, R.: Jesu ureigene *Taten?* Ein Beitrag zur Wunderfrage, Freiburg i. Br. 1970 (= QD 52).

DERS.: Zur *Initiation* im Neuen Testament, in: LJ 21 (1971) 90–107.

DERS.: *Simon* – Petrus. Geschichte und geschichtliche Bedeutung des ersten Jüngers Jesu Christi, Stuttgart 1980 (= PuP 15).

PETERSON, E.: *Bemerkungen* zur mandäischen Literatur, in: ZNW 25 (1926) 236–248.

POKORNÝ, P.: „*Anfang* des Evangeliums". Zum Problem des Anfangs und des Schlusses des Markusevangeliums, in: R. SCHNACKENBURG, J. ERNST u. J. WANKE (Hg.), Die Kirche des Anfangs. FS H. SCHÜRMANN, Freiburg i. Br. 1978, 115–132.

POLAG, A.: Die *Christologie* der Logienquelle, Neukirchen-Vluyn 1977 (= WMANT 45).

POTTERIE, I. de la: *Mors* Johannis Baptistae (Mc 6, 17–29), in: VD 44 (1966) 142–151.

POTTGIESSER, A.: *Johannes* der Täufer und Jesus Christus, Köln 1911.

POWELL, D.: *Art.* „*Clemens* von Rom", in: TRE VIII (1981), 113–120.

PREISKER, H.: *Apollos* und die Johannesjünger in Act 18, 24–19, 6, in: ZNW 30 (1931) 301–304.

PROKSCH, O.: *Johannes* der Täufer, Berlin 1907 (= BZSF. Ser. III 5).

RADAELLI, A.: Il *Vangelo* di Luca in chiave battista, in: Ricerche Bibliche e Religiose 17 (1982) 346–384.

RATZINGER, J.: Theologische *Prinzipienlehre*. Bausteine zur Fundamentaltheologie, München 1982.

RAU, G.: Das *Markusevangelium*. Komposition und Intention der ersten Darstellung christlicher Mission, in: ANRW II, 25. 3 (1984), 2036–2257.

REBELL, W.: *Gemeinde* als Gegenwelt. Zur soziologischen und didaktischen Funktion des Johannesevangeliums, Frankfurt a. M. 1987 (= BET 20).

REHM, B.: Zur *Entstehung* der pseudoclementinischen Schriften, in: ZNW 37 (1938) 77–184.

REICKE, B.: Die *Fastenfrage* nach Luk. 5, 33–39, in: ThZ 30 (1974) 321–328.

DERS.: Die jüdischen *Baptisten* und Johannes der Täufer, in: SNTU.A 1 (1976) 76–88.

DERS.: Die *Verkündigung* des Täufers nach Lukas, in: SNTU.A 1 (1976) 50–61.

REITZENSTEIN, R.: Zur *Mandäerfrage*, in: ZNW 26 (1927) 39–70.

DERS.: Die *Vorgeschichte* der christlichen Taufe, Leipzig 1929.

RENAN, E.: *Jésus*, Paris ¹¹1864.

RENDTORFF, R.: *Erwägungen* zur Frühgeschichte des Prophetentums in Israel, in: ZThK 59 (1962) 145–167.

RENGSTORF, K. H.: *Art.* „*διδάσκω* κτλ", in: ThWNT II (1935), 138–168.

DERS.: *Art.* „*μανϑάνω* κτλ", in: ThWNT IV (1942), 392–465.

REUMANN, J.: The *quest* for the historical Baptist, in: DERS. (Hg.), Understanding the sacred text. FS M. S. ENSLIN, Valley Forge 1972, 181–199.

RICHES, J.: Jesus and the *transformation* of Judaism, London 1980.

RICHTER, G.: „Bist du *Elias?*" (Joh 1, 21) (1962/63), in: DERS., Studien zum Johannesevangelium. Hg. von J. HAINZ, Regensburg 1977 (= BU 13), 1–41.

DERS.: Die *Fleischwerdung* des Logos im Johannesevangelium (1971/72), in: DERS., Studien zum Johannesevangelium. Hg. von J. HAINZ, Regensburg 1977 (= BU 13), 149–198.

DERS.: Zu den *Tauferzählungen* Mk 1, 9–11 und Joh 1, 32–34 (1974), in: DERS., Studien zum Johannesevangelium. Hg. von J. HAINZ, Regensburg 1977 (= BU 13), 315–326.

RIESNER, R.: Jesus als *Lehrer*. Eine Untersuchung zum Ursprung der Evangelien-Überlieferung, Tübingen 1981 (= WUNT Reihe II:7).

ROBINSON, J. A. T.: The *baptism* of John and the Qumran community. Testing a hypothesis, in: HThR 50 (1957) 175–191.

DERS.: *Elijah,* John and Jesus. An essay in detection, in: NTS 4 (1957/58) 263–281.

ROLOFF, J.: Das *Kerygma* und der irdische Jesus. Historische Motive in den Jesus-Erzählungen der Evangelien, Göttingen ²1973.

ROYEN, P. D. van: *Jezus* en Johannes de Doper. Een historisch onderzoek op grond van de Synoptische Evangeliën naar hun onderlinge verhouding sedert de arrestatie van den laatste, Leiden (1953).

RUCKSTUHL, E.: Der *Jünger,* den Jesus liebte, in: SNTU. A 11 (1986) 131–167.

RUDOLPH, K.: Die *Mandäer,* 2 Bde., Göttingen 1960/61 (= FRLANT 74/75).

DERS.: Der *Mandäismus* in der neueren Gnosisforschung, in: B. ALAND (Hg.), Gnosis. FS H. JONAS, Göttingen 1978, 244–277.

DERS.: Antike *Baptisten.* Zu den Überlieferungen über frühjüdische und -christliche Taufsekten, Berlin 1981 (= SSAW.PH 121, 4).

RÜGER, H. P.: *ΝΑΖΑΡΕΘ*/ΝΑΖΑΡΑ, ΝΑΖΑΡΗΝΟΣ/ΝΑΖΩΡΑΙΟΣ, in: ZNW 72 (1981) 257–263.

RUIZ, M. R.: Der *Missionsgedanke* des Johannesevangeliums. Ein Beitrag zur johanneischen Soteriologie und Ekklesiologie, Würzburg 1987 (= FzB 55).

SABUGAL, S.: La *embajada* mesiánica de Juan Bautista (Mt 11, 2–6 = Lc 7, 18–23). Historia, exégesis teológica, hermenéutica, Madrid 1980.

SANDERS, E. P.: *Jesus* und Judaism, London 1985.

SCHAEDER, H. H.: Art. „Ναζαρηνός, Ναζωραῖος", in: ThWNT IV (1942), 879–884.

SCHÄFER, K. Th.: „... und dann werden sie *fasten,* an jenem Tage" (Mk 2, 20 und Parallelen), in: P. BENOIT u. a., Synoptische Studien. FS A. WIKENHAUSER, München 1953, 124–147.

SCHENK, W.: *Gefangenschaft* und Tod des Täufers. Erwägungen zur Chronologie und ihren Konsequenzen, in: NTS 29 (1983) 453–483.

SCHILLE, G.: *Anfänge* der Kirche. Erwägungen zur apostolischen Frühgeschichte, München 1966 (= BEvTh 43).

SCHILLEBEECKX, E.: *Jesus.* Die Geschichte von einem Lebenden, Freiburg i. Br. 1975 (Üb. Niederl.).

SCHLATTER, A.: *Johannes* der Täufer (1880). Hg. von W. MICHAELIS, Basel 1956.

SCHLICHTING, G.: Ein jüdisches *Leben* Jesu. Die verschollene Toledot-Jeschu-Fassung Tam ū-mū'ād, Tübingen 1982 (= WUNT 24).

SCHLIER, H.: Zur *Mandäerfrage,* in: ThR N. F. 5 (1933) 1–34; 69–92.

SCHLOSSER, J.: Le *Règne* de Dieu dans les dits de Jésus, 2 Bde., Paris 1980 (EtB).

SCHMIDT, C.: *Studien* zu den Pseudo-Clementinen nebst einem Anhange: Die älteste römische Bischofsliste und die Pseudo-Clementinen, Leipzig 1929 (= TU 46, 1).

SCHMIDT, K. L.: Der *Rahmen* der Geschichte Jesu. Literarkritische Untersuchungen zur ältesten Jesusüberlieferung (1919), Nachdruck: Darmstadt 1964.

SCHMIDT, W. H.: *Einführung* in das Alte Testament, Berlin 1979.

SCHMITHALS, W.: *Jesus* und die Apokalyptik, in: G. STRECKER (Hg.), Jesus Christus in Historie und Theologie. FS H. CONZELMANN, Tübingen 1975, 59–85.

SCHMITT, J.: Le *milieu* baptiste de Jean le Précurseur, in: RevSR 47 (1973) 391–407.

SCHNACKENBURG, R.: Das vierte *Evangelium* und die Johannesjünger, in: HJ 77 (1958) 21–38.

DERS.: Gottes *Herrschaft* und Reich. Eine biblisch-theologische Studie, Freiburg i. Br. ³1963.

SCHNEEMELCHER, W.: Das *Problem* des Judenchristentums, in: VF. Jahresbericht 1949/ 50 (1951/52) 229–238.

DERS.: Das *Urchristentum,* Stuttgart 1981.

SCHNEIDER, C.: Das *Christentum,* in: G. MANN, A. HEUSS u. A. NITSCHKE (Hg.), Propyläen Weltgeschichte IV/2 (1963), Frankfurt a. M. 1976, 429–485.

SCHNEIDER, G.: Die *Bitte* um das Kommen des Geistes im lukanischen Vaterunser (Lk 11, 2 v. l.), in: W. SCHRAGE (Hg.), Studien zum Text und zur Ethik des Neuen Testaments. FS H. GREEVEN, Berlin 1986 (= BZNW 47), 344–373.

SCHNEIDER, J.: Der historische *Jesus* und die urchristliche Taufe, in: H. RISTOW u. K. MATTHIAE (Hg.), Der historische Jesus und der kerygmatische Christus. Beiträge zum Christusverständnis in Forschung und Verkündigung, Berlin ³1964, 530–542.

SCHNELLE, U.: Antidoketische *Christologie* im Johannesevangelium. Eine Untersuchung zur Stellung des vierten Evangeliums in der johanneischen Schule, Göttingen 1987 (= FRLANT 144).

SCHNIDER, F.: Jesus der *Prophet,* Freiburg i. d. Schw. / Göttingen 1973 (= OBO 2).

SCHÖNLE, V.: *Johannes,* Jesus und die Juden. Die theologische Position des Matthäus und des Verfassers der Redenquelle im Lichte von Mt. 11, Frankfurt a. M. 1982 (= BET 17).

SCHOEPS, H. J.: *Theologie* und Geschichte des Judenchristentums, Tübingen 1949.

DERS.: Die *Pseudoklementinen* und das Urchristentum, in: ZRGG 10 (1958) 3–15.

DERS.: Das *Judenchristentum* in den Pseudoklementinen, in: ZRGG 11 (1959) 72–77.

SCHOU-PEDERSEN, V.: *Überlieferungen* über Johannes den Täufer (1940), in: G. WI-DENGREN (Hg.), Der Mandäismus, Darmstadt 1982 (= WdF 167), 206–226 (Üb. Dän.).

SCHRAMM, T.: Der *Markus-Stoff* bei Lukas. Eine literarkritische und redaktionsge-schichtliche Untersuchung, Cambridge 1971 (= MSSNTS 14).

SCHÜRER, E.: *Geschichte* des jüdischen Volkes im Zeitalter Jesu Christi, 3 Bde., Reg. (⁴1901–1909), Nachdruck: Hildesheim 1970.

SCHÜRMANN, H.: Die vorösterlichen *Anfänge* der Logientradition. Versuch eines form-geschichtlichen Zugangs zum Leben Jesu, in: H. RISTOW u. K. MATTHIAE (Hg.), Der historische Jesus und der kerygmatische Christus. Beiträge zum Christusverständnis in Verkündigung und Forschung, Berlin ³1964, 342–370.

DERS.: Gottes *Reich* – Jesu Geschick. Jesu ureigener Tod im Licht seiner Basileia-Verkündigung, Freiburg i. Br. 1983.

SCHÜTZ, R.: *Johannes* der Täufer, Zürich 1967 (= AThANT 50).

SCHULZ, A.: *Nachfolgen* und Nachahmen. Studien über das Verhältnis der neutestament-lichen Jüngerschaft zur urchristlichen Vorbildethik, München 1962 (= StANT 6).

SCHULZ, S.: *Komposition* und Herkunft der Johanneischen Reden, Stuttgart 1960 (= BWANT 81).

DERS.: Die *Stunde* der Botschaft. Einführung in die Theologie der vier Evangelisten, Hamburg / Zürich ²1970.

DERS.: Q. Die Spruchquelle der Evangelisten, Zürich 1972.

SCHUMACHER, R.: Der Alexandriner *Apollos,* Kempten 1916.

SCHWARTZ, E.: Unzeitgemäße *Beobachtungen* zu den Clementinen, in: ZNW 31 (1932) 151–199.

SCHWARZ, G.: „Und *Jesus* sprach". Untersuchungen zur aramäischen Urgestalt der Worte Jesu, Stuttgart 1985 (= BWANT 118).

DERS.: Jesus „der *Menschensohn".* Aramaistische Untersuchungen zu den synoptischen Menschensohnworten Jesu, Stuttgart 1986 (= BWANT 119).

SCHWEITZER, A.: *Geschichte* der Leben-Jesu-Forschung (1906), Tübingen ⁹1984 (= UTB 1302).

SCHWEIZER, E.: Die *Bekehrung* des Apollos, Ag. 18, 24–26, in: EvTh 15 (1955) 247–254.

DERS.: Der *Menschensohn* (Zur eschatologischen Erwartung Jesu), in: ZNW 50 (1959) 185–209.

DERS.: *Art.* „πνεῦμα κτλ D; E; F", in: ThWNT VI (1959), 387–453.

DERS.: Die *Jünger* Jesu und die nachösterliche Kirche, in: H. RISTOW u. K. MATTHIAE (Hg.), Der historische Jesus und der kerygmatische Christus. Beiträge zum Christusverständnis in Forschung und Verkündigung, Berlin ³1964, 455–467.

DERS.: „Er wird *Nazoräer* heißen" (zu Mc 1, 24 Mt 2, 23), in: W. ELTESTER (Hg.), Judentum – Urchristentum – Kirche. FS J. JEREMIAS, Berlin ²1964 (= BZNW 26), 90–93.

SCOBIE, C. H. H.: *John* the Baptist, London 1964.

SEEBERG, A.: *Vaterunser* und Abendmahl, in: P. KRÜGER u. a., Neutestamentliche Studien. FS G. HEINRICI, Leipzig 1914 (= UNT 6), 108–114.

SHAE, G. S.: The *question* on the authority of Jesus, in: NT 16 (1974) 1–29.

SINT, J. A.: Die *Eschatologie* des Täufers, die Täufergruppen und die Polemik der Evangelien, in: K. SCHUBERT (Hg.), Vom Messias zum Christus. Die Fülle der Zeit in religionsgeschichtlicher und theologischer Sicht, Wien 1964, 55–163.

SMITH, B. T. D.: *Apollos* and the twelve disciples at Ephesus, in: JThS 16 (1915) 241–246.

SMITH, D. M.: Johannine *Christianity*. Essays on its setting, sources, and theology, Edinburgh 1987.

SMITMANS, A.: Das *Weinwunder* von Kana. Die Auslegung von Jo 2, 1–11 bei den Vätern und heute, Tübingen 1966 (= BGBE 6).

SODEN, H. von: Die ursprüngliche *Gestalt* des Vaterunsers, in: ChW 18 (1904) Sp. 218–224.

SPITTA, F.: Die *Sendung* des Täufers zu Jesus, in: ThStKr 83 (1910) 534–551.

STÄHLIN, G.: *Art.* „φιλέω κτλ", in: ThWNT IX (1973), 112–169.

STANTON, G.: The *origin* and purpose of Matthew's gospel. Matthean scholarship from 1945–1980, in: ANRW II, 25. 3 (1984), 1889–1951.

STAUFFER, E.: Die *Theologie* des Neuen Testaments, Stuttgart ³1947.

DERS.: Antike *Jesustradition* und Jesuspolemik im mittelalterlichen Orient, in: ZNW 46 (1955) 1–30.

DERS.: Jesus. *Gestalt* und Geschichte, Bern 1957.

DERS.: *Jerusalem* und Rom im Zeitalter Jesu Christi, Bern 1957.

DERS.: Jesus. *Geschichte* und Verkündigung, in: ANRW II, 25. 1 (1982), 3–130.

STEINHAUSER, M. G.: *Doppelbildworte* in den synoptischen Evangelien. Eine form- und traditionskritische Studie, Würzburg 1981 (= FzB 44).

STENDAHL, K.: The *Scrolls* and the New Testament. An introduction and a perspective, in: DERS. (Hg.), The Scrolls and the New Testament, New York 1957, 1–17.

STRAUSS, D. F.: Das *Leben* Jesu, kritisch bearbeitet, 2 Bde. (1835/36), Nachdruck: Darmstadt 1969.

STRECKER, G.: Das *Judenchristentum* in den Pseudoklementinen, Berlin ²1981 (= TU 70).

DERS.: *Nachtrag*, in: W. BAUER, Rechtgläubigkeit und Ketzerei im ältesten Christentum, Tübingen ²1964 (= BHTh 10), 243–306.

DERS.: Der *Weg* der Gerechtigkeit. Untersuchung zur Theologie des Matthäus, Göttingen ³1971 (= FRLANT 82).

DERS.: Die Pseudoklementinen. *Einleitung*, in: W. SCHNEEMELCHER (Hg.), Neutestamentliche Apokryphen in deutscher Übersetzung II, Tübingen ⁵1989, 439–447.

STREETER, B. H.: The four *gospels*. A study of origins, London 1924.

STROBEL, A.: *Untersuchungen* zum eschatologischen Verzögerungsproblem. Auf Grund der spätjüdisch-urchristlichen Geschichte von Habakuk 2, 2ff., Leiden 1961 (= NT.S 2).

STUHLMACHER, P.: Das paulinische *Evangelium* I: Vorgeschichte, Göttingen 1968 (= FRLANT 95).

SUGGS, M. J.: *Wisdom*, christology, and law in Matthew's gospel, Cambridge, Mass. 1970.

SUHL, A.: Die *Funktion* der alttestamentlichen Zitate und Anspielungen im Markusevangelium, Gütersloh 1965.

TAYLOR, V.: *Forgiveness* and reconciliation. A study in New Testament theology, London ²1946.

TEICHER, J. L.: The teaching of the pre-Pauline church in the Dead Sea Scrolls VI: Has a Johannine *sect* ever existed?, in: JJS 4 (1953) 139–153.

THEISSEN, G.: *Soziologie* der Jesusbewegung. Ein Beitrag zur Entstehungsgeschichte des Urchristentums, München ³1981 (= Theologische Existenz heute 194).

THISSEN, W.: *Erzählung* der Befreiung. Eine exegetische Untersuchung zu Mk 2, 1–3, 6, Würzburg 1976 (= FzB 21).

THOMAS, J.: Les *Ébionites* baptistes, in: RHE 30 (1934) 257–296.

DERS.: Le *mouvement* baptiste en Palestine et Syrie (150 av. J.-C. – 300 ap. J.-C.), Gembloux 1935 (= Universitas Catholica Lovaniensis. Dissertationes ad gradum magistri in Facultate Theologica vel in Facultate Iuris Canonici consequendum conscriptae. Ser. II 28).

THYEN, H.: *Βάπτισμα μετανοίας εἰς ἄφεσιν ἁμαρτιῶν*, in: E. DINKLER (Hg.), Zeit und Geschichte. FS R. BULTMANN, Tübingen 1964, 97–125.

DERS.: *Studien* zur Sündenvergebung im Neuen Testament und seinen alttestamentlichen und jüdischen Voraussetzungen, Göttingen 1970 (= FRLANT 96).

DERS.: Der irdische *Jesus* und die Kirche, in: G. STRECKER (Hg.), Jesus Christus in Historie und Theologie. FS H. CONZELMANN, Tübingen 1975, 127–141.

DERS.: Aus der *Literatur* zum Johannesevangelium, in: ThR 39 (1975) 1–69; 222–252; 289–330; ThR 42 (1977) 211–270; ThR 43 (1978) 328–359; ThR 44 (1979) 97–134.

TODD, J. C.: The *Logia* of the Baptist, in: ET 21 (1909/10) 173–175.

TÖDT, H. E.: Der *Menschensohn* in der synoptischen Überlieferung, Gütersloh 1959.

TRILLING, W.: Die *Täufertradition* bei Matthäus, in: BZ N. F. 3 (1959) 271–289.

TROCMÉ, E.: *Jean-Baptiste* dans le Quatrième Évangile, in: RHPhR 60 (1980) 129–151.

UNNIK, W. C. van: Die *Apostelgeschichte* und die Häresien, in: ZNW 58 (1967) 240–246.

VIELHAUER, P.: Das *Benedictus* des Zacharias (Luk. 1, 68–79), in: ZThK 49 (1952) 255–272.

DERS.: *Art. „Johannes*, der Täufer", in: RGG³ III (1959), Sp. 804–808.

DERS.: *Tracht* und Speise Johannes des Täufers, in: DERS.: Aufsätze zum Neuen Testament, München 1965 (= TB 31), 47–54.

DERS.: *Geschichte* der urchristlichen Literatur. Einleitung in das Neue Testament, die Apokryphen und die Apostolischen Väter, Berlin 1975/1981.

VÖGTLE, A.: Der *Spruch* vom Jonaszeichen (1953), in: DERS., Das Evangelium und die Evangelien. Beiträge zur Evangelienforschung, Düsseldorf 1971 (KBANT), 103–136.

DERS.: *Wunder* und Wort in urchristlicher Glaubenswerbung (Mt 11, 2–5 / Lk 7, 18–23), in: DERS., Das Evangelium und die Evangelien. Beiträge zur Evangelienforschung, Düsseldorf 1971 (KBANT), 219–242.

DERS.: Die sogenannte *Taufperikope* Mk 1, 9–11. Zur Problematik der Herkunft und des ursprünglichen Sinns, in: P. STUHLMACHER u. a., EKK. Vorarbeiten IV, Zürich/Neukirchen 1972, 105–139.

VÖLKEL, M.: *„Freund* der Zöllner und Sünder", in: ZNW 69 (1978) 1–10.

VÖLTER, D.: Die *Apokalypse* des Zacharias im Evangelium des Lucas, in: ThT 30 (1896) 244–269.

VOLZ, P.: Die *Eschatologie* der jüdischen Gemeinde im neutestamentlichen Zeitalter. Nach den Quellen der rabbinischen, apokalyptischen und apokryphen Literatur dargestellt, Tübingen 1934.

WAIBEL, M.: Die *Auseinandersetzung* mit der Fasten- und Sabbatpraxis Jesu in den urchristlichen Gemeinden, in: G. DAUTZENBERG, H. MERKLEIN u. K. MÜLLER (Hg.), Zur Geschichte des Urchristentums, Freiburg i. Br. 1979 (= QD 87), 63–96.

WAITZ, H.: Die *Pseudoklementinen.* Homilien und Rekognitionen. Eine quellenkritische Untersuchung, Leipzig 1904 (= TU 10, 4).

DERS.: *Simon* Magus in der altchristlichen Literatur, in: ZNW 5 (1904) 121–143.

WANKE, J.: *„Bezugs-* und Kommentarworte" in den synoptischen Evangelien. Beobachtungen zur Interpretationsgeschichte der Herrenworte in der vorevangelischen Überlieferung, Leipzig 1981 (= EThSt 44).

WEHNERT, J.: *Literarkritik* und Sprachanalyse. Kritische Anmerkungen zum gegenwärtigen Stand der Pseudoklementinen-Forschung, in: ZNW 74 (1983) 268–301.

WEIZSÄCKER, C.: Das apostolische *Zeitalter* der christlichen Kirche, Tübingen ³1902.

WENGST, K.: Bedrängte *Gemeinde* und verherrlichter Christus. Der historische Ort des Johannesevangeliums als Schlüssel zu seiner Interpretation, Neukirchen-Vluyn 1981 (= Biblisch-Theologische Studien 5).

WERNER, M.: Was bedeutet für uns die geschichtliche *Persönlichkeit* Jesu?, in: H. RISTOW u. K. MATTHIAE (Hg.), Der historische Jesus und der kerygmatische Christus. Beiträge zum Christusverständnis in Forschung und Verkündigung, Berlin ³1964, 614–646.

WHITELEY, D. E. H.: Was John written by a *Sadducee?*, in: ANRW II, 25.3 (1984), 2481–2505.

WIDENGREN, G.: *Einleitung*, in: DERS. (Hg.), Der Mandäismus, Darmstadt 1982 (= WdF 167), 1–17.

WILCKENS, W.: *Wassertaufe* und Geistempfang bei Lukas, in: ThZ 23 (1967) 26–47.

WILCOX, M.: *Jesus* in the light of his Jewish environment, in: ANRW II, 25.1 (1982), 131–195.

WILLIAMS, F. E.: Fourth *Gospel* and synoptic tradition. Two Johannine passages, in: JBL 86 (1967) 311–319.

WILLIAMS, J. G.: The prophetic *"father"*. A brief explanation of the term "sons of the prophets", in: JBL 85 (1966) 344–348.

WILSON, J.: The *integrity* of John 3: 22–26, in: JSNT 10 (1981) 34–41.

WINDISCH, H.: *Taufe* und Sünde im ältesten Christentum bis auf Origenes. Ein Beitrag zur altchristlichen Dogmengeschichte, Tübingen 1908.

DERS.: Kleine *Beiträge* zur evangelischen Überlieferung, in: ZNW 18 (1917/18) 73–83.

DERS.: Die *Sprüche* vom Eingehen in das Reich Gottes, in: ZNW 27 (1928) 163–192.

DERS.: Die *Notiz* über Tracht und Speise des Täufers Johannes und ihre Entsprechungen in der Jesusüberlieferung, in: ZNW 32 (1933) 65–87.

WINK, W.: *John* the Baptist in the gospel tradition, Cambridge 1968 (= MSSNTS 7).

DERS.: Art. *„John* the Baptist", in: IDB. Supplementary volume (1976), 487–488.

WINTER, P.: On the *trial* of Jesus, Berlin ²1974 (= SJ 1).

WOLF, P.: *Gericht* und Reich Gottes bei Johannes und Jesus, in: P. FIEDLER u. D. ZELLER

(Hg.), Gegenwart und kommendes Reich. FS A. Vögtle, Stuttgart 1975 (SBB), 43–49.

Wolter, M.: *Apollos* und die ephesinischen Johannesjünger (Act 18, 24–19, 7), in: ZNW 78 (1987) 49–73.

Wrede, W.: *Charakter* und Tendenz des Johannesevangeliums (1903), Nachdruck: Tübingen 1933 (= SGV 37).

Zeller, D.: Die *Bildlogik* des Gleichnisses Mt 11, 16f. / Lk 7, 31f., in: ZNW 68 (1977) 252–257.

Ziesler, J. A.: The *removal* of the bridegroom: A note on Mark II. 18–22 and parallels, in: NTS 19 (1972/73) 190–194.

Zimmermann, H.: *Christushymnus* und johanneischer Prolog, in: J. Gnilka (Hg.), Neues Testament und Kirche., FS R. Schnackenburg, Freiburg i. Br. 1974, 249–265.

Zuckschwerdt, E.: *Nazōraîos* in Matth. 2, 23, in: ThZ 31 (1975) 65–77.

Abkürzungsverzeichnis

Neben den allgemein üblichen Abkürzungen werden in der vorliegenden Studie in der Regel nur solche verwendet, die im Abkürzungsverzeichnis der TRE, zusammengestellt von S. SCHWERTNER (1976), nachgewiesen sind. Die kanonische Literatur wird allerdings nach ÖVBE zitiert; die Sigel für die gnostische Literatur von Nag Hammadi sind der Liste bei KOSCHORKE, Polemik, XIIIf zu entnehmen.

Für die frühchristlichen Schriftsteller wurden die Abkürzungen so gewählt, daß die Werke beim Vergleich mit Sektion A des Literaturverzeichnisses unschwer entschlüsselt werden können. Aus Gründen der Einheitlichkeit wurde dabei im allgemeinen die lateinische Terminologie verwendet, während die Titel im Quellenverzeichnis nach der erreichbaren Ursprungsgestalt angeführt werden.

Außerdem wurden die folgenden Sigel benutzt:

AI   Ἀναβαθμοὶ Ἰακώβου
GS   Pseudoklementinische Grundschrift
JB   Johannesbuch der Mandäer
JE   Schlußredaktion des Joh-Corpus
ΚΠ   Κηρύγματα Πέτρου
SQ   Semeia-Quelle (als hypothetische Variable)

Stellenregister (Auswahl)

Es werden nur solche Stellen angeführt, die in unmittelbarem Zusammenhang mit der Täuferkreis-Problematik stehen. Die kursiv gedruckten Seitenzahlen geben Kapitel an, die die jeweiligen Verse eingehender untersuchen; für diese Seiten wurde auf Einzelangaben verzichtet.